Córka
opiekuna wspomnień

Kim Edwards

Córka opiekuna wspomnień

Z języka angielskiego przełożyła
Agnieszka Lipska-Nakoniecznik

VIDEOGRAF II
Katowice

Tytuł oryginału
The Memory Keeper's Daughter

Redakcja
Dorota Strojnowska

Redakcja techniczna
Damian Walasek

Korekta
Tomasz Gut

Projekt okładki
Marek J. Piwko

Zdjęcie na okładce
EAST NEWS

Skład i łamanie
Grzegorz Bociek

Wydanie I, marzec 2007

Videograf II Sp. z o.o.
41-500 Chorzów, Al. Harcerska 3c
tel. (0-32) 348-31-33, 348-31-35
fax (0-32) 348-31-25
office@videograf.pl
www.videograf.pl

Wyłączna dystrybucja „Składnica Księgarska" Sp. z o.o.
w Warszawie, ul. Kolejowa 19/21, www.sk.com.pl

ISBN 978-83-7183-452-3 (oprawa broszurowa)
ISBN 978-83-7183-451-6 (oprawa twarda całopapierowa z obwolutą)

Dla Abigail i Naomi

Podziękowania

Przede wszystkim chciałbym przekazać najserdeczniejsze wyrazy uznania pastorom Hunter Presbyterian Church za ich mądrość w pojmowaniu rzeczy widzialnych i niewidzialnych; specjalne podziękowania dla Claire Vonk Brooks, która nosiła w sobie zalążek tej historii i zdecydowała się mi go powierzyć.

Jean i Richard Covert wspaniałomyślnie podzielili się ze mną swoimi poglądami na temat pierwotnej wersji niniejszego manuskryptu, za co jestem im szalenie zobowiązana, tak samo jak Meg Steimann, Caroline Baesler, Kallie Baesler, Nancy Covert, Becky Lesch i Malkanthi McCormick – za ich bezstronność i porady. Bruce Burris zaprosił mnie do prowadzenia zajęć na warsztatach w Minds Wide Open; składam mu za to serdeczne podziękowania, podobnie jak wszystkim uczestnikom, którzy tamtego dnia byli obecni na moich lekcjach, za ich prace pisane prosto z serca.

Jestem ogromnie wdzięczna Mrs. Giles Whiting Foundation za wyjątkowe wsparcie i dodawanie mi otuchy. Również Kentucky Council of the Arts i Kentucky Foundation for Women przyznały mi znaczącą subwencję na napisanie tej książki, za co składam im serdeczne podziękowania.

Jak zawsze, ogromne wyrazy uznania dla mojej agentki, Geri Thoma, za jej mądrość, ciepło, wspaniałomyślność i niezawodność. Tak samo dziękuję wszystkim pracownikom wydawnictwa Viking, a zwłaszcza wydawcy, Pameli Dorman, za zrozumienie i zaangażowanie, jakie wykazała podczas przygotowywania tej książki, i za dociekliwe pytania, dzięki którym udało mi się głębiej wniknąć w tok narracji.

Dziękuję za jak zwykle nieocenioną pomoc Beenie Kamlani, za jej spostrzegawczość i kunszt redaktora, oraz Lucii Watson, która z niezmiennie dobrym humorem i precyzją załatwiała tysiące rzeczy naraz.

Z całego serca dziękuję moim koleżankom po fachu: Jane McCafferty, Mary Ann Taylor-Hall i Leathcie Kendrik, które życzliwym, ale i krytycznym okiem przejrzały manuskrypt powieści. Specjalne podziękowania składam rodzicom, Johnowi i Shirley Edwardsom. Wyrazy niezmiennej wdzięczności przesyłam Jamesowi Alanowi McPhersonowi, który wciąż pozostaje dla mnie wzorem nauczyciela i wychowawcy. Z radością dziękuję także Katherine Soulard Tourner i jej ojcu, niedawno zmarłemu Williamowi G. Turnerowi, za ich cenną przyjaźń, rozmowy o literaturze i informacje na temat Pittsburgha.

Wyrazy miłości i wdzięczności przesyłam mojej bliższej i dalszej rodzinie, zwłaszcza Tomowi.

Rok 1964

Marzec tysiąc dziewięćset sześćdziesiątego czwartego roku

Rozdział pierwszy

Ś nieg zaczął padać na kilka godzin przed pojawieniem się pierwszych oznak zbliżającego się porodu. Najpierw z popołudniowego, matowo-szarego nieba spłynęło kilka pojedynczych płatków, a potem wiatr zakręcił nimi i zawirował dookoła krawędzi szerokiego, frontowego ganku. On stał obok niej i patrząc przez okno, obserwował, jak ostre podmuchy wzniecają śnieżne fale, obracają nimi i unoszą w górę, zanim w końcu rzucą na ziemię. W sąsiednich domach włączono światła i wówczas nagie gałęzie drzew zalśniły nieskalaną bielą.

Po kolacji rozpalił ogień, a przedtem odważył się wyjść po drewno, ułożone ubiegłej jesieni obok ściany garażu. Powietrze, które owionęło mu twarz, było rześkie i zimne, zaś śnieg na podjeździe sięgał już do połowy łydki. Zebrał z ziemi kilka polan, otrząsnął z nich puchate, białe czapy i wniósł do środka. Suche szczapy na żelaznym palenisku od razu zajęły się ogniem, ale on przez pewien czas siedział obok ze skrzyżowanymi nogami i jak zahipnotyzowany patrzył w niespokojne, niebieskawe płomienie, od czasu do czasu dorzucając drew. W panujących na zewnątrz ciemnościach cicho prószył śnieg, jasny i gruby w stożkowatych kręgach światła rzucanych przez uliczne lampy. Zanim podniósł się z podłogi i wyjrzał przez okno, należące do nich auto, które stało tuż przy krawężniku, zmieniło się w miękki, biały pagórek. Nawet ślady jego stóp na podjeździe zdążyły się już wypełnić i zniknąć.

Otrzepał ręce z popiołu i przysiadł na kanapie obok żony, która odpoczywała ze stopami wspartymi na stosie poduszek. Opuchnięte kostki założyła jedna na drugą; na wydatnym brzuchu balansował egzemplarz słynnego poradnika doktora Spocka. Wydawała się całkowicie pochłonięta lekturą, bo co chwila lizała wskazujący palec i z namaszczeniem przewracała kartki. Miała szczupłe ręce, zakończone krótkimi, mocnymi palcami, a przy czytaniu odruchowo zagryzała dolną wargę. Obserwując ją, poczuł nagły przypływ miłości pomieszanej z zadziwieniem: że to właśnie ona jest jego żoną i że ich dziecko, którego narodzin spodziewali się w ciągu trzech tygodni, niebawem przyjdzie na świat. Ich pierwsze dziecko, dokładnie mówiąc. Małżeństwem byli zaledwie od roku.

Podniosła oczy i uśmiechnęła się lekko, kiedy otulał kocem jej nogi.

– Wiesz, cały czas się zastanawiam, jak to jest – powiedziała. – To znaczy, jak to jest przed urodzeniem. Fatalnie, że człowiek niczego nie pamięta.

Rozpięła szlafrok, podciągnęła wyżej sweter, który nosiła pod spodem, wystawiając na widok publiczny okrągły i twardy jak melon brzuszek i przesunęła dłonią po jego gładkiej powierzchni. Blask ognia tańczył na jej skórze i rzucał czerwonawo-złote błyski na piękne, bujne włosy.

– Myślisz, że to przypomina siedzenie wewnątrz wielkiej latarni? W książce jest napisane, że światło przenika przez skórę i że dziecko może je zobaczyć.

– Nie wiem – odparł.

Roześmiała się.

– Nie wiesz? Przecież jesteś lekarzem.

– Jestem chirurgiem ortopedą – przypomniał jej. – Mogę opowiedzieć ci co nieco o tkance kostnej płodu, i to wszystko, co wiem na ten temat.

Uniósł nieco jej delikatną choć jednocześnie opuchniętą stopę, ukrytą w jasnoniebieskiej skarpetce, i zaczął ją masować. Najpierw mocną kość stępową, potem śródstopie i kości paliczkowe, ukryte tuż pod skórą, a następnie zwarte mięśnie pod palcami, które pod jego dotykiem otwierały się jak wachlarz. Szmer jej oddechu wypełniał ciszę w pokoju, ciepło jej stóp ogrzewało mu dłonie i wtedy zaczął wyobrażać sobie ukrytą wewnątrz ciała doskonałą symetrię jej kości. W ciąży wydawała się mu prześliczna, lecz krucha jak kryształ, a to odczucie nasilało się, gdy widział drobniutkie, niebieskawe żyłki, przeświecające przez bladą skórę.

Choć była to wzorcowa ciąża, bez żadnych medycznych zastrzeżeń, doktor od dobrych kilku miesięcy nie był w stanie kochać się z żoną. Zamiast tego starał się ją ochronić najlepiej jak potrafił: wnosił ją po schodach, owijał w koce, przynosił filiżanki kremu z mleka i jaj. „Nie jestem inwalidką ani jakimś pisklakiem, którego znalazłeś na trawniku przed domem", protestowała ze śmiechem przy każdej takiej okazji. Mimo to widział, że jego atencje sprawiały jej radość. Czasem budził się i patrzył, jak ona śpi – na lekkie drżenie powiek, na wolne, lecz równomierne poruszenia klatki piersiowej, na rozpostartą dłoń, tak niedużą, że bez trudu mógłby ją nakryć swoją dłonią.

Była od niego młodsza o jedenaście lat. Po raz pierwszy zobaczył ją niewiele ponad rok temu, pewnej szarej listopadowej soboty. Wsiadała do windy w domu towarowym w centrum miasta, podczas gdy on kupował tam krawaty. Miał wówczas trzydzieści trzy lata i niedawno przeprowadził się do Lexington w Kentucky. W kłębiącym się tłumie wydała mu się zjawiskowo piękna, z blond włosami zwiniętymi na karku w elegancki kok, z perłami połyskującymi przy uszach i dookoła szyi. Miała na sobie płaszcz z ciemnozielonej wełny, przy którym jej skóra wydawała się tak biała, że aż przezroczysta. Bez namysłu wskoczył za nią do windy, przepychając się między ludźmi i walcząc ze wszystkich sił, żeby nie stracić jej z oczu. Wysiadła na czwartym piętrze i ruszyła w stronę działu z bielizną i rajstopami. Kiedy starał się nadążyć za nią między rzędami wypełnionymi przez wieszaki z majteczkami, biustonoszami i slipkami, które połyskiwały łagodnie w świetle lamp, nagle zastąpiła mu drogę sprzedawczyni w ciemnoniebieskiej sukience z białym kołnierzykiem i z uśmiechem spytała, czy może w czymś pomóc. „Chciałbym kupić szlafroczek", powiedział, przeczesując spojrzeniem boczne rzędy, dopóki nie dojrzał blond włosów, ramion okrytych ciemnozielonym materiałem i pochylonej głowy, odsłaniającej wytworny kształt szyi. „Chodzi mi o szlafrok dla siostry, która mieszka w Nowym Orleanie", wyjaśnił. Oczywiście tak naprawdę nie miał żadnej siostry ani żyjącej rodziny, o istnieniu której cokolwiek by wiedział.

Sprzedawczyni zniknęła i w chwilę później wróciła z trzema podomkami z aksamitu. Wybrał na chybił trafił i ledwie rzucając na nie okiem, wziął tę z wierzchu. „Mamy trzy rozmiary, ale w przyszłym miesiącu będzie o wiele większy wybór kolorów", mówiła sprzedawczyni, lecz on już jej nie słuchał.

Ze szlafroczkiem przewieszonym przez ramię wszedł między rzędy wieszaków i skrzypiąc podeszwami butów o płytki posadzki, przeciskał się między kupującymi do miejsca, gdzie stała ona.

Pochylona nad pudłem z drogimi pończochami przeglądała jego zawartość, a przez gładkie, celofanowe opakowania przeświecały ich kolory: ciemnoszary, granatowy, brunatny tak ciemny jak świńska krew. Rękaw zielonego płaszcza musnął w przelocie jego rękę i wtedy poczuł zapach jej perfum – delikatnych, lecz mimo to przenikliwych. Przypomniały mu gąszcz bladych płatków białego bzu, rosnącego pod oknem pokoju, który wynajmował w Pittsburghu w studenckich czasach. Niewielkie okienko piwnicznego pomieszczenia zawsze lepiło się od sadzy i popiołu emitowanego przez pobliską hutę stali, ale wiosną pod oknem zawsze kwitły bzy. Gałązki ciężkie od białego i liliowego kwiecia przyciskały się do szyby, zaś w powietrzu jak światło rozpływał się słodki zapach.

Chrząknął – bo tak naprawdę ze wzruszenia ledwo mógł oddychać – i wysoko podniósł podomkę z niestrzyżonego aksamitu, ale sprzedawczyni za ladą opowiadała właśnie jakiś dowcip, zaśmiewając się przy tym do łez, i wcale go nie zauważyła. Zachrząkał jeszcze raz i wówczas rzuciła na niego zirytowane spojrzenie, jednocześnie wskazując podbródkiem poprzednią klientkę, która trzymała przed sobą trzy cienkie opakowania pończoch, podobne do trzech ogromnych kart.

– Obawiam się, że panna Asher była przed panem – wycedziła lodowatym tonem.

Wtedy ich oczy spotkały się po raz pierwszy; ku swojemu zaskoczeniu ujrzał, że są w tym samym odcieniu intensywnej zieleni co płaszcz. Jednym spojrzeniem objęła całą jego sylwetkę – tweedowe palto, świeżo ogoloną twarz, wciąż zarumienioną od mrozu, starannie przycięte paznokcie – i wskazując na podomkę, uśmiechnęła się z lekkim rozbawieniem.

– Dla pańskiej żony? – spytała.

Usłyszał dystyngowany akcent, charakterystyczny dla mieszkańców Kentucky. W tym mieście starego pieniądza takie różnice odgrywały istotną rolę i po sześciu miesiącach pobytu doskonale o tym wiedział.

– W porządku, Jean – zwróciła się do sprzedawczyni. – Obsłuż najpierw tego pana. Biedaczek musi czuć się zagubiony wśród tych wszystkich wstążeczek i koronek.

– To prezent dla siostry – skłamał natychmiast, desperacko próbując zatrzeć niekorzystne wrażenie. Dość często przytrafiały mu się podobne sytuacje i wówczas zachowywał się zbyt nonszalancko lub bezpośrednio, i ludzie się o to obrażali. Szlafroczek wysunął mu się z rąk i spłynął na podłogę. Schylił się, żeby go podnieść, i od razu poczuł, jak oblewa się rumieńcem. Rękawiczki dziewczyny spoczywały na kontuarze; obok nich ujrzał jej splecione dłonie. Jego zakłopotanie zdawało się łagodzić jej nastrój i kiedy ich oczy znów się spotkały, ujrzał w nich ciepłe zainteresowanie.

Postanowił spróbować jeszcze raz.

– Ogromnie przepraszam, sam nie wiem, co robię. Widzi pani, trochę się śpieszę. Jestem lekarzem i w szpitalu już na mnie czekają.

Jej uśmiech zniknął. Teraz była całkiem poważna.

– Rozumiem – odrzekła i znów zwróciła się do sprzedawczyni. – Jean, proszę, obsłuż najpierw tego pana.

Zgodziła się spotkać z nim ponownie. Napisała swoje nazwisko i numer telefonu starannym pismem, którego w trzeciej klasie szkoły uczyła eks-zakonnica, bo właśnie do jej obowiązków należało kształtowanie charakteru pisma uczennic. Każda litera mà swój własny kształt, powtarzała im bez przerwy, jeden jedyny w świecie i niepowtarzalny, i waszym zadaniem jest dbać o jego doskonałość. Ośmioletnia, blada i chuda dziewczynka – kobieta w zielonym płaszczu, która miała kiedyś zostać jego żoną – zaciskała paluszki dookoła wiecznego pióra i siedząc samotnie w pokoju, ćwiczyła pochyłe litery, godzina po godzinie, dopóki nie nabrała w pisaniu płynności podobnej do płynności wody. Wiele lat później, słuchając tej historii, wyobrażał sobie dziewczęcą główkę pochyloną pod lampką, paluszki obejmujące w bolesnym uścisku pióro i podziwiał jej nieustępliwość, jej wiarę w piękno i władczy głos eks-zakonnicy... Ale tamtego dnia nie miał o tym pojęcia. Tamtego dnia chodził od jednej sali chorych do drugiej, nosząc w kieszeni fartucha kawałek papieru, i przypominał sobie, jak pod jej ręką jedna litera gładko zmieniała się w drugą, aż wreszcie utworzyła kształt jej imienia. Zadzwonił jeszcze tego samego wieczora i zaprosił ją na kolację, a w trzy miesiące później byli już małżeństwem.

Teraz, podczas ostatnich miesięcy ciąży, podomka w koralowym kolorze leżała na niej jak ulał. Znalazła ją przypadkiem i przyniosła, żeby mu pokazać. „Ale przecież twoja siostra umarła dawno temu", wykrzyknęła z nagłym zadziwieniem, a on na moment zamarł i uśmiechnął się na wspomnienie niewinnego kłamstewka sprzed roku. „Musiałem coś wymyślić", oświadczył z zakłopotaniem, „musiałem w jakiś sposób dowiedzieć się, jak się nazywasz i gdzie cię szukać". Wtedy uśmiechnęła się i przeszła na ukos przez pokój, żeby go objąć.

Śnieg wciąż padał, a oni przez następne kilka godzin czytali i rozmawiali. Czasami chwytała jego rękę i przykładała sobie do brzucha, żeby poczuł ruchy dziecka. Od czasu do czasu wstawał, żeby dołożyć do ognia i przy okazji wyjrzeć przez okno. Na ziemi leżały trzy cale śniegu, potem pięć albo sześć. Ulice wydawały się coraz cichsze i coraz bardziej senne. Zauważył zaledwie kilka samochodów.

O jedenastej podniosła się z kanapy i powędrowała do łóżka. On został na dole, żeby przeczytać najnowsze wydanie „The Journal of Bone and Joint Surgery". Cieszył się opinią dobrego lekarza, który potrafi postawić właściwą diagnozę i umie precyzyjnie przeprowadzić operację. Zawsze był prymusem i najlepszym uczniem w klasie, ale mimo to był wciąż wystarczająco młody, żeby – choć starał się to starannie ukrywać – nie być pewnym własnych umiejętności. Wszystkie wolne chwile poświęcał na naukę, a każdy sukces traktował jako kolejny element układanki, która miała podnieść jego wartość przede wszystkim we własnych oczach. Zawsze czuł się w pewien sposób wyobcowany, ponieważ mając zamiłowanie do nauki, urodził się w rodzinie troszczącej się głównie o to, jak przeżyć kolejny dzień. Rodzice uważali wykształcenie za niepotrzebny luksus i środek, który niekoniecznie musi prowadzić do celu. Biedacy, jeśli w ogóle jeździli do lekarza, to od razu do kliniki w Morgantown, pięćdziesiąt mil od miejsca zamieszkania. Zachował żywe wspomnienia z tych rzadkich wypraw, kiedy podskakiwali na tylnym siedzeniu wypożyczonego pikapa, a obłoczki kurzu przesłaniały im widok. Pewnego razu jego siostra, zajmując miejsce w taksówce obok rodziców, nazwała ten trakt „roztańczoną drogą". W Morgantown pomieszczenia były mroczne, pomalowane na kolor ciemnej zieleni lub turkusowy, zaś lekarze wiecznie się spieszyli, wszystkie sprawy z nimi starali się załatwić jak najszybciej i sprawiali wrażenie nieobecnych.

Nawet teraz, po tylu latach, wciąż zdarzały się momenty, że wyczuwał na plecach ich wzrok i wówczas czuł się jak oszust, który zaraz popełni jakiś głupi błąd i się zdemaskuje. Wiedział, że te obawy zdecydowały o wyborze specjalizacji. Nie dla niego była uzależniona od przypadku nerwowość na internie czy precyzyjne i wielce ryzykowne łatanie chorego serca. On wolał zajmować się złamanymi kończynami, robieniem gipsowych opatrunków i przeglądaniem zdjęć rentgenowskich, na których obserwował, jak powoli w cudowny sposób miejsca złamań zaczynają się łączyć. Podobało mu się, że kość jest czymś tak mocnym – czymś, co może przetrwać nawet w rozżarzonym do białości krematoryjnym piecu. Kość wszystko wytrzyma, więc łatwo było mu pokładać ufność w rzeczy o tak stabilnej i łatwej do przewidzenia naturze.

Czytał jeszcze dobrze po północy, aż słowa na białych stronach zaczęły mu tańczyć przed oczyma, więc w końcu rzucił gazetę na stolik od kawy i wstał, żeby poprawić ogień na kominku. Ubił zwęglone kawałki drewna, otworzył na oścież szyber, ustawił przed paleniskiem ekran z brązu i wyłączył światło. Rozżarzone węgielki migotały łagodnie spod pokrywy z popiołu, delikatne i białe jak śnieg, który sięgał teraz do balustrady na ganku i przykrywał krzewy rododendronów.

Schody zaskrzypiały pod jego ciężarem. Na chwilę zatrzymał się przy wejściu do pokoju dziecinnego, żeby popatrzeć na ciemny zarys kołyski, stolika do przewijania i pluszowych zwierzątek ustawionych na półkach. Ściany pomalowane zostały na jasnozielony kolor. Jego żona uszyła kołdrę z motywem Matki Gęsi i powiesiła ją na ścianie naprzeciwko wejścia. Starała się szyć drobniutkim ściegiem i bez wahania odrywała całe kwadraty, jeśli dostrzegła najmniejszą niedokładność. Tuż pod sufitem, na całej długości ściany, uśmiechał się rząd namalowanych, wesołych misiów – to także wykonała własnoręcznie.

Pod wpływem impulsu wszedł do środka. Zatrzymał się przy oknie i odsunął na bok lekką zasłonę, żeby popatrzeć na śnieg. Zwały puchu piętrzyły się wokół latarni, płotów i na dachach, a biała pokrywa miała już przynajmniej osiem cali. W Lexington rzadko zdarzały się tak obfite opady, więc widok wirujących płatków i cisza panująca w okolicy napełniły go czymś w rodzaju podniecenia i spokoju jednocześnie. W tym momencie wszystkie zasadniczo odmienne fragmenty jego życia łączyły się w jednolitą całość; przeszłe smutki i rozczarowania, każdy niepokojący sekret i niepewność na zawsze spoczęły pod miękkim, białym przykryciem. Jutro wszystko się uspokoi, świat się wyciszy i przytłumi – aż do chwili, gdy dzieciaki z sąsiedztwa wybiegną, żeby przerwać ten bezruch i zostawią na śniegu wydeptane ślady, a w powietrzu będą się unosić ich radosne okrzyki. Pamiętał takie dni z własnego, spędzonego w górach dzieciństwa. W tych rzadkich momentach, kiedy udawało mu się uciec do lasu, czuł, jak oddycha pełną piersią, a jego głos tłumi ciężar śniegu, przyginającego do ziemi gałęzie i zasypującego ścieżki. Na kilka krótkich godzin świat ulegał całkowitemu przeistoczeniu.

Stał przy oknie przez dłuższą chwilę, dopóki nie usłyszał, że żona się rusza. Znalazł ją siedzącą na krawędzi łóżka, z pochyloną głową i dłońmi zaciśniętymi na krawędzi materaca.

– Wydaje mi się, że zaczyna się poród – powiedziała, spoglądając na niego. Miała rozpuszczone włosy, a pojedynczy kosmyk przylepił się do jej pięknie wykrojonych warg. Pełnym czułości ruchem odgarnął go na bok i założył za ucho. Kiedy usiadł obok, pokręciła głową. – Zresztą sama nie wiem. Jakoś dziwnie się czuję. Mam wrażenie, że skurcze... że przychodzą i odchodzą.

Pomógł jej ułożyć się na boku, a następnie sam ułożył się obok i zaczął masować plecy.

– To pewnie skurcze przepowiadające – pocieszył ją. – Poza tym zostały ci jeszcze trzy tygodnie, a pierwsze dzieci zazwyczaj rodzą się po terminie.

Tak to wyglądało, świetnie o tym wiedział i był tak pewny tego, co mówi, że po niedługim czasie sam odpłynął w sen. Obudziło go potrząsanie za ramię. Żona stała przy łóżku. Jej szlafrok i włosy wyglądały na prawie białe w dziwacznym śnieżnym poblasku, który wypełniał ich sypialnię.

– Zaczęłam sprawdzać czas. Pojawiają się dokładnie co pięć minut i są coraz silniejsze. Jestem przerażona.

I wtedy coś szarpnęło go w środku; podniecenie i obawa przetoczyły się przez niego jak piana odepchnięta przez fale. Jednak on był nawykły do tego, że w nagłych sytuacjach musi zachować spokój i kontrolować emocje, więc bez pośpiechu podniósł się z łóżka, zabrał zegarek i zaczął chodzić z nią powoli po korytarzu, tam i z powrotem. Kiedy zbliżał się ból, ściskała jego dłoń tak silnie, że miał wrażenie, że zaraz popękają mu wszystkie kosteczki. Skurcze najpierw nadchodziły co pięć minut, tak jak powiedziała, potem co cztery. Wyjął z szafy walizkę, nagle oszołomiony doniosłością zbliżającego się wydarzenia, które – mimo iż od dawna wyczekiwane – jednak okazało się niespodzianką. Zmuszał się do działania, podobnie jak ona, ale miał wrażenie, że cały świat wokół nich nagle zwolnił i w końcu się zatrzymał. W pełni świadomy tego, co robi, pomógł żonie wcisnąć stopy w jedyne buty, które jeszcze mogła na siebie włożyć, z czułością patrząc na jej nabrzmiałe kostki. Gdy wziął ją pod rękę, nagle ogarnęło go dziwne uczucie. Miał wrażenie, że unosi się w powietrzu, pod samym sufitem, i spogląda na nich z góry, dostrzegając każdy niuans i każdy detal – widział jej drżenie przy każdym skurczu i własne palce zaciśnięte mocno wokół jej łokcia. I śnieg, który wciąż nie przestawał padać.

Pomógł jej włożyć płaszcz z zielonej wełny, który nie dopinał się na brzuchu, a następnie znalazł skórzane rękawiczki, które nosiła tamtego dnia, gdy pierwszy raz ją zobaczył. Czuł, że to szczególnie ważne, że powinien zadbać o wszystkie szczegóły. Przez moment zatrzymali się na ganku, oszołomieni miękką białością otaczającego ich świata.

– Zaczekaj tutaj – powiedział i zszedł po stopniach, wydeptując ścieżkę pośród zasp. Drzwiczki ich starego samochodu zdążyły zamarznąć i musiał poświęcić dobrych kilka minut, żeby je otworzyć. Biała, połyskliwa chmura poszybowała w górę, a kiedy drzwi wreszcie odskoczyły, on wgramolił się do środka, żeby sięgnąć po szczotkę i skrobaczkę, które leżały na podłodze przed tylną kanapą. Gdy wylazł na zewnątrz, jego żona opierała się o jedną z kolumn na ganku, ukrywając w splecionych rękach czoło. W jednej chwili uświadomił sobie dwie rzeczy – że jej cierpienie musi być naprawdę wielkie i że dziecko rzeczywiście się rodzi, że urodzi się jeszcze tej nocy. Zwalczył przemożne pragnienie, żeby biec do niej czym prędzej, i zamiast tego całą energię poświęcił na oczyszczenie samochodu. Kiedy jedna dłoń zziębła tak bardzo, że tracił w niej czucie, chował ją pod pachę i zmiatał śnieg z szyb drugą ręką, nawet na moment nie przerywając pracy. Miękki puch rozwiewał się dookoła i niknął w morzu bieli.

– Nic nie mówiłeś, że to aż tak boli – odzywała się z wyrzutem, kiedy wrócił na ganek. W odpowiedzi otoczył ją ramieniem i pomógł zejść po schodach. – Mogę iść sama – upierała się. – Gorzej jest tylko wtedy, kiedy nadchodzi skurcz.

– Wiem – mruknął, ale nie zwolnił uścisku.

Gdy doszli do samochodu, delikatnie dotknęła jego ramienia i wskazała na dom, skryty za zasłoną ze śniegu i połyskujący jak latarnia w świetle ulicznych lamp.

– Kiedy tu wrócimy, będzie z nami nasze dziecko – uśmiechnęła się. – Świat już nigdy nie będzie wyglądał tak samo, jak przedtem. Wycieraczki przymarzły do szyby. Wolno oderwał się od krawężnika, a wówczas masa śniegu zalegająca na dachu zsunęła się na klapę bagażnika. Jechał powoli, rozmyślając jak piękne jest Lexington, gdy drzewa i krzewy okrywają ciężkie, białe czapy. Skręcając na główną drogę, zahaczył kołami o lód i samochód wpadł w poślizg. Gładko przesunął się przez skrzyżowanie i zakończył przygodę w śnieżnej zaspie.

– Nic się nie stało – oznajmił, choć ze zdenerwowania zakręciło mu się w głowie. Na szczęście w pobliżu nie było innego samochodu. Miał wrażenie, że zamiast kierownicy ściska w rękach zimny, twardy kamień. Od czasu do czasu wierzchem dłoni przecierał przednią szybę i pochylał się do przodu, żeby wyjrzeć przez dziurkę, którą przed chwilą zrobił.

– Zanim wyjechaliśmy, udało mi się dodzwonić do Bentleya – celowo wymienił nazwisko położnika, żeby ją uspokoić. – Powiedział, że będzie czekał na nas w biurze. Pojedziemy tam, bo to znacznie bliżej. .

Przez chwilę nie odpowiadała, tylko zaciskała palce na desce rozdzielczej i dyszała ciężko, bo właśnie nadszedł kolejny skurcz.

– Na wszystko się zgadzam, byle bym nie musiała urodzić dziecka w tym okropnym gracie – odparła, starając się obrócić wszystko w żart. – Wiesz przecież, jak bardzo go nienawidzę.

Uśmiechnął się, choć wiedział, że jej strach był prawdziwy, a on w pełni podzielał te obawy.

Systematyczność, celowość działania... Nawet w nagłej sytuacji potrafił się opanować. Zatrzymywał się na każdym świetle, sygnalizował kierunkowskazami każdy skręt w pustą ulicę... Co kilka minut ona chwytała kurczowo za krawędź deski rozdzielczej i skupiała się na oddychaniu, przez co on nerwowo przełykał ślinę i rzucał na nią ukradkowe spojrzenia. Dzisiejszej nocy zdecydowanie był bardziej zdenerwowany, niż kiedykolwiek przedtem. Bardziej niż na pierwszych zajęciach z anatomii, kiedy otwierali ciało młodego chłopca, żeby poznać jego sekrety. Bardziej niż w dniu ślubu, gdy rodzina panny młodej szczelnie wypełniała jedną część kościoła, zaś po drugiej stronie siedziała jedynie garstka kolegów. Jego rodzice od dawna nie żyli, siostra zresztą też.

Na parkingu przed kliniką stał samotny samochód, szaroniebieski Fairlane, należący do położnej – konserwatywny, pragmatyczny i z pewnością nowszy od ich samochodu. Do niej także zdążył zadzwonić. Zatrzymał się tuż przed wejściem i pomógł żonie wysiąść. Teraz, gdy udało się bezpiecznie dotrzeć do kliniki, oboje odzyskali pogodę ducha i śmiejąc się, wkroczyli do jasno oświetlonej izby przyjęć. Położna wyszła im na spotkanie. Gdy tylko ją zobaczył, wiedział, że stało się coś złego. Wielkie, niebieskie oczy spoglądały z twarzy, która równie dobrze mogła mieć czterdzieści albo dwadzieścia pięć lat, ale między brwiami pojawiła się głęboka, pionowa zmarszczka, której tam nie pamiętał. Była tam teraz, kiedy siostra przekazywała mu złe nowiny: samochód Bentleya wpadł w poślizg na nieodśnieżonej, wiejskiej drodze, obrócił się dwukrotnie na ukrytym pod śniegiem lodzie i wpadł do rowu melioracyjnego.

– Czy chce pani przez to powiedzieć, że doktor Bentley nie przyjedzie? – zapytała jego żona.

Pielęgniarka skinęła głową. Była wysoką, kanciastą kobietą, tak chudą, że zdawało się, iż jej kości w każdej chwili mogą przebić skórę. Wielkie, błękitne oczy miały uroczysty i inteligentny wyraz. Od miesięcy po klinice krążyły żarciki o jej miłości do przystojnego doktora. On odsuwał od siebie te rewelacje, traktując je jak zwykłe biurowe ploteczki, denerwujące, lecz całkiem naturalne w sytuacji, gdy mężczyzna i samotna kobieta widują się dzień w dzień i pracują tak blisko siebie. Ale pewnego wieczora zdarzyło się, że zasnął przy swoim biurku. Śniło mu się, że znów jest w rodzinnym domu, a matka ustawia na przykrytym, zatłuszczonym obrusem stole słoiki z dżemami, które w promieniach słońca lśnią jak klejnoty. Pięcioletnia siostra siedzi na stołeczku, trzymając w rączce szmacianą lalkę. Ten ulotny obraz, być może wspomnienie czegoś, co naprawdę się zdarzyło, napełnił jego duszę smutkiem i tęsknotą. Rodzinny dom od dawna świecił pustkami. Nikt w nim nie mieszkał, odkąd siostra umarła, a rodzice się przeprowadzili. Pokoje, które matka szorowała do połysku, teraz wypełniały szurania wiewiórek i nocne harce myszy.

Gdy podnosił głowę, w jego oczach błyszczały łzy. Zauważył, że pielęgniarka stoi w przejściu i przygląda mu się z uwagą, a na jej twarzy maluje się prawdziwe wzruszenie. W tym momencie była piękna; w niczym nie przypominała tej profesjonalnej pracownicy, która towarzyszyła mu każdego dnia, kompetentnie i starannie wypełniając swoje obowiązki. Ich oczy się spotkały i doktor miał wrażenie, że doskonale ją zna – że znają się nawzajem – w pewien głęboki i bardzo osobisty sposób. Przez jeden jedyny moment nie dzieliło ich dosłownie nic; intymność, która nagle zrodziła się między nimi, była tak potężna, że doktor siedział bez ruchu jak sparaliżowany. A potem ona oblała się rumieńcem i odwróciła wzrok. Odchrząknęła i prostując się, powiedziała zwykłym, chłodnym tonem, że pracuje dziś już dwie godziny dłużej niż powinna i że chciałaby iść do domu. Odtąd przez wiele dni unikała jego spojrzenia.

Po tym wszystkim, kiedy ludzie zaczynali mu dokuczać, natychmiast ucinał ich żarty.

„Ona jest doskonałą pielęgniarką", powtarzał i unosił rękę, żeby zaakcentować swój szacunek dla łączności duchowej, jakiej wówczas doświadczył. „Jest najlepszą pielęgniarką, z jaką dotąd miałem okazję pracować". To była prawda i teraz czuł się niezmiernie szczęśliwy, że ma ją u swego boku.

– Co z salą operacyjną? – spytała. – Przygotować ją panu?

Pokręcił głową. Skurcze nadchodziły już co minutę, a może jeszcze częściej.

– Dziecko nie będzie czekać. Już jest w drodze – odparł, spoglądając na żonę. Śnieg w jej włosach zdążył się już rozpuścić i lśnił jak diamentowa tiara.

– Wszystko w porządku – odezwała się ze stoickim spokojem. – Będziemy mieli mu co opowiadać, kiedy dorośnie. Jemu albo jej.

Pielęgniarka uśmiechnęła się. Zmarszczka między oczami wyraźnie się wygładziła, choć nie zniknęła zupełnie.

– W takim razie proszę wejść – powiedziała. – Spróbujemy pomóc pani zwalczyć ten ból.

Doktor skierował się do własnego gabinetu, żeby tam przebrać się w fartuch, a kiedy wszedł do gabinetu Bentleya, żona leżała już na fotelu ginekologicznym z nogami w strzemionach. Gabinet, ze ścianami w jasnoniebieskim kolorze, pełen był sprzętów z chromu i białej emalii, a stal narzędzi lśniła w blasku lamp. Doktor podszedł do zlewu, żeby umyć ręce. Czuł się absolutnie przytomny i czujny. Świadomie zwracał uwagę na najdrobniejsze szczegóły i kiedy oddawał się zwykłym, rutynowym czynnościom, dotarło do niego, że panika, jaka ogarnęła go na wieść o nieobecności Bentleya, zaczyna z wolna ustępować. Zamknął oczy, żeby skoncentrować się na czekającym go zadaniu.

– Poród jest w toku – poinformowała go pielęgniarka, kiedy się odwrócił. – I moim zdaniem wszystko wygląda jak należy. Mamy rozwarcie na dziesięć centymetrów, zresztą niech pan sam oceni.

Usiadł na niskim stołeczku i jedną ręką sięgnął w głąb miękkiego, ciepłego wnętrza żoninego ciała. Worek płodowy był wciąż nienaruszony, ale przez cienką błonę bez trudu mógł wyczuć główkę noworodka, okrągłą i twardą jak piłka do baseballa. Główkę własnego dziecka. Powinien teraz przechadzać się wielkimi krokami po jakiejś poczekalni. Jedyne okno gabinetu przesłaniały zaciągnięte żaluzje. Wyciągając rękę z ciała żony, ze zdumieniem przekonał się, że myśli o śniegu – czy wciąż jeszcze pada, otulając ciszą miasto i okoliczne tereny.

– Tak jest – powiedział na głos. – Dziesięć centymetrów.

– Phoebe – usłyszał głos żony. Ze swojego miejsca nie mógł dostrzec jej twarzy, ale to słowo zabrzmiał jasno i czysto. Od miesięcy dyskutowali nad wyborem imienia, ale aż do dzisiaj nie udało im się podjąć żadnej decyzji. – Jeśli to będzie dziewczynka. A jeśli chłopiec, to Paul, po moim stryjecznym dziadku. Czy już ci o tym mówiłam? – zwróciła się wprost do niego. – To znaczy, czy mówiłam, że już się zdecydowałam?

– To ładne imiona – powiedziała siostra pojednawczo.

– Phoebe i Paul – odruchowo powtórzył doktor. Całą uwagę skupił na zbliżającym się skurczu, który już zaczął napinać ciało rodzącej. Gestem wskazał na coś, co pielęgniarka zrozumiała jako prośbę o zastosowanie gazu znieczulającego. W czasach, gdy odbywał staż, normalnie znieczulało się całkowicie każdą rodzącą kobietę, ale czasy się zmieniają, jest rok tysiąc dziewięćset sześćdziesiąty czwarty. Doktor Bentley używał gazu znacznie rozważniej, bo sądził, że lepiej, jeśli rodząca jest przytomna i może samodzielnie przeć. Doktor zdecydował, że znieczuli żonę w momencie najbardziej uciążliwych skurczów, kiedy nacisk główki sięgnie krocza. Nagle żona napięła się i wydała z siebie bolesny okrzyk. Dziecko weszło główką do kanału rodnego, rozrywając worek owodniowy.

– Już – wydał polecenie i pielęgniarka umieściła maskę w odpowiednim miejscu. Widział, jak żona opuszcza ręce, jak rozluźniają się zaciśnięte pięści. Po chwili leżała nieruchomo, spokojna i nieświadoma, że właśnie nadszedł kolejny skurcz, a po nim następny.

– Szybko idzie, jak na pierwsze dziecko – zauważyła pielęgniarka.

– Tak – przyznał jej rację. – Jak dotąd wszystko przebiega znakomicie.

W ten sposób minęło pół godziny. Rodząca ożywiała się, jęczała i parła, a kiedy czuł, że już ma dosyć – albo gdy krzyczała, że więcej bólu nie zniesie – dawał znak siostrze, która podsuwała maskę z gazem. Poza krótką wymianą poleceń wcale z nią nie rozmawiał. Na zewnątrz śnieg wciąż prószył, gromadząc się obok ścian domów i wypełniając ulice. Doktor siedział na metalowym krzesełku, starając się koncentrować uwagę na najistotniejszych faktach. Podczas studiów medycznych przyjął na świat pięcioro dzieci; wszystkie urodziły się żywe i zdrowe, zaś same porody przebiegły bez zakłóceń. Teraz usiłował wygrzebać w pamięci najdrobniejsze szczegóły tamtych porodów. W miarę jak to robił, jego żona, leżąca ze stopami w strzemionach i brzuchem tak wzdętym, że nie widział jej twarzy, powoli stawała się jedną z tamtych kobiet. Jej krągłe kolana, gładkie, szczupłe łydki, kostki... Wszystko to znajdowało się tuż przed jego oczyma, kochane i znajome, a mimo to nie przyszło mu do głowy, by pieszczotliwie pogłaskać ją po nodze albo położyć dłoń na kolanie, żeby dodać jej otuchy. To pielęgniarka trzymała ją za rękę podczas parcia. Dla lekarza, skupionego na tym, co bezpośrednio miał przed oczyma, była nie sobą, lecz kimś więcej niż sobą – ciałem podobnym do innych ciał, pacjentką potrzebującą jego pomocy, jego wiedzy i zawodowych umiejętności. Koniecznie – koniecznie bardziej niż zwykle – należało trzymać emocje na wodzy. Jednak w miarę upływu czasu znów naszło go to dziwaczne wrażenie, którego wcześniej doświadczył w ich sypialni. Nagle poczuł się tak, jakby w przedziwny sposób oderwał się z tego miejsca, jakby jednocześnie był i tu, i tam – w powietrzu, skąd z bezpiecznej odległości mógł obserwować przebieg porodu. Patrzył, jak ostrożnie i z precyzją jego ręce wykonują nacięcie krocza. Dobra robota, pomyślał na widok równiutkiej linii, w której wzbierała krew, nie pozwalając sobie na wspominanie chwil, gdy w miłosnym uniesieniu dotykał tych samych miejsc.

W kanale rodnym ukazała się główka płodu. Wystarczyły jeszcze trzy skurcze parte, żeby znalazła się na zewnątrz, a potem w jego ręce wyślizgnęło się całe ciałko. Dziecko zapłakało, a jego fioletowa skóra szybko zaczęła przybierać różowy odcień.

To był chłopczyk o czerwonej twarzyczce i ciemnych włoskach, nieufnie nastawiony wobec jaskrawego światła i zetknięcia z chłodnym powietrzem. Lekarz podwiązał pępowinę i przeciął ją. „Mój syn", pomyślał z dumą. „Mój syn".

– Jaki piękny – zachwyciła się siostra. Czekała z boku, podczas gdy on badał dziecko, nasłuchując gwałtownych uderzeń małego serduszka, oglądając paluszki o długich palcach i burzę ciemnych włosków. Dopiero po tym mogła zabrać chłopczyka do sąsiedniego pokoju, żeby tam go umyć i zapuścić w oczy krople z azotanem srebra. Po chwili doleciał do nich płacz niemowlęcia i rodząca poruszyła się niespokojnie. Doktor został tam, gdzie był, i z dłonią opartą na kolanie żony czekał, aż urodzi się łożysko. „Mój syn", pomyślał znowu.

– Gdzie jest dziecko? – spytała nagle żona, otwierając oczy i odgarniając z zarumienionej twarzy kosmyk włosów. – Czy wszystko w porządku?

– Tak, kochanie. To chłopiec – uśmiechnął się do niej. – Mamy syna. Zaraz go zobaczysz, jak tylko zostanie wykąpany. Jest absolutnie doskonały.

Twarz żony, łagodna z ulgi i wyczerpania, nagle skurczyła się w kolejnym ataku bólu. Doktor powrócił na stołek ustawiony między jej nogami i lekko nacisnął dół brzucha. Krzyknęła i w tym samym momencie zrozumiał, co się dzieje. Zaskoczyło go to tak bardzo, jakby nagle na miejscu okna ujrzał betonową ścianę.

– Wszystko w porządku – powiedział natychmiast. – Wszystko jest dobrze. Siostro!

Od razu wyszła z sąsiedniego pokoju, niosąc niemowlę spowite w białe prześcieradełko.

– Dziewięć punktów w skali Apgar – oznajmiła. – To bardzo dobry wynik.

Żona doktora uniosła ręce, żeby wziąć niemowlę, i zaczęła coś mówić, ale nagły atak bólu powalił ją z powrotem na plecy.

– Siostro! – zawołał doktor. – Potrzebuję pani tutaj! Prędko!

Pielęgniarka po sekundzie zastanowienia rzuciła na podłogę dwie poduszki i ułożyła na nich noworodka, a następnie podbiegła do doktora.

– Więcej gazu – polecił. Ujrzał zdumienie w jej oczach, a potem błysk zrozumienia. Trzymając rękę na kolanie żony, czuł, jak napięcie ustępuje pod wpływem znieczulenia.

– Bliźnięta? – spytała szeptem pielęgniarka.

Doktor, który już pozwolił sobie na chwilę relaksu po tym, jak urodził się chłopiec, teraz trząsł się jak galareta. Nie był w stanie zdobyć się na nic więcej poza krótkim kiwnięciem głową. „Uspokój się", powiedział sam do siebie, kiedy w kanale rodnym ukazała się następna główka. „Jesteś po prostu w normalnym szpitalu i odbierasz zwyczajny poród", dodał, spoglądając z bezpiecznego miejsca pod sufitem na swoje ręce, które znów pracowały zwinnie i z precyzją.

To dziecko było wyraźnie mniejsze i w związku z tym urodziło się łatwiej. Po prostu wyślizgnęło się w otulone lateksowymi rękawiczkami dłonie tak szybko, że musiał oprzeć je na piersi w obawie, że upadnie na podłogę.

Dziewczynka – powiedział i zakołysał nią jak piłką do footballa, odwracając buzią do podłogi. Opukiwał malutkie plecy, dopóki nie usłyszał płaczu niemowlęcia. Dopiero wtedy spojrzał na twarzyczkę córeczki.

Kremowa maź płodowa zwijała się na delikatnej skórze, śliskiej od płynu owodniowego i śluzu zmieszanego z krwią. Niebieskie oczka spoglądały chmurnie, na główce kręciły się ciemne włoski, ale on prawie tego nie widział. Patrzył na jej niewątpliwie wyraźne rysy, na podciągnięte do góry kąciki oczu, na płaski nos i mongolską fałdkę na powiekach. „To klasyczny przypadek", powiedział niegdyś jego profesor, kiedy przed laty we dwóch przeprowadzali badanie podobnie wyglądającego dziecka. „Rysy mongoidalne. Wiesz, co to oznacza?" A on sumiennie wyrecytował z pamięci symptomy, które zapamiętał z podręcznika: obniżone napięcie mięśni, opóźniony wzrost i rozwój umysłowy, możliwa wada serca, śmierć we wczesnym wieku. Profesor z zadowoleniem skinął głową i przyłożył stetoskop do gładkiej, niemowlęcej piersi. „Biedne dziecko. Niczego nie można dla niego zrobić, jedynie utrzymywać w czystości. Rodzice powinni oszczędzić sobie kłopotu i oddać malucha do domu opieki".

Doktor poczuł się tak, jakby nagle odbył podróż w czasie. Jego własna siostra urodziła się z wadą serca. Rosła wolniej niż inne dzieci i miała problemy z oddychaniem. Dusiła się, ilekroć próbowała biec i każda zabawa kończyła się na tym, że łapała powietrze małymi haustami, jak wyrzucona na brzeg ryba. Przez wiele lat, zanim pierwszy raz wybrali się do kliniki w Morgantown, rodzice nie mieli pojęcia, co jest przyczyną tego stanu. A potem wiedzieli, ale nic na to nie mogli poradzić. Ich mama przelała na córkę całą rodzicielską troskę, ale mała i tak umarła w wieku dwunastu lat. Doktor miał wówczas szesnaście lat i mieszkał już w mieście, gdzie uczęszczał do szkoły – szkoły, dzięki której zawędrował do Pittsburgha na studia medyczne i do życia, jakie wiódł teraz. Mimo to doskonale pamiętał żałobę i nieutulony żal matki, jej codzienne poranne wyprawy na cmentarz na wzgórzu, jej ręce skrzyżowane na piersi dla ochrony przed niepogodą.

Pielęgniarka stała obok i uważnie przyglądała się dziecku.

– Tak mi przykro, panie doktorze... – wyszeptała.

Trzymał dziecko i gapił się na nie, jakby wyleciało mu z głowy, co powinien teraz zrobić. Malutkie rączki dziewczynki były wzorem doskonałości. Ale rozwarcie między paluchami u stóp a pozostałymi palcami wyglądało jak dziura po brakującym zębie. Kiedy spojrzał głębiej w jej oczy, w tęczówkach dostrzegł plamki Brushfielda, maleńkie i wyraziste jak pyłki na śniegu. Wyobraził sobie malutkie serduszko, przypominające wielkością śliwkę, które według wszelkiego prawdopodobieństwa miało jakąś wadę... A potem pomyślał o pokoju dziecinnym, o tak starannie pomalowanych ścianach, o pluszakach czekających na półkach i o pojedynczej kołysce... Przypomniał sobie, jak żona stała na chodniku i spoglądając na otulony welonem śniegu dom, powiedziała: „Nasz świat już nigdy nie będzie taki sam".

Delikatna rączka dziecka musnęła jego dłoń i to go oprzytomniło. Bezwolnie zaczął wykonywać zwykłe w takim wypadku czynności. Przeciął pępowinę i sprawdził pracę serca oraz płuc, choć przez cały czas myślał o śniegu, o srebrnym samochodzie osuwającym się do kanału, o ciszy wypełniającej pustką klinikę... Potem, kiedy usiłował przypomnieć sobie tę noc – a zdarzało mu się to dość często w miesiącach i latach, które miały nadejść, bo właśnie ta chwila okazała się punktem zwrotnym w ich życiu i zdecydowała o tak wielu innych sprawach – przede wszystkim pamiętał tę ciszę i szmer sypiącego za oknem śniegu. Cisza była tak głęboka i przygniatająca, że poczuł, jak unosi się na nieznaną dotąd wysokość, ponad ten pokój i jeszcze wyżej, gdzie był tylko on i śnieg. Miał wrażenie, że sceny w gabinecie rozgrywają się w jakimś innym życiu – życiu, w którym on znalazł się w charakterze przypadkowego obserwatora. Zupełnie jakby szedł ciemną ulicą i w oświetlonym oknie dostrzegł kawałek cudzej prywatności. Tyle właśnie będzie pamiętał – to poczucie nieskończonej przestrzeni. Jakby nagle znalazł się na jakimś pustkowiu i spoglądał na jarzące się w dali światła własnego domu.

– W porządku. Proszę ją umyć – powiedział, oddając w ręce pielęgniarki niewielki ciężar. – Ale niech jej pani tu nie przynosi. Nie chcę, żeby moja żona ją zobaczyła, przynajmniej nie teraz.

Pielęgniarka skinęła głową. Zniknęła, a po chwili powróciła, żeby włożyć chłopczyka do nosidełka, które z sobą przynieśli. Doktor zajmował się wówczas odbieraniem łożysk, które okazały się piękne, grube i ciemne, każde wielkości niedużego talerza. Bliźniacze rodzeństwo, chłopiec i dziewczynka – jedno na pierwszy rzut oka doskonale zdrowe, a drugie naznaczone w każdej komórce ciała nieszczęsnym, dodatkowym chromosomem. Jakie były na to szanse? Syn leżał w nosidełku, machając od czasu do czasu rączkami. Doktor dał żonie zastrzyk uspokajający, a potem pochylił się, żeby zszyć nacięcie krocza. Był już prawie świt, bo przez zamknięte żaluzje sączyło się blade światło nadchodzącego dnia. Doktor patrzył na swoje ręce, myśląc, jak sprawnie idzie mu szycie. Ścieg był drobny i równiutki, zupełnie podobny do tych, które robiła żona. Potrafiła oderwać cały fragment kołdry, jeśli uznała, że zrobiła jakiś błąd – nawet jeśli on nie potrafił go dostrzec.

Kiedy skończył, zajrzał do sąsiedniego pomieszczenia w poszukiwaniu pielęgniarki. Siedziała w bujanym fotelu, kołysząc w ramionach malutką dziewczynkę. Ich spojrzenia skrzyżowały się i wówczas doktor przypomniał sobie tamten wieczór, gdy ona stała w drzwiach i przyglądała się, jak on śpi.

– Jest takie miejsce... – powiedział i zapisał adres z tyłu koperty. – Proszę, żeby pani ją tam zawiozła. Oczywiście, kiedy już zrobi się widno. Wypiszę świadectwo urodzenia i uprzedzę ich, że pani przyjedzie.

– Ale pańska żona... – odezwała się, a on ze swojego dalekiego miejsca usłyszał w jej głosie zaskoczenie i cień dezaprobaty.

Pomyślał o swojej siostrze, bladej i chudej, o tym, jak próbowała złapać normalny oddech, i o ich matce, która odwracała się do okna, żeby ukryć łzy.

– Czy naprawdę pani nie rozumie? – zapytał miękkim tonem. – To biedactwo prawdopodobnie ma wadę serca. Śmiertelną wadę. Ja tylko próbuję oszczędzić nam straszliwego bólu.

Mówił z pełnym przekonaniem o słuszności swoich racji. Wierzył bez zastrzeżeń w każde słowo. Pielęgniarka siedziała, gapiąc się na niego, wciąż pełna zdziwienia, ale poza tym trudno było rozszyfrować jej uczucia. Mimo to czekał na jej zgodę. W tym stanie ducha, w jakim się znajdował, nawet nie przyszło mu do głowy, że może dostać odmowną odpowiedź. Nie wyobrażał sobie – tak jak później tej nocy, i jak podczas wielu następnych nocy – że w ten sposób naraził na niebezpieczeństwo wszystko. Zamiast tego poczuł się zirytowany jej powolnością i raptem bardzo zmęczony, a ta klinika, tak dobrze mu znana, nagle wydała się całkiem obca, jakby przywędrował tu we śnie. Pielęgniarka przyglądała mu się niebieskimi oczyma, w których trudno było cokolwiek wyczytać. Ze spokojem odwzajemnił jej spojrzenie. W końcu skinęła głową, tak lekko, że prawie niezauważalnie.

***

Przed południem śnieżyca zaczęła nieco tracić impet, a przez nieruchome powietrze płynęły dalekie odgłosy pracujących pługów śnieżnych. Patrzył z okna na piętrze, jak siostra zmiata śnieg ze swojego szaroniebieskiego auta, żeby odjechać gdzieś w miękki, biały świat. Uśpione niemowlę leżało w skrzyneczce wysłanej kocykami, ustawionej na siedzeniu pasażera. Doktor przyglądał się, jak samochód wyjeżdża z parkingu na ulicę, skręca w lewo i znika. Dopiero wtedy wrócił do gabinetu, żeby być blisko rodziny.

Jego żona wciąż spała. Patrzył na jej złote włosy, rozsypane po poduszce, i w końcu sam też uciął sobie drzemkę. Ocknąwszy się, spojrzał na pusty parking, na dym wznoszący się z komina po przeciwnej stronie ulicy i w myślach zaczął układać sobie słowa, które zamierzał powiedzieć. Że to nie jest niczyja wina, że ich córka znajduje się w dobrych rękach, wśród takich samych jak ona, i że będzie miała zapewnioną nieustanną opiekę. I że tak będzie najlepiej dla nich wszystkich.

Późnym rankiem, gdy śnieg przestał padać na dobre, maluch zapłakał z głodu i wtedy żona otworzyła oczy.

– Gdzie jest moje maleństwo? – spytała, opierając się na łokciu i odgarniając z twarzy włosy. Doktor trzymał na ręku ich maluszka, cieplutkiego i lekkiego jak piórko. Usiadł na łóżku obok niej i ułożył dziecko w jej ramionach.

– Witaj, kochanie – powiedział. – Spójrz, jakiego mamy prześlicznego syna. Byłaś bardzo dzielna. Z czułością ucałowała czółko małego, a potem rozpięła szlafrok i podała mu pierś. Od razu przyssał się łapczywie, więc uśmiechnęła się i podniosła wzrok na męża. Ujął jej dłoń, wspominając, jak mocno te delikatne paluszki wbijały mu się w rękę, gdy nadchodził skurcz. I nagle przypomniał sobie, jak bardzo wówczas pragnął ją chronić.

– Czy wszystko w porządku? – spytała z niepokojem. – Kochanie... Co się stało?

– Mieliśmy bliźnięta – powiedział powoli. Pomyślał o ciemnych włoskach, o śliskich ciałkach, które poruszały się na jego rękach... Czuł, jak pod powiekami wzbierają piekące łzy. – Syna i córkę.

– Och! – zawołała. – Więc jest i dziewczynka? Phoebe i Paul! Gdzie ona jest?

Ma takie szczupłe palce, pomyślał. Jak kosteczki małego ptaszka.

– Kochanie... – zaczął, ale głos odmówił mu posłuszeństwa. Słowa, które tak pracowicie przećwiczył w myślach, nagle gdzieś umknęły. Zamknął oczy, a kiedy znów mógł przemówić, powiedział coś, czego wcale nie miał zamiaru powiedzieć.

– Najdroższa, tak mi przykro... Nasza córeczka zmarła podczas porodu.

Rozdział drugi

Caroline Gill z trudem brnęła przez zaśnieżony parking. Śnieg sięgał jej do połowy łydek, a miejscami aż do kolan. Przed sobą niosła spowite w kocyki niemowlę, leżące w kartonowym pudełku, w którym kiedyś przysłano do biura próbki mleka dla noworodków. Całe pudełko ostemplowane było czerwonymi literami i anielskimi buziami maleńkich dzieci, a jego klapy podnosiły się i opadały przy każdym kroku Caroline. Na pustym parkingu panowała nienaturalna cisza – cisza, która wydawała się powstawać z panującego na świecie chłodu, a potem unosiła się w powietrzu i rozchodziła we wszystkich kierunkach, jak kręgi na wodzie, gdy ktoś wrzuci do niej kamień. Śnieg kłębił się i kłuł boleśnie, kiedy Caroline otwierała drzwi auta. Instynktownie skuliła się, żeby własnym ciałem osłonić pudełko z maleństwem i szybko wcisnęła je na tylną kanapę. Różowe kocyki miękko opadły na tapicerkę z białego winylu. Dziecko spało mocnym, intensywnym snem niemowlęcia. Malutka twarzyczka była ściągnięta, nos i podbródek wystawały jak dwa małe guzy, a z oczu pozostały jedynie wąskie szparki. Nie domyśliłabyś się, przemknęło jej przez głowę. Gdybyś nie wiedziała, nigdy byś na to nie wpadła. Caroline oceniła stan małej na osiem punktów w skali Apgar.

Ulice miasta były kiepsko odśnieżone i Caroline z trudem manewrowała pomiędzy zaspami. Dwukrotnie samochód wpadł w poślizg i dwukrotnie Caroline prawie zawróciła. Natomiast nawierzchnia na autostradzie międzystanowej okazała się być w znacznie lepszym stanie i odkąd Caroline na nią wjechała, podróż przebiegała bez większych zakłóceń. Przemknęła przez przemysłowe przedmieścia Lexington, aż do falistych pól, pełnych farm, gdzie hodowano konie. Kilometry pomalowanych na biało płotów odcinały się od bieli śniegu, a w dali czerniały nieruchome sylwetki stojących na polach zwierząt. Nisko zawieszone niebo ożywiały grube, szare chmury. Caroline włączyła radio, przeszukała całe pasmo szumów w nadziei, że trafi na jakąś radiostację, a w końcu wyłączyła odbiornik. Świat jak zwykle pędził gdzieś przed siebie, zwyczajny i całkowicie zmieniony.

Od chwili, gdy nieznacznie skłoniła głowę na znak, że zgadza się spełnić zaskakujące żądanie doktora Henry'ego, Caroline czuła się tak, jakby w zwolnionym tempie szybowała w powietrzu, czekając, aż wreszcie spadnie na ziemię i odkryje, gdzie się znalazła. To, o co ją poprosił – żeby zabrała nowo narodzoną córeczkę i nie powiedziała jego żonie o urodzeniu drugiego dziecka – wydawało się wręcz niewiarygodne. Ale Caroline była wstrząśnięta bólem i pomieszaniem, jakie ujrzała na twarzy doktora w chwili, gdy badał noworodka, i odrętwieniem, z jakim się poruszał. Niedługo przyjdzie do siebie i jeszcze raz wszystko przemyśli, powtarzała sobie w duchu. Po prostu przeżył szok, więc jak można go o cokolwiek oskarżać? Nie dość, że przez tę piekielną śnieżycę sam musiał odebrać własne dzieci, to potem jeszcze to...

Wcisnęła gaz, a zdarzenia minionego poranka przepływały przez nią jak rwący strumień. Oto doktor Henry, pracujący ze skupieniem i spokojem, a jego ruchy celowe i precyzyjne jak zawsze... Błysk ciemnych włosków między białymi udami Norah Henry i jej olbrzymi brzuch, marszczony przez skurcze jak powierzchnia jeziora przy porywistym wietrze... Szmer syczącego gazu i chwila, gdy doktor Henry zawołał do niej... Jego głos był cichy i pełen napięcia, a twarz tak ściągnięta, że była przekonana, iż drugie dziecko urodziło się martwe. Czekała, że doktor coś zrobi, że będzie próbował reanimować noworodka... Ale on nawet nie drgnął, więc przyszło jej do głowy, że może powinna podejść, żeby potem móc zaświadczyć, jak to się stało... "Tak, dziecko urodziło się sine... Doktor Henry próbował, obydwoje próbowaliśmy, ale nic nie można było zrobić".

I wtedy dziecko zapłakało. Ten płacz sprawił, że podbiegła, spojrzała i w lot pojęła w czym rzecz...

Teraz jechała przed siebie, odpychając na bok te wspomnienia. Droga, wycięta między wapienną skałą a niebem, zwężała się jak lejek i wkrótce

Caroline dotarła na szczyt niewielkiego wzgórza, skąd rozpoczynał się długi zjazd do rzeki, która migotała gdzieś w dole. Na tylnym siedzeniu leżące w kartonowym pudle niemowlę spało jak zabite. Caroline od czasu do czasu zerkała przez ramię, zarówno uspokojona, jak i zestresowana faktem, że noworodek wcale się nie rusza. Taki sen to coś całkiem normalnego po wyczerpującej pracy, jaką jest przyjście na świat, przypomniała sobie i zaczęła się zastanawiać, jak to wyglądało w jej przypadku. Czy także spała tak intensywnie podczas kilku następnych godzin? Oboje jej rodzice od dawna nie żyli i nie było nikogo, kto mógłby pamiętać tamte chwile. Matka Caroline dawno przekroczyła czterdziestkę, a ojciec miał już pięćdziesiąt dwa lata, kiedy przyszła na świat. Wiele lat wcześniej porzucili wszelką nadzieję na posiadanie potomka i myśl o tym nie sprawiała im przykrości ani nie budziła żalu. Prowadzili spokojne, zwykłe, uporządkowane życie.

Dopóki ku ich zdumieniu nie zjawiła się Caroline – jak kwiat, który rozkwita na śniegu.

Kochali ją, to oczywiste, ale była to zaborcza miłość, poważna i bardzo intensywna, pełna okładów, ciepłych skarpetek i oleju rycynowego. Podczas gorących, letnich miesięcy, kiedy istniało zagrożenie zakażenia się polio, Caroline musiała siedzieć w domu. Pot ściekał jej ze skroni, kiedy wyciągnięta na kozetce przy oknie na korytarzu górnego piętra czytała książki. Muchy brzęczały przy szybie, a trupy ich współtowarzyszy leżały na parapecie. Na zewnątrz cały świat migotał w upale i promieniach słońca, a dzieciaki z sąsiedztwa – których rodzice, o wiele młodsi, a dzięki temu mniej obawiający się niespodziewanych klęsk – wrzeszczały jeden przez drugiego. Caroline przyciskała twarz i czubki palców do ekranu i pilnie nasłuchiwała. Tęskniła. Powietrze nieruchomiało z gorąca, a pot przesączał się przez rękawki bawełnianej bluzeczki i wyprasowanego paska spódnicy. Na dole, w ogrodzie, jej matka, ubrana w rękawiczki, długi fartuch i słomkowy kapelusz, wyrywała z grządek chwasty. Później, kiedy już zapadał wieczorny mrok, ojciec wracał ze swojego biura ubezpieczeń. Przy samym wejściu do milczącego, zamkniętego domu zdejmował z głowy kapelusz i marynarkę, a poplamiona koszula lepiła się do spoconego ciała.

Caroline właśnie przejeżdżała przez most. Opony piszczały, a daleko w dole pieniły się meandry Kentucky River, bo rozpuszczające się opady śniegu z poprzedniej nocy zasilały ją nową dawką energii. Znów spojrzała przez ramię na uśpione niemowlę. Z pewnością Norah Henry chciałaby przytulić to dziecko, nawet jeśli nie mogła go zatrzymać. Z pewnością Caroline nie powinna się w to mieszać. A jednak nie zawróciła. Włączyła radio – tym razem udało się złapać jakąś stację z muzyką klasyczną – i jechała dalej.

Dwadzieścia mil za Louisville sprawdziła wskazówki doktora Henry'ego, zapisane ostrym, pochyłym pismem, i zjechała z autostrady. Tu, tak blisko Ohio River, nawet górne gałęzie głogów i krzaków czeremchy pokrywał lód, choć jezdnia była czysta i sucha. Białe płoty rozdzielały pokryte śnieżnym puchem pastwiska, a zamknięte na nich konie przy każdym oddechu wypuszczały z płuc obłoczki pary. Caroline skręciła w jeszcze mniejszą drogę, gdzie krajobraz był bardziej pofałdowany, nieograniczony żadnymi płotami. Wkrótce między nagimi pagórkami mignął jej budynek z czerwonej cegły, pochodzący z przełomu wieków, z dwoma niskimi, niepasującymi do całości skrzydłami. Raz za razem pojawiał się i znikał, w miarę jak pokonywała zakręty i wzniesienia terenu. Po niedługim czasie nagle zjawił się tuż przed nią.

Wjechała w krętą drogę dojazdową. Dopiero z bliska widać było, że stary dom potrzebuje niewielkiego remontu. Farba obłaziła z drewnianych framug, zaś na trzecim piętrze jedno z okien zostało zabite deskami, a zbita szyba zastąpiona kawałkiem dykty. Caroline otworzyła drzwi i wysiadła. Na nogach miała płaskie buty na cienkiej, dobrze już zdartej podeszwie, które trzymała na wierzchu w szafie. Wsunęła je na stopy zeszłej nocy, kiedy w pośpiechu wybierała się do kliniki i nie miała czasu poszukać normalnych butów, i teraz czuła przez śnieg ostre kamyki. Jej stopy natychmiast zrobiły się lodowate, więc przewiesiła przez ramię przygotowaną wcześniej torbę – z pieluszkami i termosem, w którym znajdowało się podgrzane mleko – podniosła pudło z dzieckiem i szybkim krokiem ruszyła w stronę wejścia. Zauważyła po obu stronach drzwi lampy w oprawach ze szkła i ołowiu, których od dawna nikt nie czyścił. Zaraz za pierwszymi drzwiami znajdowały się drugie – wewnętrzne, wykończone matowymi szybkami — a dalej foyer, ze ścianami wyłożonymi ciemnym dębem.

W jednej chwili owionęło ją ciepłe powietrze, pełne kuchennych zapachów – gotującej się marchewki, cebuli i kartofli. Caroline ostrożnie poszła przed siebie; stara klepka na podłodze skrzypiała przy jej każdym kroku, ale mimo to nikt się nie zjawił. Zniszczony dywan poprowadził ją przez hol wyłożony szerokimi deskami aż do poczekalni z tyłu domu, gdzie wysokie okna zasłaniał gruby, drapowany materiał. Caroline przysiadła na skraju sofy obitej wytartym aksamitem i czekała.

W poczekalni panował nieznośny zaduch. Caroline rozpięła płaszcz; pod spodem miała biały strój pielęgniarki, a kiedy przypadkiem uniosła rękę do włosów, przekonała się, że na głowie wciąż nosi ostro zakończony, biały stroik. Od razu, gdy tylko doktor Henry ją zawołał, stawiła się na wezwanie, a potem szybko się ubrała i wyruszyła w tę zasypaną śniegiem noc. Teraz odpięła z włosów stroik, złożyła go starannie i zamknęła oczy. Gdzieś z głębi domu dochodziło stukanie sztućców i szum zmieszanych głosów, a nad nią, na piętrze, rozlegały się odgłosy kroków. Caroline zaczęła śnić o swojej matce, która przygotowuje letnią kolację, podczas gdy ojciec wciąż pracuje w sklepie z drewnem. Dzieciństwo upłynęło jej w odosobnieniu, czasem w dotkliwej samotności, ale mimo to dobrze wspominała tamten czas: pikowaną kołdrę, zrobioną specjalnie dla niej, dywanik w róże, na którym opierała stopy, rozmowy, które były jej własnością…

Z oddali dobiegł dwukrotny dźwięk gongu. „Potrzebuję pani tutaj! Zaraz!", wołał doktor Henry, a w jego głosie brzmiało napięcie i naleganie. I Caroline biegła w jego stronę, a potem mościła z poduszek prowizoryczne łóżeczko i przytykała maskę do twarzy pani Henry. Po chwili drugie z bliźniąt wymknęło się na świat, swym pojawieniem się nieodwołalnie wprawiając coś w ruch.

W ruch… Tak, nic tego nie mogło zahamować. Nawet siedząc tutaj, w ciszy poczekalni, nawet czekając na Bóg jeden wie co, Caroline nie mogła oprzeć się wrażeniu, że cały świat lśni, że dla niej nic już nie będzie takie jak dawniej… „I znowu?", zabrzmiał w jej głowie znajomy refren. „Teraz, po tylu latach?".

Bo Caroline Gill miała trzydzieści jeden lat i od dawna czekała, aż rozpocznie się dla niej prawdziwe życie. Nie znaczyło to oczywiście, że kiedykolwiek sama przed sobą tak to określała. Jednak od dzieciństwa towarzyszyło jej przeczucie, że jej życie nie będzie ot, takie zwyczajne. Nadejdzie pewien moment – i od razu będzie wiedziała, że to właśnie ten – który wszystko odmieni. Najpierw marzyła o tym, że zostanie wielką pianistką, ale światła na scenie w średniej szkole za bardzo różniły się od tych w rodzinnym domu, i Caroline dosłownie zamierała w ich blasku. Potem, w wieku dwudziestu kilku lat, gdy jej koleżanki ze szkoły medycznej zaczęły wychodzić za mąż i zakładać rodziny, Caroline także spotykała się z młodymi mężczyznami. W oko wpadł jej zwłaszcza jeden, taki z ciemnymi włosami i bladą cerą, który potrafił się śmiać jak żaden inny. W sennych marzeniach wyobrażała sobie, że on – a wówczas, gdy przestał dzwonić, że może ktoś następny – wreszcie odmieni jej życie. Lata mijały, zaś ona stopniowo koncentrowała uwagę na sprawach zawodowych, choć wcale nie czuła się zdesperowana z tego powodu. Wierzyła w siebie i swoje zdolności. Nie należała do osób, które zatrzymują się w wpół drogi, żeby się zastanowić, czy na pewno wyłączyły żelazko i czy przypadkiem ich dom nie spalił się już do cna. Po prostu pracowała. I cierpliwie czekała.

Sporo czasu spędzała także na czytaniu. Najpierw powieści *Pearl Bucks*, a potem wszystkiego, co mogła znaleźć na temat Chin, Birmy i Laosu. Czasem książka wyślizgiwała się z jej rąk i Caroline patrzyła rozmarzonym wzrokiem z okna swojego małego apartamentu na obrzeżach miasta. Oczyma wyobraźni widziała siebie w innym życiu – egzotycznym, trudnym i przynoszącym satysfakcję. Jej klinika będzie bardzo zwyczajna, myślała; założy ją gdzieś w głębi soczystej dżungli, być może gdzieś w pobliżu morza. Białe ściany będą mienić się w blasku słońca jak perły. Ludzie będą ustawiać się w kolejce; czekając, ukucną w cieniu palm kokosowych. Ona, Caroline, zaopiekuje się wszystkimi; będzie ich leczyć. Odmieni ich życie, a przy okazji także swoje.

Pochłonięta tą wizją, ogarnięta gorączką czynu i pełna zapału, złożyła podanie o przyjęcie jej na misję w charakterze pomocy medycznej. Pewnego przepięknego letniego popołudnia wsiadła do autobusu i pojechała do Saint Louis na spotkanie. W rezultacie jej nazwisko znalazło się na liście oczekujących na wyjazd do Korei. Jednak czas mijał, misja została najpierw odłożona, a potem zlikwidowana, i Caroline została wciągnięta na następną listę, tym razem do Birmy

A potem, kiedy wciąż cierpliwie sprawdzała pocztę i śniła o przygodzie w tropikach, w jej życiu pojawił się doktor Henry.

To był zwyczajny dzień, nic nie wskazywało na to, że akurat dziś coś się wydarzy. Jak to późną jesienią i w sezonie na przeziębienia, całą poczekalnię wypełniało kichanie i odgłosy stłumionego kaszlu. Caroline, wołając kolejnego pacjenta, sama czuła tępe drapanie głęboko w gardle. Na wezwanie podszedł do niej starszawy dżentelmen, którego przeziębienie mogło się w ciągu następnych tygodni pogorszyć i przejść w zapalenie płuc, co z dużym prawdopodobieństwem skończyłoby się zgonem. Nazywał się Rupert Dean i siedział na skórzanym fotelu, walcząc z uporczywym krwotokiem z nosa. Na dźwięk swojego nazwiska powoli podniósł się i zaczął upychać w kieszeni chustkę do nosa, pełną żywoczerwonych plam. Wreszcie udało mu się dobrnąć do biurka i wtedy wręczył Caroline fotografię w tekturowej, ciemnoniebieskiej ramce. To był czarno-biały portret, nieco pociemniały od starości. Caroline ujrzała młodą kobietę w jasnym sweterku, z falującymi lekko włosami i roześmianymi oczyma. To była Emelda Dean, żona Ruperta, nieżyjąca od blisko dwudziestu lat.

– Była miłością mojego życia – powiedział staruszek do Caroline tak głośno, że pozostali pacjenci podnieśli głowy.

Ktoś otworzył zewnętrzne drzwi przychodni tak energicznie, że szybki w drzwiach wewnętrznych zabrzęczały.

– Jest urocza – odparła Caroline. Ręce drżały jej jak w febrze. Ponieważ tak głęboko poruszył ją jego żal i jego miłość... Ponieważ jej nikt i nigdy nie kochał tak namiętnie i prawdziwie... Ponieważ miała prawie trzydzieści lat, a mimo to, gdyby umarła następnego dnia, ani jedna osoba nie opłakiwałaby jej odejścia tak, jak Rupert Dean płakał po swojej żonie po ponad dwudziestu latach od dnia jej śmierci. Z pewnością ona, Caroline Gill, była tak samo niepowtarzalna i tak samo godna miłości jak kobieta z fotografii przyniesionej przez starego mężczyznę, ale dotąd nie udało jej się tego okazać ani poprzez sztukę, ani poprzez pracę, którą wykonywała z takim oddaniem.

Wciąż jeszcze starała się pozbierać, kiedy drzwi przedsionka prowadzącego do poczekalni otworzyły się na całą szerokość. Mężczyzna w brązowym, tweedowym płaszczu zawahał się przez moment; obracając w ręku kapelusz, rozejrzał się po ścianach wyłożonych żółtą tapetą, zerknął na paprotkę stojącą w odległym kącie i na metalową półkę ze stertą zniszczonych czasopism. Miał kasztanowe włosy z czerwonawym połyskiem i pociągłą twarz o uważnym, taksującym spojrzeniu. Nie odznaczał się niczym szczególnym, ale w jego postawie, jego manierach – spokojnej czujności połączonej z umiejętnością słuchania – było coś, co odróżniało go od innych mężczyzn. Serce Caroline zaczęło mocniej bić, a przez ciało przebiegł dreszcz, zarówno przyjemny, jak i irytujący, zupełnie jakby niespodziewanie musnęły ją skrzydełka jakiegoś owada. Wtedy jego oczy napotkały jej wzrok – i Caroline już wiedziała.

Zanim przeszedł przez poczekalnię, żeby uścisnąć jej rękę, zanim otworzył usta, żeby wymówić swoje imię i nazwisko – David Henry – nieokreślonym akcentem, który od razu zdradzał obce pochodzenie, jeszcze zanim to wszystko nastąpiło, Caroline przyjęła do wiadomości jeden prosty fakt – że człowiek, na którego czekała, wreszcie się zjawił.

Wówczas nie był jeszcze żonaty. Ani żonaty, ani zaręczony i bez żadnych rodzinnych zobowiązań, o ile zdołała się zorientować. Caroline uważnie przysłuchiwała się wszystkiemu, co mówił, zarówno tego dnia, gdy robił obchód kliniki, jak i później, podczas miłych spotkań i towarzyskich wieczorów. Słyszała to, czego nie słyszeli inni, pochłonięci uprzejmą wymianą zdań, skupieni na obcym akcencie nowego lekarza czy rozproszeni jego nieoczekiwanymi wybuchami śmiechu – że poza zdarzającymi się od czasu do czasu wspomnieniami o studiach w Pittsburghu, co i tak było wiadomo z jego życiorysu i dyplomu, doktor nigdy nie nawiązywał do swojej przeszłości. Ta powściągliwość otaczała go nimbem tajemniczości, a tajemniczość umacniała w Caroline przekonanie, że zna tego człowieka w pewien szczególny sposób. Dla niej każde ich spotkanie było nasycone dziwną bliskością, jakby mówiła do niego nad biurkiem, nad stołem do badań, nad pięknym i niedoskonałym ciałem tego czy innego pacjenta: „Znam Cię; rozumiem; widzę to, czego inni nie dostrzegają". Gdy pewnego razu podsłuchała, jak ludzie żartują z niej i jej zauroczenia nowym lekarzem, oblała się rumieńcem wstydu i zażenowania. Jednak w głębi ducha czuła coś na kształt zadowolenia, bo te plotki mogły dotrzeć do niego i uświadomić mu pewne sprawy, podczas gdy ona ze swoją bojaźnią nigdy nie ośmieliłaby się tego zrobić.

Aż raz, późnym wieczorem, po dwóch miesiącach spokojnej pracy, znalazła go śpiącego przy biurku. Spał na blacie, na skrzyżowanych rękach, i oddychał równym, miarowym oddechem pogrążonego w głębokim śnie człowieka. Caroline oparła się o framugę drzwi, lekko przechyliła głowę i poczuła, że nurtujące ją od lat marzenia nagle zlewają się w jedno. Pojadą razem, ona i doktor Henry, w jakieś zapomniane przez Boga miejsce, gdzie całymi dniami będą pracować w pocie czoła, aż narzędzia zaczną się ślizgać w zmęczonych dłoniach. Wieczorami ona będzie grywała mu na fortepianie, który zostanie przysłany przez morze i rwący nurt rzeki i przyniesiony przez dżunglę aż do miejsca, gdzie mieszkają. Caroline do tego stopnia dała się uwieść własnym snom, że kiedy doktor Henry podniósł głowę, uśmiechnęła się do niego, otwarcie i bez zahamowań, jak jeszcze nigdy i do nikogo.

Wydawał się szczerze zaskoczony, co natychmiast przywołało ją do porządku. Wyprostowała się, przygładziła fryzurę i zarumieniona aż po czubki włosów wymruczała jakieś słowa przeprosin. Zniknęła mu z oczu, upokorzona, lecz jednocześnie przepełniona czymś w rodzaju zachwytu. Odtąd będzie już wiedział; w końcu spojrzy na nią takimi oczyma, jakimi ona od dawna patrzy na niego. Przez kilka następnych dni radosne oczekiwanie na to, co może się zdarzyć, było tak ogromne, że Caroline dosłownie bała się zostać z doktorem sam na sam. A potem, kiedy czas mijał i nic się nie działo, nie czuła się rozczarowana. Odprężyła się, przeprosiła za opóźnienie i nie przejmując się niczym, dalej czekała.

Trzy tygodnie potem otworzyła gazetę i w rubryce towarzyskiej znalazła wzmiankę o ślubie. Norah Asher, teraz już pani Henry, została uwieczniona na zdjęciu z nieznacznie pochyloną głową. Caroline spoglądała na elegancki zarys szyi, na lekko wygięte powieki, podobne w kształcie do muszelek...

Ubrana w płaszcz Caroline poczuła, jak pot spływa jej po plecach. W poczekalni było stanowczo za gorąco. Leżące obok niej niemowlę spało kamiennym snem. Wstała i podeszła do okna; deski przykrytej dywanem podłogi uginały się pod jej ciężarem i skrzypiały jak nieszczęście. Aksamitne zasłony opierały się o podłogę – ostatnie pozostałości dawno minionego czasu, gdy ten dom przeżywał okres swojej świetności. Dotknęła brzegu delikatnej materii firanek; żółtawe i kruche, zbierały w swoje fałdy kurz. Na zewnątrz, na zaśnieżonym polu, stało pół tuzina krów i szukało pod białą pokrywą resztek trawy. Jakiś mężczyzna w czerwonej kurtce przeszedł ścieżką prowadzącą do obory, pobrzękując dwoma pustymi wiadrami.

Ten kurz, ten śnieg... To nie w porządku, zupełnie nie w porządku, żeby Norah Henry miała tak wiele... Żeby mogła wieść całkiem beztroskie, szczęśliwe życie... Zszokowana tą myślą i głębią własnej goryczy Caroline opuściła zasłony i wyszła z pokoju, zmierzając tam, skąd dobiegał szum ludzkich głosów.

Znalazła się w jakimś korytarzu, gdzie spod sufitu dobiegało buczenie świetlówek, a w powietrzu wisiał ciężki smród środków dezynfekujących, zmieszany z wonią parujących warzyw i niewyraźnym, żółtawym odorem moczu. Zagrzechotały kółka wózka, głosy zawołały coś i umilkły. Skręciła za jeden narożnik, potem za następny, aż wreszcie zeszła z pojedynczego stopnia, żeby znaleźć się w bardziej nowoczesnym skrzydle ze ścianami w bladoturkusowym kolorze. Pod jej stopami wykładzina przesuwała się luźno na płycie z dykty, która służyła za podłogę. Caroline minęła kilkoro drzwi, po drodze chwytając ułamki cudzego życia – wizerunki zatrzymane w kadrze jak na fotografii. Oto jakiś mężczyzna w nieokreślonym wieku, z twarzą skrytą w cieniu, wygląda przez okno. Dwie pielęgniarki ścielą łóżko; wysoko unoszą ramiona, a białe prześcieradło przez chwilę szybuje pod sufitem. Dwa puste pokoje z meblami przykrytymi brezentem, w kącie stoją puszki z farbą. Następne drzwi zamknięte, a ostatnie otwarte na oścież. Wewnątrz młoda kobieta ubrana w białą, bawełnianą koszulkę siedzi na krawędzi łóżka z rękoma skrzyżowanymi na brzuchu i pochyloną głową. Inna kobieta, pielęgniarka, stoi za plecami dziewczyny, a w jej ręku migoczą srebrzyste nożyczki. Czarne włosy spływają kaskadą na podłogę, odsłaniając nagą szyję, bladą, szczupłą i pełną wdzięku. Na ten widok Caroline zatrzymała się.

– Jej jest zimno – usłyszała własny głos. Obie kobiety podniosły głowy. Siedząca na łóżku dziewczyna miała wielkie oczy, ciemno lśniące w białej twarzy. Włosy, niegdyś całkiem długie, teraz wyglądały jak poszarpane kłaki i sięgały zaledwie podbródka.

– No dobrze – powiedziała pielęgniarka i sięgnęła po szczotkę, żeby strzepać resztki włosów z jej ramion. Caroline widziała w przyćmionym świetle, jak fruną i osiadają na prześcieradłach i na cętkowanym, szarym linoleum. – W końcu trzeba to było zrobić. – Jej oczy przypominały dwie szparki, gdy podejrzliwym wzrokiem mierzyła wygnieciony strój Caroline i jej gołą głowę.

– Jesteś tu nowa, czy co? – spytała.

Caroline skinęła głową.

– Tak jest, jestem nowa – przytaknęła.

Potem, kiedy przypominała sobie tę chwilę – jedną kobietę z parą nożyczek, a drugą w bawełnianej koszulce, smętnie spoglądającą na resztki własnych włosów – widziała wszystko w czarno-białych kolorach. Ten widok budził w niej poczucie pustki i tęsknotę, choć wcale nie była pewna dlaczego. Obcięte włosy walały się dookoła, bezpowrotnie stracone, a przez okno sączyło się blade światło zimowego dnia. Nagle poczuła, że jej oczy wzbierają łzami. Z innego korytarza dobiegło echo czyichś głosów i Caroline nagle przypomniała sobie o dziecku, pozostawionym bez opieki w kartonowym pudle na aksamitnej sofie w poczekalni. Odwróciła się i pędem ruszyła z powrotem.

Na szczęście wszystko zastała tak, jak zostawiła. Pudło zadrukowane uroczymi, czerwonymi buźkami dzidziusiów wciąż stało na kanapie, a niemowlę z piąstkami zwiniętymi tuż pod bródką spało jak aniołek. „Phoebe", zdążyła powiedzieć Norah Henry, zanim założono jej maskę z gazem znieczulającym. „Jeśli to będzie dziewczynka, nazwiemy ją Phoebe".

Phoebe. Caroline ostrożnie rozłożyła kocyki i podniosła małą. Była taka drobniutka, ważyła zaledwie pięć i pół funta. Wydawała się mniejsza niż brat, choć miała tak samo bujną i ciemną czuprynę. Caroline sprawdziła pieluszkę – miękki materiał był mokry i poplamiony smółką, więc przewinęła małą i z powrotem otuliła ją kocykiem. Dziewczynka nie obudziła się nawet na moment, ale Caroline i tak przez chwilę trzymała ją w objęciach, rozkoszując się jej lekkością i ciepłem. Twarzyczka niemowlęcia była malutka i równocześnie tak wyrazista... Nawet we śnie co chwilę się zmieniała. Caroline w jednej sekundzie dostrzegała znajome zmarszczenie brwi Norah, które zaraz potem przechodziło w wyraz spokojnej koncentracji, charakterystyczny dla doktora Henry'ego.

Położyła Phoebe z powrotem do pudła i otulając kocykami, myślała o doktorze Henry'm. O tym, jak nieprzytomny ze zmęczenia pośpiesznie zjadał przy biurku kanapkę i dopijał resztki chłodnej kawy, a potem szybko podnosił się z krzesła, żeby we wtorki wieczorem otworzyć klinikę. Ten czas poświęcał pacjentom, którzy z różnych względów nie mogli pozwolić sobie na normalną opiekę lekarską, bo to oznaczało płacenie za wizyty. We wtorkowe wieczory poczekalnia zawsze pękała w szwach, a doktor przyjmował chorych jeszcze wówczas, gdy Caroline o północy wychodziła do domu, tak zmęczona, że ledwo była w stanie myśleć. Właśnie dlatego pozwoliła sobie na miłość – ze względu na dobroć tego człowieka. A jednak mimo to doktor potrafił posłać swoją córeczkę w takie miejsce, gdzie kobieta siedzi na brzegu łóżka w chłodnym, nieprzyjemnym świetle i bezradnie patrzy, jak jej obcięte włosy miękko spadają na podłogę.

„To ją zniszczy", powiedział doktor o Norah. „Nie chcę, żeby to ją zniszczyło".

Nagle rozległy się czyjeś kroki i w wejściu pojawiła się kobieta o siwiejących włosach i w ubraniu całkiem podobnym do tego, które miała na sobie Caroline. Była potężnie zbudowana, ale mimo to sprawiała wrażenie osoby zwinnej i ruchliwej. Gdyby spotkały się w innych okolicznościach, jej osobowość z pewnością wywarłaby na Caroline pozytywne wrażenie.

– W czym mogę pomóc? – spytała. – Czy długo już pani czeka?

– Owszem – odpowiedziała wolno Caroline. – Czekam już od dłuższego czasu.

Kobieta z rozdrażnieniem pokręciła głową.

– Proszę posłuchać. Bardzo mi przykro, ale to wszystko przez ten śnieg. Po prostu mamy dziś problem z załogą. W Kentucky wystarczy, że spadnie jeden cal śniegu, a już całe życie zamiera. Ja wychowałam się w Iowa i nie rozumiem, skąd cały ten bałagan, no ale to tylko moje zdanie. A wracając do rzeczy, czym mogę pani służyć?

– Czy pani nazywa się Sylvia? – spytała Caroline, starając się przypomnieć sobie instrukcje zapisane na świstku papieru. Karteczka została w samochodzie, więc teraz mogła polegać wyłącznie na własnej pamięci. – Sylvia Patterson?

Zdenerwowanie nieznajomej wyraźnie się pogłębiło.

– Nie, oczywiście, że nie! Ja nazywam się Jane Masters. Sylvia już tutaj nie pracuje.

– Och… – wykrztusiła Caroline i zamilkła. Więc ta kobieta nie miała pojęcia, kim ona jest i po co przyjechała! Najwyraźniej doktor Henry rozmawiał z kimś innym… Nagle Caroline zorientowała się, co trzyma w ręku, więc pośpiesznie ją opuściła, żeby ukryć zabrudzoną pieluszkę.

Janet Masters oparła obie ręce na biodrach i zmrużyła podejrzliwie oczy.

– Czy pani jest z tej firmy rozprowadzającej odżywki? – spytała, wskazując podbródkiem stojące na kanapie pudełko, pełne uśmiechniętych anielskich twarzyczek. – Zdaje się, że Sylvia coś z nimi kombinowała, wszyscy o tym wiedzieliśmy. Jeśli pani jest od nich, to proszę pozbierać swoje manatki i wynosić się stąd do diabła! – dodała ostro.

– Nie mam pojęcia, o czym pani mówi, ale zdaje się, że faktycznie najlepiej będzie, jeśli odjadę – odparła Caroline. – Naprawdę, już sobie idę. Nie będę więcej zawracać pani głowy.

Ale Jane Masters jeszcze nie skończyła.

– Wie pani co? Wasza firma to banda skończonych łajdaków – warknęła. – Podrzucacie ludziom bezpłatne próbki, a w tydzień potem przychodzi rachunek, tak? Być może to jest dom dla upośledzonych umysłowo, ale z całą pewnością w zarządzie nie pracują kretyni!

– Wiem – szepnęła Caroline. – Strasznie przepraszam.

Z daleka dobiegł dźwięk gongu. Kobieta opuściła ręce.

– Ma pani pięć minut, żeby się stąd wynieść – wycedziła na pożegnanie. – Proszę iść i więcej tu nie wracać.

Odwróciła się na pięcie i znikła za drzwiami.

Caroline gapiła się na pusty korytarzyk, a lekki przeciąg owiewał jej nogi. Po chwili zastanowienia położyła brudną pieluszkę na rozchwianym, zniszczonym stoliczku, stojącym obok kanapy, pogrzebała w kieszeni w poszukiwaniu kluczyków, a potem podniosła pudło z Phoebe. Szybko – zanim zdążyła się zastanowić, co robi – ruszyła przez nędzny hol w stronę podwójnych drzwi prowadzących do wyjścia. Do środka wtargnął powiew zimnego powietrza, tak samo zdumiewający jak akt narodzin.

Wsadziła Phoebe do auta i odjechała. Nikt nie próbował jej zatrzymywać, nikt nie zwrócił na nią najmniejszej uwagi, a mimo to Caroline pędziła jak wicher, przynajmniej do momentu, gdy znalazła się na międzystanowej autostradzie. Czuła, że zmęczenie dosłownie ją zalewa, tak jak woda zalewa kamień. Przez pierwsze trzydzieści mil prowadziła zażartą dyskusję, czasem na cały głos. „Co pan zrobił najlepszego?", dopytywała się surowym tonem. Kłóciła się z doktorem Henrym, wyobrażając sobie, jak on coraz bardziej marszczy czoło i zaciska szczęki, co zdarzało się zawsze, gdy coś go denerwowało. „Co pani sobie myśli?", pytał ostro. Najwyraźniej żądał wyjaśnień i Caroline musiała przyznać, że nie ma pojęcia, co właściwie powinna myśleć.

Nagle cała energia, którą naładowana była ich konwersacja, gdzieś się ulotniła. W momencie gdy wjeżdżała na autostradę, Caroline czuła się tak odrętwiała, że prowadziła auto jak automat. Jedynie od czasu do czasu kręciła głową, żeby zwyczajnie nie zasnąć za kierownicą. Zbliżało się późne popołudnie. Phoebe spała od dwunastu godzin i Caroline wiedziała, że wkrótce obudzi ją głód, ale wbrew wszelkiej nadziei wciąż łudziła się, że przedtem uda się jej dotrzeć do Lexington.

Właśnie minęła ostatni zjazd na Frankfort, trzydzieści dwie mile od domu, gdy nagle oślepiły ją światła stopu w samochodzie jadącym tuż przed nią. Zwolniła, potem zwolniła jeszcze bardziej, aż w końcu musiała z całej siły wcisnąć hamulec. Powoli zapadał zmierzch, a słońce przebijało się niemrawo przez ciężką zasłonę z chmur. Udało się jej dobrnąć do szczytu wzniesienia, ale wtedy ruch ustał już kompletnie. Przed sobą widziała długą wstęgę tylnych świateł aut, zwieńczoną migającym na biało i czerwono zespołem karetek. Musiał wydarzyć się wypadek. Jakaś większa kolizja. Caroline miała wrażenie, że zaraz się rozpłacze. Wskaźnik napełnienia baku unosił się gdzieś na wysokości jednej czwartej, co wystarczyłoby na powrót do Lexington, ale na nic ponadto, a ten rząd samochodów... No cóż, to mogło równie dobrze potrwać kilka godzin. Nie powinna ryzykować, że w pewnej chwili silnik zgaśnie i samochód zacznie się wyziębiać. Nie wtedy, gdy w środku przebywał noworodek.

Przez kilka minut siedziała jak sparaliżowana. Ostatni zjazd znajdował się dobre ćwierć mili za nią, oddzielony iskrzącym się łańcuchem stojących w korku aut. Z maski szaroniebieskiego Fairlane'a parowało ciepło, delikatnie drgając w zapadającym szybko zmroku i roztapiając nieliczne płatki śniegu, które znów zaczęły sypać się z nieba. Phoebe westchnęła, jej twarzyczka zmarszczyła się lekko i zaraz potem rozluźniła. Pod wpływem impulsu, któremu sama się później dziwiła, Caroline szarpnęła kierownicą i Fairlane zsunął się z jezdni na wysypane żwirem pobocze. Wtedy wrzuciła wsteczny bieg i zaczęła się cofać wzdłuż zablokowanego jeden za drugim rzędu samochodów. To było coś niezwykłego, zupełnie jakby mijała stojący na peronie pociąg. Oto jakaś kobieta w futrze; trójka dzieci, które dla zabicia czasu przedrzeźniały się nawzajem; mężczyzna w kurtce palący papierosa... Caroline cofała się w otulającym świat zmierzchu, a kolejka unieruchomionych aut przypominała jej kolorową, skutą lodem rzekę.

Bez żadnego incydentu Caroline udało się dotrzeć do zjazdu, który wyprowadził ją na drogę numer sześćdziesiąt sześć. Tutaj drzewa wciąż okryte były ciężkimi, białymi czapami. Monotonię pól tu i ówdzie zakłócały domostwa, na początku pojedyncze, potem coraz liczniejsze. W szybko zapadającej ciemności ich okna błyszczały ciepłym blaskiem. Wkrótce Caroline znalazła się na głównej ulicy Versailles, ozdobionej ceglanymi frontami sklepów, i tu zaczęła rozglądać się za kierunkowskazami, które poprowadziłyby ją do domu.

Przy następnym skrzyżowaniu dostrzegła ciemnoniebieski znak z logo sklepu Krogera. Ten znajomy widok – rząd firmowych chorągiewek w jasno oświetlonych oknach wystawowych – dodał jej otuchy, lecz jednocześnie uświadomił, jak bardzo jest głodna. Zresztą jaki dziś był dzień? Sobota, w dodatku prawie wieczór? Jutro wszystkie sklepy będą zamknięte na głucho, a ona nie miała w domu prawie nic do jedzenia. Mimo zmęczenia wjechała na parking i wyłączyła silnik.

Phoebe, lekka jak pióro i promieniująca niemowlęcym ciepłem, skończyła właśnie dwanaście godzin, z których większość przespała owinięta w kocyki. Caroline zarzuciła na ramię torbę z pieluchami, a następnie otuliła dziecko płaszczem. Wiatr hulał po asfalcie i rozrzucał po kątach resztki starego śniegu zmieszane ze świeżymi płatkami. Caroline ostrożnie brnęła w grząskim błocie, żeby się nie przewrócić i nie zrobić krzywdy dziecku, choć jednocześnie przyszło jej do głowy, jak łatwo byłoby po prostu zostawić gdzieś noworodka, na przykład w śmietniku albo na stopniach kościoła, albo gdziekolwiek. Miała absolutną władzę nad tym kruchym, maleńkim życiem... I wtedy nagle całą jej istotę ogarnęło poczucie tak ogromnej odpowiedzialności, że aż zakręciło się jej w głowie.

Przeszklone drzwi otworzyły się z rozmachem, wypuszczając na zewnątrz falę jasności i ciepła. Wewnątrz kłębił się tłum kupujących, a klienci z napełnionymi po brzegi wózkami przepychali się we wszystkie strony. Chłopiec od pakowania zakupów stał przy drzwiach.

– Sklep jest otwarty tak późno tylko ze względu na pogodę – zawołał, kiedy wchodziła. – Zamykamy za pół godziny!

– Ale przecież śnieżyca już się skończyła – zdziwiła się Caroline, a chłopak roześmiał się z niedowierzaniem. Jego twarz była zarumieniona od gorąca, które wylewało się przez automatycznie otwierane drzwi na zimne, wieczorne powietrze.

– Nie słyszała pani? W nocy ma nadejść następna, i to jeszcze gorsza!

Caroline umieściła Phoebe wewnątrz metalowego wózka i ruszyła pomiędzy obco wyglądające rzędy z towarami. Przez moment zawahała się przy półce z mlekiem dla niemowląt, potem wzięła jeszcze podgrzewacz i zaczęła się zastanawiać, jaki rodzaj butelek wybrać i jaką wielkość śliniaczków. Już zaczęła wykładać zakupy na taśmę, kiedy zorientowała się, że powinna jeszcze wziąć mleko dla siebie, kupić coś do jedzenia i zaopatrzyć się w zapas pieluszek. Ludzie mijali ją, a na widok Phoebe ich twarze rozpromieniały się. Niektórzy nawet przystawali na moment, żeby zajrzeć pod kocyk.

– Och, jaka śliczna! – mówili. – Ile już ma?

– Dwa tygodnie – kłamała Caroline.

– Och, nie trzeba było wynosić jej na taką pogodę – oburzyła się jakaś starsza kobiecina. – Mój Boże! To maleństwo powinno jak najszybciej znaleźć się w domu.

Kiedy Caroline skręciła w szósty rząd, żeby wziąć z półki kilka puszek zupy pomidorowej, Phoebe poruszyła się, gwałtownie rozprostowała rączki i zaczęła płakać. Caroline zawahała się przez moment, a potem zabrała dziecko i pękatą torbę, i poszła do toalety na końcu sklepu. Usadowiła się na plastikowym, pomarańczowym krzesełku i nasłuchując odgłosów kapiącej z kranu wody, zaczęła przelewać gotowe mleko z termosu do butelki. Dopiero po kilku minutach udało się jej nakłonić rozdrażnione niemowlę do jedzenia, ponieważ Phoebe nie zdążyła jeszcze wykształcić odruchu ssania i nie umiała uchwycić smoczka. Wreszcie mała zaczęła ssać i robiła to tak samo, jak przedtem spała: łapczywie, gwałtownie, z piąstkami zaciśniętymi na wysokości policzków. Mniej więcej w czasie, gdy zaspokoiła pierwszy głód, rozległ się gong wzywający klientów do kończenia zakupów i opuszczenia sklepu. Caroline popędziła do taśmociągu, gdzie czekała znudzona i nieco poirytowana kasjerka. Szybko zapłaciła i wsadziła pod pachę papierową torbę, na drugim ręku kołysząc dziecko. Ledwie zdążyła wyjść ze sklepu, kiedy za jej plecami rozległ się trzask zamykanych drzwi.

Parking był już prawie pusty. Kilka ostatnich samochodów stało z włączonymi silnikami albo leniwie ruszało w stronę ulicy. Caroline postawiła na masce torbę z zakupami i umieściła Phoebe z powrotem w kartonowym pudełku na tylnym siedzeniu. Z daleka dobiegło do niej echo rozmów

— to pracownicy opuszczali sklep. Pojedyncze płatki wirowały w stożkach światła, rzucanych przez uliczne latarnie, i Caroline miała wrażenie, że wcale nie jest ich więcej niż przedtem. Często przecież zdarzało się, że prognozy meteorologów wcale się nie sprawdzały. Nawiasem mówiąc, śnieżyca, która zaczęła się jeszcze przed narodzinami Phoebe – zaledwie wczorajszej nocy, pomyślała Caroline, choć chwilami wydawało jej się, że było to całe wieki temu – wcale nie była przewidziana. Caroline sięgnęła do papierowej torby, odłamała kawałek chleba, a potem z pośpiechem wsadziła do ust. Nie jadła przez cały dzień i dosłownie umierała z głodu. Przeżuwając smakowity kęs, zamknęła drzwi i wtedy ogarnęła ją tęsknota za jej małym mieszkaniem, tak schludnym i skromnie urządzonym, za podwójnym łóżkiem przykrytym koronkową narzutą, za panującym tam ładem i porządkiem... Już była w połowie samochodu, gdy nagle dostrzegła słaby blask tylnych świateł.

Dosłownie wrosła w ziemię i bez słowa gapiła się na własne auto. Więc przez ten cały czas, kiedy roztrzęsiona biegała między półkami, kiedy spokojnie karmiła Phoebe w nieprzytulnej, sklepowej toalecie, to światło przedzierało się przez śnieg...

Przekręciła kluczyk w stacyjce, ale usłyszała jedynie słabe kliknięcie. Akumulator był tak wyczerpany, że silnik nawet nie jęknął.

Wysiadła i bezradnie stanęła obok otwartych drzwi. Parking świecił pustkami; ostatni samochód odjechał parę minut temu. I wtedy Caroline zaczęła się śmiać. Nie był to całkiem normalny śmiech, nawet sama potrafiła to usłyszeć. Był zbyt głośny i chwilami za bardzo przypominał szloch.

— Mam z sobą dziecko – powiedziała na głos, zdumiona własnymi słowami. – W tym samochodzie jest dziecko!

Ale na parkingu panowała głucha cisza. Przez śnieżną zadymkę przeświecały jedynie oświetlone prostokąty okien wystawowych.

— Mam tutaj dziecko! – powtórzyła, ale tym razem jej głos zabrzmiał piskliwie. – Dziecko! – krzyknęła z całej siły w rozciągającą się przed nią pustkę.

Rozdział trzeci

N orah w końcu otworzyła oczy. Na zewnątrz powoli wstawał świt, ale księżyc wciąż wychylał się spomiędzy drzew i zalewał pokój bladym, niepokojącym światłem. Obudził ją niespokojny sen; zdawało jej się, że po omacku szuka na zmarzniętej ziemi czegoś, co przed chwilą zgubiła. Krawędzie trawy, ostre i łamliwe, kruszyły się przy każdym dotyku, pozostawiając na skórze sieć drobniutkich nacięć. Ogarnięta nagłym zmieszaniem podniosła w górę obie ręce, ale na dłoniach nie dostrzegła żadnych śladów. Paznokcie były starannie opiłowane i wypolerowane.

W stojącej obok łóżka kołysce jej syn zanosił się płaczem. Jednym zręcznym ruchem, bardziej pod wpływem instynktu niż świadomie, Norah podniosła go i położyła obok siebie w pościeli, w wystygłych i śnieżnobiałych prześcieradłach. Więc David już poszedł do kliniki, a ona w tym czasie spała w najlepsze. Wtuliła synka w miękkie zagłębienie własnego ciała i rozpięła górę nocnej koszuli. Malutkie piąstki uderzały niecierpliwie o nabrzmiałe piersi z siłą nie większą niż skrzydełka ćmy. Po chwili ssał łapczywie. Norah poczuła nagły ból, który ustąpił, kiedy mleko popłynęło szerokim strumieniem. Z miłością pogładziła wątłe włoski i delikatną czaszkę. Tak, to zdumiewające, jak potężne siły kryją się we wnętrzu ludzkiego ciała. Ręce malucha uspokoiły się i oparły na jej sutkach z rozcapierzonymi paluszkami, podobne do dwóch gwiazd.

Zamknęła oczy, unosząc się gdzieś pomiędzy snem a jawą. Nareszcie to głęboko ukryte w jej wnętrzu źródło zostało uwolnione, bo mleko płynęło bez przeszkód. Norah czuła, jak w tajemniczy sposób sama staje się rzeką albo wiatrem, który wszystko obejmuje swą istotą: żółte żonkile na toaletce i trawę, cicho rosnącą tuż pod oknem, i nowe liście, które dopiero zaczynały pączkować na okolicznych drzewach... Maleńkie larwy, białe jak macica perłowa, ukryte w ziemi, które kiedyś miały przekształcić się w motyle, ćmy albo pszczoły... Ptaki uskrzydlone lataniem i ich tęskne nawoływania... Wszystko to należało teraz do niej. Paul zacisnął malutkie piąstki i schował je pod podbródkiem, a jego policzki wydymały się rytmicznie, w miarę jak zasysał mleko. Teraz wokół nich dwojga krążył cały wszechświat, brzęczący, rozkoszny i zmuszający do nieustannego wysiłku. Serce Norah wezbrało miłością, ociężałe od szczęścia zmieszanego z żalem.

Nie płakała bezpośrednio po utracie córki, choć David płakał. „Była całkiem sina", mówił, a łzy ściekały mu po policzkach i osiadały w jednodniowym zaroście. Malutka dziewczynka, która nawet nie zdążyła nabrać oddechu. Paul leżał wtedy na jej kolanach, więc była zajęta oglądaniem synka. Przyglądała się malutkiej buzi, całkiem pomarszczonej i jednocześnie nieziemsko pogodnej; czapeczce robionej na drutach; podwiniętym paluszkom, różowiutkim i delikatnym, malutkim, tycim paznokietkom, miękkim i półprzezroczystym jak rogalik księżyca na dziennym niebie... Właściwie nie słyszała tego, co do niej mówił i tak naprawdę niewiele do niej docierało. Wspomnienia z tamtej nocy wydawały się całkiem odległe, a potem zamazane – najpierw był śnieg, potem długa jazda do kliniki przez opustoszałe ulice miasteczka i David, który zatrzymywał się na każdych światłach, podczas gdy ona walczyła z rozdzierającą potrzebą parcia. Potem pamiętała tylko rozrzucone w nieładzie rzeczy, których wcześniej nie widziała, niezwyczajną ciszę wyludnionej kliniki i miękki dotyk niebieskiego materiału, który dostrzegła między kolanami. I jeszcze zimny blat stołu do badań pod nagimi plecami, i złoty zegarek Caroline Gill, który błyszczał w świetle lampy, ilekroć zbliżała się do Norah, żeby podać jej gaz. Później obudziła się i w jej ramionach leżał Paul, a David siedział obok i płakał. Podniosła głowę i spojrzała na niego z zatroskaniem, ale i pewnego rodzaju obojętnością, co pewnie było skutkiem niedawno przebytego porodu, działania środków znieczulających i wysokiego poziomu hormonów. Następne dziecko, martwo urodzone... Jak to mogło być? Przypomniała sobie, że drugi raz czuła potrzebę parcia i że słyszała napięcie w głosie Davida, ukryte tuż pod powierzchnią jak kamienie w mętnej wodzie. Ale dziecko w jej ramionach było całkowicie zdrowe, przepiękne, bardziej niż udane...

Dopiero kiedy następnego dnia opuszczali klinikę i ostrożnie wychodzili w chłodne, przesycone wilgocią powietrze późnego popołudnia, poczucie straty zaczęło wdzierać się do jej serca. Był już prawie zmierzch, wszędzie unosił się zapach topniejącego śniegu i mokrej ziemi. Niebo zakrywała gęsta powała chmur, biała i ziarnista na tle sztywnych, nagich gałęzi platanów. Niosła Paula, który ważył mniej więcej tyle co mały kot, i myślała, jakie to niezwykłe przywozić do domu całkiem nową osobę. Tak starannie meblowała dziecinny pokój, wybrała najładniejszą kołyskę z drewna klonowego i pasującą do niej komódkę, przykleiła do ścian papierową tapetę w wesołe misie, powiesiła zasłony, uszyła w ręku kołdrę... Wszystko było w porządku, wszystko zostało przygotowane, jej syn znajdował się w jej objęciach... Mimo to zatrzymała się przy samym wejściu do budynku, między dwiema stożkowatymi kolumnami, jakby nagle zabrakło jej sił, by zrobić następny krok.

– Davidzie... – wyszeptała. Odwrócił się do niej, blady i ciemnowłosy jak drzewo na tle zimowego nieba.

– Tak? – odparł. – O co chodzi?

– Chcę ją zobaczyć – jej szept brzmiał nienaturalnie głośno w ciszy panującej na pustym parkingu. – Tylko raz. Zanim stąd odjedziemy. Muszę ją zobaczyć.

David wepchnął ręce do kieszeni i bez słowa wpatrywał się w płyty chodnika. Z krawędzi dwuspadowego dachu kliniki przez cały dzień odłamywały się topniejące sople i teraz schodki pokrywała warstwa kawałków lodu.

– Och, Norah – odpowiedział łagodnie. – Proszę cię, jedźmy do domu. Mamy pięknego syna.

– Wiem – skinęła głową, ponieważ był rok tysiąc dziewięćset sześćdziesiąty czwarty, David był jej mężem, a ona przywykła do tego, żeby we wszystkim mu ustępować. A jednak wydawało jej się, że nie może ruszyć z miejsca, a gdy to zrobiła, że wcale tego nie czuje, jakby zostawiała tutaj najważniejszą cząstkę siebie samej. – Och, David, tylko przez chwilę. Dlaczego nie?

Ich oczy spotkały się, a udręka w jego spojrzeniu sprawiła, że pod powiekami poczuła piekące łzy.

– Bo jej już tu nie ma – głos Davida brzmiał dziwnie obco. – Dlatego. Obok farmy Bentley'ów znajduje się cmentarz. W Woodford County. Poprosiłem go, żeby ją tam zabrał. My możemy pojechać kiedy indziej, na przykład na wiosnę. Och, Norah, proszę cię! Ranisz mi serce.

Norah zamknęła oczy, czując jak coś umyka z niej na myśl o niemowlęciu, jej własnej córeczce, która zostanie złożona w zimnej, marcowej ziemi. Jej ramiona, wciąż obejmujące Paula, zesztywniały, za to cała reszta ciała wydawała się płynna, jakby za chwilę miała się rozpuścić i zniknąć w rowie razem z resztkami topniejącego śniegu. David ma rację, przemknęło jej przez głowę. Lepiej jej nie widzieć. Kiedy wspiął się na schodki i otoczył ją ramionami, skinęła głową i razem poszli przez pusty parking w gasnące światło wieczoru. David upewnił się, czy fotelik jest dobrze umocowany, a potem ostrożnie prowadził samochód, wioząc ich do domu. We dwójkę przenieśli nosidełko z Paulem przez ganek i frontowe drzwi i zostawili go śpiącego w dziecinnym pokoju. Fakt, że David zatroszczył się o wszystko, o jej komfort i bezpieczeństwo, napełniło ją pewnego rodzaju spokojem. Zdecydowała, że nie będzie więcej się z nim sprzeczać ani wspominać o chęci ujrzenia córeczki.

Ale teraz śniła każdej nocy o czymś, co bezpowrotnie zostało utracone.

Paul w końcu zasnął. Za oknem gałęzie derenia stukały o szyby, poruszając się w podmuchach wiatru na tle ciemnobłękitnego nieba. Norah przekręciła się, przystawiła dziecko do drugiej piersi i znów odpłynęła w sen. Obudziła ją wilgoć łez, własny szloch i blask słońca. W międzyczasie jej piersi znów zdążyły się napełnić, co oznaczało, że od ostatniego karmienia upłynęły trzy godziny. Usiadła na łóżku, czując się ociężale; rozciągnięta skóra na brzuchu przelewała się przy każdym poruszeniu, piersi były sztywne i obrzmiałe, a każdy staw bolał po niedawnym porodzie. Kiedy szła przez korytarz, deski na podłodze skrzypiały pod jej ciężarem.

Leżący na przewijaku Paul krzyczał coraz głośniej, aż na jego buzi pojawiły się czerwone cętki. Szybko zdjęła przemoczone ubranko i przesiąkniętą na wylot pieluszkę. Nóżki synka wydawały się tak delikatne i tak chudziutkie, jak skrzydełka oskubanego kurczęcia. Gdzieś na obrzeżach świadomości krążyło widmo córeczki, milczące i czujne.

Norah przetarła kikut po pępowinie spirytusem, wrzuciła brudną pieluszkę do wiadra z wodą i ubrała malucha w czyste śpioszki.

– Słodkie maleństwo... – mruknęła. – Moje najmniejsze kochanie – dodała, znosząc synka na dół.

W salonie żaluzje wciąż były zaciągnięte, podobnie jak zasłony. Norah podeszła do wygodnego fotela obitego skórą i rozpięła szlafrok. Mleko znów napływało zgodnie z własnym, ściśle uregulowanym rytmem; ta siła była tak potężna, że wydawała się przerastać wszystko inne. „Obudziłam się do snu", pomyślała i usiadła, trochę zakłopotana tym, że nie może sobie przypomnieć, czyje słowa zacytowała przed chwilą.

W domu panowała cisza; słychać było jedynie klikanie czujnika kotła do ogrzewania i szelest zeschłych liści. Z daleka dobiegł odgłos zamykanych i otwieranych drzwi do łazienki, a następnie szum wody. Potem rozległy się lekkie kroki i ze schodów zbiegła Bree, młodsza siostra Norah. Na sobie miała za dużą koszulę, której rękawy sięgały aż do opuszków długich palców. Na deskach podłogi zatupały jej bose stopy.

– Nie włączaj światła – poprosiła Norah.

– Okay – Bree podeszła i przesunęła palcami po główce niemowlęcia.

– Jak się miewa mój mały siostrzeniec? – zapytała. – Jak tam Paul?

Norah spojrzała na drobną buzię swojego dziecka, zaskoczona jak zwykle brzmieniem jego imienia. To imię jeszcze nie przylgnęło do małej osóbki; na razie przypominało raczej bransoletkę – coś, co łatwo może się ześlizgnąć i przepaść. Kiedyś przeczytała coś na temat ludzi – ale gdzie, tego także nie mogła sobie przypomnieć – którzy przez ładne parę tygodni odmawiają nadania imienia swoim dzieciom. Zupełnie jakby uważali, że przez ten czas one nie należą jeszcze do ziemi, lecz są zawieszone gdzieś pomiędzy dwoma światami.

– Paul – powiedziała na głos. To słowo zabrzmiało konkretnie i zdecydowanie. I ciepło, jak kamień ogrzany przez promienie słońca. Jak opoka.

A potem cichutko, dla samej siebie, dodała: Phoebe.

– On jest głodny – przytaknęła Norah. – Zawsze wydaje się głodny.

– No tak. To ma po swojej ciotce. Chyba zaraz zrobię sobie jakąś kanapkę i kawę. Przynieść ci coś?

– Może trochę wody – odparła Norah. Spoglądała z zazdrością, jak Bree, długonoga i pełna gracji, wychodzi z pokoju. Może to dziwne, że pragnęła akurat jej obecności – obecności siostry, która zawsze była jej przeciwnikiem, jej nemezis – ale tak to wyglądała prawda.

Bree miała zaledwie dwadzieścia lat, ale cechowała ją taka zawziętość i pewność siebie, że Norah często miała wrażenie, że to ona jest młodsza i mniej doświadczona. Trzy lata wcześniej, będąc na pierwszym roku studiów, Bree uciekła z pewnym farmaceutą, który mieszkał w domu naprzeciwko, nie bacząc na to, że miał dwa razy więcej lat i był starym kawalerem. Ludzie uważali, że to wina tamtego nieszczęśnika, jakby to tylko on miał wiedzieć, co wolno a czego nie. Z kolei wszyscy zgadzali się, że nieopanowanie Bree wynikało z tego, że straciła ojca jako nastolatka, a przecież ogólnie wiadomo, że to w tym wieku jest się szczególnie wrażliwym i podatnym na wpływy. Przepowiadano, że ten związek źle się skończy, i tak rzeczywiście się stało.

Lecz jeśli ktokolwiek spodziewał się, że nieudane małżeństwo ujarzmi nieco temperament Bree, to srodze się zawiódł. Coś zaczęło się zmieniać na świecie od czasów, gdy Norah była dziewczynką. Bree nie wróciła w domowe pielesze jak oczekiwano, czysta i dręczona wyrzutami sumienia. Zamiast tego zapisała się na uniwersytet i zmieniła imię z Brigitte na Bree, ponieważ jej zdaniem brzmiało ono świeżo i lekko.

Ich matka, upokorzona skandalicznym małżeństwem i jeszcze gorszym rozwodem młodszej latorośli, poślubiła pewnego pilota TWA i przeprowadziła się do Saint Louis, pozostawiając obie córki własnemu losowi. „No cóż, przynajmniej jedna z was wie, jak należy się zachowywać", oświadczyła, podnosząc wzrok znad pudła z porcelaną, którą właśnie pakowała. Była wczesna jesień, powietrze pachniało rześko, a na ziemię opadał deszcz złotych liści. Blond włosy matki upięte były w lekki kok, a targające nią emocje ożywiały jej delikatne rysy. „Och, Norah, nawet sobie nie wyobrażasz, jak jestem wdzięczna Opatrzności, że choć jedna z moich dziewczynek jest dobrze wychowana. Moja droga, nawet jeśli nie wyjdziesz za mąż, to i tak zawsze będziesz prawdziwą damą". Norah, która właśnie chowała do pudła portret ojca, oblała się rumieńcem ze wstydu i przykrości. Ona także była zszokowana odwagą i śmiałością Bree, i czuła wściekłość na myśl, że prawa rządzące światem uległy tak wielkiej zmianie. Bez tego Bree nie udałoby się wyjść obronną ręką z tego bagna – małżeństwa, rozwodu i skandalu, jaki wywołała wokół swojej osoby – w które wdepnęła z własnej i nieprzymuszonej woli.

Nienawidziła tego, co Bree zrobiła im wszystkim. Z rozpaczą w sercu żałowała, że nie zrobiła tego pierwsza. Ale jej nie przytrafiłoby się nic podobnego. Ona zawsze była grzeczną dziewczynką. Taką rolę pełniła w rodzinnym domu. Czuła się blisko związana z ojcem – uprzejmym, nieuporządkowanym mężczyzną, ekspertem od hodowli owiec, który całe dnie siedział w pokoju na piętrze, czytając dzienniki, albo spędzał czas w stacji badawczej, otoczony stadem zwierząt patrzących na świat dziwnymi, wypukłymi oczyma. Norah kochała go z całego serca i przez całe życie czuła się zobowiązana, żeby jakoś wszystkim wszystko wynagrodzić; jego brak zainteresowania sprawami rodziny, rozczarowanie matki, która poślubiła człowieka zupełnie oderwanego od rzeczywistości, wreszcie własne poczucie niższości. Ta potrzeba stała się jeszcze bardziej intensywna, kiedy ojciec umarł. Norah robiła więc to, co należało, spokojnie ukończyła studia i postępowała zawsze zgodnie z oczekiwaniami innych. Po otrzymaniu dyplomu pracowała przez sześć miesięcy w firmie telekomunikacyjnej, ale ta praca nie sprawiała jej radości ani satysfakcji, więc chętnie rzuciła ją, żeby poślubić Davida. Ich spotkanie w dziale bielizny domu towarowego Wolf Wile's i nieoczekiwany, niemalże potajemny ślub były najbardziej szalonymi wyczynami, na jakie się w życiu zdobyła.

Bree lubiła powtarzać, że życie Norah przypomina jej telewizyjny sitcom. „To dobre dla ciebie", mówiła, odrzucając w tył długie włosy i pobrzękując szerokimi, srebrnymi bransoletami, które zatrzymywały się w okolicach łokcia. „Jeśli o mnie chodzi, to chyba bym tego nie zniosła. Zwariowałabym po tygodniu. Co ja plotę, po jednym dniu!".

Norah wściekała się po cichu, nienawidziła Bree i pogardzała nią, ale gryzła się w język. Bree chodziła na wykłady poświęcone Virginii Woolf, a w końcu związała się z menadżerem restauracji ze zdrową żywnością z Louisville i przestała odwiedzać siostrę. Jednak dziwnym trafem wszystko uległo zmianie, gdy Norah zaszła w ciążę. Bree znowu przychodziła, przynosiła koronkowe buciki i cieniutkie, srebrne bransoletki na kostkę, importowane z Indii, które kupowała w jakimś sklepie w San Francisco. Przynosiła także odbite na kserokopiarce kartki z poradami dotyczącymi karmienia piersią, ponieważ kiedyś usłyszała, że Norah nie zamierza stosować butelek. Od tamtej chwili Norah była zadowolona, kiedy widziała siostrę. Cieszyły ją słodkie, niepraktyczne prezenciki i wsparcie, jakiego jej udzielała. W tysiąc dziewięćset sześćdziesiątym czwartym roku karmienie piersią uchodziło za coś niezwykłego i trudno było znaleźć gdziekolwiek informacje na ten temat. Ich matka w ogóle nie miała ochoty o tym dyskutować, zaś panie z kółka robótek ręcznych oświadczyły, że będą ustawiać krzesła w łazienkach, żeby zapewnić jej odrobinę prywatności. Norah poczuła wielką ulgę, kiedy Bree wyśmiała głośno ich pomysły. „Co za banda idiotek", wykrzyknęła. „Nie zwracaj na nie uwagi".

Tym niemniej, mimo że Norah była wdzięczna siostrze, to jednak czasami dręczył ją pewien niepokój. W świecie Bree, który zdawał się istnieć głównie gdzie indziej, w Kalifornii, Paryżu albo Nowym Jorku, młode kobiety chodziły po swoich domach z obnażonymi piersiami, robiły sobie zdjęcia z niemowlętami przyssanymi do obrzmiałych sutków i pisały pochwalne artykuły o korzyściach, jakie czerpie dziecko z matczynego mleka. „To jest coś absolutnie naturalnego", tłumaczyła Bree. „Ostatecznie my też jesteśmy ssakami". Jednak dla Norah sama myśl o tym, że jest ssakiem, którego zachowanie regulują instynkty (na przykład słowo „ssać" od razu wywoływało skojarzenia z lubieżnością, co sprowadzało najpiękniejsze ludzkie uczucia do poziomu stajni), wywoływała rumieniec zażenowania i chęć wyjścia z pokoju.

Teraz Bree wróciła z tacą, na której znajdowała się filiżanka kawy, kawałek świeżego chleba i masło. Długie włosy ześlizgnęły się z jej ramienia, gdy pochyliła się, żeby postawić wysoką szklankę z wodą na stoliku obok Norah. Potem położyła tacę na stoliku do kawy i usadowiła się na kanapie, podwijając pod siebie długie, piękne nogi.

– David już pojechał?

Norah skinęła głową.

– Nawet nie słyszałam, kiedy wstawał.

– Myślisz, że to dobrze, że on tyle pracuje?

– Tak – odparła Norah bez cienia wątpliwości. – Moim zdaniem dobrze. Doktor Bentley rozmawiał z pozostałymi lekarzami, którzy przyjmują w klinice, i potem zaproponował mu trochę urlopu, ale David odmówił. Chyba lepiej dla niego, że teraz jest tak bardzo zajęty.

– Naprawdę? A co z tobą? – spytała Bree, wbijając zęby w chleb.

– Ze mną? Ze mną wszystko w porządku.

Bree machnęła ręką.

– Nie sądzisz, że...

Ale Norah przerwała jej, zanim siostra zdążyła znów powiedzieć coś nieuprzejmego na temat swojego szwagra.

– Nie masz pojęcia, jak się cieszę, że tutaj jesteś – oznajmiła. – Poza tobą nikt nie raczy ze mną rozmawiać.

– No chyba zwariowałaś. Przez ten dom przewija się mnóstwo ludzi, którzy marzą o tym, żeby z tobą rozmawiać.

– Wiesz, Bree, ja urodziłam dwoje dzieci – odezwała się cicho Norah. Nagle przypomniała sobie tamten sen: pusty, zamarznięty krajobraz i własne, zapamiętałe poszukiwanie czegoś zaginionego. – A nikt nawet słowem nie wspomina przy mnie o niej. Wszyscy uważają, że powinnam być szczęśliwa, ponieważ mam Paula. Ale prawda wygląda tak, że nie można zastąpić jednego życia drugim. Ja urodziłam bliźnięta. Miałam także córkę... – urwała w pół zdania, czując nagły ucisk w gardle.

– Wszystkim jest przykro z tego powodu – powiedziała łagodnie Bree.

– Wszyscy są szczęśliwi i jednocześnie smutni. Ludzie zwyczajnie nie wiedzą, co należy mówić w takich okolicznościach. To tylko o to chodzi.

Norah podniosła śpiącego chłopczyka i oparła go sobie na ramieniu. Na szyi czuła ciepło jego oddechu. Z czułością pogłaskała malutkie plecki, niewiele większe niż jej dłoń.

– Wiem – wyszeptała. – Ja to rozumiem, ale mimo wszystko...

– Według mnie David nie powinien tak szybko wracać do kliniki – oznajmiła Bree. – Ostatecznie minęły dopiero trzy dni.

– Praca go uspokaja – wyjaśniła Norah. – Gdybym ja miała jakąś pracę, też bym poszła.

– Nie – Bree z zapałem pokręciła głową. – Na pewno byś nie poszła. Wiesz, strasznie żałuję, że muszę ci to powiedzieć, ale uważam, że David po prostu się odsuwa, że dusi w sobie prawdziwe uczucia. A ty przez cały czas starasz się czymś wypełnić tę pustkę. Jakoś ułożyć wasze sprawy. I to ci się nie udaje.

Norah uważnie przypatrzyła się młodszej siostrze, zastanawiając się, jakie uczucia zgasił w niej nieszczęsny farmaceuta, bo pomimo całej otwartości Bree nigdy nie pisnęła ani słowa na temat swojego krótkiego małżeństwa. A teraz, choć Norah była skłonna przyznać jej rację, uważała za swój obowiązek stanąć w obronie męża, który – zapominając o własnym

smutku — zatroszczył się o każdą drobnostkę. O cichy pogrzeb bez asysty, o wyjaśnienie całej sprawy przyjaciołom, o uprzątnięcie śladów żałoby...
— David ma prawo przeżywać to na swój sposób — powiedziała, sięgając do okna, żeby otworzyć żaluzje. Niebo zmieniło kolor na rozświetlony błękit, a zawiązki liści na gałęziach drzew w ciągu zaledwie kilku godzin wyraźnie się powiększyły. — Zwyczajnie chciałam ją zobaczyć, Bree. Ludzie mogą myśleć, że to jakieś makabryczne zachcianki, ale ja po prostu tego chciałam. I żałuję, że nie mogłam jej dotknąć, choćby tylko jeden jedyny raz.

— To wcale nie są makabryczne zachcianki — powiedziała miękko Bree. — Moim zdaniem to całkiem rozsądne życzenie.

Zapadło milczenie, które po dłuższej chwili przerwała Bree, proponując siostrze kawałek chleba z masłem.

— Nie jestem głodna — skłamała Norah.

— Ale musisz coś jeść — nalegała Bree. — Nadwaga sama zniknie, tak czy inaczej. To jeszcze jedna wielka zaleta karmienia piersią, choć rzadko kto o niej wspomina.

— Owszem — odrzekła Norah. — Ty to robisz, prawie bez przerwy.

Bree wybuchnęła śmiechem.

— Coś mi się zdaje, że masz rację.

— Ale jedno muszę szczerze przyznać — Norah wyciągnęła rękę po szklankę z wodą. — Naprawdę się cieszę, że tu jesteś.

— Hej! — Bree sprawiała wrażenie nieco zawstydzonej. — A gdzie twoim zdaniem miałabym teraz być?

Główka Paula spoczywała na niej ciepłym ciężarem, a delikatne włoski drażniły skórę szyi. „Ciekawe, czy będzie kiedyś tęsknił za swoją bliźniaczą siostrą?", zastanawiała się Norah. Za jej straconą obecnością, za bliską towarzyszką króciutkiego życia? Automatycznie pogładziła jego główkę i wyjrzała przez okno. Gdzieś daleko, ponad drzewami, kątem oka dostrzegła niewyraźną, zanikającą tarczę księżyca.

***

Potem, kiedy Paul zasnął, Norah wzięła prysznic. Po kolei próbowała się wcisnąć w trzy różne ubrania, ale wszystkie spódnice okazały się zbyt ciasne w talii, zaś spodnie za bardzo napinały się na biodrach. Norah zawsze była szczupła, wręcz drobna, i proporcjonalnie zbudowana, więc własna niezgrabność szalenie ją dziwiła i przygnębiała. Całkiem zdesperowana wskoczyła wreszcie w kombinezon z niebieskiego dżerseju – na szczęście luźny – który nosiła podczas ciąży i przysięgła sobie więcej go nie zakładać. Ubrana, lecz ciągle bosa, wędrowała po domu, zaglądając po kolei do wszystkich pomieszczeń. Pokoje wyglądały mniej więcej tak, jak jej ciało – dziko, chaotycznie i nieopanowanie. Cieniutka warstwa kurzu osiadła na meblach, na każdej wolnej powierzchni walały się stosy ubrań, a z nie zasłanych łóżek wysypywała się nieświeża pościel. Na toaletce dostrzegła czystą plamę tam, gdzie David ustawił wazon z żonkilami, które już całkiem zbrązowiały na brzegach. Szyby w oknach też były brudne jak diabli. Pomyślała w popłochu, że następnego dnia Bree wyjedzie, a na jej miejscu zjawi się ich matka. Na samą myśl o tym bezradnie usiadła na brzegu łóżka, ściskając w dłoniach krawat Davida. Nieład panujący w domu przygniatał ją nieznośnie, jakby dopiero teraz, w blasku dnia, uświadomiła sobie jego ogrom. Nie czuła się na siłach, żeby z nim walczyć, a co więcej – i to wydawało się szczególnie przygnębiające – wcale nie miała na to ochoty.

Nagle rozległ się dzwonek do drzwi, a potem tupot bosych stóp Bree, przebiegających przez kolejne pokoje.

Norah od razu rozpoznała głosy, ale i tak przez jeszcze jedną chwilę została tam, gdzie była. Cały zapas jej energii gdzieś się rozpłynął i zaczęła się zastanawiać, jak dać znać Bree, żeby odprawiła gości. Ale głosy wyraźnie się zbliżały – minęły klatkę schodową i przycichły, kiedy całe towarzystwo weszło do salonu. To były panie z kółka kościelnego; pewnie przyniosły jakieś podarunki i z pewnością będą chciały zobaczyć dziecko. Już dwa razy grono przyjaciółek przychodziło z wizytą; najpierw były to dziewczyny z kółka krawieckiego, a potem z klubu malowania porcelany. Zapchały lodówkę różnymi smakołykami i przekazywały sobie Paula z rąk do rąk, jak jakieś cenne trofeum. Norah od czasu do czasu świadczyła podobne uprzejmości świeżo upieczonym matkom i teraz była zdumiona, że takie postępowanie budzi w niej raczej odrazę niż wdzięczność. Miała dość przeszkadzania, mówienia bez przerwy „dziękuję" i wcale nie interesowało jej jedzenie. Mało tego, wcale go sobie nie życzyła.

Usłyszała, że Bree ją woła, więc zeszła na dół, nie zawracając sobie głowy malowaniem ust czy choćby rozczesaniem włosów. Nawet nie zdążyła włożyć kapci.

– Uprzedzam was, że wyglądam okropnie – oznajmiła buntowniczym tonem, gdy wchodziła do salonu.

– Och, wcale nie – zawołała Ruth Starling, poklepując miejsce obok siebie, ale mimo to Norah dostrzegła, że kilka innych pań wymieniło szybkie spojrzenia. Ich zdziwienie sprawiło jej dziwną satysfakcję. Posłusznie klapnęła obok Ruth, skrzyżowała nogi i złożyła ręce na podołku, tak samo jak wtedy, gdy była małą dziewczynką.

– Paul właśnie zasnął – powiedziała. – Nie chcę na razie go budzić.

Ze zdumieniem usłyszała we własnym głosie coś na kształt agresji.

– Nie przejmuj się, kochanie – odparła Ruth. – Tyle przeszłaś, moje biedactwo… Dama z białymi, starannie upiętymi włosami dobiegała już siedemdziesiątki, a w ubiegłym roku pochowała męża, z którym przeżyła pięćdziesiąt lat. Ile ją to musiało kosztować, pomyślała Norah? Ile musi ją teraz kosztować taka prezencja i takie zachowanie?

Norah znów poczuła bliskość córeczki, jej obecność tuż poza granicami widzialnego świata… Siłą zdusiła pragnienie, żeby pobiec na górę i sprawdzić, czy z Paulem wszystko w porządku. Chyba naprawdę zaczynam wariować, pomyślała i wbiła wzrok w podłogę.

– Może ktoś ma ochotę na herbatę? – spytała Bree z lekkim zażenowaniem i zanim ktokolwiek zdążył odpowiedzieć, zniknęła za kuchennymi drzwiami.

Norah robiła co mogła, żeby skoncentrować się na konwersacji. Bawełna czy batyst – co będzie lepsze na poszewki dla szpitala? Co ludzie sądzą na temat nowego pastora? Czy wierni powinni się składać na koce dla Armii Zbawienia, czy też nie ma takiej potrzeby? Potem Sally oznajmiła, że dziecko Kay Marshall – dziewczynka – urodziło się zeszłej nocy.

– Ważyła dokładnie siedem funtów – kontynuowała Sally. – Kay wygląda po prostu prześlicznie. Nazwali małą Elizabeth, po babci… Podobno Kay miała łatwy poród, bez żadnych niespodzianek.

I wtedy zapadła cisza, jakby wszyscy nagle zdali sobie sprawę, co zaszło. Norah miała wrażenie, że ta cisza rodzi się gdzieś wewnątrz jej ciała i rozchodzi po całym pokoju jak fala po powierzchni wody. Sally, czerwona ze wstydu jak burak, w końcu odważyła się podnieść wzrok.

– Och, Norah... – wyrzuciła jednym tchem. – Tak strasznie mi przykro. Norah pragnęła przemówić, żeby znów wrócić do zwyczajnej rozmowy. Miała na końcu języka odpowiednie słowa, ale nie była w stanie wydobyć z siebie głosu. Siedziała pogrążona w milczeniu, a to milczenie stawało się tak potężne jak jezioro, jak ocean, i wszyscy obecni mogli w nim utonąć.

– No cóż – oznajmiła dziarsko Ruth. – Niech ci Bóg błogosławi, Norah. Musisz być strasznie zmęczona.

Wyciągnęła nieforemną paczkę, owiniętą w kolorowy papier i ozdobioną pękiem wąskich wstążek.

– Przyniosłyśmy cały zestaw, bo jeśli chodzi o agrafki do pieluszek, to pewnie masz już wszystkie jakie tylko matka może sobie wymarzyć.

Kobiety roześmiały się z ulgą. Norah także się uśmiechnęła i rozerwała papier. W środku pudła znajdowało się składane krzesełko z metalową ramą i wyściełanym siedzeniem, podobne do tego, jakie podziwiała kiedyś u którejś z przyjaciółek.

– Oczywiście, maluch nie będzie go używał jeszcze przez kilka miesięcy – odezwała się Sally. – Ale sama się przekonasz, jak on tylko zacznie chodzić, że to najlepsze, co mogłyśmy wymyślić.

– Proszę – Flora Marshall podniosła się z miejsca i podała Norah dwie miękkie paczuszki.

Flora była starsza od wszystkich w tym gronie, nawet od Ruth, ale cechowała ją żelazna kondycja i aktywność. Dziergała kocyki dla wszystkich nowo narodzonych dzieci w parafii. Widząc wielki brzuch Norah, od razu podejrzewała, że w grę wchodzą bliźnięta, więc zrobiła dwa przykrycia, poświęcając na nie wieczorne spotkania i godziny spędzane przy kawie w gronie znajomych z kościoła. Z jej torby wiecznie wysypywały się kłębki miękkich, kolorowych wełenek. Pastelowe odcienie żółci i zieleni, zmieszane z sobą łagodne odcienie błękitu i różu – żartowała, że nie ma zamiaru się zakładać, czy będą to chłopcy, czy dziewczynki. Bo że bliźnięta, tego była pewna, choć wtedy nikt nie brał na poważnie jej przepowiedni.

Połykając łzy, Norah wzięła obie paczuszki. Gdy otworzyła pierwszy pakunek, poczuła pod palcami miękką, znajomą wełnę. Utracona córeczka znów była bardzo blisko. Norah poczuła przypływ wdzięczności dla Flory, która mądra mądrością babek wiedziała od razu, co należy robić. Rozerwała kolejne opakowanie, bo nie mogła się doczekać, kiedy zobaczy drugi kocyk, tak samo miękki i kolorowy jak pierwszy.

— To będzie troszkę za duże, ale nie przejmuj się. W tym wieku dzieci naprawdę szybko rosną — wyjaśniła Flora, kiedy sportowe ubranko upadło na kolana Norah.

— Gdzie jest drugi kocyk? — spytała z niecierpliwością. Jej głos zabrzmiał szorstko, ochryple, jak krzyk przerażonego ptaka. Ją samą to zadziwiło, bo ostatecznie jej opanowanie było wszystkim znane. Lubiła się szczycić, że niezależnie od sytuacji zachowuje spokój i że zawsze kieruje się zdrowym rozsądkiem. — Gdzie jest kocyk, który zrobiłaś dla mojej córeczki?!

Flora zarumieniła się i rozejrzała po pokoju w poszukiwaniu ratunku. Ruth natychmiast chwyciła dłoń Norah i mocno ścisnęła. Norah czuła dotyk gładkiej skóry i zdumiewająco silny uścisk palców. David mówił jej kiedyś, jak nazywają się te malutkie kosteczki, ale teraz nie mogła sobie przypomnieć ich nazw. Co gorsza, łzy ciekły jej po policzkach. Nie potrafiła ich ukryć ani powstrzymać.

— No cicho już, cicho… Masz takiego pięknego synka — słyszała pełen współczucia głos Ruth.

— Ale on miał siostrę — wyszeptała z determinacją i popatrzyła po otaczających ją twarzach. Te wszystkie kobiety przyszły tutaj, żeby okazać jej uprzejmość. I tak było im smutno, a ona swoim zachowaniem tylko potęgowała ich smutek. Co się z nią stało, na litość boską? Całe życie starała się robić to, czego spodziewali się po niej inni. — Nazywała się Phoebe, słyszycie?! Chcę, żeby ktoś wreszcie wymówił jej imię! — zerwała się na równe nogi. — Chcę, żeby o niej pamiętano!

A potem był już tylko dotyk wilgotnej szmatki na czole i czyjeś ręce, które pomagały jej położyć się na kanapie. Ktoś powiedział, żeby zamknęła oczy, więc posłuchała, choć łzy ciągle wymykały się spod jej powiek, a ona nie potrafiła ich powstrzymać. Przyjaciółki znowu mówiły coś o tym, co ich zdaniem powinna robić, a te słowa kłębiły się wokół niej jak tumany śniegu. „To nie jest nic niezwykłego", oświadczył czyjś głos. „Nawet w najlepszych okolicznościach zdarza się, że po kilku dniach od porodu następuje obniżenie nastroju". „Może powinnyśmy zadzwonić do Davida?", zasugerowała inna.

Na szczęście Bree była tuż obok. Z wdziękiem i spokojnie odprowadziła całe towarzystwo do drzwi wejściowych. Kiedy wszyscy sobie poszli, Norah otworzyła oczy i ujrzała, że Bree włożyła na siebie jeden z wiszących w kuchni fartuchów, choć był stanowczo za szeroki w pasie jak na jej szczupłą talię. Kocyk wydziergany przez Florę Marshall leżał na podłodze wśród resztek papieru do pakowania, więc podniosła go, zaplatając palce w miękkiej włóczce. Norah wytarła wierzchem dłoni oczy i wreszcie odezwała się normalnym głosem.

– David mówił, że miała ciemne włoski. Tak jak Paul.

Bree przyglądała się jej z uwagą.

– Norah, mówiłaś, że macie zamiar zamówić żałobną mszę za Phoebe. Dlaczego odkładasz to w nieskończoność? Dlaczego nie weźmiesz się za to teraz? Może to przyniosłoby ci coś w rodzaju ukojenia.

Norah pokręciła głową.

– David twierdzi, podobnie zresztą jak wszyscy, że powinnam się skoncentrować na dziecku, które mi zostało.

– Tyle tylko, że tego nie robisz – Bree wzruszyła ramionami. – Im bardziej starasz się o niej nie myśleć, tym częściej ci się to nie udaje. Zresztą pamiętaj, że David jest tylko zwykłym doktorem, a nie Panem Bogiem – dodała po chwili.

– Oczywiście, że nie – zawołała Norah. – Przecież wiem o tym.

– Czasami wcale nie jestem pewna, czy faktycznie o tym wiesz.

Norah nie odpowiedziała. Na wypolerowanej na wysoki połysk podłodze odbijały się różne wzory – cienie zeschłych liści tańczących w podmuchach wiatru. Zegar na obramowaniu kominka cykał miarowo. Norah czuła, że powinna być głodna, ale nie była. Mimo to miała wrażenie, że sam pomysł odprawienia żałobnej mszy chyba powstrzymał odpływ jej życiowej energii i woli, który rozpoczął się na schodach przy wyjściu z kliniki i nie ustał aż do tego momentu.

– Może masz rację – odezwała się po dłuższej chwili. – Sama nie wiem… Może rzeczywiście… Ale coś małego. Coś cichego i prywatnego.

Bree wręczyła jej słuchawkę telefonu.

– Proszę. Po prostu zacznij.

Norah wzięła głęboki oddech i wybrała numer. Najpierw zadzwoniła do nowego pastora i zaczęła wyjaśniać, że zależy jej na mszy, tak, na zewnątrz kościoła, na dziedzińcu. Tak, niezależnie od pogody. „Za Phoebe, moją malutką córeczkę, która zmarła przy narodzeniu".

Przez następne dwie godziny powtarzała wciąż te same słowa: kwiaciarce, kobiecie z działu ogłoszeń w „The Leader", znajomym z kółka krawieckiego, które zaofiarowały się zrobić bukiety... Przy każdej rozmowie czuła, że jej spokój wzrasta, że przybiera na sile – podobny do ulgi, którą odczuwała, kiedy Paul wczepiał się w nabrzmiałą mlekiem pierś i zaczynał ssać – i że na nowo wiąże ją ze światem.

Wreszcie Bree wyszła na wykłady, a Norah samotnie włóczyła się po pokojach, chłonąc panujący w nich chaos. Popołudniowe słońce wpadało do środka przez niezbyt czyste szyby, przez co panujący w sypialni bałagan jeszcze bardziej rzucał się w oczy. Ten sam nieład towarzyszył jej każdego dnia od powrotu do domu, ale dziś po raz pierwszy miejsce bezczynności zastąpił przypływ energii. Norah zaczęła wygładzać narzuty na łóżkach, otwierać okna, odkurzać meble... Wreszcie postanowiła pozbyć się ciążowych, drelichowych spodni. Tak długo grzebała w szafie, aż w końcu trafiła na spódnicę odpowiednio szeroką w talii i bluzkę, która nie opinała się na biuście. Na widok swojego odbicia w lustrze zmarszczyła się nieco, bo wciąż jej sylwetka wydawała się zbyt pulchna i przysadzista, ale mimo wszystko czuła się zdecydowanie lepiej. Sporo czasu poświęciła też na uporządkowanie włosów, co wymagało chyba setki pociągnięć szczotką. Gdy skończyła, na szczotce było pełno włosów. Wyglądała jak gniazdo utkane ze złotych pasemek. Całe bogactwo, które nosiła podczas ciąży, wypadało teraz garściami, bo poziom hormonów zdecydowanie się obniżył. Norah wiedziała, że tak się stanie. Była na to przygotowana, ale mimo to zachciało jej się płakać.

– Dość tego! – powiedziała do siebie surowo, malując usta szminką i ocierając łzy. – Już chyba wystarczy, Norah Asher Henry.

Zanim zeszła na dół, założyła jeszcze sweter i znalazła na dnie szafy beżowe pantofle na płaskim obcasie. Przynajmniej jej stopy zdążyły już zeszczupleć.

Po drodze zajrzała do Paula – chłopczyk spał głęboko, a jego oddech był płytki, lecz równy, co wyraźnie poczuła na koniuszkach palców – a potem wyjęła z zamrażarki potrawkę, wsadziła ją do piekarnika, nakryła do stołu i otworzyła butelkę wina. Właśnie obcinała zimne i lekko przegniłe łodygi zwiędniętych kwiatów, kiedy drzwi wejściowe stanęły otworem. Na odgłos kroków Davida serce zaczęło jej mocniej bić. W sekundę później pojawił się w korytarzu; ciemny garnitur luźno wisiał na szczupłej sylwetce, a twarz wydawała się zarumieniona od szybkiego marszu. Był zmęczony, ale od razu spostrzegła, że z ulgą zauważył panujący w domu porządek, zmianę w jej wyglądzie i zapach gorącego posiłku. W ręku trzymał świeży bukiet żonkili, przed chwilą zerwanych w ogródku. Pocałowała go na powitanie; jej usta wydawały się gorące w zetknięciu z jego zimnymi wargami.

– Cześć – powiedział. – Wygląda na to, że miałaś dziś dobry dzień.

– Tak. Rzeczywiście był dobry.

Niewiele brakowało, a powiedziałaby mu o tym, co zrobiła, ale zamiast tego podała mu drinka. Czystą whisky, bez domieszki, tak jak lubił. Oparł się o blat, podczas gdy ona płukała pod kranem główkę sałaty.

– A co u ciebie? – spytała, zakręcając wodę.

– Całkiem nieźle – odparł. – Miałem masę roboty, jak zwykle. Przykro mi z powodu zeszłej nocy, ale chodziło o pacjenta, który miał atak serca. Na szczęście nie śmiertelny, jak się okazało.

– Miał coś złamanego?

– O tak! Biedak spadł ze schodów i złamał kość piszczelową. Maluch śpi?

Norah spojrzała na zegar i głęboko westchnęła.

– Tak, ale pewnie będę musiała go obudzić – odparła. – Ciekawe, czy kiedyś uda mi się przyzwyczaić go do jedzenia o stałych porach.

– Może ja to zrobię – David wziął wazon z kwiatami i ruszył w stronę schodów. Słyszała jego kroki na górze i oczyma wyobraźni ujrzała, jak pochyla się nad łóżeczkiem i delikatnie muska czoło dziecka albo bierze w dłoń malutką rączkę. Jednak kilka chwil później David wrócił sam, ubrany w dżinsy i sweter.

– Śpi jak aniołek – powiedział. – Chyba trzeba pozwolić mu spać.

Przeszli do salonu i usiedli obok siebie na kanapie. Przez chwilę albo dwie Norah miała wrażenie, że jest tak jak dawniej; że są tylko we dwoje, a świat wokół nich wydaje się absolutnie zrozumiały, pełen słodkich obietnic. Wcześniej planowała, że powie Davidowi o wszystkim przy kolacji, ale teraz, nieoczekiwanie właśnie w tym momencie zapragnęła wyjaśnić mu szczegóły krótkiej mszy, którą zamierzała zorganizować i nekrologów, które miały ukazać się w prasie. Mówiła, a spojrzenie Davida stawało się coraz bardziej intensywne, jakby jej słowa trafiały w jakiś szczególnie czuły punkt. Wyraz jego twarzy sprawił, że zaczęła się zastanawiać. Było tak, jakby zdarła z niego jakąś maskę i jakby zwracała się do kompletnie obcego człowieka, którego reakcja mogła okazać się całkiem inna, niż tego oczekiwała. Oczy męża wydawały się ciemniejsze niż kiedykolwiek, a ona nie potrafiła powiedzieć, co w danej chwili krąży mu po głowie.

– Widzę, że ten pomysł wcale ci się nie podoba – powiedziała w końcu.

– To nie tak – zaprzeczył.

I znów ujrzała w jego spojrzeniu ból, słyszała ból w jego głosie. Ogarnięta pragnieniem uśmierzenia go, o mało co nie wycofała się z całego przedsięwzięcia, ale czuła, że jej otępienie, przegnane tak wielkim wysiłkiem, znów czai się w kącie pokoju.

– Mnie to bardzo pomogło – oświadczyła. – Uważam, że to nic złego.

Chyba chciał coś powiedzieć, ale potem się zawahał, wstał i podszedł do okna, żeby popatrzeć na ciemność wypełniającą nieduży park po drugiej stronie ulicy.

– Do diabła, Norah! – powiedział cicho, a jego głos był niski i ochrypły. Nigdy dotąd nie słyszała, żeby przemawiał takim tonem; wściekłość, która kryła się tuż pod gładką powierzchnią słów, nieco ją przeraziła. – Dlaczego jesteś tak cholernie uparta? Czemu przynajmniej nie uprzedziłaś, co masz zamiar zrobić, zanim zadzwoniłaś do gazet?

– David, ona umarła – wykrzyknęła, bo ją także ogarnął gniew. – Nie ma się czego wstydzić! Nie ma powodu, żeby trzymać to w sekrecie!

David wyraźnie zesztywniał, ale się nie odwrócił. Wówczas, w domu towarowym Wolf Wile's, ten obcy mężczyzna z jasnoczerwoną podomką w ręku wydawał się jej dziwnie znajomy – jak ktoś, z kim wcześniej łączyły ją bliskie stosunki, a kogo przez ładnych parę lat nie widziała. Teraz – po roku małżeństwa – miała wrażenie, że tak naprawdę wcale go nie zna.

– David? – wyszeptała. – Co się z nami dzieje?

Nie zareagował. Całą jadalnię wypełniała woń mięsa i smażonych ziemniaków, i to przypomniało jej o kolacji, która podgrzewała się w piekarniku. Czuła, jak żołądek zwija jej się na samą myśl o jedzeniu, tak bardzo była głodna, choć cały dzień udawała, że wcale tak nie jest. Z góry dobiegło zawodzenie Paula, ale Norah nie ruszyła się z miejsca. Czekała na to, co odpowie David.

– Nic się nie dzieje – mruknął wreszcie i spojrzał na nią. W jego wzroku kryło się cierpienie, ale i coś jeszcze – coś w rodzaju stanowczości – czego zupełnie nie rozumiała. – Moim zdaniem, Norah, to, co robisz, to gruba przesada – powiedział spokojnie. – Oczywiście to całkiem zrozumiałe, jak przypuszczam.

Jego ton był zimny, daleki, protekcjonalny... Paul płakał coraz głośniej. Płonąc z gniewu, odwróciła się na pięcie i pobiegła na górę, gdzie podniosła dziecko i przewinęła. Delikatnie, bardzo delikatnie, choć cały czas drżała z furii. Potem szybko usiadła na bujanym fotelu, pośpiesznie rozpięła guziki i już w następnej chwili czuła dobrze znaną, błogą ulgę. Zamknęła oczy, nasłuchując, jak piętro niżej David zagląda do kolejnych pokoi. On przynajmniej mógł dotknąć swojej córeczki, zobaczyć jej buzię...

Nabożeństwo żałobne musi się odbyć, żeby nie wiem co. Musi, choćby ze względu na nią.

Powoli, powoli, kiedy Paul ssał, a na zewnątrz gęstniał mrok, spokój zaczął powracać. Jak szeroka, niezmącona niczym rzeka ogarnął całą jej istotę i znów czuła się na siłach zaakceptować świat i to, co on ze sobą niesie. W ogródku rosła świeża trawa, pęcherzyki kryjące jajeczka owadów pękały, żeby uwolnić nowe istnienia, a skrzydła ptaków trzepotały w locie. „To jest coś świętego", przemknęło jej przez myśl. Poprzez dziecko, które kołysała w ramionach, i to spoczywające w ziemi łączyła się ze wszystkim, co żyło – teraz i kiedykolwiek. Upłynęło wiele czasu zanim otworzyła oczy, a wówczas zaskoczyła ją ciemność i piękno tego, co ją otaczało. Mały prostokąt światła, odbitego od gałki przy drzwiach, który drgał niespokojnie na ścianie... Nowy kocyk Paula, wylewający się z kołyski kaskadą kolorów... I bukiet żonkili od Davida, delikatny jak skóra dziecka i niemal świetlisty, jakby gromadził w sobie cały blask lamp z korytarza.

Rozdział czwarty

Jej krzyk zniknął gdzieś na przestrzeni parkingu. Caroline zatrzasnęła drzwi auta i zaczęła przedzierać się przez rozmokłą breję, ale po kilku krokach zatrzymała się i zawróciła po dziecko. Kwilenie Phoebe zmusiło ją do przyspieszenia kroku. Caroline przebiegła po asfalcie i przez puste prostokąty światła pod lampami skierowała się do automatycznych drzwi sklepu spożywczego. Zamknięte. Zaczęła krzyczeć i walić w nie pięścią, a jej głos splatał się z zawodzeniem niemowlęcia. Nic z tego. Jasno oświetlone rzędy półek świeciły pustkami. Co prawda w pobliżu wejścia stał porzucony mop i kubeł z mydlinami, ale w pobliżu nie było nikogo. Przez kilka chwil stała jak sparaliżowana, wsłuchując się w dalekie zawodzenie wiatru, a kiedy płacz Phoebe zmienił się w rozpaczliwy wrzask, wzięła się w garść i pobiegła do tylnego wejścia. Opuszczana metalowa krata na platformie do ładowania towarów także była zamknięta, ale Caroline i tak wdrapała się na górę, bo doleciał do niej zapach psujących się produktów, które ktoś wyrzucił na zimny, poplamiony tłuszczem beton. Z całej siły kopnęła w kratę, a słysząc efekt dźwiękowy swojego wyczynu w postaci donośnego echa, bez namysłu powtórzyła go jeszcze kilka razy.

– Jeśli ktoś jest w środku, skarbie, a co do tego nie mam wątpliwości, to w końcu musi się tu pofatygować i nam otworzyć...

Naraz za jej plecami przemówił męski głos. Podskoczyła jak oparzona i ujrzała, że tuż przy pochylni, po której ciężarówki mogły podjeżdżać z naczepami pod samą rampę, stoi jakiś mężczyzna. Nawet z tej odległości bez trudu mogła stwierdzić, że jest wysoki i barczysty. Miał na sobie grubą kurtkę i wełnianą czapkę, zaś obie ręce trzymał w kieszeniach.

– Moje dziecko płacze – powiedziała bez sensu. – Wysiadł mi akumulator, a wewnątrz sklepu jest automat telefoniczny, ale nie mogę się do niego dostać.

– W jakim wieku jest dziecko? – spytał mężczyzna.

– Dopiero co się urodziła. – Caroline była już na krawędzi łez, a w jej głosie brzmiała prawdziwa panika. Śmieszne, bo sama myśl o czymś takim zawsze wydawała się jej nienawistna, lecz mimo to zachowywała się teraz jak zestresowana studentka.

– Jest sobota wieczór – zauważył mężczyzna, a dźwięk jego słów płynął w zaśnieżonej przestrzeni. Na ulicy biegnącej wzdłuż parkingu panował całkowity spokój. – Przypuszczalnie wszystkie warsztaty w miasteczku są już zamknięte.

Caroline nic nie odrzekła.

– Niech pani posłucha, madam – zaczął, wolno cedząc słowa, a każde z nich wydawało się Caroline czymś w rodzaju kotwicy. Doszła do wniosku, że on celowo zachowuje spokój, celowo łagodzi jej obawy. Być może nawet pomyślał, że ma do czynienia z jakąś wariatką. – Niestety, przez pomyłkę zostawiłem kable w innym tirze, więc nie mogę pomóc w ten sposób. Ale jak sama pani zauważyła, jest dosyć zimno. Może lepiej będzie, jeśli usiądzie pani w kabinie? Jest nagrzana. Kilka godzin temu przywiozłem tutaj mleko, a teraz czekam, bo podobno pogoda ma się pogorszyć. Bardzo mi będzie miło, madam, jeśli posiedzi pani ze mną w mojej ciężarówce. Będzie pani miała trochę czasu, żeby pomyśleć, co dalej.

Kiedy Caroline zaczęła się zastanawiać, dodał jeszcze:

– Głównie chodzi mi o dziecko.

Caroline spojrzała na odległy kraniec parkingu, gdzie stał tir z naczepą. Silnik pracował na jałowym biegu, a w mroku połyskiwało światełko w kabinie. Widziała ten samochód wcześniej, ale chyba tak naprawdę wcale go nie zauważyła. Nie zauważyła podłużnej, srebrzystej skrzyni, która jak potężny budynek wznosiła się na krawędzi widzialnego świata. Nagle spoczywająca w jej ramionach Phoebe sapnęła, nabrała powietrza i znów zaczęła kwilić.

– W porządku – Caroline podjęła decyzję. – Tak czy inaczej, muszę skorzystać z pańskiej propozycji, ale tylko przez chwilę.

Ostrożnie ominęła kilka gnijących cebul, a gdy stanęła na skraju rampy, on już tam był i wyciągał ramię, żeby pomóc jej zejść. Przyjęła jego uprzejmość bez słowa, trochę zła, a trochę wdzięczna, ponieważ zdawała sobie sprawę, że pod cienką warstwą zepsutych warzyw i topniejącego śniegu znajduje się żywy lód. Podniosła wzrok, żeby zobaczyć jego twarz, pokrytą kilkudniowym zarostem; pod naciągniętą na czoło czapką ujrzała jego oczy – ciemne i pełne życzliwości. To naprawdę śmiechu warte, pomyślała, idąc razem z nim w poprzek ogromnego parkingu. Czyste wariactwo, zdecydowała. I głupota. Przecież on może być mordercą, który zaraz wyskoczy na nią z siekierą. Jednak, prawdę mówiąc, czuła się zbyt zmęczona, żeby się martwić taką ewentualnością. Nieznajomy pomógł jej zabrać kilka rzeczy z auta, a potem trzymał Phoebe, podczas gdy Caroline wspinała się do kabiny. Gdy już się usadowiła, podał jej małą. Caroline natychmiast przelała trochę mieszanki z termosu do butelki, ale Phoebe już zanosiła się od płaczu i musiało upłynąć dobrych kilka chwil, zanim się zorientowała, że ma jedzenie tuż pod nosem. Nawet wtedy nie potrafiła od razu przyssać się do butelki. Dopiero gdy Caroline pogładziła ją po policzku, mała zacisnęła szczęki na smoczku i zaczęła ssać.

– To trochę dziwne, prawda? – spytał mężczyzna, gdy popiskiwania Phoebe ucichły. Przez cały czas siedział obok nich na fotelu kierowcy. Silnik mruczał cichutko, pokrzepiająco, jak wielki kot, zaś cały świat zdawał się rozciągać gdzieś daleko, aż do skrytego w mroku horyzontu. – Miałem na myśli taki śnieg w Kentucky.

– Nawet tutaj co kilka lat zdarzają się śnieżyce – powiedziała. – Pan nie jest stąd?

– Z Akron w Ohio – wyjaśnił. – To znaczy stamtąd pochodzę, bo tak naprawdę od pięciu lat mieszkam na drogach. Ostatnio lubię myśleć o sobie, że jestem obywatelem świata.

– Nigdy nie dokucza panu samotność? – spytała, myśląc o sobie i zwyczajnych wieczorach, które spędzała w pojedynkę we własnym mieszkanku. Nie mogła uwierzyć, że jest tutaj, gdzie jest i że rozmawia na tak osobiste tematy z zupełnie nieznajomym człowiekiem. To było dość niezwykłe, ale także ekscytujące, jak zwierzanie się osobie poznanej w pociągu czy autobusie.

– Och, czasem tak – przyznał. – Ta praca wymaga samotności, to pewne. Ale dzięki temu niekiedy można kogoś poznać. Tak jak dzisiaj.

W kabinie było ciepło i Caroline czuła, że zaczyna się poddawać i że zapada się coraz głębiej w wysoki, wygodny fotel. W świetle ulicznych lamp widziała sypiące z nieba płatki śniegu i własny samochód, który stał na środku parkingu – samotny, podłużny kształt, przyprószony cienką warstewką bieli.

– A tak właściwie to dokąd pani chce jechać? – usłyszała głos nieznajomego.

– Tylko do Lexington. Kilka mil stąd na autostradzie międzystanowej wydarzył się jakiś większy wypadek. Pomyślałam, że lepiej będzie zjechać na boczne drogi, żeby zaoszczędzić sobie czasu i kłopotów.

W przyćmionym świetle majaczyła jego twarz. Caroline dostrzegła, że nieznajomy się uśmiecha i ku swemu zaskoczeniu sama też się uśmiechnęła. Po chwili obydwoje śmiali się jak szaleni.

– No cóż, kto drogi skraca, do domu nie wraca – wykrztusił wreszcie.

Caroline skinęła głową.

– Proszę posłuchać – powiedział po chwili namysłu. – Jeśli rzeczywiście chodzi tylko o Lexington, to mogę panią podwieźć. Równie dobrze mogę parkować tam jak tu. Jutro... Jutro jest niedziela, zgadza się? Ale w poniedziałek z samego rana musi pani zadzwonić do pomocy drogowej, żeby ściągnęli auto. Pani samochód będzie tutaj bezpieczny, co do tego nie ma wątpliwości.

Światło z latarni padało prosto na maleńką twarzyczkę Phoebe. Nieznajomy wyciągnął rękę i delikatnie, bardzo delikatnie pogładził swoją ogromną dłonią jej czółko. Caroline podobało się zakłopotanie i spokój, z jakim to uczynił.

– No dobrze – zdecydowała. – Jeśli to rzeczywiście nie sprawi panu kłopotu...

– Och, nie – zawołał. – Do cholery, to żaden kłopot... Pardon, proszę wybaczyć moje maniery. Lexington jest mi po drodze.

Przyniósł z jej samochodu resztę rzeczy – torby z zakupami i kocyki dziecka. Na imię miał Al. Albert Simpson. Schylił się, po omacku poszukał czegoś na podłodze i spod fotela wyciągnął drugą filiżankę. Starannie przetarł ją chusteczką, a następnie napełnił kawą z termosu. Caroline bez namysłu przyjęła poczęstunek – zadowolona, że może napić się czarnej kawy, że ma w ustach coś ciepłego, i wdzięczna losowi za to, że znalazła się w towarzystwie kogoś, kto niczego o niej nie wiedział. Czuła się bezpieczna i dziwnie szczęśliwa, choć w kabinie pachniało stęchlizną, a w powietrzu wisiał smród nieświeżych skarpetek. W dodatku dziecko, które wcale do niej nie należało, ufnie zasnęło na jej kolanach. Po drodze Al opowiadał różne historie – o stacjach z pełnym węzłem sanitarnym, przeznaczonych specjalnie dla kierowców takich jak on, o milach, które nie wiedzieć kiedy prześlizgiwały się pod kołami, kiedy noc w noc prowadził wóz.

Ukołysana jednostajnym szumem silnika, ciepłem i widokiem śniegu pędzącego prosto w reflektory, Caroline odpłynęła w sen. Wreszcie zajechali na parking przed budynkiem, w którym mieszkała, gdzie ciężarówka Ala zajęła pięć miejsc postojowych. Al pomógł jej wysiąść i zostawiając silnik na jałowym biegu, zaniósł wszystkie bagaże po schodach, aż pod drzwi jej mieszkania. Caroline szła za nim, tuląc w ramionach Phoebe. W jednym z mieszkań na niższym piętrze poruszyła się zasłona – to Lucy Martin bawiła się w szpiega – i Caroline zatrzymała się na moment, żeby opanować zawrót głowy. Na pozór wszystko wydawało się takie jak zwykle, ale ona z pewnością nie była tą samą kobietą, która wyszła stąd zeszłej nocy, brnąc przez zaspy w stronę swojego samochodu. W tym krótkim czasie została tak odmieniona, że chyba powinna teraz wejść do innych wnętrz, znaleźć się w całkiem innym otoczeniu... Mimo to klucz bez problemu wszedł do zamka i dał się przekręcić. Znajome drzwi stanęły otworem i Caroline wniosła Phoebe do pokoju, który znała na pamięć: solidny, ciemnobrązowy dywan, kanapa obita gładkim materiałem i kupiony na wyprzedaży fotel, obok niego stolik do kawy ze szklanym blatem i otwarta książka – *Zbrodnia i kara* – którą czytała przed pójściem do łóżka. Zostawiła Raskolnikowa w chwili, gdy robi wyznania Soni... Śniła o nich dwojgu, siedzących na nieogrzewanym poddaszu... Zbudził ją dopiero dźwięk telefonu i szelest śniegu, który szczelnie wypełniał ulice.

Al kręcił się niezgrabnie koło drzwi, wypełniając sobą całe przejście. Mógł być seryjnym zabójcą, gwałcicielem albo oszustem. Mógł być kimkolwiek.

– Mam rozkładaną kanapę – powiedziała bez namysłu. – Będzie mi miło, jeśli u mnie przenocujesz.

Po chwili wahania przestąpił próg.

– A co na to twój mąż? – spytał, rozglądając się dookoła.

– Nie mam męża – odparła i dopiero wtedy zorientowała się, że popełniła błąd. – To znaczy, już nie mam.

Przyglądał się jej z uwagą, mnąc w ręku wełnianą czapkę, a zaskakująco ciemne loczki sterczały dziko na wszystkie strony. Caroline była tak zmęczona, że odbierała wszystko na zwolnionych obrotach, choć kawa w pewnym stopniu postawiła ją na nogi. Nagle zaczęła się zastanawiać, co on sobie wyobraża, widząc ją w stroju pielęgniarki, z rozczochranymi włosami, w rozpiętym płaszczu i z niemowlęciem, które tuli w drżących ze zmęczenia ramionach.

– Nie chcę narobić ci kłopotów... – mruknął.

– Kłopotów? – powtórzyła z niedowierzaniem. – Gdyby nie ty, wciąż jeszcze bym tkwiła na tamtym przeklętym parkingu.

Uśmiechnął się od ucha do ucha i bez dalszych ceregieli wrócił do ciężarówki. Po kilku minutach zjawił się ponownie z małą, płócienną torbą podróżną w ciemnozielonym kolorze.

– Ktoś nas obserwuje z okna na pierwszym piętrze – oświadczył. – Jesteś pewna, że nie będziesz żałować?

Phoebe zaczęła się wiercić, więc Caroline wyjęła z podgrzewacza przygotowaną wcześniej butelkę, sprawdziła, czy mieszanka nie jest za gorąca, a następnie usadowiła się na krześle.

– To tylko Lucy Martin, jedna z sąsiadek – wyjaśniła. – Jest straszną plotkarą, możesz mi wierzyć. Dzięki tobie jutro będzie miała o czym gadać przez cały dzień.

Phoebe nie chciała pić, tylko popłakiwała żałośnie, więc Caroline wstała i zaczęła przechadzać się z nią po pokoju, a tymczasem Al zabrał się do pracy. W mgnieniu oka rozłożył kanapę i zaścielił, starannie podwijając brzegi prześcieradła. Gdy Phoebe wreszcie ucichła, Caroline kiwnęła głową na dobranoc i wycofała się do sypialni. Szybko zamknęła za sobą drzwi, bo przyszło jej do głowy, że facet tak bystry jak Al może zauważyć brak dziecinnego łóżeczka.

Podczas jazdy do domu opracowała pewien plan i teraz po prostu wyciągnęła szufladę, a następnie wysypała całą jej zawartość na podłogę. Potem na dnie ułożyła dwa grube ręczniki, owinęła je miękkim prześcieradłem i umościła w gniazdu z kocyków uśpione niemowlę. Gdy sama wdrapała się do łóżka, zmęczenie dosłownie zwaliło ją z nóg. Zapadła w kamienny sen, mocny i nieprzerywany sennymi marzeniami. Nie słyszała donośnego chrapania Ala, hałasu śnieżnych pługów jadących wolno przez parking ani brzęku śmieciarki dobiegającego z ulicy. Jednak wystarczyło, by Phoebe drgnęła, a Caroline zrywała się na równe nogi i brnęła przez ciemność jak przez wodę. Nieprzytomna ze zmęczenia, lecz całkiem świadoma tego co robi, zmieniała małej pieluszkę, ogrzewała butelkę z mieszanką. Koncentrowała się na potrzebach maleństwa, które kołysała w ramionach, i na czekających ją zadaniach – pilnych, koniecznych, pochłaniających cały czas i uwagę... Zadaniach, którym tylko ona mogła sprostać.

***

Obudził ją blask dnia i zapach smażonej na bekonie jajecznicy. Podniosła się z łóżka, owinęła szlafrokiem, a potem delikatnie pogłaskała policzek śpiącego maleństwa. Kiedy weszła do kuchni, Al właśnie smarował masłem tosta.

– Cześć – zawołał na jej widok. Zdążył już przygładzić włosy, choć niektóre loczki nadal wymykały się spod kontroli. Zauważyła, że na czubku głowy zaczęła mu się tworzyć okrągła łysinka i że na szyi nosił złoty łańcuszek z medalionem. – Mam nadzieję, że nie masz nic przeciw temu, że zacząłem się rządzić jak u siebie. Nie jadłem wczoraj kolacji i byłem głodny jak wilk.

– Pachnie znakomicie – powiedziała. – Wiesz, ja też bym chętnie coś przekąsiła.

– To super – wręczył jej filiżankę z kawą. – W takim razie dobrze, że zrobiłem dużą porcję jajecznicy. Muszę powiedzieć, że bardzo mi się podoba twoje mieszkanko. Jest schludne i przytulne.

– Naprawdę ci się podoba? – spytała. Kawa okazała się mocniejsza i bardziej aromatyczna niż ta, którą zwykle parzyła dla siebie. – A ja myślę o przeprowadzce...

Zaskoczyły ją te słowa, ale kiedy już uleciały w powietrze, wydały się całkowicie prawdziwe. Na dywan i oparcie kanapy padało zwykłe światło dnia. Z okapu na dachu sączyła się woda i dużymi kroplami spadała na ziemię. Caroline od lat zbierała każdy grosz, wyobrażając sobie mały domek na przedmieściu lub egzotyczną podróż, a oto, gdzie wylądowała – z obcym dzieckiem w sypialni, nieznajomym mężczyzną przy stole i samochodem, uwięzionym na parkingu w Versailles.

– Zastanawiam się nad przeprowadzką do Pittsburgha – powiedziała ku własnemu zdziwieniu.

Al zamieszał łopatką jajecznicę, a potem nałożył ją na talerze.

– Do Pittsburgha? To wspaniałe miasto. A czemu akurat tam?

– Och, bo tam mieszka rodzina mojej matki – odpowiedziała, gdy ustawił na stole talerze, a sam usiadł naprzeciwko. Doszła do wniosku, że jeśli raz zaczyna się mówić kłamstwa, to piekielnie trudno jest z nich wybrnąć.

– Wiesz, chciałem tylko powiedzieć, że strasznie mi przykro – oświadczył Al, a w jego ciemnych oczach dostrzegła błysk współczucia. – Przykro z powodu tego, co stało się z ojcem twojego dziecka, cokolwiek się wydarzyło.

Caroline już na wpół zapomniała, że wymyśliła sobie męża, więc nieco ją zdziwił ton, jakim to powiedział. Wyglądało na to, że Al nie wierzy, iż kiedykolwiek w jej życiu istniał ktoś taki jak mąż... Pewnie sądził, że po prostu żyła z kimś na kocią łapę. Jedli w milczeniu, od czasu do czasu rzucając tylko luźne uwagi na temat pogody, natężenia ruchu lub kierunku, w jakim Al jechał, to znaczy Nashville w stanie Tennessee.

– Nigdy nie byłam w Nashville – oznajmiła Caroline.

– Nie? No to wskakuj do kabiny razem z córeczką! – zawołał. To był oczywiście żart, ale pod płaszczykiem żartu kryła się całkiem poważna propozycja. Propozycja nie dla niej, o nie, raczej dla samotnej matki, która akurat znalazła się na zakręcie. Mimo to przez moment Caroline widziała siebie, jak wychodzi z mieszkania obładowana pudełkami, kocykami i jak nie ma zamiaru oglądać się wstecz...

– Może następnym razem – powiedziała, sięgając po kawę. – Muszę załatwić tu jeszcze kilka spraw.

Al skinął głową, jakby spodziewał się takiej odpowiedzi.

– No jasne, rozumiem. Wiem, jak to w życiu bywa.

– Ale tak czy owak, bardzo dziękuję. Doceniam twoje starania.

– Cała przyjemność po mojej stronie – powiedział całkiem serio, a potem wstał i odszedł.

Caroline patrzyła z okna, jak podchodzi do ciężarówki, wspina się po stopniach do kabiny i odwraca, żeby machnąć ręką na pożegnanie. Pomachała mu szczęśliwa, że widzi jego uśmiech, zaskoczona, że na ten widok poczuła jakieś mrowienie w okolicy serca. Przez ułamek sekundy miała ochotę biec za nim, bo przypomniała sobie wąską leżankę w kabinie kierowcy i czułość, z jaką Al dotykał czoła Phoebe. Z pewnością mężczyzna, któremu tak doskwierało samotne życie, potrafiłby zachować w tajemnicy jej sekret, wypełnić jej sny i odegnać obawy. Ale silnik ciężarówki ryknął donośnie, z rury wydechowej uniósł się kłąb spalin, a potem pojazd wytoczył się z parkingu na cichą ulicę i zniknął za zakrętem.

***

Przez następne dwadzieścia cztery godziny Caroline spała jak zabita, budząc się tylko wtedy, gdy wymagała tego Phoebe albo gdy jej samej zachciało się jeść. To naprawdę było coś przedziwnego: dotąd zawsze zwracała uwagę na pory posiłków i unikała jedzenia o rozmaitych godzinach, bo to oznaczało, że poddaje się narastającemu wyobcowaniu i nadmiernie koncentruje na własnej samotności. Teraz jadła byle jak i byle co: zimną kaszkę zbożową prosto z kartonu, lody wydłubywane łyżeczką z pudełka, gdy przystanęła na moment przy kuchennym blacie. Zupełnie jakby weszła w smugę cienia, jakby znajdowała się gdzieś w połowie drogi między jawą a snem, gdzie nie musiała się zastanawiać nad konsekwencjami własnego postępowania ani nad losem swoim czy dziecka, śpiącego w szufladzie wyjętej z komody.

W poniedziałek rano wstała, żeby zadzwonić do pracy i powiedzieć, że jest chora. Telefon odebrała Ruby Centers, recepcjonistka.

– Wszystko w porządku, skarbie? – powiedziała na powitanie. – Masz okropny głos.

– To chyba grypa, przynajmniej tak mi się wydaje – odparła Caroline. – Pewnie będę musiała przez kilka dni posiedzieć w domu. A u was jak, wydarzyło się coś szczególnego? – dodała, starając się mówić od niechcenia. – Czy żona doktora Henry urodziła?

– No cóż, nie wiem na pewno... – zaczęła z wahaniem Ruby. Caroline wyobraziła sobie jej zmarszczone czoło, uporządkowane biurko i ustawiony w kąciku mały wazon z plastikowych kwiatkami. – Na razie jeszcze nikogo nie ma, oczywiście nie licząc tłumu pacjentów. Wygląda na to, panno Caroline, że reszta personelu też ma grypę.

W chwili, gdy odkładała słuchawkę, rozległo się donośne pukanie do drzwi wejściowych. Bez wątpienia to Lucy Martin. Caroline zdziwiła się nawet, że sąsiadka przychodzi dopiero teraz.

Lucy miała na sobie sukienkę w jaskraworóżowe kwiaty, fartuch z różowymi obszyciami i włochate kapcie. Gdy tylko Caroline uchyliła drzwi, od razu wepchnęła się do środka i wręczyła jej połowę bananowego chlebka zawiniętego w przezroczysty plastik.

Lucy miała złote serce, każdy to potwierdzał, ale w tym momencie jej obecność doprowadzała Caroline do szału. Ciasta, pasztety i gorące dania produkowane taśmowo przez Lucy zapewniały jej dostęp do każdego ważnego wydarzenia, związanego z czyjąś śmiercią, wypadkiem, narodzinami, ślubem czy nieoczekiwanym ozdrowieniem. Usilnie dążyła, żeby zawsze znaleźć się w centrum wydarzeń, a w jej niesamowitym zapotrzebowaniu na złe wieści było coś wielce niewłaściwego. Z tego powodu Caroline zawsze starała się trzymać od niej z daleka.

– Widziałam tego twojego gościa – oznajmiła Lucy na wstępie i pogłaskała rękę Caroline. – O rety! Ale przystojny facet, niech mnie gęś kopnie! Po prostu nie mogłam się doczekać, kiedy będę mogła wpaść i czegoś się dowiedzieć.

Usadowiła się wygodnie na złożonej już kanapie, a Caroline przycupnęła na fotelu obok. Drzwi do sypialni, gdzie spała Phoebe, były otwarte na oścież.

– Nie jesteś chyba chora, kochanie? – spytała Lucy. – Pytam, bo o ile mnie pamięć nie myli, o tej godzinie zwykle jesteś poza domem.

Caroline przyglądała się ożywionej niezdrową ciekawością twarzy sąsiadki, w pełni świadoma że każde jej słowo lotem błyskawicy rozejdzie się po miasteczku. Za dzień, dwa lub trzy ktoś będzie mógł zaczepić ją w sklepie albo w kościele i zacząć wypytywać o nieznajomego, który spędził noc w jej mieszkaniu.

– To był mój kuzyn – powiedziała od niechcenia Caroline, jeszcze raz zaskoczona własną, niedawno nabytą umiejętnością. Okazało się, że opowiadanie wierutnych bzdur przychodzi jej bez trudu i że potrafi kłamać jak z nut.

– Och, właśnie tak myślałam – odparła Lucy, wyraźnie rozczarowana takim obrotem spraw.

– Wiem – mruknęła Caroline. A potem, żeby zapobiec ewentualnemu atakowi dodała śmiało: – Biedny Al! Wyobraź sobie, że jego żona wylądowała w szpitalu.

Pochyliła się w stronę sąsiadki i mówiła dalej konspiracyjnym szeptem: – To bardzo smutne, Lucy. Ona ma zaledwie dwadzieścia pięć lat, a lekarze mówią, że to rak piersi. Biedactwo, strasznie zaczęła chudnąć, więc Al zawiózł ją do Somerset, żeby tam obejrzał ją jakiś znakomity specjalista. Mają malutkie dziecko, więc powiedziałam: „Słuchaj, jedź z nią i zostań w szpitalu dzień i noc, jeśli będzie trzeba. Ja zaopiekuję się waszym dzieckiem". A ponieważ jestem pielęgniarką, więc sądzę, że z ulgą przyjęli moją propozycję. Mam nadzieję, że nie przeszkadzał ci w nocy jej płacz?

Przez kilka sekund Lucy była tak ogłuszona, że zapomniała języka w gębie, a Caroline poznała, jaką przyjemność – i poczucie siły – można czerpać z powiedzenia czegoś, co spadnie na słuchacza jak grom z jasnego nieba.

– Biedni, biedni ludzie, ten twój kuzyn i jego żona! Ile ma to maleństwo?

– Tylko trzy tygodnie – powiedziała Caroline, a potem pod wpływem impulsu zawołała – Zaczekaj!

Poszła do sypialni, podniosła Phoebe z jej gniazdka w szufladzie i owinęła ciasno kocykami.

– No i co, czyż nie jest piękna? – spytała, sadowiąc się obok Lucy.

– Och, tak! Jest prześliczna! – zachwyciła się Lucy i delikatnie pogłaskała malutką łapkę.

Caroline uśmiechnęła się, bo nagle zalała ją fala macierzyńskiej dumy i radości. Cechy, które po raz pierwszy ujrzała na sali porodowej – lekko skośne oczy, nieco spłaszczona twarzyczka – stały się tak znajome, że prawie ich nie widziała. Niewprawne oko Lucy także niczego nie dostrzegło. Dla niej Phoebe wyglądała jak każde inne dziecko – delikatne, cudowne, gwałtowne w wyrażaniu swoich potrzeb.

– Uwielbiam na nią patrzeć – przyznała się Caroline.

– Och, a ta nieszczęsna mamusia... – szepnęła Lucy. – Czy lekarze sądzą, że będzie żyła?

– Tego nikt nie wie... Czas pokaże.

– Oni muszą być wykończeni – mruknęła Lucy.

– Oj tak, to prawda. Kompletnie stracili apetyt – zwierzyła się Caroline, w ten sposób odsuwając w niebyt groźbę, że Lucy będzie tu wpadała ze swoimi słynnymi potrawami.

***

Przez dwa kolejne dni Caroline nie wychylała nosa z domu. Świat przychodził do niej w postaci gazet, siatek z zakupami, mleczarza i odgłosów dobiegających z ulicy. Pogoda całkiem się zmieniła i śnieg zniknął równie nagle, jak się pojawił, spływając po ścianach budynków i wpadając w studzienki kanalizacyjne. Dla Caroline te dni zlały się w potok oderwanych obrazów i impresji. Pamiętała widok swojego Forda Fairlane, który z naładowanym akumulatorem został odholowany na parking przed domem; pamiętała promienie wiosennego słońca, które wlewały się do jej mieszkanka przez zakurzone i brudne okna; pamiętała zapach wilgotnej ziemi i drozda, który przysiadł na karmniku. Zdarzały się oczywiście chwile niepokoju, ale często, siedząc z Phoebe w ramionach, była zaskoczona przepełniającym ją uczuciem szczęścia. To, co powiedziała do Lucy Martin, okazało się absolutną prawdą – rzeczywiście uwielbiała przyglądać się małej. Uwielbiała siedzieć w świetle słońca i kołysać ją w objęciach. Czasami przychodziło otrzeźwienie i wtedy ostrzegała sama siebie, że nie powinna zbytnio się angażować. Ostatecznie jej dom był dla tego dziecka tylko chwilową przystanią. Wystarczająco często obserwowała w klinice doktora Henry'ego, by wierzyć, że w końcu zbudzi się w nim uczucie litości. Tamtej nocy, gdy podniósł głowę znad biurka i popatrzył jej prosto w oczy, ujrzała w jego spojrzeniu niezmierzoną dobroć. Bez wątpienia doktor zrobi to, co powinien, kiedy tylko wyjdzie z szoku.

Za każdym razem, gdy zabrzęczał telefon, zrywała się, sądząc że to on. Ale minęły trzy dni, a doktor nie dawał znaku życia.

W czwartek rano rozległo się energiczne pukanie do drzwi. Caroline pobiegła otworzyć, po drodze poprawiając pasek od sukienki i układając włosy, jednak okazało się, że to tylko doręczyciel z bukietem kwiatów — ciemnoczerwone i różowe pąki otaczała mgiełka materiału delikatnego jak oddech niemowlęcia. Bukiet był od Ala. „Dzięki za gościnę. Może zajrzę do ciebie następnym razem", napisał na bileciku.

Caroline wzięła kwiaty i ustawiła je na stoliku do kawy, a potem podniosła egzemplarz „The Leader", którego nie miała czasu przeczytać. Zsunęła gumkę i prześlizgnęła się po artykułach, na żadnym nie zatrzymując spojrzenia. Były tam jakieś informacje o narastającym napięciu w Wietnamie, ogłoszenia towarzyskie o tym, kto się z kim bawił w zeszłym tygodniu, strona z miejscowymi pięknościami, które prezentowały kolekcję wiosennych kapeluszy... Caroline już miała odłożyć gazetę, kiedy jej wzrok przykuła nieduża, czarna ramka.

Trzynastego marca o godzinie dziewiątej rano w Lexington Presbyterian Church odbędzie się nabożeństwo żałobne ża duszę naszej ukochanej córeczki, Phoebe Grace Henry, urodzonej i zmarłej siódmego marca tysiąc dziewięćset sześćdziesiątego czwartego roku.

Caroline powoli usiadła na krześle. Przeczytała ogłoszenie w ramce raz, potem drugi raz, nawet dotknęła je palcami, jakby poprzez fizyczny kontakt mogły się stać bardziej zrozumiałe, łatwiejsze do wyjaśnienia. Wreszcie wstała i z gazetą w ręku przeszła do sypialni. Phoebe spała w swojej szufladzie, z jedną rączką wyrzuconą na wierzch kocyka. Urodzona i zmarła. Caroline wróciła do salonu, podniosła słuchawkę i zadzwoniła do biura. Ruby odezwała się już po pierwszym sygnale.

– Chyba nie masz zamiaru przyjść? – zapytała na wstępie. – Dziś mamy tu prawdziwy dom wariatów. Chyba wszyscy w mieście złapali tę piekielną grypę. Caroline... – dodała zniżając głos. – Słyszałaś o doktorze Henrym i jego dzieciach? Okazało się, że urodziły mu się bliźnięta. Z chłopczykiem wszystko w porządku, podobno jest zdrowy. Ale dziewczynka... Biedactwo zmarło przy urodzeniu. Jakie to smutne...

– Czytałam o tym w gazecie – Caroline czuła, że z trudem rozwiera szczęki. – Zastanawiam się, czy mogłabyś poprosić doktora Henry'ego, żeby do mnie zadzwonił? Powiedz, że to bardzo ważne. Widziałam tę gazetę... – powtórzyła. – Powiesz mu, Ruby, nie zapomnisz?

Potem odłożyła słuchawkę i stanąwszy przy oknie, wpatrzyła się w pustą przestrzeń parku, w rosnący na samym przedzie olbrzymi jawor.

Godzinę później zapukał do jej drzwi.

– Cóż... – mruknęła, wpuszczając go do środka.

David Henry wszedł, usiadł na kanapie i zaczął nerwowo obracać w ręku kapelusz. Caroline zajęła miejsce na fotelu naprzeciw niego. Przyglądała mu się takim wzrokiem, jakby nigdy wcześniej go nie widziała.

– To Norah dała ogłoszenie do gazety – powiedział z wyraźną przykrością. Kiedy podniósł głowę, mimo woli poczuła przypływ współczucia. Czoło doktora było poorane bruzdami, a oczy podbiegłe krwią, jakby nie spał od dobrych kilku dni. – Zrobiła to bez porozumienia ze mną.

– Więc ona myśli, że jej córka nie żyje... – odparła Caroline. – Czy właśnie to jej powiedziałeś?

Powoli skinął głową.

– Miałem zamiar powiedzieć jej prawdę. Ale kiedy otworzyłem usta, nie mogłem wykrztusić ani słowa... W tamtej chwili sądziłem, że w ten sposób oszczędzę jej bólu.

Caroline pomyślała o swoich kłamstwach, którymi ostatnio sypała jak z rękawa.

– Nie zostawiłam jej w Louisville – powiedziała miękko i skinęła głową w stronę sypialni. – Jest tam. Śpi jak aniołek.

David Henry podniósł głowę. Na widok jego białej jak ściana twarzy Caroline straciła całą odwagę. Nigdy wcześniej nie widziała, żeby był tak wstrząśnięty.

– Dlaczego jej nie zostawiłaś? – spytał, a w jego głosie brzmiała tłumiona wściekłość. – Dlaczego, na litość boską!?

– Byłeś tam kiedyś? – odpowiedziała, przypominając sobie bladą dziewczynę i jej długie włosy, spadające na zimne linoleum. – Widziałeś to miejsce?

– Nie – zmarszczył brwi. – Słyszałem tylko bardzo dobre opinie, to wszystko. Zresztą w przeszłości wysyłałem tam pacjentów i nigdy nie dotarło do mnie nic negatywnego.

– Tam jest naprawdę paskudnie – powiedziała z ulgą. Więc on nie wiedział, co robi... Wciąż pragnęła zachować w sercu nienawiść, ale w tejże chwili przypomniała sobie, ile nocy doktor spędzał w klinice na leczeniu pacjentów, którzy nie mogli sobie pozwolić na normalne leczenie. Pacjentów z okolicznych wiosek i z gór, którzy w tym celu odbyli uciążliwą podróż do Lexington, bogaci nadzieją, lecz ubodzy w dobra materialne. Inni lekarze z kliniki nie pochwalali tych praktyk, lecz doktor Henry nie chciał z nich zrezygnować. Nie był złym człowiekiem, o tym wiedziała doskonale. Nie był potworem. Ale ten pomysł – żałobne nabożeństwo dla żyjącego dziecka – to było coś potwornego.

– W końcu będziesz musiał jej powiedzieć – oświadczyła. Jego twarz była blada, lecz pełna determinacji.

– Nie. Teraz już jest za późno. Rób, co chcesz, Caroline, ale ja nie mogę tego zrobić. Nic nie powiem.

Nienawidziła go za te słowa, ale w tej samej chwili poczuła, że między nimi dwojgiem zaistniała jakaś intymność – intymność, której nie zaznała z nikim innym. Teraz byli złączeni wielką tajemnicą i tak już miało zostać, niezależnie od tego, co się wydarzy. On ujął jej dłoń, a ona odebrała ten gest całkiem naturalnie, jako coś oczywistego. A kiedy podniósł ją do ust, poczuła na skórze dotyk jego warg i ciepło oddechu.

Gdyby dostrzegła w wyrazie jego twarzy jakiekolwiek wyrachowanie, cokolwiek innego poza pełnym cierpienia zmieszaniem, pewnie zrobiłaby jedyną oczywistą rzecz. Podniosłaby słuchawkę, zadzwoniła do doktora Bentleya albo na policję i przyznała się do wszystkiego. Ale on miał w oczach łzy.

– Zostawiam ją w twoich rękach – powiedział, puszczając jej dłoń. – Powierzam ją tobie. Uważam, że dom w Louisville jest odpowiednim miejscem dla tego dziecka. Nie podjąłem tej decyzji ot tak sobie. Ona będzie potrzebowała specjalnej opieki medycznej, do której nie wszędzie jest dostęp. Ale cokolwiek zrobisz, Caroline, ja to uszanuję. Jeśli zdecydujesz się powiadomić policję, wezmę winę na siebie. Ty nie poniesiesz żadnych konsekwencji, masz na to moje słowo.

Jego twarz była śmiertelnie poważna. I po raz pierwszy Caroline wybiegła myślami w coś poza bezpośrednim otoczeniem, poza dzieckiem śpiącym w sąsiednim pokoju. Tak naprawdę wcale nie przyszło jej do głowy, że oboje z doktorem ryzykują utratę swoich zawodowych pozycji.

Sama nie wiem – powiedziała wolno. – Muszę to sobie przemyśleć. Zwyczajnie nie mam pojęcia, co zrobić.

Doktor Henry wyjął portfel i wyciągnął jego zawartość. Trzysta dolarów – była zdumiona, że on nosi przy sobie taką sumę.

– Nie chcę od ciebie pieniędzy – zastrzegła od razu.

– To nie dla ciebie – powiedział. – To dla dziecka.

– Dla Phoebe. Ona ma na imię Phoebe – Caroline odsunęła banknoty, myśląc o świadectwie urodzenia, gdzie zostały puste rubryki i tylko na dole widniał złożony w pośpiechu podpis doktora Henry'ego... Jak łatwo można wpisać tam dane Phoebe, a tuż obok własne...

– Phoebe – powtórzył jak automat. Wstał z kanapy, zostawiając pieniądze na stole. – Proszę cię, Caroline, nie rób niczego bez uprzedzenia. To jedyna rzecz, o jaką cię proszę. Żebyś mnie ostrzegła, jeśli już coś postanowisz.

Z tymi słowami wyszedł i wszystko znów było takie samo jak przedtem: zegar na kominku, kwadrat światła na podłodze, ostre kontury nagich gałęzi. Za kilka tygodni pojawią się nowe liście; drzewa obsypią się zielenią i cienie na podłodze ulegną zmianie. Widziała to już tyle razy, a mimo to ten pokój wydawał się teraz dziwnie bezosobowy, jakby w ogóle tu nie mieszkała. Przez te wszystkie lata Caroline kupiła zaledwie kilka rzeczy, bo z natury była bardzo oszczędna, a poza tym wyobrażała sobie, że prawdziwe jej życie będzie się toczyć gdzie indziej. Kanapa obita gładką tkaniną, pasujące do niej krzesło – lubiła te meble, sama je wybrała, a jednak czuła, że bez żalu potrafiłaby się z nimi rozstać. Zostawię tu wszystko, pomyślała, spoglądając na oprawione w ramki krajobrazy, wiklinowy stojak na czasopisma stojący obok kanapy, niski stoliczek do kawy... Własne mieszkanie wydawało się jej teraz równie bezosobowe jak poczekalnia w jakimś miejskim szpitalu. Zresztą, czy przez ten cały czas robiła tu coś innego poza czekaniem?

Starała się uciszyć niesforne myśli. Na pewno był jakiś prostszy, mniej dramatyczny sposób. Właśnie to miała na myśli jej matka, kiedy, kręcąc głową, mówiła córce, żeby nie udawała Sary Bernhardt. Caroline od lat już nie mogła sobie przypomnieć, kim była Sara Bernhardt, ale dokładnie rozumiała intencje matki – każdy nadmiar emocji jest czymś szkodliwym i może zniszczyć spokój zwykłych, uporządkowanych dni. Tak więc Caroline starała się zawsze kontrolować swoje emocje, podobnie jak inni sprawdzają, czy kostium dobrze leży. Odsuwała je na bok, wyobrażając sobie, że wróci do nich w późniejszym terminie, ale oczywiście nigdy tego nie robiła – aż do chwili, gdy wzięła niemowlę z rąk doktora Henry'ego. Tak to się zaczęło, a teraz nie umiała już się powstrzymać. Rozpierały ją dwa rodzaje uczuć: strach i podniecenie. Mogła nawet dziś porzucić to miejsce i zacząć nowe życie zupełnie gdzie indziej. Być może będzie zmuszona tak zrobić, i to niezależnie od tego, co postanowi w sprawie dziecka. Lexington było małym miasteczkiem. Prawie niemożliwe było pójść do sklepu spożywczego i nie wpaść na kogoś znajomego. Oczyma wyobraźni ujrzała rozszerzone ze zdumienia oczy Lucy Martin, jej skrywaną radość, z jaką przekazywała dalej kłamstwa opowiedziane przez Caroline, jej afektowaną czułość dla porzuconego dziecka... „Biedna stara panna, tak bardzo tęskniła za własnym niemowlęciem", mówiliby o niej ludzie.

„Powierzam ją tobie, Caroline...". Jego twarz postarzała się, pomarszczyła jak skorupa orzecha.

***

Następnego ranka obudziła się dość wcześnie. Zapowiadał się piękny dzień, więc wstała i otworzyła okno, wpuszczając do środka świeże powietrze zmieszane z zapachem wiosny. Phoebe budziła się w nocy dwa razy, ale podczas jej snu Caroline pakowała się i pod osłoną ciemności znosiła bagaże do samochodu. Było ich niewiele – zaledwie kilka walizek z rzeczami, które bez trudu zmieściły się w bagażniku i na tylnym siedzeniu Fairlane'a. Naprawdę byłaby w stanie spakować się w ciągu kilku minut, gdyby przyszło jej nagle jechać do Birmy czy Korei. To ją cieszyło. Cieszyła ją także własna sprawność. Poprzedniego dnia w okolicach południa udało jej się ukończyć niezbędne przygotowania: meble miały zostać zabrane przez opiekę społeczną, firma sprzątająca obiecała się zająć sprzedażą apartamentu. Odwołała także prenumeratę gazety i dostawę codziennych zakupów i napisała list do banku z żądaniem zamknięcia kont.

Potem czekała, pijąc kawę, dopóki nie usłyszała trzaśnięcia drzwiami piętro niżej, a potem ryku silnika samochodu Lucy. Wtedy szybciutko podniosła Phoebe i wybiegła, na moment zatrzymując się w korytarzu mieszkania, w którym spędziła tyle dobrych lat – lat, które teraz wydawały jej się czymś efemerycznym, jakby wcale się nie zdarzyły. Potem zdecydowanym ruchem zamknęła za sobą drzwi i zeszła schodami na parter.

Postawiła pudełko z Phoebe na tylnym siedzeniu i wyjechała w stronę miasta, po drodze mijając klinikę z jej turkusowymi ścianami i pomarańczowym dachem, a następnie bank, pralnię i ulubioną stację, gdzie zwykle tankowała paliwo. Gdy znalazła się na wysokości kościoła, podjechała na parking i zostawiła śpiącą Phoebe w samochodzie. Grupa ludzi zgromadzona na dziedzińcu była znacznie większa niż się spodziewała. Caroline stanęła z boku, ale wystarczająco blisko, żeby widzieć kark doktora Henry'ego, zaróżowiony z zimna, i upięte w sztywny kok włosy w kolorze blond, należące do jego żony, Norah. Nikt nie zwrócił na nią najmniejszej uwagi. Czuła, jak jej obcasy zapadają się w miękką ziemię obok chodnika, więc przeniosła ciężar ciała na palce, przypominając sobie jednocześnie stęchły zapach domu, do którego w zeszłym tygodniu wysłał ją doktor Henry, dziewczynę w koszuli i jej ciemne włosy spadające na podłogę.

Słowa płynęły w porannym, nieruchomym powietrzu.

„Noc jest jasna jak dzień, albowiem ciemność i jasność są dla nich jak jedno".

Caroline budziła się teraz o każdej możliwej godzinie. Potrafiła w środku nocy stać przy kuchennym oknie i zajadać krakersy. Jej dni i noce stały się nie do odróżnienia, a pokrzepiający porządek dnia codziennego rozpadł się raz na zawsze.

Norah Henry wytarła oczy koronkową chusteczką. Caroline pamiętała, jak mocno Norah zaciskała palce na jej dłoni, wypychając z siebie pierwsze dziecko, potem drugie, a potem łzy w jej oczach. To ją zniszczy, przekonywał doktor Henry. A co by się stało, gdyby teraz Caroline wyszła przed ten cały tłum z zaginionym dzieckiem w ramionach? Gdyby przerwała tę żałobę tylko po to, by obudzić inne żale?

„Albowiem ty widzisz nasze niegodne czyny, a nasze grzechy stają się jawne przed Twym obliczem".

David Henry przestępował z nogi na nogę, słuchając słów celebransa. I wtedy Caroline po raz pierwszy zastanowiła się, co przed chwilą miała zamiar zrobić. Na samą myśl o tym poczuła ucisk w gardle i krótkimi haustami zaczęła łapać powietrze. Przez podeszwy butów czuła każdą drobinkę żwiru, a obraz przed oczyma wyraźnie zadrżał, jakby za chwilę miała zemdleć. Grób, myślała, obserwując, jak Norah z wdziękiem zgina swoje długie nogi i klęka na gołej ziemi. Wiatr wkręcił się w jej krótki welon i owinął go dookoła ronda kapelusza.

„Albowiem rzeczy widzialne są przemijające, ale rzeczy niewidzialne są wieczne".

Caroline patrzyła na rękę pastora, a kiedy znowu przemówił, jego słowa wydały się skierowane nie do Phoebe, lecz do niej samej, bo kryła się w nich pewnego rodzaju nieodwołalna ostateczność. „Powierzamy jej ciało ziemi, albowiem człowiek prochem jest i w proch się obraca. Niech nasz Pan błogosławi ją i zatrzyma przy sobie. Niech Jego boskie oblicze świeci nad nią i obdarza wiecznym pokojem". Głos nagle umilkł, a wśród gałęzi drzew zaszumiał wiatr. Caroline wzięła się w garść, wytarła oczy chusteczką i potrząsnęła głową. Potem odwróciła się na pięcie i powędrowała do swojego samochodu, gdzie Phoebe spała jak aniołek, a promień słońca przesuwał się po jej twarzyczce jak czarodziejska różdżka.

Najpierw koniec, potem początek... Niedługo potem Caroline skręcała obok zakładu kamieniarskiego i długiego rzędu marmurowych pomników, żeby dostać się na autostradę międzystanową. Jakie to dziwne... Czyż to nie jest złą wróżbą, że przy wjeździe do miasteczka znajduje się zakład kamieniarski, pomyślała? Ale po chwili te sprawy przestały mieć jakiekolwiek znaczenie, bo znalazła się na rozjeździe autostrady. Wybrała kierunek wiodący na Północ, do Cincinnati i Pittsburgha, wzdłuż Ohio River, gdzie doktor Henry spędził część swojej owianej tajemnicą przeszłości. Droga wiodąca do Louisville i Domu Dla Upośledzonych Umysłowo wkrótce znikła we wstecznym lusterku.

Caroline jechała prędko, z brawurą, a jej serce wypełniało radosne podniecenie, tak jasne jak dzisiejszy dzień. Czy tak naprawdę coś takiego jak złe wróżby w ogóle się liczyło? Poza wszystkim dziecko, które podróżowało razem z nią, dla świata było już umarłe, zaś ona sama, Caroline Gill, właśnie znikała z powierzchni ziemi. Ta świadomość wypełniła ją lekkością – niezmierną lekkością, jakby jej samochód zaczął szybować ponad cichymi polami południowego Ohio. W to słoneczne popołudnie Caroline podróżowała na północny wschód, absolutnie wierząc w czekającą je obie świetlaną przyszłość. Dlaczego nie? Jeśli w oczach świata już przydarzyło im się najgorsze, co może człowieka spotkać, to przyszłość może być tylko lepsza. Z pewnością ciemną stronę życia mają już za sobą.

Rok 1965

Luty tysiąc dziewięćset sześćdziesiątego piątego roku

Norah stała boso na stołku ustawionym na środku jadalni i ostrożnie balansując, przyczepiała różowe serpentyny do żyrandola z brązu. Łańcuchy, splecione z różowych i karmazynowych serduszek, spływały ze stołu i ciągnęły się dookoła ślubnej porcelany w ciemne różyczki i ze złoconymi brzegami, ustawionej na koronkowym obrusie między serwetkami z papieru. Kiedy to robiła, włączyło się centralne ogrzewanie i wstążki krepiny uniosły się w powietrze, delikatnie otarły o jej spódnicę, a potem z szelestem sfrunęły z powrotem na podłogę.

Jedenastomiesięczny Paul siedział w kąciku obok starego kosza do zbierania winogron, wypełnionego po brzegi drewnianymi klockami. Dopiero co nauczył się chodzić, więc całe popołudnie spędził tuptając w swoich pierwszych bucikach po nowym domu. Każdy pokój wydawał się mu prawdziwą przygodą. Paluszkami popukiwał w kaloryfery i podskakiwał z radości, słysząc echo. Przeciągnął przez kuchnię worek z resztką fugi, zostawiając na podłodze wąski, biały ślad. Teraz szeroko otwartymi oczkami z podziwem obserwował serpentyny, zwiewne i nieuchwytne jak motyle, jednocześnie podciągając się przy krześle do pozycji stojącej. Nagle zachwiał się, złapał za jedną z nich i mocno szarpnął, co skończyło się tym, że stracił równowagę i ciężko klapnął na pupę. I wtedy się rozszlochał.

– Och, kochanie – Norah natychmiast zeskoczyła ze stołka i porwała synka w ramiona. – No już cicho, cicho… – szeptała, przesuwając dłonią po jedwabistych, ciemnych włoskach.

Na zewnątrz światła samochodu mignęły i zgasły, a potem rozległo się trzaśnięcie drzwiczek. W tej samej chwili zabrzęczał telefon, więc Norah z Paulem na ręku poszła do kuchni i odebrała. Jednocześnie ktoś zastukał do drzwi.

– Halo? – przycisnęła usta do spoconego czoła dziecka i stanęła na palcach, żeby zobaczyć, czyje to auto stoi na podjeździe. Bree miała przyjechać dopiero za godzinę. – Moje skarby... – wyszeptała do malucha, a głośniej powtórzyła: – Halo?

– Czy rozmawiam z panią Henry?

To była pielęgniarka z nowego miejsca pracy Davida – miesiąc wcześniej zatrudnił się w miejskim szpitalu – której Norah nigdy dotąd nie widziała. Jej głos brzmiał ciepło i głęboko, więc szybko wyobraziła sobie kobietę pokaźnych rozmiarów, obdarzoną w dodatku niezłą muskulaturą, z włosami zwiniętymi w solidny kok. Caroline Gill – która trzymała ją za rękę w czasie rozrywających bólów porodowych i której błękitne oczy i spokojne spojrzenie dla Norah były już nierozerwalnie połączone z tamtą niesamowitą, zaśnieżoną nocą – znikła w tajemniczy sposób, co wywołało w miasteczku niezły skandal.

– Pani Henry, mówi Sharon Smith. Pani mąż został przed chwilą wezwany na oddział intensywnej terapii, dosłownie w momencie, gdy już wychodził do domu, proszę mi wierzyć. Gdzieś na Leestown Road zdarzył się paskudny wypadek. To jakieś nastoletnie dzieciaki, i podobno w bardzo kiepskim stanie... Doktor Henry prosił, żeby do pani zadzwonić i powiedzieć, że wróci najszybciej jak się da.

– Nic mówił, ile to może potrwać? – spytała Norah. W całej kuchni pachniało pieczoną wieprzowiną, kiszoną kapustą i przypieczonymi ziemniakami. To było ulubione danie Davida.

– Ależ skąd. Ale wszyscy powtarzają, że to był straszny wypadek. Między nami mówiąc, kochanie, to może potrwać ładnych kilka godzin.

Norah tylko skinęła głową. Gdzieś z dala dobiegł trzask zamykanych drzwi wejściowych, a potem znajomy odgłos lekkich kroków, które przebiegały przez salon i jadalnię. Bree specjalnie przyjechała wcześniej, żeby zaopiekować się Paulem. Żeby Norah i David mogli spędzić ten wieczór przed walentynkami tylko we dwoje. Żeby mogli uczcić rocznicę ślubu.

To był plan Norah – jej niespodzianka, jej podarunek dla męża.

– Dziękuję pani, siostro – powiedziała do słuchawki. – Bardzo dziękuję za telefon.

Bree weszła dziarskim krokiem do kuchni, wnosząc ze sobą zapach deszczu. Miała na sobie długi nieprzemakalny płaszcz, a pod nim wysokie do kolan, czarne botki. Jej wysmukłe, białe uda znikały w najkrótszej spódniczce, jaką kiedykolwiek Norah widziała, a wysadzane turkusami długie, srebrne kolczyki tańczyły w blasku lampy. Przyjechała tutaj prosto z pracy – prowadziła biuro w lokalnej rozgłośni radiowej – a jej torba pełna była książek i referatów z zajęć, na które uczęszczała.

– Wow! – zawołała z podziwem, rzucając torbę na blat i wyciągając ręce do Paula. – Aleś to pięknie wymyśliła, Norah! W życiu bym nie uwierzyła, że w tak krótkim czasie potrafisz zrobić z domu takie cacko.

– Dzięki temu przynajmniej miałam jakieś zajęcie – przytaknęła Norah. Pomyślała o tygodniach spędzonych na odrywaniu starej tapety i malowaniu ścian świeżą farbą. Oboje z Davidem zdecydowali, że przeprowadzka – podobnie jak w wypadku Davida zmiana miejsca pracy – pomoże im obojgu zostawić przeszłość za sobą. Norah, która nie pragnęła niczego więcej, całkowicie zaangażowała się w realizację projektu. Mimo to nie pomogło jej to na tyle, na ile się spodziewała; poczucie utraty czegoś ważnego znów się odzywało, podobnie jak czasem z żaru samoistnie wznieca się płomień. Dwukrotnie w ostatnim miesiącu zdarzyło się, że wynajęła opiekunkę i wymknęła się z domu, pozostawiając na wpół pomalowane futryny i nieprzyklejone rolki tapety, a potem jechała nieco za szybko wąskimi, wiejskimi drogami na prywatny cmentarz, którego położenie wyznaczała ozdobna, kuta brama, bo właśnie tam spoczywała jej mała córeczka. Kamienne nagrobki sterczały tuż nad ziemią, niektóre bardzo stare i do tego stopnia zniszczone, że napisów prawie nie dało się odczytać. Pomnik Phoebe, zrobiony z różowego granitu, wyróżniał się prostotą, a data upamiętniająca jej krótkie życie została wyryta tuż pod jej imieniem i nazwiskiem. W ponurym, zimowym krajobrazie, szarpana przez lodowaty wiatr, Norah klękała na kruchej, zamarzniętej trawie, podobnej do trawy ze swojego snu. Nadmiar żalu, zbyt wielkiego, by znaleźć ujście we łzach, zupełnie ją otępiał. Zostawała w tej pozycji przez dłuższy czas, aż wreszcie podnosiła się z klęczek, otrzepywała ubranie i ruszała w drogę powrotną.

Teraz Paul bawił się z Bree, usiłując złapać ją za włosy.

– Twoja mama jest niezwykłą osobą – powiedziała do niego Bree. – Ostatnimi czasy tyra prawie tak samo jak Zosia Gosposia, zgadzasz się ze mną? Nie, kochanie, kolczyki lepiej zostaw – dodała, zamykając w dłoni malutką rączkę Paula

– Zosia Gosposia? – spytała Norah ostro, bo czuła, jak zaczyna w niej wzbierać gniew. – Co chciałaś przez to powiedzieć?

– Nic szczególnego, skarbie – odparła Bree. Robiła do malucha różne miny, a teraz ze zdziwieniem popatrzyła na siostrę. – Och, Norah, naprawdę! Rozchmurz się, proszę!

– Zosia Gosposia? – powtórzyła Norah. – Ja tylko chciałam, żeby w domu było jak najprzyjemniej ze względu na naszą rocznicę. Co w tym złego?

– Absolutnie nic! – westchnęła Bree. – Wszystko wygląda znakomicie. Zresztą chyba już to mówiłam. A ja przyszłam, żeby zająć się dzieckiem, pamiętasz? Możesz mi więc wyjaśnić, czemu jesteś taka zła?

Norah niecierpliwie machnęła ręką.

– Och, mniejsza o to, mniejsza o to! Zapomnij o całej sprawie. Po prostu David ma jakąś nagłą operację.

Bree przez ułamek sekundy milczała.

– Ach, tak…

Norah już miała zamiar stanąć w obronie męża, ale zrezygnowała. Zamiast tego mocno przycisnęła dłonie do policzków.

– Och, Bree… Czemu akurat dziś wieczorem?

– To rzeczywiście nieładnie – zgodziła się Bree.

Twarz Norah ściągnęła się; zaczęła nawet wydymać wargi, a na ten widok Bree ryknęła śmiechem.

– No przestań. Przyznaj uczciwie, że to być może nie jego wina. Tyle tylko, że ty czujesz, jakby on zrobił to specjalnie… Mam rację?

– To rzeczywiście nie jego wina. Po prostu zdarzył się wypadek… Ale masz rację. To… Moim zdaniem, coś tutaj śmierdzi. Zdecydowanie śmierdzi, prawda?

– Wiem – odparła miękko Bree. – Wiem, że czujesz się paskudnie. Przykro mi, siostrzyczko…

Uśmiechnęła się.

– Spójrz, przyniosłam wam prezent. Może to poprawi ci humor.

Przełożyła Paula na jedną rękę, a drugą pogrzebała w swojej ogromnej torbie, wyciągając na wierzch masę książek, tabliczkę czekolady, stos ulotek informujących o zbliżającej się demonstracji, okulary w zniszczonym, skórzanym etui, a na końcu butelkę wina, które przy nalewaniu do kieliszków mieniło się barwami granatu.

– Za miłość – powiedziała Bree, wręczając jeden kieliszek siostrze, a drugi unosząc w toaście. – Za wieczne szczęście i powodzenie w waszym życiu. Obie zaśmiały się i wychyliły toast do dna. Wino miało jagodowy smak, lekko zabarwiony dębową nutą. Zza okien dobiegał miarowy stukot kropli deszczu o rynny. Lata później Norah miała pamiętać ten wieczór – własne rozczarowanie, przygnębienie i Bree, która przy niej wyglądała jak istota z innego świata. Jej lśniące kozaczki, migoczące kolczyki i rozpierającą ją energię. Jak cudowne wydawało się to wszystko w oczach Norah i zarazem jak nieosiągalne. Depresja... Dopiero wiele lat potem zrozumiała, czym był ten mroczny świat, w jakim wówczas żyła. W roku tysiąc dziewięćset sześćdziesiątym piątym nikt nie używał takich określeń. Nikt się nawet nad nimi nie zastanawiał, a już na pewno nie w wypadku Norah, która miała przecież dom, udane dziecko i męża lekarza. Wszyscy sądzili, że powinna być zadowolona z życia.

– Hej! Sprzedaliście w końcu stary dom? – Bree postawiła kieliszek na blacie. – Przyjęliście tę ofertę?

– Nie mam pojęcia – przyznała Norah. – Mieliśmy nadzieję, że uda się dostać za niego trochę więcej pieniędzy. David chce sprzedać, zwyczajnie żeby mieć to z głowy, ale ja się waham. Ostatecznie to nasz dom. Ciągle nie mogę się przyzwyczaić do myśli, że miałby się dostać w obce ręce.

Pomyślała o ich pierwszym domu, ciemnymi i opuszczonym, z tabliczką „Na sprzedaż" wystawioną w ogródku, i poczuła, że cały świat stał się dziwnie kruchy. Musiała oprzeć się o kuchenny blat, żeby utrzymać równowagę i dla dodania sobie animuszu pociągnęła łyk wina.

– A jak tam twoje życie uczuciowe? – spytała, żeby zmienić temat rozmowy. – Jak ci się układa z tym tam... No, z tym chłopakiem, z którym spotykałaś się ostatnio... Jak on ma na imię? Jeff?

– Ach, z nim... – przez twarz Bree przemknął cień. Potrząsnęła głową, jakby chciała odpędzić jakąś nieprzyjemną myśl. – Nie mówiłam ci? Dwa tygodnie temu wróciłam wcześniej do domu i zastałam go w łóżku – w moim łóżku – z tą młodziutką ślicznotką, która pracowała u nas w czasie kampanii wyborczej.

– O rany... Tak mi przykro.

– Nie ma powodu, żeby ci było przykro. To nie jest tak, że ja go kochałam, czy coś w tym stylu. Zwyczajnie było nam dobrze... no wiesz... razem. Albo przynajmniej tak mi się wydawało.

– Nie kochałaś go? – powtórzyła Norah, choć na dźwięk własnego głosu, który teraz tak bardzo przypominał pełen dezaprobaty ton ich matki, poczuła prawdziwe obrzydzenie. Za nic nie chciała upodobnić się do tamtej osoby, siedzącej nad filiżanką herbaty w uporządkowanym domu swojego dzieciństwa. Ale tak samo nie chciała stać się kobietą, którą z każdym dniem coraz bardziej przypominała – kobietą o rozchwianej psychice, zamkniętą we własnym, pełnym żalu świecie.

– Nie – usłyszała odpowiedź siostry. – Nie kochałam go, choć przez chwilę wydawało mi się, że to możliwe. Ale nie o to chodzi. Rzecz w tym, że on przez ten postępek całą sprawę zamienił w jakiś żałosny banał. A ja właśnie tego najbardziej nie znoszę – być częścią jakiegoś marnego romansu.

Bree odstawiła pusty kieliszek i przesunęła Paula na drugie ramię. Jej nieumalowana twarz o pięknie wyrzeźbionych kościach policzkowych była delikatna i lekko zaróżowiona z emocji.

– Nie potrafiłabym żyć tak jak ty – przyznała Norah. Od dnia narodzin Paula i śmierci Phoebe czuła nieustanną potrzebę czuwania, jakby chwilowa nieuwaga mogła się dla niej skończyć straszliwym nieszczęściem. – Nie umiałabym tak... łamać zasad, rozwalać wszystkiego na raz.

– Ale świat się na tym nie kończy – spokojnie odrzekła Bree. – To zdumiewające, niestety, taka jest prawda.

Norah pokręciła głową.

– A może się skończyć. Wszystko może się zdarzyć, w dowolnym momencie.

– Wiem, skarbie. Świetnie o tym wiem.

Wcześniejsza irytacja Norah znikła, zastąpiona przez nagły przypływ wdzięczności. Bree zawsze umiała słuchać i umiała odpowiadać, i nie wymagała niczego poza prawdą wynikającą z doświadczenia.

– Masz rację, Norah, wszystko może się zdarzyć. Ale jeśli coś pójdzie źle, to nie będzie to z twojej winy. Nie możesz spędzić reszty życia chodząc na paluszkach, myśląc wyłącznie o tym, żeby w porę zareagować i odwrócić ewentualne nieszczęście. To się nie uda. W końcu zmarnujesz sobie życie.

Norah nie wiedziała, jak zareagować, więc wyciągnęła ręce po Paula, który chyba był głodny, bo wiercił się i wykręcał na wszystkie strony. Jego długie włosy – zbyt długie, ale Norah wciąż nie mogła się zdecydować, żeby je obciąć – unosiły się lekko przy każdym ruchu, zupełnie jakby pływały po powierzchni wody.

Bree dolała wina do kieliszków i z wazy wybrała dorodne jabłko. Norah pokroiła ser w kostkę, dołożyła kilka kawałeczków chleba i banana, a potem ustawiła jedzenie na stoliczku przy wysokim krzesełku Paula. Co chwilę pociągała łyk wina, a świat stopniowo stawał się coraz jaśniejszy, coraz bardziej ożywiony. Z niezwykłą ostrością widziała rączki Paula, podobne do małych rozgwiazd, które wcierały we włosy rozgotowaną marchewkę. Padające z kuchni światło przechodziło przez pręty ogrodzenia na tylnym ganku, rzucając na trawnik niesamowity wzór złożony z cienia i blasku.

– Kupiłam aparat fotograficzny dla Davida z okazji naszej rocznicy – przyznała Norah. Za wszelką cenę chciała zatrzymać te ulotne chwile, uwięzić je na zawsze. – Odkąd poszedł do tego szpitala, pracuje jak szalony. Potrzebuje jakiejś odmiany. Nie wierzę, że naprawdę musiał tam zostać dziś wieczorem.

– Wiesz co? – powiedziała Bree. – Tak czy inaczej, zabiorę Paula do siebie. Kto wie, może David wróci do domu wystarczająco wcześnie, żebyście mogli zjeść normalną kolację. A jeśli dopiero o północy? Czemu nie? Wtedy po prostu zabierzesz talerze i będziecie się kochać na stole w jadalni.

– Bree!

Bree wybuchnęła śmiechem.

– Proszę cię, Norah! Tak bardzo chciałabym go zabrać na dzisiejszy wieczór!

– Ale trzeba będzie go wykąpać.

W porządku, dam sobie radę. Obiecuję, że nie pozwolę mu utopić się w wannie.

– To nie jest śmieszne – parsknęła Norah. – To naprawdę kiepski żart. W końcu zgodziła się i spakowała rzeczy malucha. Najpierw czuła na policzku dotyk jego miękkich włosków, potem jego wielkie oczy patrzyły na nią poważnie znad ramienia Bree, gdy wychodzili z domu, a potem już ich nie było. Widziała z okna, jak tylne światła samochodu siostry nikną w głębi ulicy, uwożąc jej syna. Zmusiła się, żeby nie pobiec za nimi. Jak to może być, że wychowuje się dziecko, a potem pozwala mu odejść w niebezpieczny i nieprzewidywalny świat? Stała w oknie jeszcze przez kilka minut, wpatrując się w ciemność, a potem wolnym krokiem poszła do kuchni, żeby zawinąć pieczeń w folię do żywności i wyłączyć piekarnik. Dochodziła siódma wieczorem, a butelka wina, którą przyniosła Bree, była już prawie pusta. W kuchni panowała taka cisza, że słychać było cykanie zegara. Norah otworzyła następne wino – drogie francuskie wino, które kupiła specjalnie na dzisiejszą kolację.

W domu było cicho jak makiem zasiał. Czy od urodzenia Paula zdarzyło się choć raz, żeby została sama? Nie przypominała sobie ani jednej okazji. Jak ognia unikała samotności, chwil nadmiernego spokoju, kiedy myśl o zmarłej córce mogła pojawić się całkiem nieoczekiwanie. Uroczystość żałobna na dziedzińcu kościoła, która odbyła się w szorstkim świetle marcowego słońca, trochę poprawiła jej samopoczucie, lecz i tak od czasu do czasu zdarzało się, że Norah czuła obecność córeczki, zupełnie jakby za chwilę mogła zobaczyć ją na schodach albo na trawniku przed domem.

Oparła się otwartą dłonią o ścianę i mocno potrząsnęła głową, żeby odzyskać jasność myślenia. Potem z kieliszkiem w ręku przeszła przez nowy dom, podziwiając efekty własnej pracy, a echo jej kroków dudniło nad świeżo wypolerowaną podłogą. Na dworze lało jak z cebra i przez strugi deszczu ledwo było widać światła po drugiej stronie ulicy. Ten widok przypomniał jej inną noc, pełną wirujących płatków śniegu. Tamtej nocy David wziął ją pod łokieć, pomógł wcisnąć się w stary płaszcz z zielonej wełny – choć już zniszczony i miejscami poprzecierany, Norah za nic nie chciała go wyrzucić – który nie dopinał się na jej okrągłym, twardym jak piłka brzuchu. Pamiętała, jak wtedy spojrzeli sobie prosto w oczy. Był wówczas niespokojny, poważny i podenerwowany. W tamtej chwili znała go równie dobrze jak samą siebie.

Teraz wszystko się zmieniło. David się zmienił. Wieczory, kiedy siadał obok niej na kanapie i przeglądał swoje czasopisma, należały do przeszłości. W poprzednim życiu, jako międzymiastowy operator telefonii, Norah dotykała zimnego przełącznika lub metalowego przycisku i nasłuchiwała odległego brzęczenia, a potem kliknięcia świadczącego o połączeniu. „Proszę zostać na linii", mówiła, a jej słowa odbijały się echem i z opóźnieniem wracały. Ludzie zaczynali gadać jeden przez drugiego, a potem nagle milkli, odkrywając ogrom dzielącej ich czarnej przestrzeni. Czasami słuchała głosów osób, których nigdy nie miała okazji spotkać, a które często przekazywały sobie osobiste informacje: o czyichś narodzinach albo ślubach, o czyjejś chorobie lub śmierci. Czuła ciemną otchłań dzielącą tych ludzi i własną siłę, dzięki której odległość przestawała mieć jakiekolwiek znaczenie.

Ale tę siłę utraciła – przynajmniej teraz i tu, gdzie mogła być potrzebna. Czasami, gdy w środku nocy kończyli się kochać, a potem leżeli bez ruchu, nasłuchując bicia własnych serc, spoglądała na Davida i czuła, jak jej uszy zaczyna wypełniać odległy szum wszechświata.

Wybiła ósma godzina. Pod wpływem wina świat wyraźnie złagodniał. Norah wróciła do kuchni i zatrzymała się przy piecyku, żeby pogrzebać widelcem w zimnej pieczeni. Zjadła prosto z patelni jednego ziemniaka, rozgniatając go w sosie. Polana serowym sosem potrawa z brokułów zaczynała się ścinać i powoli wysychać. Norah spróbowała, ale oparzyła sobie usta, więc szybko sięgnęła po kieliszek. Pusty. Nalała z kranu wody i trzymając się zlewozmywaka, jednym haustem opróżniła jedną szklaneczkę, a potem kolejną. Musiała przy tym mocno złapać się krawędzi blatu, ponieważ świat wydał się nagle bardzo niestabilny. „Chyba jestem pijana", pomyślała ku swojemu zaskoczeniu, a ta myśl sprawiła jej niewielką przyjemność. Jej nigdy nie zdarzyło się nadużyć alkoholu, ale pamiętała, że Bree wróciła pewnego razu z jakiejś nocnej potańcówki i zaraz przy drzwiach zwymiotowała na wykładzinę wszystko, co miała w żołądku. To dlatego, że uderzyła się w brzuch, wyjaśniła matce, lecz później wyznała Norah całą prawdę: o butelce ukrytej w papierowej torbie, o kumplach czekających w krzakach i o obłoczkach pary z ich oddechów, które unosiły się w powietrzu.

Telefon był bardzo, bardzo daleko. Idąc w jego stronę, czuła się dziwnie, zupełnie jakby płynęła w powietrzu, jakby unosiła się nad własnym ciałem. Na wszelki wypadek jedną ręką ściskała gałkę u drzwi, a drugą wybierała numer, a potem włożyła słuchawkę między ramię a ucho. Bree odebrała od razu po pierwszym sygnale.

– Wiedziałam, że to ty – powiedziała. – Z Paulem wszystko w porządku. Poczytaliśmy książeczkę, potem go wykąpałam, a teraz śpi jak aniołek.

– Tak? No to świetnie.

Norah zamierzała powiedzieć siostrze o tym przedziwnym, migoczącym świecie, ale te wrażenia wydały się jej nagle czymś bardzo osobistym, czymś sekretnym.

– A co u ciebie? – spytała Bree. – Dobrze się czujesz?

– O tak, znakomicie – odparła. – Co prawda David jeszcze nie wrócił, ale i tak świetnie się bawię.

Szybko odłożyła słuchawkę, nalała kolejną porcję wina i wyszła na ganek, gdzie podniosła twarz ku niebu. W nocnym powietrzu wisiała lekka mgiełka. Wino rozchodziło się po ciele Norah z szybkością błyskawicy, ogarniając każdy skrawek jej ciała, nawet koniuszki palców u rąk i nóg. Znów zdawało jej się, że przez ułamek sekundy unosi się nad podłogą, jakby jakimś cudem udało się jej wyślizgnąć z samej siebie. Przypomniała sobie, jak ich samochód jechał oblodzoną drogą i jak zarzucało go na boki, kiedy David usiłował odzyskać kontrolę nad kierownicą. Ludzie mieli rację: nie była w stanie odtworzyć w pamięci ani jednego szczegółu z samego porodu, za to świetnie pamiętała wszystko, co działo się w samochodzie. Cały świat przesuwał się obok, wirował, a ona trzymała ręce zaciśnięte na zimnej desce rozdzielczej, podczas gdy David z godnym podziwu uporem zatrzymywał się na każdych światłach.

Gdzie on jest teraz? – pomyślała, a jej oczy wezbrały łzami. Dlaczego w ogóle za niego wyszła? Dlaczego on tak bardzo jej pragnął? Dlaczego zdarzyły się tamte szalone tygodnie, kiedy prawie każdego dnia on wpadał do jej mieszkania i przynosił róże, zapraszał na kolacje albo na przejażdżki po okolicy. W wigilię Bożego Narodzenia rozległ się dzwonek do drzwi; spodziewała się, że to Bree, więc poszła otworzyć ubrana w jakiś stary szlafrok. Na progu stał David, z twarzą zaróżowioną od chłodu i z mnóstwem kolorowych pudełek w ręku. Jest późno, powiedział, i on o tym wie, ale czy mimo to Norah zgodzi się pojechać z nim na małą przejażdżkę?

„Nie!", zawołała w pierwszej chwili. „Chyba zwariowałeś". Ale przez cały czas śmiała się z jego szalonych pomysłów, więc odsunęła się i wpuściła do środka tego mężczyznę, który stał pod jej progiem z naręczem kwiatów i prezentami. Była zaskoczona, uradowana i nieco zdumiona. Wcześniej zdarzały się chwile, kiedy spokojna i pełna rezerwy Norah była gotowa przysiąc, że do końca życia zostanie sama. Zdarzało się to zwłaszcza wtedy, gdy obserwowała jak inni idą na imprezę do żeńskiego koła studenckiego, albo gdy siedząc w pozbawionym okien pomieszczeniu w firmie telekomunikacyjnej mimowolnie przysłuchiwała się paplaninie koleżanek z pracy, które publicznie planowały najdrobniejsze szczegóły swoich wesel. Jednak mimo to zdarzyło się, że ten przystojny mężczyzna i wzięty lekarz stał w wejściu do jej mieszkania, mówiąc: „No chodź, proszę, chcę ci pokazać coś specjalnego".

Tamtej nocy niebo było czyste, wypełnione mruganiem gwiazd. Norah usiadła na pokrytym winylem siedzeniu w starym samochodzie Davida. Miała na sobie sukienkę z czerwonej wełenki, w której wyglądała prześlicznie. Z rozkoszą wciągała w płuca rześkie powietrze, patrząc na dłonie Davida zaciśnięte na kierownicy, kiedy pędzili przez ciemność coraz węższymi drogami. Wreszcie znaleźli się w okolicy, której Norah wcale nie znała. David zatrzymał auto przy jakimś starym młynie i wysiedli, słysząc szum spadającej z wysokości wody. Ciemna powierzchnia strumienia odbijała światło księżyca i przelewała się przez leżące na dnie kamienie, obracając olbrzymie młyńskie koło. Na tle mrocznego nieba odcinała się potężna sylwetka budynku, zasłaniając sobą część gwiazd. Całe powietrze przesycone było wilgocią i szumem przelewającej się wody.

– Zimno ci? – zawołał David głośno, żeby przekrzyczeć łoskot strumienia. Norah roześmiała się i choć przeszył ją dreszcz, odpowiedziała, że nie. Nie, było jej wręcz wspaniale.

– A w ręce? – krzyknął, a jego głos odbił się i spłynął na nią kaskadą dźwięków. – Zapomniałaś wziąć rękawiczek!

– Nie, wszystko jest dobrze – odkrzyknęła, ale on już trzymał jej dłonie w swoich i przyciskał do piersi, grzejąc je między własnymi rękawiczkami a grubą wełną płaszcza.

– Tu naprawdę jest pięknie! – zawołała jeszcze, a on się zaśmiał. A potem pochylił się, pocałował ją i wsunął obie ręce pod jej palto, żeby ją objąć. Obok nich woda płynęła wartkim strumieniem, odbijając się od kamieni.

– Norah! – krzyknął. Jego głos był integralną częścią tej nocy, słowa toczyły się gładko i przejrzyście, choć mimo to wydawały się nikłe na tle innych dźwięków. – Norah, czy wyjdziesz za mnie?

Roześmiała się i odrzuciła w tył głowę, pozwalając, żeby opłynęło ją nocne powietrze.

– Tak! – odpowiedziała i znowu oparła obie dłonie na jego płaszczu. – Tak, wyjdę za ciebie!

I wtedy wsunął jej na palec pierścionek – cienką obrączkę z białego i żółtego złota, dokładnie w jej rozmiarze, z owalnym brylantem i dwoma maleńkimi szmaragdami po bokach, pasującymi kolorem do jej oczu, jak powiedział później, i do płaszcza, który miała na sobie, gdy spotkali się po raz pierwszy.

Teraz Norah stała pośrodku domu, w drzwiach prowadzących do jadalni, i obracała na palcu ten sam pierścionek, patrząc na papierowe wstążki, które unosiły się w powietrzu. Jedna musnęła jej twarz, a druga wpadła do kieliszka. Patrzyła zafascynowana, jak ciemna plama wędruje powoli w górę wstążki. Wino miało prawie ten sam kolor co krepina. Faktycznie, niezła ze mnie Zosia Gosposia, pomyślała. Trudno byłoby znaleźć lepsze porównanie. Nagle wino chlapnęło z kieliszka i opryskało obrus; parę kropelek spadło na papier w złote prążki, którym owinięty był jej prezent dla Davida. Chyba naprawdę jestem nieźle wstawiona, pomyślała.

Aparat fotograficzny był niewielkich rozmiarów i niewiele ważył. Norah od tygodni zastanawiała się nad jakimś prezentem, aż przypadkiem zobaczyła go na wystawie w domu towarowym Sears. Czarny, z chromowanymi elementami, wyposażony w różne tarcze, dźwignie i numery wyryte dookoła obiektywu przypominał jej medyczne narzędzia z gabinetu Davida. Sprzedawca, młody i wygadany, zarzucił ją mnóstwem informacji na temat migawek, przysłon i szerokokątnych obiektywów. Te określenia spłynęły po niej jak woda po kaczce, ale jej zdaniem aparat dobrze leżał w ręku, podobała jej się jego obudowa i świat zamknięty w ramce, gdy patrzyła przez wizjer.

Na próbę popchnęła srebrną dźwignię. Migawka kliknęła i trzask głośnym echem odbił się od ścian. Przekręciła niedużą tarczę, żeby przesunąć film – pamiętała, że sprzedawca użył tego właśnie określenia: „przesunąć film", a jego głos na moment wybił się z ogólnego gwaru panującego w sklepie. Zerknęła przez wizjer, kierując obiektyw w stronę zrujnowanego stołu, a następnie przekręciła dwie różne tarczki, żeby ustawić ostrość. Tym razem, gdy nacisnęła migawkę, na ścianie eksplodowało światło. Mrugając, odwróciła aparat i przyjrzała się lampie błyskowej, teraz poczerniałej i wypełnionej pęcherzykami. Wydłubała żarówkę, parząc sobie przy tym palce, ale jakimś cudem wcale nie czuła bólu.

Wstała, żeby spojrzeć na zegar. Dwudziesta pierwsza czterdzieści pięć. Deszcz padał nieprzerwanie. David wybrał się do pracy pieszo... Wyobraziła sobie, jak zmęczonym krokiem brnie do domu przez ciemne, zalane wodą ulice i pod wpływem impulsu poderwała się, sięgając po płaszcz i kluczyki. Pojedzie do szpitala i zrobi mu niespodziankę.

W samochodzie było zimno i wilgotno. Wycofała się na wstecznym biegu z podjazdu i gmerając przy ogrzewaniu, odruchowo skręciła w niewłaściwym kierunku. Nie zawróciła nawet wówczas, gdy uświadomiła sobie pomyłkę, tylko jechała dalej po tej samej wąskiej uliczce, która wiodła do ich starego domu. Do domu, gdzie z takim pietyzmem i niewinną nadzieją przygotowywała dziecinny pokój, gdzie siedziała w ciemnościach, karmiąc Paula. Oboje z Davidem zgodzili się, że lepiej będzie się przeprowadzić, ale prawda wyglądała tak, że ona nie potrafiła pogodzić się z myślą o sprzedaży tego miejsca. Jakiekolwiek życie zdołała poznać jej córka, jakiekolwiek doświadczenia związane z jej obecnością przeżyła Norah – wszystko wiązało się z tym miejscem.

Gdyby nie zaciemnienie, dom wyglądałby tak samo jak dawniej: szeroki ganek z czterema białymi kolumienkami, grubo ciosany wapień i pojedyncza lampa. Zaledwie kilka jardów dalej pani Michaels krzątała się w kuchni, zmywając naczynia i od czasu do czasu wyglądała w noc, a pan Bennett, siedząc w fotelu przy odsłoniętych zasłonach, oglądał telewizję. Wchodząc po stopniach na ganek, Norah prawie wierzyła, że dalej tu mieszka, lecz po otwarciu drzwi jej oczom ukazał się widok pustych pokoi, nagich i szokująco małych.

Wędrując przez wyziębiony dom, z całych sił starała się odzyskać jasność myśli. Wypite wino dopiero teraz dawało się jej we znaki, na skutek czego z trudem łączyła w całość bieżące wydarzenia. W ręku wciąż ściskała aparat Davida. Przyjęła to jako fakt, a nie swoją decyzję. Na filmie zostało jeszcze piętnaście klatek, a poza tym w kieszeni miała zapasowe żarówki do lampy błyskowej, więc bez zastanowienia sfotografowała żyrandol. Lampa błysnęła, a Norah poczuła prawdziwą satysfakcję. Teraz jego wizerunek zostanie z nią na zawsze. Nawet za dwadzieścia lat, kiedy obudzi się w środku nocy, będzie umiała przywołać z pamięci wszystkie detale pełnych wdzięku, wygiętych w łuk, złoconych ramion.

Chwiejnym krokiem przechodziła z pokoju do pokoju; dalej czuła się nietrzeźwa, ale to nic. Teraz miała przed sobą cel. Z zapałem fotografowała okienne ramy, elementy oświetlenia, ziarnistą strukturę podłogi... Nie wiedzieć czemu, utrwalenie każdego detalu wydawało się niezwykle ważne. W którymś momencie zużyta żarówka wyślizgnęła się z jej rąk i roztrzaskała w drobny mak. Norah odruchowo cofnęła się, a wówczas potłuczone szkło wbiło się jej w piętę. Przez moment przyglądała się własnej nodze obciągniętej podartą pończochą, rozbawiona faktem, że jest aż tak pijana – musiała z przyzwyczajenia zostawić buty tuż przy wejściu, tak jak to robiła dawniej. Jeszcze ze dwa razy obeszła cały dom, uwieczniając przełączniki światła, okna i rurę, która niegdyś doprowadzała gaz na piętro i dopiero gdy schodziła po schodach zorientowała się, że ma skaleczoną stopę i że ciągnie za sobą czerwonawy ślad – rząd ponurych serduszek przypominał malutkie krwawe walentynki. Ten widok zaszokował ją, choć z drugiej strony fakt, że spowodowała aż takie zniszczenia, wywołał coś na kształt zachwytu.

Znalazła buty i wymknęła się na zewnątrz. Wsiadając do samochodu, poczuła pulsowanie w skaleczonej nodze. Aparat Davida ciągle wisiał przy jej nadgarstku, jakby zupełnie o nim zapomniała. W późniejszym okresie niewiele potrafiła sobie przypomnieć z tamtej jazdy – może jedynie wąskie uliczki, wiatr szeleszczący w zeschniętych liściach, światła auta omiatające kałuże i wodę, która tryskała spod kół. Nie pamiętała zgrzytu metalu o metal, lecz jedynie zadziwiający widok pojemnika na śmieci, który szybował w powietrzu tuż przed maską auta. Błyszczący od deszczu owalny kształt zdawał się w nieskończoność wisieć w powietrzu, aż wreszcie zaczął lot ku ziemi. Norah pamiętała, jak łupnął w maskę i poleciał w stronę przedniej szyby. Pamiętała także, jak samochód podskoczył na krawężniku i zatrzymał się w połowie trawnika, tuż przed pniem potężnego dębu. Nie przypominała sobie momentu, gdy gruchnęła w przednią szybę, ale pamiętała, że szyba, pokryta zawiłą siatką delikatnych, precyzyjnych pęknięć, przypominała teraz pajęczą sieć. Dotknęła ręką czoła, a gdy ją cofnęła, dłoń pomazana była krwią. Norah nie wysiadła z auta, tylko patrzyła, jak pojemnik z hurkotem toczy się po jezdni. Jakieś czarne cienie – chyba koty – wyskakiwały w pędzie i rozbiegały się na boki. W domu po prawej stronie zabłysło światło. Starszy mężczyzna w kapciach i szlafroku pędził po chodniku w stronę jej auta.

– Czy nic się pani nie stało?! – spytał bez tchu, zaglądając do środka przez okno, podczas gdy Norah wolno opuszczała szybę. Zimne powietrze obmyło jej rozpaloną twarz. – Co tu się wydarzyło?! Czy wszystko w porządku? O Boże, pani krwawi! – dorzucił, wyjmując z kieszeni chusteczkę.

– Nic, absolutnie nic – odsunęła chusteczkę, ponieważ wydała się jej podejrzanie zmięta. Ostrożnie przycisnęła otwartą dłoń do czoła, rozmazując kolejną plamę krwi. Wiszący u nadgarstka aparat postukiwał w kierownicę, więc wysunęła rękę ze sznurka i położyła go na siedzeniu obok.

– Dziś mam rocznicę ślubu – poinformowała nieznajomego. – A poza tym skaleczyłam się w piętę.

– Może trzeba wezwać lekarza? – spytał mężczyzna.

– Mój mąż jest lekarzem – Norah dostrzegła jego niepewną minę i pomyślała, że przed sekundą zachowała się jak skończona idiotka. Być może dalej sprawiała takie wrażenie. – On naprawdę jest lekarzem – powiedziała zdecydowanym tonem. – Właśnie do niego jadę.

– Nie jestem pewien, czy w tym stanie powinna pani prowadzić – zaoponował. – Może lepiej zostawić samochód, a ja wezwę karetkę?

Ta nieoczekiwana uprzejmość sprawiła, że łzy stanęły jej w oczach, ale zaraz potem wyobraziła sobie mknący na sygnale ambulans, migające światła i delikatne ręce... I Davida, który przybiegnie na izbę przyjęć i znajdzie ją tam, rozczochraną i pokrwawioną, a do tego wyraźnie nietrzeźwą. Co za skandal i wstyd!

– Nie – odparła, starając się starannie dobierać słowa. – Proszę mi wierzyć, nic mi nie jest. Kot wybiegł na jezdnię i po prostu się przestraszyłam, ale na szczęście wszystko dobrze się skończyło. Teraz muszę tylko pojechać do domu, gdzie mój mąż opatrzy te skaleczenia. To naprawdę nic groźnego.

Mężczyzna zawahał się. Uliczne latarnie rzucały srebrną poświatę na jego włosy. Po chwili wzruszył ramionami i cofnął się do krawężnika. Norah wrzuciła wsteczny bieg i powoli wyjechała z trawnika. Specjalnie włączyła kierunkowskazy, kiedy skręcała w opustoszałą ulicę. We wstecznym lusterku widziała nieznajomego, który stał ze skrzyżowanymi rękoma i obserwował jej poczynania, dopóki nie znikła za rogiem. Teraz jechała znajomymi ulicami, a świat znów emanował spokojem. Stopień upojenia alkoholowego wyraźnie zaczął maleć. Jej nowy dom lśnił już z daleka, oświetlony od góry do dołu. Jasność wylewała się ze wszystkich okien jak płyn, który wypełnił naczynie i przelał się ponad krawędzią. Zaparkowała na podjeździe i wysiadła, przystając na sekundę na wilgotnej trawie. Deszcz powoli sączył się z nieba i perlistymi kroplami osiadał na jej włosach i płaszczu. Kątem oka dostrzegła Davida siedzącego na kanapie z Paulem, który spał z główką opartą na ramieniu taty. Nagle przypomniała sobie, w jakim stanie zostawiła dom, pomyślała o rozlanym winie, rozwleczonych serpentynach i wyschniętej pieczeni. Na samo wspomnienie owinęła się ciasno płaszczem i pomknęła po stopniach.

– Norah! – David czekał przy drzwiach, wciąż trzymając w objęciach uśpione dziecko. – Norah, co się stało?! Cała jesteś we krwi!

– Wszystko w porządku, nic mi nie jest – wymamrotała, odsuwając jego rękę, gdy chciał jej pomóc zdjąć płaszcz. Noga bolała ją jak diabli, ale nawet była z tego zadowolona; ten ból stanowił pewną przeciwwagę dla łupania w głowie. Linia łącząca oba miejsca przebiegała prosto przez całe ciało i dzięki temu Norah udawało się zachować równowagę. Paul spał głęboko, oddychając równo i powoli. Lekko oparła dłoń na jego maleńkich pleckach.

– Gdzie jest Bree? – spytała.

– Pojechała cię szukać – odparł. Zerknął w głąb jadalni, a ona poszła za jego spojrzeniem i dostrzegła na stole resztki kolacji i rozrzucone po podłodze wstęgi. – Kiedy nie zastałem cię w domu, wpadłem w panikę i zadzwoniłem do niej. Przywiozła Paula i zaraz pojechała cię szukać.

– A ja byłam w naszym starym domu – powiedziała Norah. – W drodze powrotnej wjechałam w pojemnik na śmieci – dodała, przykładając dłoń do czoła.

– Piłaś – oznajmił spokojnie. Było to raczej stwierdzenie niż pytanie.

– Wypiłam trochę wina do kolacji. Czekałam na ciebie.

– Norah, w kuchni znalazłem dwie puste butelki.

– Bo była tu Bree. Strasznie długo czekałyśmy.

Skinął głową.

– Wiesz, te dzieciaki z dzisiejszego wypadku... W ich samochodzie walało się mnóstwo puszek po piwie. Norah, wierz mi, to było coś strasznego.

– Ale ja nie byłam pijana.

Telefon zadzwonił, więc sięgnęła po słuchawkę, choć kosztowało ją to wiele wysiłku. Po drugiej stronie odezwał się głos jej siostry. Bree wyrzucała z siebie słowa jak karabin maszynowy i koniecznie chciała się dowiedzieć, dlaczego Norah wyszła z domu i co się z nią działo.

– Wszystko w porządku – Norah dokładała wszelkich starań, żeby mówić wolno i wyraźnie. – Nic mi nie jest.

Czuła, że David obserwował ją spod oka – szczególnie jej dłoń, gdzie skrzepła krew pozostawiła ciemne linie. Norah zakryła je palcami drugiej ręki i odwróciła dłoń wierzchem do góry, ale było już za późno.

– Chodź – powiedział łagodnie, gdy zakończyła rozmowę i dotknął jej ramienia. – Chodź ze mną.

Całą trójką poszli na górę. David układał synka w łóżeczku, a Norah, w tym czasie siedząc na brzegu wanny, ściągała z siebie podarte pończochy. Świat z każdą minutą stawał się coraz bardziej przejrzysty i stabilny, więc mrugając w zbyt jaskrawym świetle, próbowała jakoś uporządkować dzisiejsze wydarzenia. Kiedy David wszedł do łazienki, odgarnął włosy z jej czoła i ze zwykłą ostrożnością i precyzją zaczął czyścić skaleczenie.

– Pewnie tamten gość jest w o wiele gorszym stanie – zauważył, a ona pomyślała, że pewnie mówi takie rzeczy wszystkim pacjentom, którzy przewijają się przez jego gabinet. Miała wrażenie, że ta zwykła, uprzejma wymiana nic nieznaczących słów ma na celu odwrócenie jej uwagi od tego, co on właśnie robi.

– Tam nie było nikogo poza mną – odparła, myśląc o mężczyźnie o srebrnych włosach, który pochylał się przez okno do wnętrza auta. – Kot wyskoczył na jezdnię, więc skręciłam na trawnik. A przednia szyba... Auu! – krzyknęła, gdy przetarł ranę środkiem odkażającym. – David, to boli!

– Zaraz przestanie – odparł i na moment położył rękę na jej ramieniu, a następnie ukląkł i ujął w obie dłonie jej stopę. Przyglądała mu się, kiedy wyciągał z pięty resztki szkła. Był spokojny i uważny, i głęboko pogrążony we własnych myślach. Wiedziała, że w ten sam wyważony i profesjonalny sposób leczyłby każdego pacjenta.

– Jesteś dla mnie taki dobry – wyszeptała, marząc o tym, by wypełnić przepaść pomiędzy nimi – przepaść, którą sama stworzyła.

Pokręcił głową, a potem przerwał pracę i popatrzył na nią.

– Dobry dla ciebie... – powtórzył powoli. – Dlaczego tam pojechałaś, Norah? Dlaczego pojechałaś do naszego starego domu? Czemu nie chcesz się zgodzić, żebyśmy go sprzedali?

– Bo to jest ostatnia rzecz – odparła natychmiast, zdumiona własną szczerością i bólem, jaki zabrzmiał w jej głosie. – Ostatnia rzecz, która nas z nią łączy.

Przez ułamek sekundy, zanim odwrócił wzrok, na jego twarzy dostrzegła napięcie i coś na kształt gniewu.

– W takim razie co twoim zdaniem powinienem zrobić, a czego nie robię? Sądziłem, że w tym nowym domu będziemy szczęśliwi. Większość ludzi byłaby tu szczęśliwa, Norah.

Na dźwięk tych słów nagły strach jak fala przesunął się przez jej ciało. Więc jego także mogła stracić... Czuła bolesne pulsowanie w stopie i bolało ją czoło, więc zamknęła szybko oczy, żeby odpędzić myśl o scenie, którą wywołała. Za nic nie chciała zamknąć się w tej nieruchomej, ponurej nocy, podczas gdy David byłby gdzieś daleko, gdzie nie mogłaby go dosięgnąć.

– Zgoda – powiedziała spokojnie. – Jutro zadzwonię do agencji nieruchomości i powiem, że przyjmujemy tamtą ofertę.

W miarę jak mówiła, przeszłość zaczęła pokrywać się mgłą – na razie kruchą i łamliwą jak cienka lodowa tafla, ale wiadomo, że z biegiem czasu ten lód stwardnieje i stanie się grubszy. Stanie się nieprzenikliwy i nieprzezroczysty. Norah wiedziała, że ten proces już się zaczął i to napełniało ją lękiem, choć w tym momencie bardziej bała się tego, co się wydarzy, jeśli lód popęka. Tak, zostaną tu, w nowym domu. To będzie jej dar dla Davida i dla Paula.

A Phoebe na zawsze będzie żyć w jej sercu.

David owinął zranioną stopę ręcznikiem i usiadł na piętach.

– Posłuchaj – zaczął, delikatnie i bardziej subtelnie niż to przyznawała. – Nie bardzo widzę możliwość, żebyśmy się przeprowadzili z powrotem, ale przecież zawsze można to zrobić. Jeśli naprawdę tego sobie życzysz, sprzedamy ten dom i wrócimy do tamtego.

– Nie – odpowiedziała prędko. – Nasze życie toczy się tutaj.

– Ale wciąż jesteś taka smutna – odparł. – Proszę cię, nie bądź smutna, Norah. Nie zapomniałem o niczym. Ani o naszej rocznicy. Ani o naszej córce. O niczym, słyszysz?

– Och, Davidzie… – wyszeptała, bo nagle przypomniała sobie o aparacie fotograficznym, jego precyzyjnych tarczach i systemie dźwigni. – Zostawiłam w samochodzie prezent dla ciebie.

Na obudowie aparatu widniał wyryty kursywą napis: *Strażnik wspomnień*. To dlatego go kupiła, przemknęło jej przez myśl. Żeby on mógł uwiecznić każdy istotny moment ich życia. Żeby nic nie przepadło w otchłani niepamięci.

– Nic się przecież nie stało – powiedział, podnosząc się z podłogi. – Zaczekaj. Zaczekaj tutaj.

Popędził w dół schodów, a ona została na brzegu wanny. Wstała dopiero po dłuższej chwili, żeby pokuśtykać do pokoju Paula. Pod stopami czuła puszystą miękkość granatowego dywanu. Na błękitnych ścianach wisiały namalowane jej ręką chmurki, a nad łóżeczkiem dyndała zabawka z ruchomych gwiazdek. Paul spał w najlepsze, rozpościerając szeroko malutkie rączki, a kocyk leżał gdzieś z boku. Złożyła na czółku dziecka ostrożny pocałunek, a potem otuliła je troskliwie i przesunęła dłonią po jedwabistych włoskach, na końcu dotykając palcem wskazującym otwartej dłoni. Jest już taki duży, uświadomiła sobie, chodzi całkiem sam i zaczyna mówić. Gdzie się podziały tamte noce sprzed prawie roku, kiedy musiała karmić go na okrągło, a cały dom wypełniał zapach żonkili, które David przynosił z ogródka? Przypomniała sobie aparat i to, jak wędrowała po ich starym domu, z determinacją fotografując każdy szczegół, jakby pragnęła w ten sposób stworzyć barierę zapobiegającą upływowi czasu.

– Norah? – David wszedł do pokoju i zatrzymał się tuż za jej plecami. – Zamknij oczy…

Poczuła na skórze dotyk czegoś zimnego. Spojrzała w dół i dostrzegła szmaragdy – długi rząd ciemnych kamieni, zamkniętych w złotym łańcuszku dookoła jej szyi. Pasują do pierścionka, powiedział. Do jej oczu.

– Boże, jakie to piękne – szepnęła, dotykając złota. – Och, Davidzie...
Jego dłonie spoczęły na jej ramionach i przez moment znów stała w szumie wody spadającej na młyńskie koło, a szczęście otulało ją tak szczelnie, jak ciemność nocy. Nie oddychaj, pomyślała, nie waż się poruszyć. Ale świat nie zatrzymał się w biegu. Na zewnątrz deszcz wciąż padał miękkimi strumieniami, a w wilgotnej ziemi kiełkowały ziarna. Paul westchnął przez sen i przesunął się w łóżeczku. Jutro się obudzi, większy niż dziś i całkiem inny. Będą żyć dalej, dzień po dniu, a każdy z tych dni będzie ich odsuwał o krok od zmarłej córeczki.

Marzec tysiąc dziewięćset sześćdziesiątego piątego roku

Woda płynęła z prysznica wartkim strumieniem. Para wodna kłębiła się po całym pomieszczeniu i zasnuwała mgłą lustro i szybę w oknie, zza której zerkał blady księżyc. Caroline chodziła wielkimi krokami po maleńkiej łazience wyłożonej fioletowymi kafelkami, przyciskając do siebie Phoebe. Dziewczynka oddychała płytko i gwałtownie, a jej serduszko uderzało tak szybko, jakby miało lada moment wyskoczyć z maleńkiej piersi. „Zdrowiej, moje maleństwo", mruknęła i czule pogłaskała miękką, ciemną czuprynę. „Niech ci się polepszy, słodka dziewuszko". Zatrzymała się, żeby odpocząć i spojrzeć na księżyc i na smugę delikatnego światła, uwięzioną między gałęziami jaworu. Wtedy Phoebe złapał następny atak suchego, szczekającego kaszlu, który rodził się gdzieś w głębi płuc. Jej ciałko sztywniało pod dłońmi Caroline, kiedy rzężąc usiłowała przez zaciśnięte gardło nabrać powietrza. To był klasyczny przypadek krupu. Caroline otwartą dłonią opukiwała plecki dziecka, niewiele większe od jej dłoni. Kiedy kaszel ustał, na nowo podjęła spacer, bo miarowe kołysanie pomagało jej nie zasnąć na stojąco. W ciągu ostatniego roku kilka razy zdarzyło się, że po przebudzeniu ze zdumieniem stwierdzała, że stoi i że jakimś cudem udało jej się nie upuścić dziecka, które wciąż spoczywało bezpiecznie w jej ramionach.

Schody skrzypnęły, potem deski na podłodze, a potem drzwi łazienki otworzyły się na całą szerokość i do środka wtargnęło zimne powietrze. W wejściu stanęła Doro, ubrana w czarny, jedwabny szlafrok narzucony na nocną koszulę, a jej siwiejące włosy opadały luźno na ramiona.

– Jak z nią jest, bardzo źle? – spytała. – Bo muszę przyznać, że ten kaszel brzmi okropnie. Jak uważasz, czy powinnam iść po samochód? – Myślę, że nie ma takiej potrzeby. Doro, byłabyś łaskawa zamknąć drzwi? Para wodna bardzo pomaga przy odkrztuszaniu.

Doro posłusznie popchnęła drzwi i usiadła na brzeżku wanny.

– Pewnie cię obudziłyśmy – powiedziała Caroline przepraszającym tonem. Czuła na szyi ciepły, spokojny oddech Phoebe. – Bardzo mi przykro.

W odpowiedzi Doro wzruszyła ramionami.

– Wiesz przecież, jak ja sypiam. Tak czy inaczej byłam na nogach. Czytałam.

– Coś ciekawego?

Caroline mankietem rękawa przetarła okno. Księżycowy blask wpadał do ogródka znajdującego się trzy piętra niżej i lśnił na trawie jak krople rosy.

– Eee, takie tam naukowe czasopisma. Nudne jak flaki z olejem, nawet dla mnie. Zresztą czytałam głównie po to, żeby zasnąć.

Caroline uśmiechnęła się. Doro miała tytuł doktora w dziedzinie fizyki; pracowała na wydziale uniwersytetu, którym niegdyś kierował jej ojciec, Leo March, błyskotliwy i dobrze znany naukowiec. Starszy pan miał teraz osiemdziesiąt parę lat i wciąż był w niezłej kondycji fizycznej, ale problem w tym, że zaczęły zdarzać mu się zaniki pamięci i od czasu do czasu tracił poczucie zdrowego rozsądku. Przed jedenastoma miesiącami Doro zdecydowała się wynająć Caroline w charakterze opiekunki i osoby towarzyszącej.

Ta praca była prawdziwym darem niebios i Caroline świetnie o tym wiedziała. Wówczas wynurzyła się z tunelu pod Fort Pitt i wjechała na wysoki most, który spinał brzegi Monongahela River, gdzie ponad płaską powierzchnią rzeki wznosiły się szmaragdowe pagórki. I nagle przed zachwyconymi oczami Caroline zajaśniało miasto. Pittsburgh – bliski, olśniewający, tętniący życiem tak zadziwił ją swym ogromem i pięknością, że odruchowo wstrzymała oddech i nacisnęła hamulec, żeby nie utracić kontroli nad samochodem.

Przez cały długi miesiąc żyła w tanim motelu na obrzeżach miasta, w kółko przeglądając ogłoszenia o pracy i z niepokojem śledząc topniejące oszczędności. Od czasu, gdy poszła na pierwsze spotkanie, jej euforia zdążyła się zmienić w czystą panikę. Nacisnęła dzwonek i stała na ganku, czekając aż ktoś jej otworzy. Jasnożółte żonkile kołysały się na całej powierzchni długo niestrzyżonego, wiosennego trawnika. Z sąsiednich drzwi wyszła jakaś kobieta w pikowanej podomce i nieśpiesznie zaczęła zamiatać sadzę ze stopni prowadzących do jej mieszkania. Caroline pomyślała, że widocznie tutejsi mieszkańcy nie zawracają sobie głowy takim drobiazgiem jak czystość. Nosidełko Phoebe stało oparte na kupce piachu, która zgromadziła się tu w ciągu przynajmniej kilku ostatnich dni. Czarny pył na chodniku przypominał wyglądem poczerniały śnieg. Podeszwy butów Caroline zostawiały w niej wyraźny, jasny ślad.

Gdy Dorothy March, wysoka, szczupła, ubrana w kostium z szarego aksamitu, otworzyła wreszcie drzwi, w pierwszej chwili obrzuciła niemowlę zaniepokojonym spojrzeniem, ale Caroline postanowiła to zignorować. Z uśmiechem podniosła nosidełko, weszła do środka i przysiadła na brzegu rozchwianego krzesła. Jego aksamitne poduszki, niegdyś intensywnie czerwone, zdążyły wyblaknąć na jasnoróżowy kolor, z wyjątkiem kilku ciemnych plam na tapicerce. Dorothy March zajęła miejsce na zniszczonej, skórzanej kanapie, z jednej strony podpartej na cegle zamiast na nóżce i zapaliła papierosa. Przez kilka chwil w milczeniu przyglądała się Caroline, a jej błękitne oczy były bystre i pełne życia. Nic nie mówiąc, odchrząknęła i wypuściła kłąb dymu.

– Szczerze mówiąc, nie brałam pod uwagę osoby z dzieckiem – powiedziała w końcu.

Caroline wyciągnęła w jej stronę kartkę papieru ze swoim życiorysem.

– Od piętnastu lat jestem pielęgniarką. Mam naprawdę duże doświadczenie i potrafię wczuć się w sytuację pacjenta, dzięki czemu nadaję się do wykonywania tego zawodu.

Dorothy March wzięła wolną ręką podany jej dokument i dokładnie go przestudiowała.

– Tak... – mruknęła po chwili. – Rzeczywiście, wszystko wskazuje na to, że ma pani duże doświadczenie. Ale tutaj nie ma ani słowa o tym, gdzie pani pracowała. Nie wymieniła pani żadnego miejsca.

Caroline zastanowiła się. W ciągu ostatnich tygodni podczas różnych rozmów kwalifikacyjnych wypróbowała już tuziny odpowiedzi na to konkretne pytanie, ale nie doprowadziły one do niczego.

– To dlatego, że uciekam – wypaliła bez namysłu. – Uciekłam od ojca Phoebe. Dlatego też nie mogę powiedzieć pani, skąd jestem ani przedstawić żadnych referencji. To jedyny powód, dla którego dotychczas nie udało mi się zdobyć pracy. Jestem znakomitą pielęgniarką i doprawdy ma pani szczęście, że tutaj trafiłam, zwłaszcza biorąc pod uwagę pieniądze, jakie pani proponuje.

Dorothy parsknęła krótkim, urywanym śmiechem.

– Co za odwaga i skromność! Moja droga, to jest praca z zamieszkaniem! Na litość boską, czemu miałabym ryzykować i zatrudniać osobę, o której kompletnie nic nie wiem?!

– Na początku mogę pracować za mieszkanie i wyżywienie – nalegała Caroline, myśląc o motelowym pokoju z obłażącą od ścian tapetą i poplamionym sufitem; o pokoju, którego nie mogła wynająć nawet na następną noc, bo nie było jej na to stać. – Powiedzmy dwa tygodnie. Będę pracować przez dwa tygodnie, a pani zdecyduje.

Papieros w ręku Dorothy March wypalił się aż do ustnika. Spojrzała na niego, a potem zgasiła w wypełnionej po brzegi popielniczce.

– Ale jak pani chce podołać wszystkiemu? – zastanawiała się głośno. – Z malutkim dzieckiem? Mój ojciec nie jest spokojnym pacjentem. I na pewno taki nie będzie, mogę panią zapewnić.

– Dobrze, więc umówmy się na tydzień – odparła Caroline. – Jeśli mnie pani nie zaakceptuje w ciągu tygodnia, odejdę.

Teraz mijał już prawie rok. Dorothy stała w zaparowanej łazience, z podwiniętymi do łokcia rękawami swojego czarnego szlafroka z jedwabiu w jaskrawe tropikalne ptaki.

– Pozwól, że ją wezmę, Caroline. Wyglądasz na wykończoną.

Charczenie wydobywające się z Phoebe nieco zelżało, a ciałko znów zaczęło nabierać zdrowego koloru. Policzki zaróżowiły się delikatnie, więc Caroline wręczyła ją, choć jej nagła nieobecność napełniła ją chłodem.

– Jak tam dziś Leo? – spytała Doro. – Dał ci w kość?

Przez moment Caroline nie odpowiadała. Tak wielką podróż odbyła w ciągu ostatniego roku, podróżując od jednej chwili do drugiej... Jej starannie poukładane, samotne życie uległo całkowitej transformacji. W końcu w jakiś sposób znalazła się w tej maleńkiej, szkarłatnej łazience; stała się matką Phoebe, towarzyszką kapitalnego człowieka, którego umysł zaczął szwankować i nieoczekiwanie znalazła jakby przyjaciółkę w tej kobiecie, Doro March. Rok temu mogły się minąć na ulicy i nie spojrzeć na siebie po raz drugi, bo żadna z nich nie poczułaby bliskości duchowej, a teraz ich losy splotły się, bo wymagały tego okoliczności dnia codziennego i szacunek, jakim darzyły się nawzajem.

– Nie chciał jeść. Skarżył się, że dosypałam do purée z ziemniaków proszku do szorowania. Słowem, całkiem zwykły dzień, jeśli mam wyrazić swoje zdanie.

– Wiesz chyba, że to nie ma nic wspólnego z tobą – odparła miękko Dorothy. – Nie zawsze był taki jak teraz.

Caroline zakręciła prysznic i usiadła na brzegu purpurowej wanny. Doro skinęła głową w stronę zaparowanego okna. Na tle jej szlafroka rozrzucone rączki Phoebe wyglądały jak dwie malutkie gwiazdy.

– Kiedyś to był nasz plac zabaw... Tam, na pagórku... Zanim zrobili bezkolizyjną autostradę. Na drzewach gnieździły się czaple, wiedziałaś o tym? Którejś wiosny moja matka zasadziła żonkile, dosłownie setki żonkili... Ojciec wracał z pracy pociągiem każdego dnia o szóstej i codziennie szedł prosto na pole, żeby zerwać dla niej świeży bukiet żonkili... Szkoda, że go wówczas nie znałaś – dodała smutno. – Teraz już nie poznasz.

– Wiem – powiedziała łagodnie Caroline. – Sama to stwierdziłam.

Przez moment siedziały w ciszy, przerywanej odgłosami kapiącej z kranu wody i wypełnionej kłębami pary.

– Wydaje mi się, że ona śpi – powiedziała Doro. – Myślisz, że wyjdzie z tego?

– Tak. Przynajmniej taką mam nadzieję.

– Caroline, co z nią jest nie tak? – głos Dorothy nabrał intensywności. Słowa płynęły teraz z dziwną determinacją. – Moja droga, niewiele wiem na temat niemowląt, ale nawet taki laik jak ja potrafi wyczuć, kiedy coś jest nie w porządku. Phoebe jest śliczna, jest słodka, ale coś jest źle, mam rację? Chodzi mi o to, że ma już prawie rok, a dopiero uczy się siadać.

Caroline popatrzyła przez zamglone okno na blady księżyc i zamknęła oczy. W fazie noworodkowej bezruch Phoebe wydawał się raczej sprawą jej temperamentu, jej spokojnego usposobienia niż objawem choroby, i Caroline uchwyciła się nadziei, że być może wszystko jest w porządku. Jednak gdy minęło sześć miesięcy i Phoebe rosła, ale jak na swój wiek była wciąż za mała; kiedy wiotko leżała w jej ramionach; kiedy śledziła wzrokiem pęk kluczy przesuwanych przed oczyma i czasami machnęła rączką, ale nigdy nie udało jej się go uchwycić; kiedy nie próbowała nawet siadać samodzielnie, Caroline zaczęła zabierać ją w dni wolne od pracy do biblioteki. Tam, w Carnegie, siedząc przy szerokim, dębowym stole w przewiewnej, przestronnej sali o wysokim sklepieniu, otoczona stosami książek i artykułów, czytała, żeby dowiedzieć się jak najwięcej. Czytała o rozpaczliwych wyprawach do mrocznych zakładów, o krótkim życiu, o braku nadziei... Z każdym słowem doznawała przedziwnych wrażeń, jakby w głębi jej brzucha otwierała się jakaś czarna przestrzeń. Zaraz potem patrzyła, jak Phoebe wierci się w samochodowym foteliku, jak uśmiecha się, wymachuje rączkami i gaworzy, i widziała zwykłe dziecko, a nie przypadek jednostki chorobowej.

– Phoebe ma zespół Downa – wreszcie zmusiła się do wypowiedzenia tych słów. – Tak się to nazywa.

– Och, Caroline – zawołała Doro. – Boże, tak mi przykro! To dlatego musiałaś opuścić męża, prawda? Powiedziałaś kiedyś, że on jej nie chciał. Och, kochanie, tak strasznie, tak okropnie mi przykro!

– Nie powinno ci być przykro – odpowiedziała Caroline, wyciągając ręce, żeby z powrotem wziąć Phoebe. – Spójrz, jaka jest śliczna.

– O, tak, jest. Jest cudowna. Ale, Caroline, co z nią się stanie?

Phoebe, cieplutka i ciężka, spoczywała w jej ramionach, a ciemne włoski opadały na bladą twarzyczkę. Caroline gwałtownym, ale i delikatnym ruchem dotknęła jej policzka, jakby chciała ochronić to dziecko przed nieprzyjaznym światem.

– A co stanie się z każdym z nas? Powiedz mi szczerze, Doro, czy kiedykolwiek wyobrażałaś sobie, że tak będzie wyglądało twoje życie?

Dorothy odwróciła spojrzenie i na jej twarzy pojawił się wyraz cierpienia. Dawno temu jej narzeczony zginął podczas szaleńczego skoku z mostu do rzcki... Zrobił to, żeby w tak głupi sposób dowieść swojej odwagi. Doro długo go opłakiwała. Nigdy nie wyszła za mąż i nie miała dzieci, choć bardzo jej tego brakowało.

– Nie – przyznała po chwili. – Ale to zupełnie co innego.

Innego? Co w tym jest innego?

– Caroline... – Dorothy ostrożnie dotknęła jej ramienia. – Dajmy sobie spokój. Jesteś wykończona. Ja zresztą też.

Caroline ułożyła Phoebe w łóżeczku, podczas gdy na schodach prowadzących w dół rozlegały się delikatne kroki Doro. W przyćmionym świetle padającym z ulicy Phoebe wyglądała jak każde inne dziecko, a jej przyszłość wydawała się niezmierzona jak ocean i równie bogata. Samochody mknęły przez wzgórza naznaczone dzieciństwem Dorothy, ich światła przesuwały się po ścianie domu, a Caroline wyobrażała sobie czaple, zrywające się do lotu z bagnistych pól i ich skrzydła, rozwijające się w złotawej poświacie nadchodzącego poranka. „Co się z nią stanie?", usłyszała nagle. Prawdę mówiąc, sama od czasu do czasu budziła się w nocy, żeby zadać sobie to samo pytanie.

W jej własnym pokoju firanki, wydziergane szydełkiem przez matkę Dorothy całe wieki temu, rzucały na ściany zwiewne cienie. Księżyc świecił tak jasno, że bez trudu można było czytać. Na biurku leżała otwarta koperta, a w środku trzy zdjęcia Phoebe i złożona na dwoje kartka papieru. Caroline wyjęła ją i zaczęła czytać to, co napisała.

Szanowny doktorze Henry,

Piszę do Pana, żeby powiedzieć, że obie mamy się dobrze, Phoebe i ja. Jesteśmy szczęśliwe i bezpieczne. Phoebe jest ogólnie zdrowym dzieckiem, pomimo często nawracających problemów z oddychaniem. Przysyłam kilka zdjęć, żeby wiedział Pan, jak teraz wygląda. Jak dotąd, odpukać w niemalowane, nie ma żadnych problemów z sercem.

Powinna to wysłać… List leżał na biurku już od kilku tygodni, lecz za każdym razem, gdy szła na pocztę, myślała o Phoebe, o jej delikatnym dotyku, o jej radosnym gruchaniu, gdy była szczęśliwa i zadowolona, i nie mogła wrzucić listu do skrzynki. Teraz szybko odłożyła go na biurko i wróciła do łóżka, szybko odpływając w niespokojny sen. Przez zamknięte powieki widziała wnętrze poczekalni w klinice, rośliny w doniczkach i ich długie liście, unoszące przez ciepłe powietrze z grzejników i znów się na wpół obudziła, niepewna co robi ani gdzie się znajduje.

„Tutaj", powiedziała zdecydowanym tonem, dotykając chłodnych prześcieradeł. „Jestem tutaj".

***

Kiedy zbudziła się rano, pokój wypełniało słoneczne światło i dźwięk trąbki. Leżąca w swoim łóżeczku Phoebe wymachiwała rączkami, zupełnie jakby nuty były małymi, skrzydlatymi stworzeniami, czymś na kształt motyli albo ciem, które można chwytać w paluszki. Caroline szybko ubrała siebie i dziecko i zabrała małą na dół, na moment przystając na drugim piętrze, gdzie Leo March ukrywał się w swoim słonecznym, pomalowanym na żółto gabinecie. Leżał z rękoma założonymi dookoła głowy i gapił się w sufit. Caroline przyglądała mu się od drzwi, bo nie wolno jej było przekroczyć progu sanktuarium bez specjalnego zaproszenia, ale on zdawał się jej nie zauważać. Patrzyła na starego człowieka o łysej głowie, otoczonej wianuszkiem siwych włosów, który wciąż miał na sobie ubranie z poprzedniego dnia i z przejęciem słuchał muzyki płynącej z głośników, tak głośnej, że od huku drżał cały dom.

– Czy przynieść panu śniadanie? – ryknęła, żeby przekrzyczeć hałas.

Niecierpliwie machnął ręką, co miało oznaczać, że sam się tym zajmie. No cóż, niech tak będzie. Caroline zeszła drugą klatką schodową do kuchni i nastawiła kawę. Nawet tutaj dochodziło słabe echo trąbki. Posadziła Phoebe w wysokim krzesełku i zaczęła ją karmić musem jabłkowym, jajkiem i wiejskim serkiem. Trzy razy podawała jej łyżkę – i trzy razy łyżka uderzyła z brzękiem o metalową tacę.

– Nic nie szkodzi, skarbie – powiedziała na głos, ale serce zdrętwiało jej z przerażenia. W głowie usłyszała wspomnienie słów Dorothy: „Co się z nią kiedyś stanie?". A co będzie teraz, w najbliższej przyszłości? W wieku jedenastu miesięcy Phoebe powinna radzić sobie z chwytaniem małych przedmiotów.

Wysprzątała kuchnię do czysta i przeszła do jadalni, żeby pozbierać pranie z suszarki W pokoju pachniało wiatrem. Phoebe leżała na macie z zabawkami, gruchając i łapiąc za grzechotki i zwierzaczki, które Caroline powiesiła tuż nad jej głową. Od czasu do czasu Caroline przerywała pracę i poprawiała kolorowe przedmioty w nadziei, że skuszona ich migotaniem Phoebe przekręci się wreszcie z palców na brzuszek.

Po mniej więcej pół godzinie muzyka ucichła nagle i na schodach pojawiły się stopy Leo, ukryte w precyzyjnie zawiązanych i wyczyszczonych skórzanych pantoflach. Powyżej migały kawałki bladego ciała, ponieważ nogawki spodni były o kilka cali za krótkie. Krok po kroku wreszcie cały Leo pojawił się w polu widzenia – wysoki, niegdyś potężnie zbudowany i umięśniony, lecz dziś zwiotczałe ciało zwisało w luźnych fałdach.

— Och, dobrze — powiedział, wskazując na uprane rzeczy. — Mówiłem, że potrzebujemy dziewczyny do pomocy.

— Śniadanie? — zapytała z niewinną minką.

— Sam sobie wezmę.

— No to niech pan idzie i wreszcie coś zje.

— Słuchaj, zobaczysz, że przy lunchu wywalę cię z pracy — zawołał z kuchni.

— Proszę bardzo, niech się pan nie krępuje.

Zaraz potem nastąpiła katastrofa — na podłogę posypały się garnki, a stary człowiek zaczął kląć jak szewc. Caroline wyobraziła sobie, jak nieszczęśnik pochyla się i usiłuje wepchnąć naczynia z powrotem do szafki. Powinna iść mu pomóc, ale nie — lepiej, żeby poradził sobie sam. W pierwszych tygodniach bała się odszczekiwać, bała się nie reagować na jego wołanie, aż pewnego razu Doro wzięła ją na stronę. „Posłuchaj, nie jesteś tu żadną służącą. Mnie odpowiada to, co robisz, więc pamiętaj, że nie musisz biec w podskokach na każde jego skinienie. Robisz to, co do ciebie należy, i mieszkasz w tym domu jak każde z nas", powiedziała. Wówczas do Caroline dotarło, że okres próbny dobiegł końca.

Leo wszedł do jadalni z talerzem jajecznicy i szklanką soku pomarańczowego w ręku.

— Nie martw się — oświadczył, zanim zdążyła otworzyć usta. — Wyłączyłem tę przeklętą kuchenkę. A teraz idę na górę, żeby zjeść w spokoju śniadanie.

— Niech pan uważa na to, co mówi — odparła Caroline.

Mruknął pod nosem coś nieżyczliwego i mocno tupiąc, poczłapał do siebie. Caroline przerwała składanie bielizny, bo nagle łzy napłynęły jej do oczu. Na zewnątrz kardynał wylądował w kwitnącym krzewie bzu, posiedział tam chwilę, a potem odleciał. Co ona tutaj robi, na litość boską? Co ją skłoniło do podjęcia tak radykalnej decyzji? Jakie szalone pragnienie przywiodło ją w to miejsce bez powrotu? I w końcu jaka przyszłość ją czeka?

Kilka minut później z pokoju na górze znów popłynęły dźwięki trąbki i jednocześnie dwa razy ktoś zadzwonił do drzwi. Caroline podniosła Phoebe z maty.

— Już są — powiedziała do dziecka, wycierając nadgarstkiem oczy. — Czas trochę poćwiczyć.

Sandra stała na ganku i gdy tylko Caroline otworzyła drzwi, wtargnęła do środka. Jedną ręką ściskała rękę Tima, a drugą wlokła za sobą wielki worek na ubrania. Była wysoką blondynką, o długich kościach i zdecydowanym sposobie bycia. Bezceremonialnie usadowiła się na środku dywanu i wywaliła z worka stos zabawek.

– Przepraszam za spóźnienie, ale wpakowałam się w straszny korek – zaczęła prosto z mostu. – Czy nie doprowadza cię do szału to, że mieszkasz tak blisko autostrady? Ja bym chyba zwariowała. W każdym razie zobacz, co udało mi się znaleźć. Popatrz tylko na te super zabawki. Plastikowe, w różnych kolorach... Tim je uwielbia.

Caroline także przysiadła na dywanie. Podobnie jak Doro, Sandra również była niespodziewaną przyjaciółką – kimś, kogo Caroline na pewno nie spotkałaby w swoim poprzednim życiu. Poznały się w bibliotece pewnego ponurego styczniowego dnia, gdy Caroline, przytłoczona ponurymi przepowiedniami ekspertów i pognębiona wynikami badań statystycznych, z hukiem zatrzasnęła książkę. Dwa stoły dalej Sandra, obłożona podręcznikami o dziwnie znajomych okładkach, podniosła głowę. „Och, dokładnie wiem, co czujesz. Ja też bywam tak wściekła, że miałabym ochotę rozbić okno", powiedziała.

Wtedy zaczęły rozmawiać. Z początku bardzo ostrożnie, potem coraz śmielej. Syn Sandry, Tim, miał prawie cztery lata. Też cierpiał na zespół Downa, ale o tym Sandra nie miała pojęcia. Oczywiście zauważyła, że rozwijał się wolniej niż trójka jej pozostałych dzieci, ale dla Sandry wolniej znaczyło wolniej i nic ponadto. Jako zajęta do granic możliwości matka spodziewała się jedynie, że Tim w końcu będzie robił to, co pozostałe maluchy, i że wszystko będzie w porządku, nawet jeśli zajmie mu to więcej czasu. Zaczął chodzić w wieku dwóch lat, nauczył się korzystać z toalety, kiedy miał trzy... Orzeczenie lekarzy zszokowało rodzinę, a ich sugestia – żeby oddać Tima do zakładu – sprawiła, że Sandra rzuciła się do działania.

Caroline słuchała jej z uwagą, a serce rosło w niej przy każdym słowie.

W końcu wyszły z biblioteki, żeby pójść gdzieś na kawę. Caroline na zawsze miała zapamiętać tamte godziny i uczucie radosnego podniecenia, jakby właśnie budziła się z długiego, wlokącego się w nieskończoność snu. We dwie snuły domysły, co się zdarzy, jeśli po prostu założą, że ich dzieci nauczą się wszystkiego. Być może zrobią to wolniej niż inne. Być może niezgodnie z książką. Ale jeśli zwyczajnie zapomną o tych bilansach i normach z ich precyzyjnymi, ściśle określonymi punktami i dokładnie wyrysowanymi krzywymi? Jeśli nadal będą oczekiwać tego, co u zwykłego dziecka, a jedynie wykreślą czynnik czasu? Czy w ten sposób komuś stanie się krzywda? Dlaczego nie spróbować?

Właśnie, dlaczego nie? I tak zaczęły się spotykać, tutaj albo w domu Sandry, gdzie szalało trzech starszych, wrzaskliwych chłopców. Przynosiły książki i zabawki, wyniki badań i historyjki, i własne doświadczenia – Caroline jako pielęgniarki, Sandry jako nauczycielki i matki czwórki dzieci. Zresztą znaczna część pomysłów rodziła się ze zwykłego zdrowego rozsądku. Jeśli Phoebe powinna zacząć przewracać się na brzuszek, to należy położyć błyszczącą piłeczkę tuż poza jej zasięgiem; jeśli Tim musi popracować nad koordynacją, trzeba podsunąć mu tępo zakończone nożyczki, kolorowy papier i pozwolić ciąć. Postępy były nieznaczne, czasem wręcz niewidoczne, ale dla Caroline te godziny stały się całym życiem.

– Wyglądasz na zmęczoną – zauważyła Sandra.

Caroline skinęła głową.

– Phoebe przez całą noc chorowała na krup. Prawdę mówiąc, sama nie wiem, jak długo ona jeszcze wytrzyma. I jak, dowiedziałaś się czegoś o uszach Tima?

– Ten nowy doktor naprawdę mi się podoba – oświadczyła z entuzjazmem Sandra i usadowiła się wygodnie na krześle. Uśmiechnęła się do synka, wręczając mu żółty, plastikowy kubeczek. – Wydaje się pełen współczucia. Nie odprawił nas z kwitkiem, ale nowiny nie są pocieszające. Tim ma znaczne ubytki słuchu i prawdopodobnie dlatego mówi tak wolno i niewyraźnie. Proszę, kochanie – dodała, pukając lekko w kubek, który Tim przed chwilą upuścił. – Pokaż pani, co potrafisz.

Tim nie wykazał nawet odrobiny zainteresowania, bo całkowicie pochłonięty był głaskaniem włosa dywanu. Bez przerwy przesuwał palcami, zafascynowany i zarazem absolutnie szczęśliwy. Ale Sandra była nieustępliwa, spokojna i zdeterminowana. W końcu wziął od niej żółty kubek, na moment przytknął do policzka, jakby zastanawiał się, co ma z nim zrobić, aż wreszcie postawił go na podłodze obok innych kubków i zaczął ustawiać z nich wieżę.

Przez następne dwie godziny bawiły się z dziećmi i rozmawiały. Sandra zawsze miała wyrobione zdanie na każdy temat i nie bała się bez ogródek wyrażać swoich opinii. Caroline uwielbiała siedzieć w salonie i jak matka z matką rozmawiać z tą bystrą, odważną kobietą. W tych dniach często tęskniła za własną matką, nieżyjącą już od prawie dziesięciu lat, i marzyła, żeby móc do niej wpaść i spytać o radę, albo po prostu popatrzeć na Phoebe wtuloną w jej ramiona. Czy jej matka znała te uczucia – miłości i zawodu – kiedy ona, Caroline, dorastała? Musiała je znać i nagle Caroline spojrzała w inny sposób na całe swoje dzieciństwo. Stały strach, żeby nie zaraziła się polio, był, co prawda w dziwny sposób, ale wyrazem miłości. Ciężka praca, jaką wykonywał ojciec, jego ciągła troska o sprawy finansowe także oznaczała, że kochał rodzinę.

Nie miała przy sobie matki, ale miała Sandrę i ich wspólnie spędzane ranki były najjaśniejszą częścią całego tygodnia. Nawzajem opowiadały sobie historie z życia, dzieliły rodzicielskimi doświadczeniami albo sugestiami, zaśmiewały do rozpuku, kiedy Tim usiłował postawić im na głowach wieżyczki z kubków albo kiedy Phoebe tak uporczywie sięgała po błyszczącą piłeczkę, aż w końcu przewróciła się na bok. Tego ranka Caroline, której ta sprawa wciąż nie dawała spokoju, kilka razy przesuwała błyszczący pęk kluczyków przed oczyma małej. Klucze migotały w świetle poranka, zachwycona Phoebe przebierała paluszkami, a jej malutkie, rozcapierzone dłonie przypominały ramiona rozgwiazdy. Niestety, niezależnie jak bardzo się starała, ani razu nie dała rady ich złapać.

– Uda się następnym razem – pocieszała Sandra. – Przekonasz się, w końcu się uda.

W południe Caroline pomogła im zanieść rzeczy do samochodu, a następnie stała na ganku, trzymając Phoebe, zmęczona, ale szczęśliwa, i machała na pożegnanie, podczas gdy Sandra wyjeżdżała swoim pikapem na ulicę. Kiedy weszła do środka, natychmiast zorientowała się, że płyta w pokoju Leo zaczęła przeskakiwać i powtarza w kółko te same trzy takty.

– Co za cholerny uparciuch – mruczała do siebie, wspinając się po schodach. – Paskudny, stary bałwan!

– Czy byłby pan uprzejmy trochę to ściszyć? – spytała rozdrażnionym tonem i popchnęła drzwi. Ale adapter grał w pustym pokoju. Leo gdzieś się ulotnił.

Phoebe zaczęła żałośnie zawodzić, jakby wewnątrz małego ciałka znajdował się czuły barometr niesnasek i napięć. Leo musiał się wymknąć w momencie, gdy pomagała Sandrze zapakować się do samochodu. Och, potrafił być przebiegły, nawet w te dni, gdy zdarzało mu się zostawić buty w lodówce. Uwielbiał płatać jej figle i już trzy razy udało mu się uciec, w tym raz prawie nago. Popędziła na dół i wcisnęła na stopy mokasyny Dorothy, zimne i za małe o co najmniej numer. Potem płaszczyk dla Phoebe, wózek spacerowy, jakaś kurtka dla niej, żeby nie wyjść tak całkiem bez niczego...

Niebo okazało się całkiem zasnute niskimi, szarymi chmurami. Phoebe pojękiwała, wymachując rączkami, gdy biegły wzdłuż garaży w stronę alei.

– Wiem – zamruczała delikatnie, muskając główkę dziecka. – Wiem, kochanie, wiem...

W roztapiającym się śniegu spostrzegła ślad pozostawiony przez Leo – odcisk podeszwy ogromnego buciora i poczuła ulgę. Szedł więc tędy, a w dodatku pomyślał o tym, żeby się ubrać.

No cóż, przynajmniej założył buty.

Przy następnym skrzyżowaniu dotarła do stu pięciu stopni, prowadzących do Koening Field. To właśnie Leo powiedział jej, ile ich jest, kiedy pewnego wieczora siedzieli przy kolacji i dopisywał mu humor. Teraz stał u podnóża rozciągniętej, betonowej kaskady, z rękoma opuszczonymi po bokach, sterczącymi dziko resztkami włosów... Wyglądał na zagubionego i tak zestresowanego, że cały gniew Caroline ulotnił się bez śladu. Nie lubiła Leo Marcha – w ogóle trudno było sobie wyobrazić, żeby ktokolwiek go lubił – ale cała niechęć, jaką w niej wzbudzał, w skomplikowany sposób mieszała się ze współczuciem. W chwilach takich jak ta postrzegała go takim, jakim widział go świat – raczej jako starego człowieka, zgrzybiałego i mającego kłopoty z pamięcią niż jako odbicie wszechświata, którym Leo March był niegdyś. I którym był teraz.

Odwrócił się, zauważył ją i po chwili zakłopotania wyraźnie się wypogodził.

– Spójrz tylko na to! – wrzasnął. – Spójrz na to, kobieto, i zapłacz!

Z pośpiechem, niepomny na lód zalegający na schodach, na strumień zastygłej w bezruchu wody, popędził w jej stronę mocno uderzając nogami, gnany pragnieniem i przypływem dawno zapomnianej adrenaliny.

– Założę się, że w życiu nie widziałaś czegoś podobnego – powiedział bez tchu, kiedy dotarł na szczyt.

– Ma pan rację – zgodziła się. – Nigdy nie widziałam i mam nadzieję, że więcej tego nie zobaczę.

Leo roześmiał się. Na tle bladej skóry jego usta wydawały się intensywnie różowe.

– Uciekłem ci, wiesz?

– Na szczęście niedaleko.

– Ale mogłem uciec dalej. Jeśli miałbym do tego głowę... No nic, następnym razem.

– Następnym razem niech pan weźmie palto – poradziła.

– Następnym razem ucieknę do Timbuktu – oznajmił, kiedy ruszyli w drogę powrotną.

– Proszę bardzo – powiedziała, poddając się fali zmęczenia. Fiolet i biel krokusów odbijała się od jasnej zieleni trawy. Phoebe płakała na całego. Caroline czuła ulgę na myśl, że prowadzi Leo do domu, że udało jej się go znaleźć i odwrócić nieszczęście. Jeśli by zaginął albo doznał uszczerbku na zdrowiu, byłoby to wyłącznie jej winą, ponieważ zbytnio skupiła się na kłopotach Phoebe, która od tygodni próbowała sięgać po przedmioty, ale wciąż nie nauczyła się ich chwytać.

Przez pewien czas szli w milczeniu.

– Sprytna z ciebie kobieta, ot co – powiedział nagle.

Ze zdumienia wrosła w płyty chodnika.

– Co takiego? Co pan powiedział?

Popatrzył na nią z błyskiem w oku. Jego tęczówki miały ten sam odcień intensywnego błękitu co tęczówki Doro.

– Powiedziałem, że jesteś sprytna. Moja córka wynajmowała przed tobą osiem pielęgniarek i żadna z nich nie wytrzymała dłużej niż przez tydzień. Założę się, że nie wiedziałaś o tym.

– Nie – przyznała Caroline. – Nie wiedziałam.

***

Później, kiedy sprzątała kuchnię i wynosiła śmieci, przypomniały jej się słowa Leo. „Jesteś sprytna", powiedziała do siebie, stojąc w alejce przy koszu ze śmieciami. Powietrze było chłodne i wilgotne, a każdy jej oddech ulatywał w obłoczku pary. „Spryt nie zagwarantuje ci męża", powiedziała niegdyś matka podczas jakiejś ostrej wymiany zdań, ale nawet to nie zmniejszyło przyjemności, jaką czerpała z pierwszych miłych słów, które usłyszała od Leo.

Caroline stała jeszcze przez parę sekund, rozkoszując się panującą dookoła ciszą. Nagle kątem oka dostrzegła, że rząd garaży stojących na zboczu pagórka drgnął i stopniowo dotarło do niej, że przy końcu alejki stoi jakaś nieruchoma postać. Wysoki mężczyzna w dżinsach i brązowej kurtce tak dalece stapiał się z tłem, że wydawał się częścią otaczającego krajobrazu. W jego sylwetce, w sposobie jaki stał i patrzył w jej kierunku, było coś, co od razu wywołało w niej niepokój. Odłożyła na miejsce metalową pokrywę pojemnika i krzyżując ręce na piersi, czekała, co będzie dalej. Wreszcie szybkim krokiem ruszył w jej kierunku, wysoki i barczysty, a jego kurtka z bliższej odległości okazała się nie jednolicie brązowa, lecz brązowo-czerwona. Mężczyzna wyciągnął z kieszeni jasnoczerwoną czapkę i wsadził ją na głowę, a ten gest wydał się Caroline dziwnie znajomy, choć nie wiedziała dlaczego.

– Cześć! – zawołał, gdy znalazł się nieco bliżej. – Jak tam Fairlane, nie sprawia ci już niespodzianek?

Zaczęła się bać całkiem serio. W poszukiwaniu pomocy obejrzała się na dom, na jego wysokie ściany z czerwonej cegły wznoszące się ku jasnemu niebu. Tak, tam było okno jej łazienki, gdzie stała wczorajszej nocy, patrząc na blask księżyca odbity w ogródku; tuż obok okno sypialni, uchylone, żeby wpuścić do środka wiosenne powietrze, i koronkowe firanki, poruszane lekkimi westchnieniami wiatru... Gdy odwróciła się, mężczyzna był dosłownie parę kroków od niej. Znała go i ciało Caroline zrozumiało to wcześniej, zanim ta myśl zdążyła się sformułować w jej głowie. To wrażenie było tak niesamowite, że wręcz nie mogła uwierzyć własnym oczom.

– W jaki sposób, na litość boską... – zaczęła.

– Och, to wcale nie było proste – zaśmiał się Al. Zapuścił miękką brodę, w której dziko błyskały jego białe zęby. Ciemne oczy patrzyły ciepło i wesoło. Przypomniała sobie, jak wkładał na jej talerz przysmażony boczek i jak machał na pożegnanie z kabiny srebrzystej ciężarówki, kiedy odjeżdżał w siną dal.

– Ciężko cię wytropić, moja pani... Jednak pamiętałem, że mówiłaś coś o Pittsburghu, a tak się składa, że co kilka tygodni miałem tu przerwę w podróży. Więc z poszukiwania ciebie zrobiłem sobie nowe hobby – uśmiechnął się szeroko. – Doprawdy, nie mam pojęcia, co teraz będę robił całymi dniami.

Caroline nie mogła wykrztusić ani słowa. Ucieszyła się ogromnie na jego widok, ale też poczuła spore zakłopotanie. Przez prawie rok nie pozwalała sobie myśleć zbyt często ani długo o życiu, które zostawiła za sobą, a teraz wspomnienia same do niej wróciły, i to z siłą i intensywnością, jakiej się nie spodziewała: zapach środków czyszczących, blask słońca na ścianach poczekalni, powrót po długim dniu do jej spokojnego, przytulnego mieszkanka, skromny posiłek i wieczór spędzany z książką... Z chęcią zrezygnowała z tych przyjemności, żeby zaspokoić długo skrywaną tęsknotę. Teraz serce waliło jej jak młotem i z obawą spoglądała z głąb alejki, jakby spodziewała się za plecami Ala ujrzeć Davida Henry'ego. Dopiero teraz dotarło do niej, dlaczego nigdy nie wysłała tamtego listu. Bo co by zrobiła, gdyby doktor Henry chciał z powrotem dostać swoje dziecko – albo gdyby chciała tego Norah? Ta możliwość napełniła ją teraz udręką.

– Jak tego dokonałeś? – zawołała. – W jaki sposób mnie znalazłeś? I dlaczego?

Al cofnął się o krok, wzruszając ramionami.

– Wstąpiłem do Lexington, żeby do ciebie zajrzeć, ale mieszkanie było puste. Akurat je malowano. Ta twoja sąsiadka powiedziała mi, że wyprowadziłaś się Bóg wie dokąd przed trzema tygodniami... Chyba nie lubię zagadek, bo cały czas myślałem, gdzie jesteś i co się z tobą dzieje – urwał, jakby chciał się zastanowić, czy mówić dalej. – Do diabła, Caroline! Naprawdę cię polubiłem i wydawało mi się, że musisz mieć poważne kłopoty, skoro zdecydowałaś się odciąć w taki sposób... To znaczy, od razu widać było, że cię coś dręczy, odkąd cię zobaczyłem na tamtym parkingu. Pomyślałem, że może mógłbym ci pomóc. Że może potrzebujesz pomocy.

– Jak widzisz, całkiem dobrze sobie radzę – odparła. – A więc? Co masz zamiar odkryć tym razem?

Nie chciała, żeby zabrzmiało to tak, jak zabrzmiało. Twardo i nieprzyjemnie. Zapadła długa cisza, aż w końcu Al zdecydował się ją przerwać.

– Chyba tym razem przekonam się, że w pewnych sprawach się myliłem – powiedział spokojnie. – Myślałem, że się zgadzamy, ty i ja – dodał, kręcąc głową. – Bo tak jest – przytaknęła szybko. – Tylko jestem zszokowana, to wszystko. Myślałam, że udało mi się zerwać wszelkie więzi.

Wtedy popatrzył na nią uważnie; jego piwne oczy napotkały jej spojrzenie.

–To zabrało mi cały rok... – oznajmił. – Pamiętaj o tym, na wypadek gdybyś się bała, że ktoś może cię wytropić. Poza tym wiedziałem, skąd zacząć, no i miałem trochę szczęścia. Najpierw zacząłem się wypytywać w znanych mi motelach o kobietę z dzieckiem. Za każdym razem szedłem gdzie indziej, i wreszcie w zeszłym tygodniu trafiłem w dziesiątkę. Pamiętała cię recepcjonistka z motelu, w którym mieszkałaś ostatnio. Nawiasem mówiąc, ona w przyszłym tygodniu idzie na emeryturę – podniósł w górę dwa palce i skrzyżował je. – Widzisz, jak niewiele brakowało, żebym stracił cię na zawsze?

Caroline skinęła głową, przywołując z pamięci obraz tamtej kobiety z siwiejącymi włosami, zaczesanymi w staranny kok, i połyskującymi kolczykami w uszach. Mówiła, że ten motel od pięćdziesięciu lat należał do jej rodziny. Całymi nocami grzechotało w kaloryferach, a mimo to ściany były stale wilgotne i dlatego odłaziła z nich tapeta. A poza tym nigdy człowiek nie wie, kto może wejść przez te drzwi, mówiła recepcjonistka.

Al skinął w stronę piaskowoniebieskiej maski Fairlane'a.

– Jak tylko go zobaczyłem, wiedziałem, że udało mi się ciebie znaleźć. A jak się miewa twoje maleństwo?

Wspomniała pusty parking przed sklepem, światło, które wylewało się na śnieg i gasło, i delikatność, z jaką pogładził malutkie czółko Phoebe.

– Chcesz wejść? – usłyszała własny głos. – Zaraz miałam ją budzić. Zrobię ci herbaty.

Poprowadziła go wąskim chodnikiem i po schodkach na tylny ganek, a potem zostawiła w salonie i poszła na górę. Czuła zawroty głowy i miękkość nóg, jakby nagle zdała sobie sprawę, że ziemia pod jej stopami się obraca i świat przesuwa się, niezależnie od tego, jak bardzo się stara zatrzymać go w miejscu. Przewinęła Phoebe i spryskała twarz wodą, żeby się uspokoić.

Al siedział w jadalni przy stole i wyglądał przez okno. Kiedy usłyszał na schodach jej kroki, odwrócił się z promiennym uśmiechem. Od razu wyciągnął ręce po Phoebe i zaczął zachwycać się, że tak urosła i że taka jest śliczna. Caroline uczuła przypływ macierzyńskiej dumy, a Phoebe śmiała się na głos, kiedy ciemne loczki łaskotały ją po policzkach. Al sięgnął pod koszulę i wyjął medalion – plastikowy, z wielkimi turkusowymi literami GRAND OLE OPRY. Dostał go w Nashville. „Jedź ze mną", powiedział do niej te długie miesiące temu, żartując i nie żartując jednocześnie. A teraz był tutaj. Odbył tę długą drogę tylko po to, żeby ją odnaleźć. Phoebe wydawała z siebie dźwięki świadczące o absolutnym zachwycie, wyciągając jednocześnie rączki. Uderzała nimi w szyję Ala, w obojczyki, jego koszulę w ciemną kratę. W pierwszej chwili Caroline nie zarejestrowała, co się dzieje, a potem nagle do niej dotarło. To, co mówił Al, nagle zeszło na dalszy plan, mieszając się z krokami Leo na górze i dudnieniem przejeżdżających samochodów, i już na zawsze te odgłosy miały jej kojarzyć się ze stanem absolutnego szczęścia.

Phoebe sięgała po medalion. Nie waliła rączkami w powietrzu, tak jak dzisiejszego ranka, lecz opierała się o pierś Ala, a jej drobne paluszki drapały i drapały medalion, aż wreszcie zamknęły się wokół niego w małą piąstkę. Zachwycona sukcesem Phoebe szarpnęła za sznureczek, a Al poderwał go do góry, żeby go nie urwała.

Caroline bezwiednie podniosła ręce do szyi, żeby ukryć radość.

– Och, tak – szepnęła. – Chwytaj, mój skarbie. Chwytaj mocno świat.

Maj tysiąc dziewięćset sześćdziesiątego piątego roku

Norah była daleko przed nim. Poruszała się z prędkością światła, a między drzewami migała jej biała koszulka i granatowe dżinsy – raz były, a potem znikały jak senne marzenie. David podążał za nią, od czasu do czasu schylając się, żeby podnieść kamień: mikę o chropowatej, nierównej powierzchni, albo skamieniałości wyryte na łupkach. Każdy z nich trzymał przez chwilę na otwartej dłoni, radując się jego ciężarem, kształtem i chłodem, a potem wsuwał do kieszeni. Kiedy był chłopcem, półki w jego pokoju były dosłownie zawalone rozmaitymi kamieniami; do dziś nie potrafił minąć obojętnie zaklętych w nich tajemnic i możliwości, choć schylanie się z Paulem w nosidełku sprawiało mu niejaką trudność. W dodatku przy każdym takim ruchu aparat fotograficzny w nieprzyjemny sposób ocierał mu biodro.

Daleko przed nimi Norah zatrzymała się, żeby machnąć ręką, a potem roztopiła się w ścianie z szarego, gładkiego kamienia. Kilka innych osób, ubranych w identyczne, granatowe czapeczki do baseballa, wyłoniło się, jedna po drugiej, z tej samej szarej ściany. David podszedł bliżej i wówczas przekonał się, że znajdują się tam schody, prowadzące do stworzonego przez naturę, kamiennego mostu, który znajdował się gdzieś w górze, poza zasięgiem wzroku.

– Niech pan lepiej uważa – ostrzegła go jakaś kobieta, która właśnie zeszła z ostatniego stopnia. – Tam jest bardziej stromo, niż się pan spodziewa. I w dodatku ślisko jak diabli.

Zatrzymała się, żeby złapać oddech i przyłożyła otwartą dłoń do serca.

David, zauważywszy jej bladość i krótki oddech, zatrzymał się.

– Madam? Jestem lekarzem. Czy dobrze się pani czuje?

– To tylko palpitacje serca – odparła. – Miewam je przez całe życie.

Nie pytając o zgodę, ujął pulchny przegub i zaczął mierzyć puls. Szybki, ale stabilny, stwierdził, i w miarę upływu czasu coraz spokojniejszy. Palpitacje... Ludzie często używają tego określenia, żeby opisać każde przyspieszenie akcji serca, ale on od razu doszedł do przekonania, że tej kobiecie nie groziło żadne niebezpieczeństwo. Nie tak, jak jego siostrze, zmuszonej do wiecznego siedzenia w miejscu, która bladła i traciła oddech, jeśli spróbowała przebiec przez pokój. „Kłopoty z sercem", powiedział doktor w Morgantown i pokręcił głową, nie wdając się w żadne szczegóły. Zresztą i tak nie miało to znaczenia, ponieważ nic nie mógł zrobić. Całe lata później David przypominał sobie tamte objawy i czytał długo każdej nocy, żeby móc postawić własną diagnozę: zwężenie aorty lub nieprawidłowa budowa którejś z zastawek. Tak czy inaczej, June poruszała się powoli i walczyła o swobodny oddech, a jej stan pogarszał się w miarę upływu czasu. Kilka miesięcy przed śmiercią jej skóra nabrała niezdrowego, bladoniebieskiego odcienia. June kochała motyle; pamiętał, jak czasami stała z twarzą uniesioną ku słońcu, z zamkniętymi oczyma i jadła przyrządzoną w domu galaretkę o obniżonej zawartości soli, którą matka kupowała w miasteczku. Zawsze podśpiewywała coś pod nosem, jakieś oryginalne, wymyślone na własny użytek melodyjki, a jej włosy były tak blade, że prawie białe, i przypominały kolorem maślankę. Całe miesiące po śmierci June budził się w środku nocy, bo wydawało mu się, że słyszy jej piskliwy głosik, tak podobny do wiatru zawodzącego w gałęziach sosen.

– Więc mówi pani, że cierpi na to przez całe życie? – zapytał poważnym tonem, puszczając rękę nieznajomej.

– Och, odkąd pamiętam – odparła. – Ale lekarze uspokoili mnie, że to nie jest poważne schorzenie. Raczej denerwujące.

– No cóż, moim zdaniem wszystko będzie dobrze, ale proszę się oszczędzać.

Podziękowała, pogłaskała Paula i ze słowami „Proszę uważać na główkę malucha" znikła mu z oczu. David skinął głową i ruszył w górę schodów, dla pewności osłaniając dziecko wolną ręką podczas wspinaczki między ścianami z wilgotnego kamienia. Serce wypełniała mu radość i poczucie spełnionego obowiązku – jak dobrze być przydatnym dla kogoś, kto znalazł się w potrzebie, jak wspaniale umieć leczyć – bo akurat tego nie mógł dać tym, których kochał najbardziej. Paul klepał co chwila jego pierś, sięgając po ukrytą w kieszeni kopertę – list od Caroline Gill, który dziś rano przyniesiono do biura. Przeczytał go tylko raz, w pośpiechu, i odłożył natychmiast, gdy zjawiła się Norah, a potem starał się ukryć ekscytację.

„Obie mamy się dobrze, Phoebe i ja... Jak dotąd, nie ma żadnych problemów z sercem...", przeczytał.

Teraz schwytał malutkie paluszki Paula i zamknął w uścisku. Synek podniósł na tatę zaciekawione spojrzenie, szeroko otwierając przy tym oczy, a wówczas David poczuł, jak miłość do dziecka zalewa go niczym potężna fala.

– Cześć, maluchu – powiedział David z uśmiechem. – Strasznie cię kocham, mój malutki syneczku. Ale lepiej nie zjadaj mi ucha, dobrze?

Paul ciemnymi oczkami z uwagą śledził ojcowską twarz, a potem odwrócił główkę i oparł się policzkiem o ramię, promieniując ciepłem. Miał na sobie biały kapelusik z żółtymi kaczuszkami, które Norah wyhaftowała w długie, spokojne wieczory po wypadku. Wraz z pojawieniem się każdej kaczki David coraz lżej oddychał. O tym, jak wielka jest jej żałoba, jak ogromna dziura wyrwana została w jej sercu, przekonał się, oglądając zdjęcia, które zrobiła w starym domu. Pokój po pokoju, zbliżenia okiennych framug, sztywny cień metalowej poręczy, powykrzywiane i wklęsłe płyty na podłodze... I ślady jej stóp, ta dziwaczna ścieżka z krwi... Czym prędzej wyrzucił do kosza te zdjęcia, negatywy również, lecz ich widok dalej go prześladował. Bał się, że tak już zostanie na zawsze. Bo poza wszystkim pozwolił sobie przecież na najstraszliwsze kłamstwo – oddalił na zawsze ich córkę – i zdawał sobie sprawę, że już wkrótce poniesie konsekwencje tego czynu, sprawiedliwe i nieuchronne. Ale dni mijały, minęły prawie trzy miesiące, i Norah wróciła do równowagi psychicznej. Jak dawniej pracowała w ogrodzie, śmiała się przy telefonie, plotkując z koleżankami, albo swoimi pięknymi, długimi ramionami podnosiła Paula z maty edukacyjnej.

David obserwował ją i był przekonany, że Norah czuje się szczęśliwa.

Teraz kaczuszki podskakiwały uroczo przy każdym kroku i pierwsze złapały światło, gdy David wynurzył się z wąskich schodów i wszedł na naturalny, kamienny most, który spinał dwie krawędzie wąwozu. Norah, ubrana w dżinsowe szorty i białą koszulkę bez rękawów, stała na środku przęsła, a czubki jej białych tenisówek pobrudzone były na różowo przez skalny pył. Powoli, z gracją tancerki, otworzyła ramiona i wygięła w łuk smukłe ciało, zamykając przy tym oczy, jakby składała niebu ofiarę z samej siebie.

– Norah! – krzyknął. – Przestań, to niebezpieczne!

Paul oparł małe rączki na jego piersi.

– Nee! – zawołał jak echo, wsłuchując się w ostatnie słowo, które padło z ust Davida.

Ten dźwięk maleństwo słyszało w kontekście gniazdek elektrycznych, schodów, kominków, krzeseł, a teraz w zestawieniu z ostrą ścianą wąwozu, która znalazła się tak niebezpiecznie blisko jego matki.

– To niesamowicie widowiskowe! – odkrzyknęła, opuszczając ramiona. Odwróciła się, przez co kilka drobnych otoczaków wymknęło się spod podeszwy jej tenisówek i prześlizgnęło się nad krawędzią. – Chodź i sam się przekonaj!

Ostrożnie wkroczył na most, podszedł do niej i stanął nad przepaścią. Maleńkie figurki poruszały się z mozołem po ścieżce tam, gdzie niegdyś płynął wartki nurt rzeki. Teraz okoliczne pagórki pokryły się wiosenną zielenią, a setki jej odcieni odbijały się w przejrzystym, błękitnym niebie. Odsunął się i wziął głęboki oddech, żeby odpędzić widmo zawrotu głowy. Bał się nawet spojrzeć na Norah. Chciał ją oszczędzić, chciał jej oszczędzić bólu; nie rozumiał, że bez względu na wszystko będzie jej towarzyszyło poczucie straty, uporczywe i pochłaniające wszystko jak rwący potok. Tak samo nie spodziewał się, że on także pogrąży się w żałobie, tym gorszej, że związanej z jego przeszłością. Za każdym razem, kiedy wyobrażał sobie buzię odtrąconej córeczki, widział przed oczyma twarz siostry, jej jasne włosy, jej poważny uśmiech...

– Poczekaj, zrobię ci zdjęcie – powiedział i odsunął się o krok, a potem o jeszcze jeden. – Podejdź na środek mostu. Tam jest lepsze światło.

– Za chwilę – odparła, opierając ręce na biodrach. – Tutaj jest tak pięknie!

– Norah... – poprosił. – To naprawdę zaczyna mi działać na nerwy.

– Och, Davidzie – odrzuciła w tył głowę, nie zaszczycając go nawet jednym spojrzeniem. – Czemu ciągle się o mnie martwisz? Nic mi przecież nie dolega.

Nie odpowiedział. Nagle zdał sobie sprawę, że jego płuca pracują z trudem, a oddech staje się coraz bardziej nierówny. To samo uczucie miał, gdy otwierał list Caroline Gill, zaadresowany jej chudą ręką i przysłany na adres starej przychodni. Koperta była na wpół przykryta stemplami pocztowymi. Został nadany w Toledo, w Ohio, a w środku znajdowały się trzy zdjęcia Phoebe w niemowlęcej, różowej sukieneczce. Ewentualna odpowiedź miała zostać skierowana do skrytki pocztowej, ale nie w Toledo, tylko w Cleveland. Nigdy nie był w Cleveland, ale najwyraźniej Caroline Gill tam właśnie się wychowała.

– Chodźmy stąd – powiedział na głos. – Pozwól mi wreszcie zrobić to zdjęcie.

– To zrób je tutaj – odparła beztrosko. – Tylko tak, żeby wyglądało jakbym chodziła w powietrzu.

David kucnął i zaczął majstrować coś przy obiektywie aparatu, czując na pośladkach gorąco odbite od nagich skał. Paul wykręcał się w nosidełku na wszystkie strony i marudził. David przypomni sobie potem każdy szczegół tej chwili, niewidziany i niezapisany na filmie, gdy na papierze zanurzonym w wywoływaczu powoli zaczną się pojawiać zarysy postaci... Teraz ustawił się tak, żeby Norah znalazła się pośrodku czarnej ramki. Patrzył, jak wiatr rozwiewa jej włosy; patrzył na opaloną skórę, dzięki której wyglądała jak okaz zdrowia i dziwił się, skąd w niej taki dystans.

W rozgrzanym powietrzu pachniało wiosną. Z powrotem powędrowali w dół zbocza, mijając po drodze wejście do pieczar, pęki szkarłatnych rododendronów i górski wawrzyn. Norah skręciła z głównej ścieżki, żeby poprowadzić ich między drzewami wzdłuż strumienia, aż do zalanej słońcem polanki, gdzie, jak pamiętała, rosły wspaniałe poziomki. Wiatr poruszał się lekko wśród długich traw, a ukryte ciemnozielone liście poziomek błyszczały nisko, tuż przy samej ziemi. Powietrze pachniało słodko zapachem wiosennych kwiatów i ciepłem, niosąc daleko brzęczenie owadów.

Właśnie tutaj rozłożyli koc, żeby zrobić piknik: ser, krakersy, winogrona. David usiadł i oparł na piersi główkę Paula, żeby rozpiąć nosidełko, leniwie myśląc przy tym o własnym ojcu... O jego przysadzistej i mocno zbudowanej sylwetce, zręcznych, choć krótkich palcach, którymi nakrywał całą dłoń syna, kiedy uczył go podnosić siekierę, doić krowy albo wbijać gwóźdź w cedrowy gont. Jego ojciec pachniał potem, żywicą i ciemną ziemią z kopalni, w której pracował każdej zimy. Nawet gdy David był już nastolatkiem i przez cały tydzień mieszkał w mieście, gdzie chodził do średniej szkoły, z radością wracał na weekend do domu, żeby spotkać się z ojcem, który siedział na ganku i palił fajkę.

— Nee — powiedział Paul. Oswobodzony z nosidełka natychmiast ściągnął jeden but. Obejrzał go z zainteresowaniem, ale szybko porzucił i zaczął pełznąć w kierunku trawiastego świata, który zaczynał się tuż za krawędzią koca. David patrzył, jak synek łapie garść zielska i wpycha do buzi, i jak zaraz potem na okrągłej twarzyczce pojawia się wyraz zdziwienia. Nagle gorąco zapragnął, żeby jego rodzice wciąż żyli, żeby mogli poznać swojego wnuka.

— Paskudne, co? — spytał, wycierając krople zielonkawej śliny z podbródka dziecka. Norah krzątała się obok nich, rozkładając talerze i serwetki. Starał się odwracać od niej twarz, żeby nie zauważyła nagłego wzruszenia, jakie go ogarnęło. Wyciągnął z kieszeni jeden z kamyków, a Paul natychmiast złapał go obiema rączkami.

— On chyba nie powinien brać tego do buzi? — spytała Norah i usiadła obok, tak blisko, że czuł jej ciepło i zapach potu zmieszanego z zapachem mydła, który rozpływał się w powietrzu.

— Raczej nie — przytaknął. Zabrał kamyczek i wręczył dziecku krakersa. Mika była rozgrzana i wilgotna. Przycisnął ją mocno z obu końców i wtedy pękła na dwoje, ukazując krystalicznie purpurowe wnętrze.

— Ależ to piękne — mruknęła Norah, obracając w ręku kamyczek.

— To pradawne morze — odparł. — Woda została uwięziona w środku i przez tysiące lat ulegała procesowi krystalizacji.

Nieśpiesznie zjedli to, co było do zjedzenia, a potem zrywali dojrzałe poziomki, ciepłe i delikatne w smaku. Paul wsuwał je całymi garściami, aż sok ściekał z piąstki. Po niebie krążyły dwa jastrzębie, a Paul krzyczał „didi" i wymachiwał tłustą łapką w ich kierunku. Kiedy przysnął, Norah ułożyła go na kocu w cieniu traw.

— Ale tu milutko — zauważyła i usiadła, opierając się plecami o głaz. — Tylko my we troje i to wspaniałe słoneczko.

Jej stopy były bose, więc wziął jedną z nich w dłonie i zaczął masować, wyczuwając palcami delikatne kosteczki, ukryte tuż pod skórą.

– Och... – wyszeptała i zamknęła oczy. – Teraz jest naprawdę miło... Tak miło, że zaraz zasnę...

– Lepiej nie śpij, tylko powiedz mi, o czym myślisz – poprosił.

– Właściwie o niczym. Usiłowałam sobie przypomnieć, jak wyglądała taka mała łączka przy owczej farmie. Razem z Bree miałyśmy zwyczaj czekać tam na naszego ojca. Zbierałyśmy dzwonki i inne polne kwiatki i robiłyśmy olbrzymie bukiety, a słońce przygrzewało tak samo jak dziś... Jakby brało cię w objęcia. Nasza mama wstawiała te kwiaty do wazonu. W całym domu było ich pełno.

– To także bardzo miłe – David wypuścił jedną stopę i sięgnął po następną. Delikatnie przesunął kciukiem po białej szramie, która pozostała jako pamiątka po stłuczonej żarówce. – Lubię myśleć o tobie w tamtych czasach.

Skóra Norah była taka delikatna... Przypomniał sobie słoneczne dni z własnego dzieciństwa, kiedy June nie była jeszcze taka chora. Całą rodziną wybierali się wówczas do lasu na poszukiwanie żeńszenia, kruchej roślinki ukrytej w leśnym poszyciu. Jego rodzice poznali się właśnie przy takiej okazji. Na pamiątkę zostało mu jedno jedyne ich ślubne zdjęcie i w dniu własnego ślubu otrzymał od Norah właśnie tę fotografię, oprawioną w elegancką, dębową ramkę. Matka, o jasnej karnacji, wąskiej talii i z falującymi włosami patrzyła w obiektyw z lekkim, wiele mówiącym uśmiechem. Brodaty ojciec stał za jej plecami, z kapeluszem w ręku. Zaraz po ślubie przeprowadzili się do chaty, którą ojciec wybudował na zboczu pagórka nad należącymi do nich polami.

– Moi rodzice uwielbiali otwartą przestrzeń – dodał. – Mama sadziła kwiaty dosłownie wszędzie. Sporo ich rosło nad strumykiem obok naszego domu.

– Żałuję, że nie miałam okazji ich poznać. Pewnie byli strasznie dumni z ciebie, co?

– Nie wiem. Być może. Na pewno cieszyli się, że mam łatwiej w życiu niż oni.

– Cieszyli się... – powtórzyła wolno i otworzyła oczy. Z miłością popatrzyła na śpiącego Paula, na którego buzi tańczyły plamki światła i cienia.

– Ale pewnie też było im trochę żal, prawda? Mnie by było, gdyby się okazało, że Paul ucieknie gdzieś daleko, gdy dorośnie.

– To prawda – zgodził się. – Byli dumni, choć jednocześnie na pewno było im przykro. Nie lubili przyjeżdżać do miasta. W Pittsburghu odwiedzili mnie tylko raz.

Przypomniał sobie, jak z widoczną przykrością siedzieli w jego małym, studenckim pokoiku, a matka podskakiwała za każdym razem, gdy rozlegał się gwizd przejeżdżającego pociągu. June już wtedy nie żyła i pamiętał, jak przez głowę przemknęła mu gorzka myśl, że pewnie teraz – gdy zabrakło córki, którą trzeba się opiekować – nie bardzo wiedzą, co ze sobą zrobić. Przez tak długi czas June była centralnym punktem ich życia.

– Zostali u mnie tylko przez jedną noc. A potem, kiedy tata umarł, mama przeprowadziła się do siostry, do Michigan. Nigdy w życiu nie wsiadłaby do samolotu, a ponieważ nie umiała prowadzić samochodu, więc od tamtej pory widzieliśmy się tylko raz.

– To bardzo smutne – powiedziała Norah, rozmazując na łydce plamkę brudu.

– Tak... – odparł David. – Rzeczywiście, bardzo.

Znów pomyślał o June. O tym, jak podczas każdego lata jej włosy nabierały złotawego odcienia; o zapachu jej skóry, w którym czuł rozgrzane mydło zmieszane z wonią ciepłego metalu, może monety, a który wypełniał całą przestrzeń dookoła, gdy kucali obok siebie, żeby kopać patykami w miękkiej ziemi. Tak bardzo ją kochał, kochał jej słodki śmiech... Nienawidził tych powrotów do domu, kiedy znajdował ją leżącą na sienniku na ganku i widział ściągniętą niepokojem twarz matki, która siedziała obok bezwładnego ciała córki i śpiewała coś cichutko, łuskając jednocześnie groch albo obierając kolby kukurydzy.

Popatrzył na synka, śpiącego głębokim snem na kocyku, z główką odwróconą na bok i długimi włoskami, które lepiły się do wilgotnej szyi. Przynajmniej jego udało mu się ochronić przed tak ciężkimi przeżyciami, myślał. Paul nie będzie rósł, tak jak jego ojciec, i cierpiał z powodu straty siostry. Nie będzie zmuszony przez cały czas troszczyć się o własne potrzeby, ponieważ wszyscy będą skupieni na potrzebach chorej dziewczynki.

Ta myśl i ogrom goryczy zaskoczyły Davida. Chciał wierzyć, że postąpił właściwie, oddając swoją córkę Caroline Gill. Albo przynajmniej, że miał ku temu powody. Ale być może było wręcz przeciwnie. Być może w tamtą śnieżną noc chciał chronić nie tyle Paula, ile jakiś dawno zagubiony obraz siebie samego.

– Mam wrażenie, że jesteś zupełnie gdzie indziej – zauważyła Norah. Przysunął się bliżej i tak jak ona oparł plecami o głaz.

– Moi rodzice mieli wielkie plany w stosunku do mnie – powiedział. – Tyle tylko, że one nijak nie przystawały do moich własnych planów.

– To zupełnie jak ze mną i z moją matką – roześmiała się Norah, obejmując rękoma kolana. – Zakomunikowała mi, że przyjeżdża w przyszłym miesiącu. Mówiłam ci o tym? Udało się jej załatwić darmowy bilet.

– To chyba dobrze, prawda? Paul zapewni jej wystarczająco dużo rozrywki.

Wybuchnęła śmiechem.

– O, co do tego, to nie ma wątpliwości. Zresztą chyba wyłącznie po to przyjeżdża.

– Norah, a jakie są twoje marzenia? – spytał nieoczekiwanie. – O czym marzysz dla Paula?

Norah nie odpowiedziała od razu.

– Chyba po prostu chciałabym, żeby był szczęśliwy – odezwała się po dłuższej chwili. – Cokolwiek przyniesie mu szczęście, niech się wydarzy. Nie obchodzi mnie, co to będzie, jeśli tylko Paul wyrośnie na człowieka dobrego i żyjącego w zgodzie z sobą. A w dodatku szlachetnego i mocnego, tak jak jego tatuś.

– Nie – David sprzeciwił się gorąco. – Lepiej niech nie będzie podobny do mnie.

Popatrzyła na niego ze zdziwieniem.

– Dlaczego nie?

Nie odpowiedział. Po długiej chwili zastanowienia zadała mu następne pytanie.

– Co jest nie tak? – w jej tonie nie było agresji, jedynie zamyślenie, jakby pragnęła poznać odpowiedź jeszcze zanim skończy mówić. – Między nami, Davidzie. Mam na myśli nas.

Znów się nie odezwał, walcząc z nagłym gniewem, który niespodziewanie go ogarnął. Czemu ona znów próbuje namieszać? Dlaczego nie może zostawić przeszłości w spokoju i skoncentrować się na tym, co jest teraz? Ale ona przemówiła.

– Jest całkiem inaczej, odkąd Paul się urodził, a Phoebe umarła. Wciąż nie chcesz o niej rozmawiać. Zupełnie jakbyś próbował wykreślić z pamięci fakt, że ona w ogóle istniała.

– Norah, czego ty ode mnie oczekujesz? Oczywiście, że nasze życie się zmieniło!

– Nie złość się, Davidzie... To jest pewnego rodzaju strategia, tak? Więc dobrze, nie będę więcej o niej wspominać. Ale też nie zamierzam się z tym pogodzić. To, co powiedziałam, jest prawdą.

Westchnął ciężko.

– Norah, nie psuj takiego ślicznego dnia – powiedział w końcu.

– Wcale nie chcę go psuć – ułożyła się na kocu i zamknęła oczy. – Jestem naprawdę z niego zadowolona.

Przez moment ją obserwował. Słońce igrało w jej pięknych włosach w kolorze blond, pierś wznosiła się i delikatnie opadała przy każdym oddechu... Nagle naszła go ochota, żeby wyciągnąć rękę i przesunąć kciukiem wzdłuż lekko zakrzywionego żebra. I żeby złożyć pocałunek w miejscu, gdzie żebra spotykają się i rozchodzą niczym skrzydła motyla...

– Norah... – wyszeptał. – Nie wiem, co mam robić. Nie wiem, czego ty byś chciała.

– Nie... – odpowiedziała w ten sam sposób. – Nie wiesz...

– Ale możesz mi powiedzieć.

– Pewnie tak. Może kiedyś powiem. Czy oni bardzo się kochali? – spytała nagle, nie otwierając oczu. Jej głos wciąż brzmiał cicho i spokojnie, ale David uświadomił sobie, że tuż pod gładką powierzchnią czai się jakieś napięcie. – Twój ojciec i twoja matka?

– Nie wiem – odparł powoli, starając się rozszyfrować, czemu o to spytała. – Na pewno się kochali. Chociaż on często bywał poza domem. Jak już mówiłem, oni naprawdę mieli ciężkie życie.

– Z kolei mój ojciec bardziej kochał matkę niż ona jego – powiedziała Norah i David poczuł w sercu ukłucie niepewności. – Kochał ją, ale najwyraźniej nie potrafił tego okazać tak, jak by ona sobie życzyła. Uważała go za dziwaka, może nawet za kogoś niezbyt mądrego... Kiedy dorastałam, w moim domu często panowało milczenie... I w naszym domu też za często bywa cicho – dodała, a on pomyślał o spokojnych wieczorach i jej głowie, pochylonej nad białym kapelusikiem w żółte kaczuszki.

– Ale ta cisza nie jest zła – powiedział.

– Czasem tak.

– A przy innych okazjach?

– Ciągle myślę o niej, Davidzie – odwróciła głowę, żeby mogli spojrzeć sobie w oczy. – O naszej córce. Do kogo byłaby podobna.

Nie odezwał się, tylko patrzył, jak Norah zaczyna bezgłośnie płakać, zakrywając twarz rękoma. Po chwili wyciągnął rękę i ostrożnie dotknął jej ramienia. Natychmiast otarła łzy.

– A ty? – zapytała z nagłą pasją. – A ty? Czy nigdy ci jej nie brakuje?

– Brakuje – przyznał szczerze. – Prawdę mówiąc, myślę o niej przez cały czas.

Norah położyła mu dłoń na piersi, a potem jej usta, pełne smaku poziomek, spoczęły na jego ustach; poczuł na języku słodkość tak gwałtowną i przeszywającą jak pożądanie. Nagle zorientował się, że leży na plecach i że słońce delikatnie głaszcze jego skórę. Piersi Norah jak dwa ptaki wznosiły się tuż nad nim, więc sięgnął po nie rękoma. Po omacku poszukała guzików koszuli i wówczas jej dłoń przesunęła się po liście ukrytym w kieszeni.

Jednym ruchem zrzucił z siebie koszulę, ale nawet wówczas, gdy znów opasywał ją ramionami, pewna myśl nie dawała mu spokoju. „Kocham cię. Tak bardzo cię kocham, a mimo to cię okłamałem". I nagle między nimi, choć dzieliły ich zaledwie milimetry, otworzyła się przepaść równa tej, nad którą stał dziś rano. Odsunął się gwałtownie, z powrotem w światło i cień, w chmury, które przesunęły się nad nim i po chwili ich nie było, aż poczuł pod plecami ciepło nagrzanego kamienia.

– Co się stało? – spytała łagodnie, gładząc jego pierś. – Och, Davidzie, czy coś jest nie tak?

– Nic. Absolutnie nic.

– Davidzie... – zaczęła. – Davidzie, proszę cię...

Zawahał się. Przez ułamek sekundy był gotów wyznać jej całą prawdę, ale jednak nie potrafił się na to zdobyć.

– Mam kłopoty w pracy. Z pacjentem. To trudny przypadek i nie mogę przestać o nim myśleć.

– O Boże... – jęknęła. – Już mam po uszy tej twojej pracy.

Jastrzębie krążyły wysoko na wznoszących się prądach powietrza, a słońce grzało tak mocno... Wszystko wokół krążyło, wracając za każdym razem do jednego i tego samego punktu. Pomyślał, że musi jej powiedzieć. Niewypowiedziane słowa znalazły się tuż na końcu języka. „Kocham cię. Tak bardzo cię kocham, a mimo to cię okłamałem".

– Davidzie, chcę mieć następne dziecko – powiedziała, siadając. – Paul jest wystarczająco duży, a ja jestem gotowa.

David był tak zdumiony, że na moment zaniemówił.

– Paul ma dopiero rok – powiedział w końcu.

– No to co? Ludzie mówią, że jest łatwiej przejść przez pieluchy i te wszystkie rzeczy za jednym zamachem.

– Jacy ludzie?

Tym razem to ona zaczęła wzdychać.

– Wiedziałam, że powiesz „nie".

– Ale ja wcale nie mówię „nie" – odpowiedział ostrożnie.

Nie odezwała się na to ani słowem.

– Chodzi mi jedynie o to, że chyba trochę za wcześnie – wyjaśnił. – To wszystko.

– A właśnie, że mówisz „nie" – upierała się. – Mówisz „nie", tylko nie chcesz tego powiedzieć wprost.

Zamilkł. Przypomniał sobie tę niebezpieczną krawędź wąwozu, przy której stała, te zdjęcia, na których niczego nie było, ten list, ukryty głęboko w kieszeni... Nie pragnął niczego ponad to, żeby delikatne struktury ich życia pozostały takie jak do tej pory i wszystkie sprawy układały się dalej. Żeby świat się nie zmieniał, a krucha równowaga pomiędzy nimi dwojgiem przetrwała wstrząs.

– Wszystko przecież dobrze się układa – powiedział łagodnie. – Czemu koniecznie chcesz coś zmieniać?

– Davidzie, a czy pomyślałeś o Paulu? – Norah skinęła głową w stronę chłopca, który spokojnie spał na swoim kocyku. – On tęskni za nią.

– On prawdopodobnie nawet nie wie o jej istnieniu – odparł cierpkim tonem.

– Przez dziewięć miesięcy rósł tuż obok niej, serce przy sercu... Jak może w jakiś sposób jej nie pamiętać?

– Nie jesteśmy jeszcze gotowi – spróbował z innej strony. – Przynajmniej ja nie jestem.

– Ale tu nie chodzi o ciebie – odparła. – I tak rzadko kiedy bywasz w domu... Może to ja potrzebuję drugiego dziecka, Davidzie. Czasami, przysięgam, mam wrażenie, że ona jest tak blisko, dosłownie w drugim pokoju i że ja o niej zapomniałam. Wiem, że to brzmi idiotycznie, ale to prawda.

– Nie odpowiedział, choć miał wrażenie, że dokładnie wie, o czym ona mówi. Powietrze było ciężkie od zapachu poziomek. Pamiętał, jak matka robiła przetwory na kuchni, która stała na zewnątrz. Mieszała spienioną ciecz, dopóki nie uzyskała gęstości syropu, wyparzała słoiki, napełniała je po brzegi, a potem ustawiała na półce, gdzie połyskiwały jak klejnoty. Razem z June jedli te dżemy podczas przełomu zimy, podkradając je pełnymi łyżkami, gdy matka nie widziała, i ukrywali się pod stołem, żeby wylizać palce do czysta. Odejście June złamało serce ich matki, a David od tej pory nie wierzył, że on sam może uniknąć nieszczęścia. Statystycznie rzecz biorąc, wydawało się nieprawdopodobne, żeby urodziło mu się drugie dziecko z zespołem Downa, ale jednak było to możliwe. Wszystko było możliwe i czuł, że nie wolno mu było podejmować ryzyka.

– Norah, to niczego nie naprawi. Mam na myśli urodzenie następnego dziecka. Nie tędy droga.

Po chwili milczenia wstała, otrzepała szorty i ze złością zaczęła się przedzierać przez wysoką trawę.

Zmięta koszula leżała tuż obok niego, a z kieszeni wystawał rożek białej koperty. David nie wyciągnął po nią ręki. Liścik był króciutki, a zdjęcia... W przelocie rzucił na nie okiem, ale pamiętał je tak dobrze, jakby sam je zrobił. Phoebe miała ciemne i miękkie włoski, zupełnie jak Paul. I piwne tęczówki, i tłuste piąstki, którymi energicznie wymachiwała, jakby chciała dosięgnąć czegoś, co znajdowało się poza kadrem. Pewnie Caroline sama robiła te zdjęcia. Kątem oka dostrzegł jej sylwetkę podczas nabożeństwa żałobnego. Stała samotnie, wysoka i majestatyczna w swoim czerwonym płaszczu. Zaraz po zakończeniu uroczystości pojechał do jej mieszkania, niepewny, jakie powzięła postanowienia, ale jej tam nie było. Mieszkanie wyglądało dokładnie tak jak przedtem – ściany w jasnym kolorze, meble kupione na wyprzedaży i kapiący kran w łazience – lecz mimo to sprawiało wrażenie opuszczonego. Półki świeciły pustkami, szuflady biurka i szafy zostały starannie opróżnione... W kuchni przyćmione światło padało na czarno-białe linoleum na podłodze. Ogarnięty nagłą niepewnością stał tam przez dłuższą chwilę, nasłuchując przyspieszonego bicia własnego serca. Teraz leżał na wznak i patrzył na przesuwające się nad nim chmury, na grę światła i cienia. Nawet nie próbował odnaleźć Caroline, a ponieważ na kopercie nie było zwrotnego adresu, nie miał pojęcia skąd zacząć poszukiwania. „Wszystko zostawiam w twoich rękach", powiedział jej wówczas.

Ale ta sprawa dręczyła go w najmniej oczekiwanych momentach – gdy siedział sam w gabinecie albo gdy robił odbitki zdjęć i patrzył, jak na białym papierze zanurzonym w wywoływaczu zaczynają się pojawiać zarysy postaci. Albo gdy leżał tutaj, na ciepłym głazie, podczas gdy wściekła i zraniona Norah odeszła.

Ogarnęło go zmęczenie i czuł, że powoli odpływa w sen. Dookoła brzęczały owady; leniwie pomyślał, że boi się użądlenia przez pszczołę. Gniotły go kamyki ukryte w kieszeniach. W dzieciństwie, gdy czasem budził się w nocy, znajdował ojca siedzącego na ganku w bujanym fotelu i przyglądającego się topolom, oblepionym przez świętojańskie robaczki. Którejś takiej nocy ojciec podał mu gładko obrobiony kamień – główkę siekiery, którą znalazł przy kopaniu rowu. „Ma ponad dwa tysiące lat", powiedział. „Wyobraź sobie, Davidzie, że ktoś kiedyś trzymał ją w ręku. Całe wieki temu, ale pod tym samym światłem księżyca".

To zdarzyło się raz. Były też inne okazje, gdy wychodzili zapolować na grzechotniki. Od zmierzchu do świtu brodzili między drzewami, niosąc ze sobą zaostrzone kije, na ramionach płócienne worki i metalową skrzynkę, która kołysała się w ręku Davida.

W takich dniach nie mógł oprzeć się wrażeniu, że czas się zatrzymał: że słońce na zawsze zawisło na bezchmurnym niebie, a suche liście będą szeleścić pod stopami. Wtedy cały świat ograniczał się do niego, jego ojca i węży, ale mimo wciąż wypełniał ogromną przestrzeń. Nad jego głową rozpościerało się nieskończone niebo, z każdym krokiem coraz wyższe i bardziej błękitne, a wszystko zmierzało do momentu, gdy w kolorowych liściach dostrzegał jakiś ruch. Grzechotnik był widoczny dopiero wtedy, gdy zaczynał się poruszać. Ojciec nauczył Davida, jak działać niepostrzeżenie, na moment nie spuszczając z oka żółtych oczu i drgającego języka. Za każdym razem, gdy wąż zrzucał skórę, grzechotanie stawało się dłuższe, także w ciszy leśnej można było bez trudu określić, jak stary jest dany osobnik, jak duży i ile pieniędzy przyniesie. Za największe skóry, pożądane przez ogrody zoologiczne, naukowców i czasami przez handlarzy, uzyskiwało się około pięciu dolarów za sztukę.

Promienie słońca przedzierały się przez gałęzie i rzucały fantazyjne cienie na leśne poszycie. Gdzieś w górze gwizdał wiatr. Co chwila słychać było grzechotanie, a potem szybki ruch ręki ojca, który dwuzębnym kijem przyszpilał do ziemi głowę gada. Zwierz wysuwał zęby jadowe i z dziką furią wbijał je w wilgotne podłoże, wydając przy tym z siebie wściekły grzechot. Ojciec chwytał go dwoma palcami tuż poniżej rozwartej paszczy i unosił wysoko – zimne, suche cielsko, wywijające się na wszystkie strony jak rzemienny bicz. Wrzucał węża do worka i jednym szarpnięciem zaciskał sznur. Worek nagle stawał się żywym stworzeniem, które trzepotało o ziemię. Ojciec Davida ciskał worek do metalowej skrzynki, zamykał wieko i bez słowa szli dalej, licząc w głowie pieniądze za węża. Zdarzały się tygodnie, zwłaszcza w lecie i późną jesienią, kiedy w ten sposób zarabiali po dwadzieścia pięć dolarów. Te pieniądze przeznaczone były na jedzenie, a jeśli musieli jechać do Morgantown, płacili nimi także za lekarza.

„Davidzie!".

Pełen napięcia głos Norah doleciał do niego z dalekiej przeszłości, przez las aż do tego dnia. Wsparł się na łokciach i zobaczył ją na przeciwnym końcu poziomkowej polany, sparaliżowaną przez coś, co znajdowało się na ziemi. Natychmiast ogarnął go strach, a przez jego ciało przemknęła fala adrenaliny. Grzechotniki uwielbiały nagrzane kłody, podobne do tej, przy której się zatrzymali; składały jaja w urodzajnym podłożu psującego się drewna. Zerknął pośpiesznie na Paula śpiącego słodko w cieniu, a następnie zerwał się z koca i popędził przed siebie, nie zważając na drapiące osty ani na rozdeptywane po drodze poziomki. Biegnąc, znalazł w kieszeni największy kamień i gdy tylko znalazł się wystarczająco blisko, by dostrzec wygrzewającego się węża, cisnął nim z całej siły w spoczywający na ziemi, ciemny kształt. Kamień zakreślił w powietrzu szeroki łuk i spadł o sześć cali za wcześnie, rozłupując się na pół i ukazując światu połyskujące, purpurowe serce.

– Co ty wyrabiasz, na litość boską? – zawołała z przerażeniem.

W tym momencie dopadł do niej i ciężko dysząc, popatrzył w dół. To nie był wcale wąż, tylko oparty o wyschniętą korę martwego pnia kawałek kija.

– Myślałem, że mnie wołasz – wysapał.

– Bo rzeczywiście cię wołałam – wskazała na kępkę białawych kwiatków, rosnących tuż za linią cienia. – Spójrz, takie same jak te, które sadziła twoja matka... Davidzie, przerażasz mnie!

– Myślałem, że chodzi o węża – powiedział, wskazując na kij i pokręcił głową, starając się raz jeszcze otrząsnąć z niedawnych wspomnień. – O grzechotnika. Trochę przysnąłem, jak sądzę, a potem usłyszałem twój krzyk i wydawało mi się, że wzywasz pomocy.

Wydawała się zaintrygowana, więc znów pokręcił głową i nagle zrobiło mu się strasznie głupio. Dzień wydawał się absurdalnie zwykłym dniem, dookoła rozlegały się nawoływania ptaków, a wiatr poruszał lekko młodziutkimi listkami.

– Ale dlaczego przyszły ci na myśl akurat grzechotniki?

– Bo kiedyś na nie polowałem – powiedział. – Dla pieniędzy.

– Dla pieniędzy? – powtórzyła z zadziwieniem.

Znów pojawił się między nimi pewien dystans – przepaść wynikająca z przeszłości, której nie potrafił przekroczyć. Pieniądze potrzebne były na jedzenie i na te wyprawy do miasta... Norah pochodziła z innego świata; nigdy w życiu tego nie zrozumie.

– Te węże pomagały mi zarobić na swoje utrzymanie przez okres całej szkoły – wyjaśnił.

Skinęła głową z taką miną, jakby chciała o coś zapytać, ale nie zrobiła tego.

– Chodźmy – powiedziała. – Zabierzmy Paula i wracajmy do domu.

Z powrotem powędrowali przez pole i spakowali swoje rzeczy. Norah niosła Paula, a David kosz z jedzeniem.

***

Kiedy tak szli, David przypomniał sobie ojca, jak stał przy recepcji w klinice, a zielone rachunki jak liście sfruwały na ladę. Przy każdym z nich myślał o wężach, o długich cielskach wywijających w powietrzu i szczękach rozwartych bezowocnie w literę V, o zimnym dotyku ich skóry pod palcami i ciężarze, jaki trzymał w ręku... Pieniądze za węże. Był wówczas chłopcem, ośmio- albo dziewięcioletnim, i to była jedna z nielicznych rzeczy, w których mógł okazać się pomocny.

Mógł jeszcze opiekować się June. „Spójrz, co robi twoja siostra", wołała matka, podnosząc wzrok znad kuchennego pieca. „Nakarm kurczaki, wyczyść kojec i opiel trochę ogródek. I sprawdzaj co chwila, co robi June". I David robił to, chociaż nie zawsze dobrze. Co prawda patrzył na nią, ale nie zdołał jej powstrzymać przed kopaniem w brudnej ziemi i wtarciem sobie jej we włosy; nie umiał jej pocieszyć, gdy potknęła się o kamień i wywaliła jak długa, rozcinając sobie przy okazji łokieć. Jego braterska miłość tak bardzo splatała się z niechęcią, że czasem miał problemy z odróżnieniem jednego od drugiego. June była przez cały czas chora – miała słabe serce, a w dodatku w okresie jesienno-zimowym wciąż łapała przeziębienia, co sprawiało, że sapała bardziej niż zwykle i z jeszcze większym trudem wciągała do płuc powietrze. Mimo to, kiedy wracał ze szkoły z workiem książek przerzuconym przez ramię, to właśnie June zawsze na niego czekała. Wystarczyło jej rzucić okiem na brata i już wiedziała, jak minął mu dzień. Lubiła, żeby o wszystkim jej opowiadał. Miała drobne paluszki i z wyraźną przyjemnością głaskała nimi jego ramię, podczas gdy wiatr unosił jej długie, zabiedzone włosy.

A potem, gdy w któryś weekend przyjechał do domu, chata była pusta, milcząca... Na brzegu wanny wisiała ścierka do podłogi, a w powietrzu wisiał chłód. Usiadł na ganku, przemarznięty i głodny, i czekał. Znacznie później, kiedy już zbliżał się zmierzch, dostrzegł matkę schodzącą ze wzgórza, ze skrzyżowanymi na piersi ramionami. Nie odezwała się ani słowem, dopóki nie doszła do schodków, a potem podniosła wzrok i powiedziała zwyczajnie: „Davidzie, twoja siostra umarła. June umarła". Jej włosy splecione były w schludny kok, na skroni pulsowała mała żyłka, a oczy zaczerwienione były od płaczu. Szary sweter otuliła ciasno dookoła talii.

„June odeszła, Davidzie", powtórzyła. Wtedy zerwał się z miejsca i objął ją, a ona wybuchnęła płaczem. „Kiedy?", spytał tylko. „Trzy dni temu, we wtorek, wcześnie rano... Wyszłam, żeby przynieść wody, a kiedy wróciłam, w domu było strasznie cicho... Od razu wiedziałam, co się stało. Ona odeszła. Po prostu przestała oddychać".

Trzymał matkę w objęciach, nie bardzo wiedząc, co powinien teraz powiedzieć. Ból, który odczuwał, mieścił się gdzieś w głębi, a na zewnątrz była tylko odrętwiała skorupa, z której nie mógł wydusić łez. Otulił ramiona matki derką, zrobił jej herbatę i poszedł do kurnika, żeby pozbierać jajka, bo matka nie miała głowy, żeby się tym zająć. Nakarmił kurczęta i wydoił krowę. Robił te wszystkie zwyczajne rzeczy, ale kiedy wszedł do domu, w środku dalej panował półmrok i niezmącona niczym cisza, a June nadal nie było.

„Davey...", odezwała się matka w długi czas potem z cienia, w którym siedziała. „Davey, musisz iść do szkoły. Nauczyć się czegoś, co będzie przydatne ludziom". Czuł do niej urazę, że powiedziała te słowa. Chciał przeżyć życie po swojemu, nieskrępowane cieniem rodzinnej tragedii... Z drugiej strony czuł się winien, ponieważ June leżała w ziemi, przykryta grubą warstwą piachu, a on wciąż stał na własnych nogach. Żył, powietrze wpływało i ulatywało z jego płuc, serce uderzało w swoim zwykłym rytmie, a on to wszystko czuł. „Zostanę lekarzem", powiedział na głos, ale matka nie odpowiedziała, tylko po dłuższej chwili skinęła głową i podniosła się z ławy, przyciągając do siebie poły swetra. „Davy, chcę, żebyś wziął Biblię, poszedł ze mną na wzgórze, i tam wypowiedział te słowa. Chcę, żeby zostały odczytane przepisowo i tak jak należy". We dwoje ruszyli więc na szczyt wzgórza. Zdążyło się ściemnić, zanim tam dotarli. David stanął pod sosnami, w koronach których szeptał wiatr, i przy migotaniu lampy naftowej przeczytał, co następuje: „Pan jest moim pasterzem. Nie brak mi niczego". „A jednak mi brak", pomyślał, odczytując fragment *Biblii*. „A jednak mi brak". Matka płakała rzewnie, gdy szli na dół; nie powiedziawszy ani słowa, dobrnęli do domu, gdzie David napisał list do ojca, żeby przekazać mu nowiny. Nadał go na poczcie w poniedziałek, kiedy pojechał z powrotem do miasta, pełnego światła i zgiełku. Stał nad dębowym kontuarem, wytartym do gładka przez całe pokolenia klientów i wreszcie położył na nim czystą, białą kopertę.

***

Kiedy w końcu znaleźli się przy samochodzie, Norah zatrzymała się, żeby obejrzeć ramiona, które na wiosennym słońcu opaliły się ciemnoróżowy kolor. Na nos wsunęła okulary przeciwsłoneczne, więc nawet gdy spojrzała na niego, nie potrafił odczytać jej uczuć.

— Nie musisz zgrywać takiego bohatera — oznajmiła. Jej wypowiedź zabrzmiała jak wyuczona kwestia i bez trudu mógł powiedzieć, że wymyśliła ją sobie i wyćwiczyła w głowie, być może podczas powrotnego spaceru.

– Wcale nie staram się zgrywać bohatera.

– Nie? – odwróciła spojrzenie. – A ja myślę, że tak. To zresztą także moja wina. Doszłam do wniosku, że przez długi czas chciałam być ratowana. Ale już nie chcę. Nienawidzę tego. Pamiętaj, że nie musisz za każdym razem biec mi na ratunek.

Odwróciła się i wyjęła z samochodu fotelik. W roztańczonym półcieniu widział, jak rączka Paula wyciągnęła się w stronę jej włosów i na ten widok ogarnęła go panika. Zakręciło mu się w głowie na myśl o tym, czego nie wiedział; i o tym, co wiedział, a czego nie mógł naprawić. Poczuł też przypływ złości – nieoczekiwaną wściekłość na siebie, ale i na Caroline, która nie zrobiła tego, o co ją prosił, i tylko pogorszyła tę i tak skomplikowaną sytuację. Norah wślizgnęła się na fotel pasażera i zatrzasnęła drzwiczki. Wsadził rękę do kieszeni w poszukiwaniu kluczyków, ale zamiast nich wyciągnął zapomniany kamyk, szary i gładki, dokładnie w kształcie Ziemi. Przez chwilę trzymał go, ogrzewając w cieple dłoni, i rozmyślał o wszystkich tajemnicach, jakie kryje świat. O kamiennych pokładach tuż pod pokrywą z ziemi i trawy i o tych matowych kamyczkach, które kryją w sobie migoczące serca.

Rok 1970

Maj tysiąc dziewięćset siedemdziesiątego roku

Rozdział pierwszy

O n ma alergię na pszczoły – powiedziała Norah do wychowawczyni, patrząc jak Paul biegnie na ukos przez świeżą trawę na placu zabaw. W mgnieniu oka wspiął się na szczyt zjeżdżalni, przez moment siedział tam, pozwalając żeby wiatr łopotał rękawkami białej koszulki, a potem puścił się w dół i wydając radosne okrzyki, wylądował na ziemi. Dookoła kwitły azalie, a w ciepłym, przyjemnym powietrzu słychać było brzęczenie owadów i ptasie trele. – Jego ojciec też jest alergikiem. To naprawdę poważna sprawa – dodała.

– Proszę się nie niepokoić, pani Henry – odpowiedziała Miss Throckmorton. – Paul będzie tu pod dobrą opieką.

Miss Throckmorton była młoda – niedawno ukończyła szkołę – niezmordowana i tryskała entuzjazmem. Miała na sobie długą spódnicę i porządne sandały i nie odrywała oczu od grupki dzieci bawiących się na placyku. Sprawiała wrażenie osoby opanowanej, kompetentnej, skoncentrowanej i uprzejmej, lecz mimo to Norah nie mogła całkowicie ufać, że w razie czego będzie wiedziała, co robić.

– Kiedyś zdarzyło się, że podniósł pszczołę – nalegała. – Martwą pszczołę, którą znalazł na parapecie. Kilka sekund później był już spuchnięty jak balon.

– Proszę się nie martwić – powtórzyła Miss Throckmorton, tym razem z mniejszą cierpliwością. Właśnie wstała z miejsca i poszła, żeby zająć się jakąś dziewczynką, która nasypała sobie piasku do oczu. Z daleka Norah słyszała jej dźwięczny, uspokajający głos.

Ociągała się z odejściem, żeby jeszcze trochę poobserwować Paula. Bawił się z dziećmi w berka; zarumieniony i szczęśliwy ganiał po placyku z rękoma luźno wiszącymi po bokach – Norah uświadomiła sobie, że w tej samej pozycji spał jako niemowlę. Miał ciemne włosy, ale pod innymi względami bardzo przypominał Norah, przynajmniej tak mówili ludzie. Miał tak samo zaokrąglone policzki i taką samą, delikatną cerę. Widziała w nim pewne podobieństwo do siebie, to prawda, ale z drugiej strony był też podobny do Davida – z kształtu szczęki, małżowiny uszu, sposobu, w jaki zakładał ręce, kiedy stał, słuchając nauczycielki... Jednak przede wszystkim Paul był podobny do samego siebie. Uwielbiał muzykę i potrafił przez cały dzień mruczeć pod nosem wymyślone na poczekaniu melodyjki. Choć miał zaledwie sześć lat, już śpiewał solo na szkolnych akademiach i w dodatku robił to z taką niewinną pewnością siebie... Norah ogarniało prawdziwe zdumienie, gdy słyszała słodki głosik syna płynący przez audytorium tak gładko i czysto jak woda w strumieniu.

Teraz kucnął obok innego chłopca, który kijem zagarniał liście z błotnistej kałuży. Widziała, jak z obtartego prawego kolana zsuwa mu się plaster z opatrunkiem i jak promienie słońca pobłyskują w jego ciemnych włosach. Jej syn wydawał się całkiem pochłonięty swoją zabawą, a ona czuła się przytłoczona prostym faktem, że ktoś taki w ogóle istnieje. Paul, jej syn. To w nim mieścił się cały jej świat.

– Norah Henry! Dobrze, że cię widzę!

Odwróciła się i ujrzała Kay Marshall, ubraną w dopasowane, różowe spodnie i kremoworóżowy sweterek, złote pantofelki na płaskim obcasie, z błyszczącymi, złotymi kolczykami w uszach. Przed sobą pchała staromodny, wiklinowy wózek z niemowlęciem, a Elisabeth, jej starsza córka, biegła obok matki. Elisabeth urodziła się tydzień po Paulu, podczas nieoczekiwanej wiosny, która nadeszła po tamtej dziwnej, śnieżnej nocy. Tego ranka miała na sobie sukienkę z różowego muślinu i buciki z lakierowanej skóry. Na widok bawiących się dzieci oderwała się od matki i co sił w nogach pobiegła w stronę huśtawek.

– Ale piękny dzień, czyż nie? – powiedziała Kay, spoglądając w ślad za córką. – Co u ciebie słychać, Norah?

– Wszystko w porządku – odpowiedziała. Zwalczyła nagłą potrzebę poprawienia fryzury, przy okazji uświadamiając sobie, że dziś ma na sobie zwyczajną, białą bluzkę i niebieską spódnicę, a w dodatku nie założyła żadnej biżuterii. Nieważne kiedy ani gdzie Norah ją spotykała, Kay Marshall za każdym razem wyglądała tak samo: spokojna i opanowana, dopracowana w najdrobniejszych szczegółach, a jej dzieci, ubrane z wyszukaną elegancją, zawsze zachowywały się bez zarzutu. Kay była taką matką, jaką Norah zawsze pragnęła być – niezależnie od sytuacji potrafiła działać na luzie i instynktownie zachować spokój. Norah podziwiała ją i trochę jej zazdrościła. Czasami nawet łapała się na myśleniu, że gdyby była bardziej podobna do Kay, bardziej pogodna i pewna swych racji, być może jej małżeństwo układałoby się lepiej. Być może oboje z Davidem byliby szczęśliwsi.

– U mnie wszystko w porządku – powtórzyła i nachyliła się nad niemowlęciem, które przyglądało się jej wielkimi, pytającymi oczami. – Ależ Angela urosła!

Pod wpływem impulsu wyjęła dziecko z wózka i przytuliła je. Druga córka Kay miała na sobie różowe śpioszki frotté, pasujące do stroju starszej siostry. Ciepła i lekka leżała w ramionach Norah i gładziła malutką łapką jej policzek, popiskując przy tym z zachwytem. Norah ogarnęła nagła radość, gdy przypomniała sobie, jak wyglądał Paul w tym wieku, jak pachniał mlekiem i mydłem i jak delikatna w dotyku była jego skóra. Zerknęła na plac zabaw; synek znów ganiał jak szalony, bo bawił się w berka. Teraz zaczął już naukę w szkole, miał swoje własne sprawy i nie lubił tak jak dawniej siadać przy niej i się przytulać, chyba że był chory, albo chciał, żeby poczytała mu bajeczkę przed pójściem do łóżka. Wydawało się nieprawdopodobne, że kiedykolwiek był malutkim chłopczykiem, że wyrósł na chłopca na czerwonym trójkołowym rowerku, który miesza kijem w każdej napotkanej kałuży i tak pięknie śpiewa.

– Dziś Angela kończy dziesięć miesięcy – oznajmiła Kay. – Uwierzyłabyś w to?

– Nie – przyznała Norah. – Ależ ten czas szybko leci.

– Byłaś w kampusie? – spytała Kay. – Słyszałaś, co tam się stało ubiegłej nocy?

Norah skinęła głową.

– Bree dzwoniła wczoraj wieczorem.

Stała z telefonem w ręku i drugą ręką przyciśniętą do serca i patrzyła na migawki wiadomości w telewizji. Czworo studentów zostało zastrzelonych podczas zamieszek w Kent State. Nawet w Lexington czuło się wzrastające od tygodni napięcie, a w gazetach pełno było informacji o wojnie, protestach i niepokojach, jakby cały świat stanął na głowie.

– Jestem przerażona – powiedziała Kay, ale w jej głosie brzmiała spokojna pewność. Więcej w nim było dezaprobaty niż konsternacji. W taki sam sposób mogłaby mówić o czyimś rozwodzie, pomyślała Norah. Kay wzięła na ręce Angelę, pocałowała ją w czółko i z powrotem ułożyła w wózku.

– Wiem – zgodziła się Norah. Próbowała mówić o tym tak samo spokojnie, ale dla niej te zamieszki były czymś głęboko osobistym, odbiciem tego, co od lat działo się w jej sercu. Przez ułamek sekundy poczuła ostre ukłucie zazdrości. Kay żyła w niewinnym, nietkniętym przez przeciwności losu świecie i święcie wierzyła, że zawsze będzie bezpieczna. Świat Norah zmienił się bezpowrotnie wraz z odejściem Phoebe. Wszystkie jej radości raz na zawsze zostały tym naznaczone – tamtą stratą i obawą, że następny cios może paść w dowolnym momencie. David bez przerwy powtarzał, żeby spróbowała się zrelaksować, wynajęła kogoś do pomocy, nie zmagała się ze wszystkim sama... Jej projekty, jej komitety, jej plany budziły w nim coraz większą irytację. Ale Norah nie umiała siedzieć z założonymi rękami. Bezczynność zawsze wprawiała ją w zakłopotanie, więc ustalała terminy spotkań i wypełniała sobie dni w rozpaczliwym przekonaniu, że jeśli przestanie się mieć na baczności, nawet na moment, niechybna katastrofa wkrótce nadejdzie. Najgorzej było późnym rankiem; prawie każdego dnia musiała poprawiać sobie humor szybkim drinkiem – dżinem, czasami wódką – żeby jakoś przetrwać do popołudnia. Lubiła to spokojne ciepło, rozchodzące się po żyłach z prędkością światła, jednak zawsze trzymała butelkę w ukryciu, żeby David przypadkiem jej nie znalazł.

– W każdym razie bardzo dziękuję za zaproszenie – mówiła dalej Kay. – Bardzo nam miło i na pewno przyjdziemy, tyle że będziemy trochę później. Coś przynieść?

– Tylko siebie – odpowiedziała Norah. – Wszystko jest prawie gotowe. Jeszcze tylko muszę pójść do domu i zdjąć gniazdo os.

Oczy Kay lekko się rozszerzyły. Pochodziła z dobrej rodziny, dawno osiadłej w Lexington, i do wszystkiego miała „ludzi", jak ich nazywała. Ludzi do czyszczenia basenu i sprzątania, do utrzymania trawnika i do pracy w kuchni. David zawsze powtarzał, że Lexington jest jak wapienna skała,

na której zostało zbudowane: pokłady i warstwy, niuanse bycia i przynależ-
ności, i miejsce w lokalnej hierarchii, wyryte w kamieniu całe wieki temu...
Bez wątpienia Kay miała także ludzi od zwalczania insektów.

– Gniazdo os? Och, moje biedactwo...

– Tak – uśmiechnęła się Norah. – Zwykłych os. Wisi sobie na zewnątrz
garażu.

To była prawdziwa przyjemność zaszokować Kay, nawet w tak nie-
winny sposób. Norah lubiła stawiać sobie konkretne zadania. Osy. Narzędzia. Rozebranie gniazda. Miała nadzieję, że zajmie jej to cały ranek. W innym wypadku musiała liczyć się z tym, że nagle znajdzie się w samochodzie ze srebrzystą butelką ukrytą w torebce – tak jak często się zdarzało
w ciągu ostatnich tygodni – i będzie jechać przed siebie z zawrotną prędkością. Potrafiła dotrzeć do Ohio River w czasie krótszym niż dwie godziny.
Jeździła do Louisville albo Maysville, a raz nawet wybrała się do Cincinnati. Zwykle parkowała na urwistym brzegu rzeki, wysiadała z auta i stając
na krawędzi spoglądała w odległe, wiecznie przesuwające się lustro wody.

Nagle rozległ się dźwięk dzwonka i dzieciaki wtłoczyły się do wnętrza
budynku. Norah poszukała wzrokiem ciemnej główki Paula i patrzyła, jak
znika za drzwiami.

– Uwielbiam, kiedy razem śpiewają – odezwała się Kay, przesyłając ręką
pocałunek przeznaczony dla Elisabeth. – Paul ma taki piękny głos. Prawdziwy talent.

– Och, on kocha muzykę – odparła Norah. – Zawsze kochał.

To było prawdą. Pewnego razu, gdy dzieciak miał zaledwie trzy miesiące, Norah rozmawiała z przyjaciółkami. Paul zaczął gaworzyć i nagle przez
pokój przemknęła kaskada dźwięków, podobna do osypujących się z drzewa kwiatów. W jednej chwili zapadła cisza jak makiem zasiał.

– Właściwie jest jeszcze jedna rzecz, o którą chciałam cię spytać, Norah. Chodzi mi o ten bal charytatywny, który robimy w przyszłym miesiącu. Tematem przewodnim będzie Kopciuszek, a ja zostałam wysłana z po-
leceniem znalezienia tylu małych chłopców do roli lokaja, ilu tylko się uda.
Od razu pomyślałam o Paulu.

Mimo woli Norah poczuła nagły przypływ zadowolenia. Całe lata temu,
po skandalicznym małżeństwie Bree, porzuciła nadzieję, że kiedykolwiek
otrzyma tego typu zaproszenie.

– Lokaj? – powtórzyła, powoli przyjmując całą sprawę do wiadomości.

– No cóż, to najlepsza rola – zwierzyła się Kay. – Właściwie nie chodzi mi o to, żeby grał lokaja. Paul mógłby zaśpiewać. W duecie z Elisabeth.

– Rozumiem – odparła Norah. Teraz faktycznie wiedziała, w czym rzecz. Elisabeth miała słodki głosik, ale słabiutki. Śpiewała z pełnym wysiłku wdziękiem, podobna do wiosennych pączków, które pojawiły się w styczniu, a jej niespokojne oczy krążyły po całej widowni. Bez udziału Paula jej występ wypadłby stanowczo zbyt blado.

– Wszystkim sprawiłabyś ogromną przyjemność, gdybyś się zgodziła.

Norah powoli skinęła głową, rozczarowana i zła na siebie, że choćby przez chwilę uważała tę propozycję za niesamowite wyróżnienie. Jednak rzeczywiście głos Paula był czysty i nośny, a rola lokaja na pewno sprawi mu frajdę. Przynajmniej dzięki tej imprezie – podobnie jak w wypadku likwidacji gniazda os – będzie miała coś do roboty przez kolejnych kilka dni.

– Cudownie! – zachwyciła się Kay. – Znakomicie! Miałam nadzieję, że się zgodzisz, dlatego z góry pozwoliłam sobie zamówić dla niego taki mały fraczek. Wiedziałam, że powiesz „tak"!

Zerknęła na zegarek, najwyraźniej gotowa do dalszego działania.

– Miło było z tobą porozmawiać – rzuciła na odchodnym i pchając wózek, machnęła ręką na pożegnanie.

Plac zabaw świecił teraz pustkami. Papierek po cukierku mignął w słońcu, zatoczył kółko w wysokiej trawie i utknął między jaskrawo różowymi kwiatami azalii. Norah przeszła między nimi i wślizgnęła się do samochodu. Czuła, że wzywa ją rzeka, że musi popatrzeć na przynoszące ukojenie wodne wiry. Wystarczyłyby dwie godziny i mogła być na miejscu. Urok szybkiej jazdy, pędzący wiatr, woda… Trudno im było się oprzeć. Tak trudno, że podczas ostatnich wakacji ogarnęło ją przerażenie, gdy nagle zorientowała się, że jest w Louisville, że na tylnym fotelu siedzi milczący i przestraszony Paul, że jej włosy są w nieładzie, potargane przez wiatr, a obok leży prawie pusta butelka dżinu… „To właśnie jest rzeka", powiedziała, stając na skraju urwiska z jego małą rączką zamkniętą w swojej dłoni i patrząc na mętną, wirującą wodę. „A teraz pojedziemy do zoo", oznajmiła swobodnie, jakby od samego początku miała taki zamiar.

Wyszła z terenu szkoły i pojechała do miasta ulicami, przy których rosły wysokie drzewa, mijając bank i sklep jubilera, a jej tęsknota stopniowo stawała się tak ogromna, jak niebo nad głową. Zwolniła dopiero przy World Travel. Zaledwie wczoraj była tutaj na rozmowie w sprawie pracy. Najpierw zobaczyła ogłoszenie w gazecie, a potem przyciągnęło ją przykuwające wzrok okno wystawowe w niskim budynku z cegły: połyskujące egzotyczne plaże, jaskrawe niebo i żywe kolory. Tak naprawdę nie zależało jej na tej posadzie dopóki nie weszła do biura, a potem nagle zaczęło zależeć. Siedząc na drukowanej, lnianej poduszce, ściskała w ręku białą torebkę i czuła, że pragnie tej pracy bardziej niż czegokolwiek innego. Właścicielem agencji był człowiek o nazwisku Pete Warren, łysiejący na czubku głowy pięćdziesięciolatek, który przez całą rozmowę pukał długopisem w podkładkę do papieru i żartował na temat zespołu Wildcatsów. Spodobała mu się, czuła to od pierwszej chwili, chociaż otrzymała dyplom wyższych studiów z anglistyki, a jej doświadczenie zawodowe równało się zeru. Dzisiaj Pete Warren miał dać znać, jaką podjął decyzję.

Z tyłu ktoś zatrąbił, więc odruchowo dodała gazu. Droga, na której się znajdowała, prowadziła przez miasto i krzyżowała się z wjazdem na autostradę, jednak w pobliżu uniwersytetu ruch znacznie się zagęścił. Przez jezdnię co chwila przewalały się masy ludzi, więc Norah musiała zwolnić i wlec się noga za nogą, a wreszcie całkiem się zatrzymać. W końcu zjechała na bok i wysiadła z auta. Z głębi kampusu dochodził gwar pomieszanych głosów – rytmiczny i przybierający na sile, przepełniony energią śpiew, który w jakiś sposób pasował do rozwijających się na drzewach młodych pączków. Ta chwila wydawała się być odpowiedzią na jej niepokój i tęsknotę, więc bez namysłu wmieszała się w sznur podążających w tamtą stronę ludzi.

Zapach potu i olejku z paczuli wypełniał jej nozdrza, a słońce przyjemnie grzało ramiona. Pomyślała o odległej zaledwie o milę szkole podstawowej, o panującym tam porządku i zwyczajności, a potem o pełnej dezaprobaty wypowiedzi Kay Marshall, ale mimo wszystko dalej szła przed siebie. W tym tłumie bez przerwy ocierała się o czyjeś ramiona, ręce albo włosy. W końcu ludzki potok zaczął zwalniać i rozpływać się we wszystkich kierunkach; przed budynkiem ROTC, gdzie prowadzono dla studentów szkolenie wojskowe na oficerów rezerwy, gromadził się tłum. Dwaj młodzi mężczyźni stali na schodach, jeden z nich trzymał w ręku megafon.

Norah przystanęła z boku i wyciągnęła szyję, żeby zobaczyć, co będzie dalej. Któryś z młodzieńców, w garniturze i pod krawatem, podniósł wysoko w górę amerykańską flagę, a cienki, pasiasty materiał załopotał na wietrze. Inny, również ubrany w garnitur, zwinął dłoń w pięść i przytknął do brzegu materiału. Z początku małe płomyki były całkiem niewidoczne, a potem nagle wybuchły i wystrzeliły w górę, w stronę świeżych liści. Dym wypełnił błękitno-zieloną scenerię wiosennego dnia. Norah miała wrażenie, że ogląda film odtwarzany w zwolnionym tempie. Nagle przez falujące od gorąca powietrze dostrzegła Bree. Siostra przedzierała się przez zgromadzony wokół budynku tłum i rozdawała ulotki, a jej włosy zebrane były w koński ogon, który kołysał się nad białą, płócienną koszulą. Boże, jaka ona piękna, pomyślała Norah na widok twarzy Bree, ożywionej podnieceniem i determinacją. Widziała ją przez krótką chwilę, a potem Bree gdzieś znikła i wtedy znów wezbrała w niej zazdrość; zazdrościła Bree pewności siebie i swobody, z jaką kierowała własnym życiem. Bez namysłu zaczęła się przedzierać w tamtym kierunku.

Bree mignęła jej jeszcze dwukrotnie – jasne włosy siostry, jej twarz z profilu – zanim w końcu Norah udało się do niej dotrzeć. Bree stała na krawężniku i rozmawiała z jakimś młodym człowiekiem o rudawych włosach. Była pochłonięta rozmową do tego stopnia, że gdy w końcu Norah dotknęła jej ramienia, Bree odwróciła się i spojrzała na nią niewidzącym wzrokiem, a jej twarz przez dłuższą chwilę nie wyrażała kompletnie niczego.

Norah? – spytała niepewnie, jakby dopiero wtedy dotarło do niej, kto przed nią stoi. Położyła rękę na ramieniu nieznajomego chłopaka, a ten gest był tak pewny i intymny zarazem, że Norah znów poczuła ukłucie w sercu.

Moja siostra – powiedziała. – Norah, pozwól, że ci przedstawię Marka.

Młody człowiek skinął głową, nawet nie siląc się na uśmiech, obrzucił ją taksującym spojrzeniem i uścisnął rękę na powitanie.

– Spójrzcie, oni podpalili flagę – powiedziała Norah. Nagle przyszło jej do głowy, że jej strój całkiem nie pasuje do tego miejsca, podobnie jak nie pasował do placu zabaw, tylko z zupełnie innych powodów.

Piwne oczy Marka zwęziły się lekko.

– Oni walczyli w Wietnamie – powiedział, wzruszając ramionami. – I sądzę, że mają swoje powody, żeby zrobić to, co zrobili.

– Mark stracił w Wietnamie połowę stopy – dodała Bree.

Norah złapała się na tym, że przygląda się butom Marka, zasznurowanym aż do połowy łydki.

– Z przodu – wyjaśnił i postukał prawą nogą w chodnik. – Palce i jeszcze trochę.

– Rozumiem – mruknęła Bree z zażenowaniem.

– Mark, wybaczysz nam na minutę? – spytała Bree.

Zerknął na kłębiący się tłum.

– No, nie bardzo. Mam przemawiać jako następny.

– Okay, w takim razie zaraz wracam – odparła i wzięła Norah za rękę. Odciągnęła ją parę kroków na bok, pod osłonę kępy drzew surmii.

– Co ty tutaj robisz? – spytała.

– Sama nie wiem – odparła Norah. – Musiałam się zatrzymać, kiedy zobaczyłam ten tłum. To wszystko.

Bree entuzjastycznie skinęła głową, aż kolczyki zalśniły w blasku słońca.

– To niesamowite, prawda? Tu musi być z pięć tysięcy ludzi. Mamy nadzieję, że przyjdzie ich jeszcze więcej. To z powodu Kent State. To już będzie koniec.

„Koniec czego?", chciała zapytać Norah. Dookoła niej trzepotały zielone, świeże liście, a gdzieś daleko Miss Throckmorton wołała do swoich uczniów, zaś Pete Warren siedział pod błyszczącymi plakatami reklamującymi podróże i wypisywał pokwitowania zamówień. Osy łaziły leniwie na słońcu w gnieździe przy garażu. Czy w taki cudowny dzień mógł nastąpić koniec świata?

– Czy to twój chłopak? – spytała. – Ten, o którym mi opowiadałaś?

Bree uśmiechnęła się tajemniczo i słodko zarazem.

– Och, ty... Wystarczy na ciebie spojrzeć i od razu widać, że jesteś zakochana.

– Tak sądzę – odparła Bree, spoglądając z miłością na Marka. – Też wydaje mi się, że jestem zakochana.

No, mam nadzieję, że przynajmniej będzie cię dobrze traktował – odparła Norah. Jej głos znów przypominał władczy ton matki, nawet podobnie intonowała słowa. Ale Bree była zbyt szczęśliwa, by zareagować inaczej niż tylko śmiechem.

– Dobrze mnie traktuje, nie martw się – powiedziała. – Czy mogę go przyprowadzić do ciebie na tę imprezę w sobotę?

– Oczywiście, że możesz – zgodziła się Norah, choć wcale nie była pewna, czy dobrze robi.

– To świetnie! Norah, dostałaś tę pracę, o którą się starałaś?

Liście surmii poruszały się wokół nich jak małe, zielone serduszka, a poza nimi tłum wciąż kołysał się i falował.

– Jeszcze nie wiem – odpowiedziała, myśląc o gustownym, kolorowym biurze. Nagle własne aspiracje wydały się jej czymś małym i strasznie trywialnym.

– A jak ci poszła rozmowa? – naciskała Bree.

– Dobrze. Wszystko poszło dobrze, ale chodzi o to, że już nie jestem pewna, czy chcę tam pracować. To wszystko.

Bree założyła pasemko włosów za ucho i zmarszczyła brwi.

– Czemu? Norah, jeszcze wczoraj byłaś gotowa skoczyć w ogień, byle dostać tę pracę. Byłaś tak podekscytowana... To robota Davida, zgadza się? To on ci wmówił, że do niczego się nie nadajesz.

Norah ze złością potrząsnęła głową.

– David nawet o niczym nie wie, Bree. Zrozum, to zwykły, mały oddział wielkiego biura. Nudny jak cholera. Przeznaczony dla burżujów. Chyba nie chciałabyś zanudzić się w czymś takim na śmierć.

– Ale ja to nie ty – zauważyła Bree z niecierpliwością. – Nie jesteś ani trochę do mnie podobna. I wiem, że chciałaś tam pracować. Bo ci to imponowało. Bo, na litość boską, chciałaś wreszcie mieć odrobinę niezależności.

– To prawda, chciała tej pracy, ale prawdą było również to, że znów zaczął w niej wzbierać gniew. Na Bree, która sama właśnie zaczynała rewolucję, a ją chciała wepchnąć za biurko i trzymać tam od dziewiątej rano do piątej po południu.

– Ja bym tam pisała na maszynie, a nie odbywała egzotyczne podróże. Musiałoby upłynąć dobrych kilka lat, zanim bym zasłużyła na jakiś wyjazd. Nie tak wyobrażałam sobie swoje życie.

– A czy chciałaś je spędzić z odkurzaczem w ręku?

Norah pomyślała o dzikich wiatrach wiejących w Ohio, zaledwie osiemdziesiąt mil stąd. Zasznurowała usta i nic nie powiedziała.

– Norah, doprowadzasz mnie do obłędu! Czemu tak bardzo boisz się najmniejszej zmiany? Dlaczego nie spróbujesz po prostu być, a wtedy świat otworzy przed tobą wiele możliwości.

– Jestem przecież – odparła. – Naprawdę jestem. Nawet nie masz pojęcia, do jakiego stopnia.

– Bez przerwy chowasz głowę w piasek. Dokładnie tak to widzę.

– A ja uważam, że widzisz tylko kolejnych facetów.

– W porządku. No to skończyłyśmy rozmowę.

Bree odstąpiła krok i natychmiast pochłonął ją tłum. Jeszcze przez sekundę Norah widziała kolorową plamę, a potem i ona znikła.

Stała po surmią przez dłuższy czas, drżąc z gniewu, którego sama nie potrafiła wytłumaczyć. Co z nią było nie tak? Dlaczego w jednej chwili zazdrościła Kay Marshall, a w następnej Bree, i to z całkiem innych powodów?

Powoli ruszyła przez tłum do samochodu. Po zamieszkach i dramacie protestów ulice miasta wydawały się dziwnie płaskie, wyprane z koloru i złowrogo zwyczajne. Minęło już za dużo czasu – za dwie godziny będzie musiała odebrać Paula ze szkoły. Nie ma kiedy pojechać nad rzekę. Powinna wrócić do domu, i tam, w słonecznej kuchni, zrobić sobie dżin z tonikiem. Chłodna szklaneczka przyjemnie układała się w ręku, a dzwonienie kostek lodu przywracało spokój. W salonie zatrzymała się przed własnym portretem, który David zrobił jej na kamiennym moście stworzonym przez naturę. Za każdym razem, gdy wspominała ten dzień – wycieczkę, na którą się wybrali, i piknik na polanie – nigdy nie myślała o tamtej chwili. Pamiętała jedynie świat, który rozpościerał się nisko u jej stóp, blask słońca i muśnięcia ciepłego powietrza. „Czekaj, zrobię ci zdjęcie", zawołał David, a wtedy się odwróciła i ujrzała go na kolanach, jak ustawiał ostrość w aparacie, żeby uwiecznić moment, który tak naprawdę nigdy nie zaistniał. Miała rację co do tego aparatu, na swoje nieszczęście. David połknął haczyk. Posunął się nawet do tego, że nad garażem wybudował ciemnię.

David... Jak to się stało, że w miarę upływu lat stawał się dla niej tak samo tajemniczy, jak dobrze znany? Pod fotografią leżała para spinek do mankietów, wysadzanych bursztynem. Norah wzięła je i położyła na otwartej dłoni, nasłuchując miarowego cykania zegara. Kawałki bursztynu przyjemnie ogrzewały wnętrze dłoni, a ich gładkość poprawiała jej samopoczucie.

W tym domu wszędzie natykała się na różne kamienie: w kieszeniach Davida, na toaletce, w kopertach na biurku... Czasami w przelocie widziała Davida i Paula w ogródku, z głowami pochylonymi nad jakimś szczególnie ładnym kamykiem. Przy takich okazjach czuła w sercu coś na kształt ostrożnego zadowolenia, bo te momenty rodzicielskiej bliskości zdarzały się raczej rzadko. David ostatnimi czasy bywał wiecznie zajęty. „Stop", miała ochotę powiedzieć. „Zatrzymaj się na minutę. Spędź z nami trochę czasu. Spójrz, twój syn tak szybko rośnie...".

Wsunęła spinki do kieszeni. Z drinkiem w ręku wyszła na zewnątrz i stanęła pod papierowym gniazdem, żeby popatrzeć, jak osy krążą dookoła i znikają w środku. Od czasu do czasu któraś z nich podlatywała bliżej, znęcona słodkawym zapachem dżinu. Norah patrzyła, sącząc drobnymi łykami zawartość szklaneczki. Każdy mięsień, każda komórka ciała poddawała się dobroczynnemu działaniu alkoholu. W końcu opróżniła szklaneczkę i odstawiwszy ją na ścieżkę, poszła poszukać ogrodowych rękawiczek i kapelusza, po drodze potykając się o trójkołowy rowerek Paula. Stanowczo już z niego wyrósł i Norah wiedziała, że powinna go spakować i oddać razem z innymi dziecięcymi rzeczami, ubrankami, zabawkami. David nie życzył sobie więcej dzieci, a teraz, gdy Paul poszedł do szkoły, Norah zrezygnowała z dyskusji na ten temat. Trudno jej było wyobrazić sobie zmienianie pieluch albo pobudki na karmienie o drugiej nad ranem, choć często zdarzało jej się tęsknić za przytuleniem niemowlęcia jak choćby dzisiaj, gdy wzięła na ręce Angelę, żeby rozkoszować się jej pełnym słodyczy ciepłem i niewielkim ciężarem. Jak szczęśliwą kobietą była Kay, choć zdawała się wcale tego nie doceniać.

Norah nałożyła rękawiczki i cofnęła się o krok w plamę słońca. Nie miała żadnego doświadczenia z osami czy pszczołami, poza jednym jedynym ukąszeniem w palec u nogi, gdy miała osiem lat. Pamiętała jedynie, że ukąszenie bolało przez mniej więcej godzinę, a potem się zagoiło. Dlatego gdy Paul podniósł z podłogi martwą pszczołę i krzyknął boleśnie, nie zaniepokoiła się ani trochę. Przyłożyła lód na miejsce ukąszenia, zabrała malucha na bujaną ławkę na ganku, żeby tam go utulić, i sądziła, że wszystko będzie dobrze. Ale opuchlizna i zaczerwienienie na rączce szybko zaczęły się rozprzestrzeniać, nawet buzia dziecka wydawała się spuchnięta, więc Norah zawołała Davida, a w jej głosie brzmiał teraz prawdziwy strach. On od razu wiedział, co należy robić, jaki zastrzyk podać. Za kilka chwil Paul oddychał już znacznie łatwiej. „Nic złego się nie stało", powiedział David. I to była prawda, tyle tylko, że Norah robiło się niedobrze na samą myśl o tym, co mogło się stać. A gdyby David przebywał wówczas poza domem?

Przez kilka minut obserwowała osy, myśląc o protestującym tłumie, o iskrzącym, pełnym niepokoju świecie. Ona zawsze robiła to, czego od niej oczekiwano. Poszła do college'u, potem podjęła jakąś pracę, następnie dobrze wyszła za mąż... Mimo to od urodzenia się dzieci – Paula, który z rozstawionymi szeroko rączkami ześlizgiwał się ze zjeżdżalni i Phoebe, wciąż obecnej pomimo oczywistej nieobecności, która przybywała do matki w snach i w każdej chwili stała gdzieś na granicy niewidzialnego świata – Norah nie potrafiła już odbierać świata w ten sam sposób co wcześniej. Strata, jaką poniosła, pozostawiła na niej piętno bezradności, i z tą bezradnością Norah walczyła, wypełniając dzień aż do ostatniej minuty.

Teraz z namysłem przyglądała się narzędziom ogrodniczym. Postanowiła, że z owadami rozprawi się sama.

Motyka z długim trzonkiem wydawała się dość ciężka. Uniosła ją z trudem, wzięła solidny zamach i uderzyła prosto w gniazdo. Ostrze z łatwością przedarło się przez cienką, pergaminową strukturę. Ten rozmach i siła, z jaką uderzyła, napełniły ją niekłamanym zachwytem, jednak gdy tylko wyszarpnęła motykę, wściekłe i oszalałe osy wylały się ze zniszczonego gniazda i rzuciły prosto na nią. Jedna dziabnęła ją w nadgarstek, druga trafiła prosto w policzek... Norah cisnęła motykę, popędziła do domu i pozwoliła sobie na chwilę wytchnienia dopiero, gdy zatrzasnęła drzwi.

Na zewnątrz rój krążył wokół zrujnowanego gniazda, wydając z siebie gniewne brzęczenie. Kilka os wylądowało na zewnętrznym parapecie. Norah widziała, jak ich delikatne skrzydełka drgają przy każdym podmuchu wiatru. Kłębiące się mrowie owadów, ożywiająca je złość – wszystko to przypominało jej tłum studentów, który widziała nie dalej jak dziś rano, i sprawiło, że znów zaczęła zastanawiać się nad sobą. Weszła do kuchni, zrobiła sobie następnego drinka i odrobiną dżinu posmarowała policzek i miejsce na nadgarstku, które zaczynały lekko nabrzmiewać. Dżin był cierpki w smaku, delikatny i napełniał ją zadowoleniem i poczuciem siły. Wciąż jeszcze została jej godzina do chwili, kiedy będzie musiała pojechać po Paula.

– Czekajcie, cholerne osy – mruknęła mściwie. – Zaraz się wami zajmę.

W szafie, na półce nad paltami i butami, stał spray do odstraszania owadów, a także stalowobłękitny odkurzacz Elektroluksa, niedawno przywieziony ze sklepu. Nagle w wyobraźni ujrzała Bree, która odsuwała z policzka pasmo blond włosów. „No a ty? Chcesz spędzić całe życie z odkurzaczem w ręku?", usłyszała drwiący głos.

Była już w połowie drogi na zewnątrz, kiedy nagle przyszedł jej do głowy pewien pomysł.

Osy wydawały się bardzo zajęte – od razu wzięły się do odbudowywania zniszczonego gniazda i chyba nie zauważyły Norah, która wyszła z domu dźwigając odkurzacz. Ustawiła go na dróżce, choć wyglądał tam dziwacznie i niezwykle, jak spasiony, stalowy prosiak. Z powrotem założyła rękawiczki, kapelusz i żakiet, i dodatkowo okręciła szalem twarz. Włożyła wtyczkę do kontaktu i nacisnęła włącznik, przez chwilę nasłuchując szumu silnika, tak niezwykłego w zderzeniu z odgłosami przyrody, aż wreszcie podniosła wylot dyszy i bez zastanowienia wetknęła ją w resztki gniazda. Osy zakotłowały się – na samą myśl o nich poczuła, jak użądlenia na policzku i ręku zaczynają boleć – ale z grzechotem jedna po drugiej wpadały do zasysającej je rury, wydając przy tym odgłosy podobne do bębnienia żołędzi o dach. Norah podniosła rurę jeszcze wyżej i kolistymi ruchami zaczęła zbierać z powietrza resztę wściekłych owadów, przy okazji rozrywając na strzępy pozostałości gniazda. Wkrótce wyłapała wszystkie i nie wyłączając odkurzacza zaczęła się rozglądać za czymś, czym mogłaby zakryć wylot rury. Pomysł, że osy, pracowite i opętane pragnieniem zemsty, mogłyby wydostać się na zewnątrz, zdecydowanie się jej nie spodobał. Był taki ciepły, miły dzień, a krążący we krwi alkohol pozwalał się odprężyć. Na wszelki wypadek wetknęła wylot dyszy w ziemię, ale odkurzacz natychmiast zaczął się dławić. I wtedy zauważyła rurę wydechową w samochodzie... Tak, końcówka odkurzacza pasowała jak ulał. Z głęboką satysfakcją i poczuciem dobrze wypełnionego zadania Norah wyłączyła silnik i poszła do domu.

W łazience światło dnia przesączało się przez zmatowione szyby. Szybko rozsupłała szal i ściągnęła kapelusz, żeby przyjrzeć się swojemu odbiciu w lustrze. Ze szklanej tafli spoglądały na nią ciemnozielone oczy i ściągnięta ze zmartwienia twarz. Jasne włosy wyglądały płasko i nieciekawie, skóra błyszczała od potu, zaś na jednym policzku powiększała się żywoczerwona obwódka. Norah przygryzła dolną wargę. Zastanawiała się, co pomyśli David, kiedy ją zobaczy? Czy ujrzy kobietę, która w jednej minucie pragnie upodobnić się do Kay Marshall, a w chwilę później dopasować do przyjaciół Bree? Czy może tamtą wariatkę, co jak szalona jedzie popatrzeć na rzekę i w żadnym miejscu nie czuje się jak w domu? Które z jej wcieleń widzi ktoś taki jak David? A może dostrzega całkiem inną osobę, która co noc kładzie się z nim do łóżka? Zgoda, widzi ją, ale nie w taki sposób, w jaki ona kiedykolwiek będzie widzieć samą siebie. A on także w niczym nie przypomina mężczyzny, za którego niegdyś wyszła za mąż, gdy wieczorami przychodzi do domu, wiesza marynarkę na oparciu krzesła i bierze się do przeglądania wieczornego wydania gazety.

Wytarła ręce i wróciła do kuchni, żeby przyłożyć lód do opuchniętego policzka. Resztki pustego gniazda os wisiały smętnie u okapu garażu. Odkurzacz stał na środku dróżki, połączony za pomocą węża z rurą wydechową samochodu, a srebrzysty, centralnie umieszczony przewód błyszczał w promieniach słońca. Norah wyobraziła sobie Davida, który wraca do domu i widzi, że gniazdo os znikło, ogródek z tyłu domu został udekorowany, a sobotnie party zaplanowane w najdrobniejszych szczegółach... Powinien być zadowolony, pomyślała z nadzieją.

Zerknęła na zegarek. Najwyższy czas pojechać po Paula. Już na schodkach odwróciła się po torebkę z kluczami, kiedy jej uwagę przyciągnął dziwny dźwięk dochodzący z podjazdu. Z początku skojarzyła to z brzęczeniem z brzęczeniem owadów i doszła do wniosku, że widocznie osy szykują się do ucieczki, ale błękitne powietrze było czyste i puste. Buczący dźwięk zmienił się w skwierczenie, a zaraz potem dookoła rozszedł się zapach ozonu i smród przypalanych przewodów. Powoli uświadomiła sobie, że dźwięk i zapach dochodzą z nowego odkurzacza, więc bez namysłu rzuciła się w jego kierunku. Obcasami mocno uderzała w asfalt i już wyciągała rękę w stronę nieszczęsnego urządzenia, kiedy elektroluks eksplodował. Wyskoczył w górę, przechylił się i ponad starannie utrzymanym trawnikiem pofrunął aż do płotu, w który uderzył z taką siłą, że jedna z desek pękła jak zapałka. Błękitny korpus rozpadł się na małe kawałeczki i popiskując jak ranne zwierzę spoczął wśród rododendronów, zaś w górę poszybowały kłęby oleistego dymu.

Norah stała jak zaczarowana z wyciągniętą ręką, zupełnie jak na fotografii zrobionej przez Davida, i starała się zrozumieć, co naprawdę zaszło. Kawałek rury wydechowej leżał na asfalcie; widząc to pojęła, że opary benzyny musiały zgromadzić się we wciąż ciepłym silniku odkurzacza i w konsekwencji spowodowały wybuch. Pomyślała o Paulu, o jego głosie czystym jak flet i uczuleniu na jad pszczół... Paul mógł znajdować się na podjeździe, gdyby akurat był w domu.

Nagle jakaś osa wyleciała z resztek rury wydechowej i spokojnie odfrunęła.

Tego było już stanowczo za wiele. Więc jej ciężka praca, jej pomysłowość nie zdały się na nic, a osy i tak swobodnie mogły odlecieć, gdzie im się podobało? Długimi krokami przemierzyła trawnik. Jednym szarpnięciem otworzyła wieko elektroluksa, sięgnąwszy w głąb chmury dymu wydobyła z wnętrza papierowy worek pełen kurzu i wciąż żywych insektów, a następnie rzuciła go na ziemię i zaczęła z furią deptać, podskakując w dzikim, szalonym tańcu. Papierowa torba pękła wzdłuż jednego boku i pojedynczy owad wymknął się na wolność. Norah natychmiast przygwoździła go podeszwą pantofla. Walczyła o zdrowie Paula, ale także o lepsze zrozumienie samej siebie. „Boisz się jakiejkolwiek zmiany", wyrzucała jej Bree. „Dlaczego nie potrafisz po prostu być?". Być? Czym? Nad tym Norah zastanawiała się przez cały dzień. Czym być? Kim? Kiedyś nie miała wątpliwości: była córką, studentką, operatorką sieci telefonicznej, i wszystkie te role odgrywała z łatwością i pewnością siebie. A potem została narzeczoną, młodą żoną, matką i powoli odkryła, że te słowa to za mało, aby pomieścić wszystkie doświadczenia.

Jeszcze nawet wtedy, gdy stało się oczywiste, że wszystkie osy muszą być martwe, Norah z dziką furią skakała po zbitym na miazgę worku. Coś się zdarzyło, coś uległo zmianie, zarówno na świecie, jak i w jej sercu. Tej nocy, gdy budynek będący siedzibą służb wojskowych w kampusie będzie płonął jasnym ogniem, rozkwitającym jak kwiat w cieple wiosennej nocy, Norah przyśnią się osy i pszczoły, i leniwe, senne trzmiele, które płyną przez wysoką trawę... Postanowiła, że następnego dnia kupi kolejny odkurzacz i nie wspomni Davidowi o całym incydencie. Odwoła rezerwację fraka na bal charytatywny, organizowany przez Kay, i przyjmie propozycję pracy. Blask, tak... Blask i przygoda, takie będzie odtąd jej życie.

To wszystko wkrótce się wydarzy, ale na razie nie dostrzegała niczego poza uderzeniami stóp i workiem, który powoli zmieniał się w brudną miazgę ze skrzydełek i żądeł. Gdzieś daleko rozległ się ryk protestującego tłumu, który doleciał do miejsca, gdzie stała, niesiony w wiosennym, świetlanym powietrzu. W skroniach pulsowała krew. To, co dzieje się tam, wydarzy się także i tutaj, w ciszy własnego ogródka na tyłach domu, w tajemniczych przestrzeniach serca... Eksplozja, po której życie nigdy nie będzie już takie samo.

Jakaś samotna osa zabrzęczała między płomiennymi azaliami i ze złością odleciała. Norah zeszła z rozmokłego worka. Oszołomiona i absolutnie trzeźwa powędrowała przez trawnik, szukając w torebce kluczyków. Wsiadła do auta i odjechała odebrać ze szkoły syna, zupełnie jakby to był jeden ze zwykłych dni.

Rozdział drugi

Tata? Tato! Na dźwięk głosu Paula i odgłos lekkich kroków wspinających się po schodach na piętro nad garażem David podniósł głowę znad odkrytej kartki białego papieru fotograficznego, którą właśnie wsunął do naczynia z wywoływaczem.

– Zaczekaj! – krzyknął. – Paul, zaczekaj sekundę!

Ale jeszcze nie skończył mówić, kiedy drzwi otworzyły się na oścież i do wnętrza wlało się jasne światło dnia.

– Cholera! – David patrzył, jak papier pociemniał nagle, a zarysy postaci rozpłynęły się bezpowrotnie. – Psiakrew, Paul, ile razy ci mówiłem, żebyś nie wchodził, jeśli jest zapalone czerwone światełko? Tysiąc razy? Sto tysięcy?

– Przepraszam. Strasznie przepraszam, tato.

David wziął głęboki oddech. Już zdążył się opanować. Paul miał zaledwie sześć lat i teraz, gdy stał w progu, wydawał się szczególnie malutki.

– W porządku. Wejdź. Wybacz mi, synu, że na ciebie wrzasnąłem.

Kucnął i wyciągnął ramiona, a Paul wpadł w nie i na chwilę oparł głowę na ramieniu ojca. Niedawno obcięte włosy połaskotały go po szyi i ukłuły jednocześnie. Paul był drobny, ale twardy, mocno zbudowany i ruchliwy jak żywe srebro. Potrafił postrzegać świat ze skupieniem i spokojem, i jak typowy dzieciak umiał się cieszyć z byle czego. David pocałował go w czoło, szczerze żałując chwili rozdrażnienia. Zachwycał go kształt łopatek syna, elegancki i doskonały w każdym calu, które jak skrzydła rozciągały się pod cienką pokrywą skóry i mięśni.

– Okay. No więc co chciałeś powiedzieć? – spytał, wracając do poprzedniej pozycji. – Co było aż tak ważnego, że musiałeś popsuć mi zdjęcia?

– Tato, spójrz – zawołał chłopiec. – Spójrz, co znalazłem! Otworzył zaciśniętą pięść. Na dłoni spoczywało kilka płaskich kamyków nie większych od guzika, cienkich jak tarcza i z dziurką pośrodku.

– Wspaniałe – zachwycił się David. – Gdzie je znalazłeś?

– Wczoraj pojechałem z Jasonem na farmę do jego dziadka. Tam jest taki strumień i trzeba być ostrożnym, bo Jason w zeszłym roku, w lecie, znalazł przy nim miedziankę, ale teraz już jest za zimno na węże, więc łaziliśmy tu i tam, a ja znalazłem te kamyki przy samym brzegu strumienia.

– No, no, no... – David z podziwem oglądał skamieliny. Lekkie i delikatne, stworzone przed tysiącami lat, zachowały na sobie obraz minionego czasu lepiej niż jakakolwiek fotografia. – To są części pradawnych szkarłupni, synu. Jak wiesz, dawno, dawno temu większa część stanu Kentucky znajdowała się na dnie oceanu.

– Naprawdę? To super. Więc to są takie fotografie zapisane na kamieniu?

– Być może. Przekonamy się o tym, kiedy je oczyścimy. Jak stoimy z czasem? – dodał, wychodząc z ciemni, żeby rzucić okiem na zewnątrz. Tuż za progiem zaczynał się piękny, wiosenny dzień. Powietrze było przyjemnie ciepłe, a wzdłuż płotu kwitł szpaler dereni. Norah ustawiła w ogrodzie stoły i przykryła je kolorowymi obrusami. Przyniosła talerze i szczypce, krzesła i serwetki, wazony z kwiatami. Ozdobny słup, obwieszony kolorowymi wstążkami i jak każe zwyczaj umieszczony na środku ogrodu, znajdował się w pobliżu pochyłej, starej topoli. Wszystko to Norah zrobiła całkiem sama. David kilka razy oferował pomoc, ale ona wciąż odmawiała. „Lepiej zejdź mi z drogi, to najlepsza rzecz, jaką możesz teraz zrobić", mówiła.

Wycofał się więc do ciemni, chłodnej i ukrytej przed wszystkimi, w czerwony blask lampy i zapach chemikaliów.

– Mama się ubiera – poinformował go Paul. – Powiedziała mi, żebym się nie wybrudził.

– Och, to chyba trudne zadanie, co? – westchnął David, ustawiając butelki z utrwalaczem i wywoływaczem wysoko na półce, poza zasięgiem Paula.

– Idź do domu, dobrze? Zaraz tam przyjdę i obejrzymy dokładniej twoje znaleziska.

Paul popędził w dół schodów. David patrzył, jak mknie przez trawnik i jak zatrzaskują się za nim przeszklone drzwi. Wypłukał dokładnie obie tacki i zostawił na suszarce, a następnie usunął film z wywoływacza i pozostawił do wyschnięcia. W ciemnym pokoju panował spokój, cisza i przyjemny chłód, i David zatrzymał się tam kilka sekund dłużej niż koniecznie było trzeba, zanim ruszył za Paulem. Na dworze lekka bryza marszczyła obrusy, a na każdym talerzu dla ozdoby stał specjalny koszyczek z papieru, wypełniony wiosennymi kwiatkami. Wczoraj, w prawdziwy pierwszy maja, Paul roznosił identyczne koszyczki po domach sąsiadów. Wieszał je na klamkach, pukał i szybko się chował, żeby z ukrycia obserwować reakcję domowników. Te koszyczki to także był pomysł Norah, produkt jej artyzmu, energii i wyobraźni.

Norah właśnie była w kuchni i tam, założywszy fartuch na koralową garsonkę, układała na talerzach z wędlinami malutkie pomidory i zieloną pietruszkę.

– Wszystko gotowe? – spytał od progu. – Stoły wyglądają znakomicie. Może trzeba w czymś pomóc?

– A może byś się ubrał? – zasugerowała, zerkając na zegar. Wytarła ręce w ściereczkę i podała mu talerz. – Ale najpierw wsadź to do lodówki w piwnicy, dobrze? Ta tutaj już pęka w szwach. Dzięki.

Wziął od niej talerz. Chłodne szkło przyjemnie leżało w dłoniach.

– Strasznie dużo miałaś roboty – zaobserwował. – Czemu nie chcesz zamawiać cateringu na takie większe przyjęcia?

Chciał się okazać troskliwy i użyteczny, ale Norah zatrzymała się w progu i zmarszczyła brwi.

– Bo ja to po prostu lubię – powiedziała. – Lubię planować, lubię gotować, wszystko lubię… Bo zrobienie z niczego czegoś, co jest ładne albo po prostu przydatne, sprawia mi prawdziwą przyjemność. Nie wiem, czy to już zauważyłeś, czy nie, ale ja naprawdę mam mnóstwo talentów – dodała z zimnym błyskiem w oczach.

– Wcale nie to miałem na myśli – skapitulował od razu. Ostatnio zdarzały się dni, kiedy jak dwie planety poruszali się po wspólnej orbicie dookoła słońca, nie zderzając się co prawda, ale też ani na moment nie zbliżając do siebie. – Zapytałem tylko, czemu nie weźmiesz kogoś do pomocy. Nie wynajmiesz ludzi z restauracji. Przecież możemy sobie na to pozwolić.

– Zrozum, to nie chodzi o pieniądze – pokręciła głową, wychodząc na zewnątrz.

Odstawił talerz i poszedł na górę, żeby się ogolić. Paul natychmiast pobiegł za nim do łazienki. Przysiadł na brzegu wanny i gadając jak najęty, niecierpliwie postukiwał obcasami w porcelanę. Uwielbiał wyprawy na farmę dziadka Jasona. Raz nawet doił tam krowę, a dziadek Jasona pozwolił mu się napić świeżego mleka, ciepłego i pachnącego trawą.

David namydlił twarz miękkim pędzlem i z przyjemnością słuchał tego, co mały miał mu do powiedzenia. Ostrze żyletki ślizgało się gładko po skórze, wysyłając na sufit odbicia rozedrganych, świetlistych pyłków. Przez moment cały świat wydawał się trwać w zawieszeniu, zamknięty w zapachu wiosny, woni mydła i podekscytowanym chłopięcym głosiku.

– Ja też kiedyś doiłem krowy – powiedział w końcu. Wytarł twarz do sucha i sięgnął po koszulę. – Potrafiłem nawet trafić strumieniem mleka prosto w pyszczek kota.

– Kot Jasona też to umie robić! Wiesz, tato, bardzo lubię Jasona. Chciałbym, żeby był moim bratem.

Zawiązując krawat, David obserwował odbicie syna w lustrze. W ciszy, która tak naprawdę wcale nie była ciszą – bo z kranu kapała woda, zegar tykał cichutko, materiał ocierał się przy każdym ruchu – jego myśli pofrunęły do córki. Co kilka miesięcy przez biuro docierały do niego listy, zaadresowane okrągłym pismem Caroline. Kilka pierwszych przyszło z Cleveland, chociaż każdy z nich został nadany w innym miejscu. Czasem Caroline dołączała numer skrytki pocztowej – zawsze gdzie indziej i zawsze w wielkim, bezosobowym mieście – i za każdym razem, gdy to robiła, David posyłał pieniądze. Nigdy nie znali się zbyt dobrze, ale na przestrzeni ostatnich lat jej listy stawały się coraz bardziej osobiste. Ostatnie były chyba kartkami wyrwanymi z dziennika i zaczynały się od słów „Drogi Davidzie", albo po prostu „Davidzie", po czym następował potok oderwanych myśli. Czasami starał się nie otwierać tych listów, ale zawsze kończyło się na tym, że wyławiał je z kosza na śmieci i czytał w pośpiechu. Wszystkie trzymał zamknięte w szafie stojącej w ciemni, tak żeby w razie czego wiedzieć, gdzie ich szukać. I żeby mieć pewność, że Norah nigdy ich nie znajdzie.

Raz, całe lata temu i niedługo po tym, jak listy zaczęły przychodzić, David wybrał się w ośmiogodzinną podróż do Cleveland. Przez trzy dni krążył po mieście, przeglądał książki telefoniczne, wypytywał w szpitalach... Na poczcie głównej dotknął opuszkami palców małych cyferek z brązu, tworzących numer 621, ale kierownik poczty odmówił podania nazwiska właściciela albo jego adresu. „Więc będę tu stał i czekał aż do skutku", oświadczył David, ale tamten człowiek tylko wzruszył ramionami. „Proszę bardzo, ale radzę przynieść sobie coś do jedzenia. Niekiedy mijają całe tygodnie, zanim ktoś przyjdzie zajrzeć do skrytki".

W końcu dał za wygraną i wrócił do domu, patrząc bezczynnie, jak mija dzień za dniem, podczas gdy Phoebe rosła daleko od niego. Za każdym razem wysyłając pieniądze, dołączał liścik z pytaniem, gdzie mieszkają, ale nie naciskał ani nie wynajmował prywatnego detektywa, choć czasem brał pod uwagę takie rozwiązanie. Czuł, że to musi wyjść od niej – pragnienie, żeby zostać odnalezioną. Wierzył, że chce ją odnaleźć. Wierzył, że kiedy już to zrobi – i kiedy wreszcie uporządkuje tę sprawę – będzie w stanie zdobyć się na powiedzenie prawdy Norah.

Gorąco w to wierzył, gdy każdego ranka wstawał z łóżka i szedł do szpitala. Przeprowadzał operacje, oceniał zdjęcia rentgenowskie, a potem wracał do domu, kosił trawnik i bawił się z Paulem. Jego życie wydawało się całkiem pełne. Jednak mimo to, co kilka miesięcy, bez żadnych konkretnych powodów, śnił o Caroline Gill, która wpatruje się w niego, stojąc w drzwiach gabinetu, albo widział jej postać po drugiej stronie placu przed kościołem. Budził się z drżeniem, szybko się ubierał i schodził do biura albo szedł do ciemni, gdzie pisał artykuły lub wsuwał biały papier do kąpieli z chemikaliów i przyglądał się, jak czyjeś wizerunki pojawiają się tam, gdzie jeszcze przed chwilą nie było niczego.

– Tata, miałeś poszukać ze mną tych skamielin – odezwał się Paul z wyrzutem. – Zapomniałeś?

– Racja – David zmusił się do powrotu do dnia bieżącego i poprawił węzeł na krawacie. – Tak jest, synu. Obiecałem.

Razem zeszli do gabinetu Davida i rozłożyli na biurku znajomą księgę. Znaleziona przez Paula skamielina okazała się liliowcem, fragmentem małego zwierzęcia morskiego, podobnego z wyglądu do kwiatu. Kamyki wielkości guzika były niegdyś talerzami, z których uformowana była kolumna pnia. David, pochylając się nad biurkiem, oparł jedną rękę na plecach syna, czując pod palcami ciepło jego ciała i przesuwające się tuż pod skórą delikatne kręgi.

– Biegnę pokazać to mamie – zawołał Paul. Chwycił swoje skarby, pobiegł przez dom do tylnych drzwi, i dalej, do ogrodu. David nalał sobie drinka i stanął w oknie. Kilkoro gości już przyjechało i teraz spacerowało po trawniku. Mężczyźni w ciemnoniebieskich marynarkach, kobiety w różowych, jaskrawożółtych i pastelowoniebieskich sukienkach, dzięki którym ich sylwetki przypominały świeżo rozkwitłe, wiosenne kwiaty. Norah z wdziękiem krążyła między nimi, obejmując panie, ściskając dłonie panów i przedstawiając jednych drugim. David pamiętał ich pierwsze spotkanie; wydawała się wówczas taka cicha, spokojna i pełna rezerwy. Nie przyszło mu do głowy, że w ogóle potrafi być taka jak w tym momencie: towarzyska i wyluzowana. Że potrafi bez trudu odgrywać rolę uroczej pani domu i prowadzić przyjęcie, które sama przygotowała w najmniejszych detalach. Nagle wypełniło go coś w rodzaju tęsknoty. Tęsknoty? Za czym? Może za życiem, jakie mogli prowadzić. Norah wydawała się całkiem szczęśliwa. Z daleka słyszał jej śmiech. Mimo to wiedział, że dzisiejszy sukces nie wystarczy jej na długo. Nawet nie na jeden dzień. Najdalej wieczorem Norah weźmie się za następną rzecz, a jeśli on obudzi się w nocy i przesunie ręką po wygiętych w łuk plecach żony w nadziei, że sprawi jej przyjemność, doczeka się jedynie niechętnego mruknięcia i tego, że Norah złapie go za rękę i zatrzyma w swojej dłoni.

Paul siedział już na huśtawce i leciał wysoko w stronę błękitnego nieba. Znalezione skamieliny dyndały na długim sznurku wokół jego szyi. Razem z nim podnosiły się i opadały, podskakując na dziecięcej piersi, a czasem zahaczając o łańcuch huśtawki.

– Paul! – zawołała Norah. Jej głos dolatywał wyraźnie przez otwarte na oścież szklane drzwi. – Paul, zdejmij zaraz ten naszyjnik. To niebezpieczne.

David zabrał szklankę i wyszedł na zewnątrz. Podszedł do Norah, która zatrzymała się na środku trawnika.

– Daj spokój – powiedział łagodnie, kładąc rękę na jej ramieniu. – Sam to zrobił.

– Wiem, przecież dałam mu ten sznurek. Ale może go założyć później. Jeśli się poślizgnie w czasie zabawy, może się o coś zahaczyć i udusić. Czuł, że jest napięta do ostatnich granic. Opuścił dłoń.

– To mało prawdopodobne – powiedział. Nagle pożałował, że nie może w jakiś sposób wymazać straty, jaką ponieśli, i tego, co sam zrobił im obojgu. – Nic złego mu się nie stanie, Norah.

– Tego nie jesteś w stanie przewidzieć.

– Nawet wówczas David ma rację, Norah.

Głos dolatywał zza ich pleców. Odwrócił się i ujrzał Bree, której dzikość, namiętność i uroda wnosiły ożywczy powiew do ich skostniałego domu. Na sobie miała kwiecistą sukienkę z lekkiego materiału, który zdawał się opływać ją przy każdym ruchu. Trzymała za rękę jakiegoś chłopaka niższego od siebie, ogolonego na gładko, z krótko przyciętymi, rudawymi włosami, w sandałach i z rozpiętym kołnierzykiem.

– Bree, sama chyba widzisz, że jeśli sznurek się zaplącze, Paul może się udusić – upierała się Norah.

– Ale on się tylko huśta – odparła lekko Bree, podczas gdy Paul pofrunął pod samo niebo. Odgiął do tyłu głowę, wystawiając buzię do słońca. – Spójrz, jaki jest szczęśliwy! Nie każ mu schodzić, bo zaraz wszyscy zaczną się denerwować. David ma rację. Nic mu tam nie grozi.

Norah zmusiła się do uśmiechu.

– Nie? Nasz świat może się zawalić w każdej chwili. Sama to wczoraj mówiłaś.

– Ale to było wczoraj.

Bree dotknęła lekko ramienia siostry i przez dłuższą chwilę patrzyła jej prosto w oczy w sposób, który wykluczał udział kogokolwiek innego. Na ten widok David poczuł ukłucie w sercu – przypomniała mu się jego własna siostra, jak we dwoje chowali się pod stołem i wyglądając spod zatłuszczonego obrusa, dusili w sobie śmiech. Pamiętał jej oczy, ciepło jej dłoni i radość, jaką czerpał z jej towarzystwa.

– A co było wczoraj? – spytał, odpychając na bok te wspomnienia, lecz Bree całkowicie go zignorowała.

– Strasznie cię przepraszam, siostrzyczko – powiedziała do Norah. – Wczoraj wszystko wydawało się odrobinę szalone. Właśnie dlatego pozwoliłam sobie na odrobinę impertynencji.

– Ja też przepraszam – odparła Norah. – Bardzo się cieszę, że przyszliście.

– Co się stało wczoraj? Bree, byłaś przy tym pożarze? – David spróbował jeszcze raz. Razem z Norah obudzili się, gdy zawyły syreny. W powietrzu unosił się gryzący dym, a niebo miało dziwny poblask. Wyszli na zewnątrz i razem z sąsiadami stanęli na ciemnym, pogrążonym w ciszy trawniku. Wkrótce byli mokrzy od rosy aż do kostek, podczas gdy tam, w oddali, na terenie kampusu płonął budynek służb wojskowych. Od wielu dni protesty nasilały się. Niewidoczne, lecz realne napięcie wisiało w powietrzu, podczas gdy w osadach wzdłuż rzeki Mekong padały bomby i uciekali ludzie, kołysząc w ramionach umierające dzieci. A teraz nad rzeką w Ohio zginęło czworo studentów. Jednak nikt nie wyobrażał sobie takiego scenariusza w Lexington, w Kentucky – budynek obrzucony koktajlami Mołotowa staje w płomieniach, a na ulicach jest pełno policji.

Bree odwróciła się, odrzucając na ramiona swoje długie włosy.

– Nie, mnie tam nie było – pokręciła głową. – Ale Mark był.

Uśmiechnęła się do młodego człowieka i wsunęła smukłą rękę pod jego ramię.

– To jest Mark. Mark Bell.

– Mark walczył w Wietnamie – dodała Norah. – I bierze udział w protestach przeciw wojnie.

– Ach, rozumiem – powiedział David. – Pan agitator.

– Raczej uczestnik protestu, jak sądzę – sprostowała Norah. – A oto Kay Marshall. Zechcecie mi wybaczyć na moment? – dodała.

– A więc dobrze, uczestnik protestu... – powtórzył David, patrząc, jak Norah idzie na ukos przez trawnik, a lekki wietrzyk wydyma rękawy jej jedwabnego wdzianka.

– Zgadza się – odparł Mark. Jego lekko przedrzeźniająca samego siebie zawziętość i ledwo rzucający się w ucho, znajomy akcent przypomniały Davidowi głos ojca, głęboki i przepojony melancholią. – To nieustanna pogoń za prawem i sprawiedliwością.

– Pisali o tobie w gazecie – powiedział David, bo od razu poznał, kto przed nim stoi. – Wczoraj wieczorem wygłaszałeś coś w rodzaju przemówienia... Więc chyba musisz być zadowolony, że zdarzył się ten pożar.

Mark wzruszył ramionami.

– Zadowolony? Smutny? Nic z tych rzeczy. Po prostu stało się, to wszystko. A my musimy działać dalej.

– Davidzie, czemu jesteś do nas wrogo nastawiony? – Bree wbiła w niego spojrzenie intensywnie zielonych oczu.

– To nieprawda – odparł, ale jeszcze nie skończył mówić, kiedy uświadomił sobie, że jest wręcz przeciwnie. Uświadomił sobie także, że zaczyna spłaszczać i rozciągać samogłoski, że zaczyna intonować je w głębi gardła, a słowa automatycznie układają się w znajome wzory. – Ja jedynie zbieram informacje. Skąd pochodzisz, chłopcze? – zwrócił się do Marka.

– Z Zachodniej Wirginii, a dokładnie z okolic Elkins. Czemu pan pyta?

– Z ciekawości. Tak się składa, że mam tam rodzinę.

– Nie wiedziałam o tym, Davidzie – wtrąciła Bree. – Zawsze sądziłam, że jesteś z Pittsburgha.

– Mam rodzinę w pobliżu Elkins – powtórzył jak echo. – To znaczy miałem... Wiele lat temu.

– Naprawdę? – Mark patrzył teraz znacznie mniej podejrzliwie. – Kopali węgiel?

– Czasami, w zimie. Przede wszystkim pracowali na farmie. To ciężkie życie, ale nie tak ciężkie, jak praca w kopalni.

– Ale udało się im utrzymać ziemię?

– Tak – David pomyślał o drewnianym domu, którego nie widział od prawie piętnastu lat.

– To mądrze z ich strony. Mój tata sprzedał rodzinny kawałek gruntu i kiedy zginął w kopalni pięć lat później, nie mieliśmy gdzie się podziać. Dosłownie... – Mark uśmiechnął się gorzko na samo wspomnienie. – Czy kiedykolwiek zamierza pan tam wrócić?

– Na pewno nie w najbliższej przyszłości. A ty?

– Nie. Po powrocie z Wietnamu poszedłem do college'u. W Morgantown, jako były żołnierz amerykańskiej armii. Ale trochę dziwnie się czułem po tym powrocie... Należałem i nie należałem, jeśli pan rozumie, co chcę przez to powiedzieć. Kiedy w końcu odszedłem na dobre, nie miałem wrażenia, że coś wybieram. A potem się okazało, że jednak tak.

David skinął głową.

– Rozumiem, świetnie rozumiem, co masz na myśli.

– No cóż – po dłuższej chwili milczenia odezwała się Bree. – I skończyło się na tym, że obaj jesteście tutaj... Nawiasem mówiąc, coraz bardziej chce mi się pić. Mark? David? Podać wam coś do picia?

– Pójdę z tobą – odparł Mark i wyciągnął rękę. – Świat naprawdę jest mały, prawda? Miło było pana poznać.

– David jest tajemnicą dla nas wszystkich – powiedziała Bree, odciągając go na bok. – Zresztą, zapytaj Norah.

David patrzył, jak wtapiają się w migoczący, kolorowy tłum gości. To była zwykła wymiana zdań, a mimo to czuł się dziwnie podekscytowany, odkryty i wystawiony na ciosy. Cała przeszłość nagle stanęła mu przed oczyma. Każdego ranka zatrzymywał się na progu gabinetu i obserwował swój czysty, uporządkowany świat: ułożone porządnie rzędy instrumentów, nieskażoną biel tkaniny przykrywającej stół do badań. Na pozór był człowiekiem, któremu w życiu wszystko się udało, a mimo to nigdy nie czuł – choć miał taką nadzieję – dumy, spełnienia ani pewności siebie. „Przypuszczam, że tak właśnie będzie", powiedział jego ojciec w dniu, gdy David wyjeżdżał do Pittsburgha, zatrzaskując drzwi bagażówki i stając przy krawężniku na przystanku autobusowym. „Moim zdaniem, to ostatni raz kiedy możemy się spodziewać, że się do nas odezwiesz, bo kiedy już wyruszysz w ten wielki świat, i tak dalej... nie będziesz miał czasu dla kogoś takiego jak my". I David stał na krawężniku obok ojca, na głowę sypały mu się wcześnie opadające liście, a serce wypełniała rozpacz, ponieważ instynktownie wyczuwał prawdę w tych słowach. Czuł, że niezależnie od własnych intencji, od miłości, jaką ich darzy, życie odepchnie go daleko od nich.

– Wszystko w porządku, David? – usłyszał głos Kay Marshall. Przechodziła obok, niosąc wazon pełen tulipanów. Ich bladoróżowe płatki wyglądały równie delikatnie, jak tkanka płuc. – Mam wrażenie, że jesteś gdzieś o milion lat od nas.

– Ach, Kay...

Trochę przypominała mu Norah, bo pod starannie wypolerowaną powierzchnią wyczuwał w niej coś w rodzaju samotności. Kiedyś, na jakimś party, Kay wypiła za dużo, poszła za nim w głąb ciemnego korytarzyka, otoczyła ramionami jego szyję i namiętnie wpiła się w usta. Zaskoczony, zaczął oddawać jej pocałunki. Ta chwila minęła i choć często myślał o chłodnym, niespodziewanym dotyku jej warg, to równie często zastanawiał się, czy ten epizod w ogóle miał miejsce.

— Kay, wyglądasz czarująco jak zwykle... — podniósł szklankę w toaście, a ona zaśmiała się i poszła dalej.

Na chwilę zniknął w chłodnej ciemności garażu i wszedł na piętro, gdzie wyjął z szafy aparat i założył nową rolkę filmu. Głos Norah wybijał się z szumu rozmów i to przypomniało mu dotyk jej skóry i łagodne wygięcie pleców, gdy wczesnym rankiem sięgnął po nią. Przypomniało mu się spojrzenie, które wymieniła z Bree — tę chwilę niezwykłego porozumienia i bliskości, która wydawała się przekraczać wszystko, co kiedykolwiek miało łączyć ją z Davidem. „Ja też tego chcę", pomyślał, zakładając aparat na szyję. „Chcę".

Chodził między gośćmi, uśmiechając się, wymieniając zdawkowe uprzejmości i uściski ręki i odsuwając się co chwila, żeby uwiecznić na filmie fragmenty przyjęcia. Zatrzymał się na dłużej przed tulipanami od Kay i zrobił zbliżenie, myśląc, że przypominają wyglądem strukturę tkanki płucnej. Jak interesujące byłoby ustawić obok siebie zdjęcia jednego i drugiego, i w ten sposób szerzej propagować ideę, że naprawdę ludzkie ciało w pewien sekretny sposób odzwierciedla piękno otaczającego je świata. Ta myśl zaabsorbowała go do tego stopnia, że nie zauważył, jak odgłosy rozmów odpływają coraz dalej i dalej, w miarę jak koncentrował się na urodzie kwiatów. Nagle drgnął, bo na ramieniu poczuł rękę Norah.

— Odłóż ten aparat, kochanie — szepnęła. — Proszę. Davidzie, przecież to nasze przyjęcie.

— Te tulipany są naprawdę prześliczne, nie sądzisz? — zaczął, ale nie potrafił niczego wytłumaczyć. Nie umiał wyjaśnić słowami, dlaczego te obrazy tak przyciągnęły jego uwagę.

— Jesteś na przyjęciu — powtórzyła. — Rozumiem, że ci tego brakuje i masz ochotę robić zdjęcia, ale lepiej weź sobie drinka i przyłącz się do towarzystwa.

— Już sobie nalałem drinka, Norah — zauważył. — Poza tym pies z kulawą nogą nie zwrócił uwagi, że chodzę i cykam zdjęcia.

— Ja zwróciłam. Moim zdaniem to bardzo niegrzeczne.

Rozmawiali przyciszonymi głosami i podczas całej konwersacji Norah nawet na chwilę nie przestała się uśmiechać. Jej twarz emanowała promiennym spokojem, w pewnej chwili skinęła do kogoś ręką, lecz mimo to David czuł napięcie emanujące z całej postaci i duszony w środku gniew.

– Włożyłam w to tyle pracy – powiedziała. – Wszystko sama zorganizowałam, przygotowałam jedzenie, nawet pozbyłam się tych cholernych os, choć naprawdę dużo nerwów mnie to kosztowało... Czy nie mógłbyś zwyczajnie cieszyć się tym, co zrobiłam?

– Kiedy zdjęłaś to gniazdo? – zapytał, bo szukając w popłochu jakiegoś bezpiecznego tematu, zaczepił spojrzeniem o okap garażu.

– Wczoraj – pokazała mu lekko zaczerwienioną obwódkę na nadgarstku. – Nie chciałam dłużej ryzykować, biorąc pod uwagę alergię twoją i Paula.

– To naprawdę udane przyjęcie – pod wpływem impulsu podniósł do ust jej dłoń i delikatnie musnął wargami miejsce po użądleniu. Obserwowała w milczeniu jego poczynania, a jej oczy rozszerzyły się ze zdumienia. Po chwili dostrzegł znajome błyski świadczące o tym, że sprawia jej przyjemność, ale zaraz potem odsunęła rękę.

– Davidzie... – wyszeptała. – Na litość boską, nie tutaj... Nie teraz...

– Hej, tato!

David obejrzał się dookoła, starając się zlokalizować syna.

– Tato i mamo, popatrzcie na mnie! Na mnie!

– On wlazł na czeremchę – zawołała Norah i osłaniając od słońca oczy, wskazała coś po drugiej stronie trawnika. – Spójrz, jest w połowie drzewa. Jak się tam znalazł?

– Założę się, że wszedł prosto z huśtawki. Hej! – David machnął ręką do syna.

– Złaź na dół, i to zaraz! – krzyknęła Norah i zwróciła się do męża – Boże, on naprawdę działa mi na nerwy.

– To tylko zwyczajny dzieciak – zauważył. – Dzieciaki lubią wchodzić na drzewa. Nic mu nie będzie.

– Hej! Tato! Mamo! Pomocy! – zawołał Paul w pewnej chwili, ale gdy popatrzyli w górę, śmiał się do rozpuku.

– Pamiętasz, co on wyprawiał w sklepie spożywczym? – spytała Norah.

– Wtedy, kiedy akurat uczył się mówić? Wyskakiwał na środek i wrzeszczał: „Pomocy!". Ludzie myśleli, że go porwałam!

– Kiedyś tak samo zrobił w klinice. Pamiętasz?

Zaśmiali się obydwoje, a David poczuł przypływ zadowolenia.

– Odłóż ten aparat – powiedziała łagodnie, kładąc mu rękę na ramieniu.

– Dobrze – odparł. – Jak sobie życzysz.

Bree podeszła do wiosennego słupa i przyczepiła na samej górze wstążkę w kolorze królewskiej purpury. Kilku gości, zaintrygowanych tym, co robi, podeszło bliżej. David, nie spuszczając z oczu trzepoczących końcówek wstążek, ruszył w stronę garażu. Nagle z góry dobiegł jakiś szelest, liście zaszumiały gwałtownie, a potem trzasnęła gałąź. Ujrzał, jak porzucona przez Bree wstążka frunie na trawę, a ona sama pospiesznie wyrzuca ręce w górę. Cisza zdawała się przeciągać w nieskończoność, a potem rozległ się krzyk Norah. David obrócił się akurat na czas, by zobaczyć, jak Paul z głuchym dudnieniem pada na ziemię, podskakuje raz i ląduje na plecach. Naszyjnik z cennymi skamielinami pękł, a resztki liliowca rozsypały się po ziemi. Rzucił się w kierunku syna, roztrącając po drodze gości, i padł na kolana obok niego. Ciemne oczy Paula pełne były przerażenia. Chwycił dłoń ojca, z całej siły starając się nabrać powietrza.

– Wszystko w porządku – David pogładził spocone czoło chłopca. – Spadłeś z drzewa i dlatego zabrakło ci powietrza. To wszystko. Teraz zwyczajnie się odpręż i powoli spróbuj wziąć oddech. Wszystko będzie dobrze, mówię ci.

– Nic mu nie jest? – zawołała Norah i nie zważając na koralowy kostium, uklękła obok. – Paul, kochanie, nic ci się nie stało?

Paul sapnął kilka razy, a w jego oczach pojawiły się łzy.

Strasznie mnie boli ręka – poskarżył się, kiedy tylko zdołał wydobyć z siebie głos. Był przeraźliwie blady, na czole pulsowała mu mała, niebieska żyłka, ale David widział, że chłopiec z całych sił stara się nie płakać. – Naprawdę, strasznie mnie boli.

– Która? – David starał się mówić uspokajającym tonem. – Możesz pokazać, w którym miejscu?

To była lewa ręka, a kiedy David uniósł ją ostrożnie, podpierając w łokciu i nadgarstku, Paul krzyknął z bólu.

– Davidzie, czy jest złamana? – zawołała Norah.

– No cóż, nie jestem pewien – odparł ze spokojem, choć był prawie pewien, że tak. Delikatnie oparł uszkodzone ramię na klatce piersiowej chłopca, a potem pogłaskał Norah po plecach, żeby dodać jej otuchy. – Paul, zaraz wezmę cię na ręce i zaniosę do samochodu. Pojedziemy do mojego gabinetu, dobrze? I pokażę ci, jak się robi zdjęcie rentgenowskie. Ostrożnie podniósł Paula. Leżący w jego ramionach syn wydawał mu się lekki jak piórko. Goście rozstąpili się, żeby zrobić mu przejście. Usadowił go na tylnym siedzeniu samochodu, a potem dokładnie opatulił wyjętym z bagażnika kocem.

– Jadę z wami – zawołała Norah i wślizgnęła się na fotel pasażera.

– A co z przyjęciem?

– W kuchni jest mnóstwo jedzenia i wina – odparła. – Goście będą musieli sami się obsłużyć.

W środku pięknego, wiosennego dnia jechali do szpitala. Norah od czasu do czasu dokuczała Davidowi, wspominając noc, gdy rodziła i jego powolną jazdę przez puste ulice, ale nic to nie dało. Dziś też nie mógł się zmusić do tego, by dodać gazu. Minęli tlące się wciąż resztki budynku służby wojskowej. Obłoki dymu na tle błękitnego nieba wyglądały jak ciemna, delikatna koronka. W pobliżu rosły obsypane kwieciem drzewa derenia, a płatki kwiatów w zestawieniu z poczerniałymi ścianami wydawały się blade i kruche.

– Świat rozpada się na kawałki, tak to odczuwam – odezwała się cicho Norah.

– Nie teraz, proszę – zerknął we wsteczne lusterko na Paula. Dziecko siedziało cicho, bez słowa skargi, tylko po policzkach płynęły mu strumienie łez.

W izbie przyjęć David użył wszelkich wpływów, by przyspieszyć procedurę przyjęcia do szpitala i jak najszybciej wykonać zdjęcie rentgenowskie. Następnie pomógł usadowić chłopca na łóżku, zostawił Norah, żeby poczytała małemu bajki znalezione w poczekalni, a sam poszedł odebrać zdjęcie. Wyciągając rękę do technika, ze zdumieniem zauważył, że drży, więc pospiesznie poszedł do swojego gabinetu przez długie, szpitalne korytarze, dziwnie milczące i puste jak na piękne, wiosenne popołudnie. Drzwi zamknęły się za nim z hukiem i przez chwilę David stał w kompletnej ciemności, starając się pozbierać myśli. Wiedział, że ściany niewielkiego pomieszczenia są w niebiesko-zielonym kolorze, a na biurku leżą rozrzucone papiery. Wiedział, że instrumenty chirurgiczne ze stali i chromu znajdują się na tackach pod przeszklonymi szafkami, poukładane w równe rzędy. Wiedział, lecz mimo to nie mógł dostrzec niczego. Podniósł rękę i otwartą dłonią dotknął nosa, ale nawet z tak bliska nie widział własnego ciała, jedynie je czuł.

Po omacku poszukał włącznika. Zamontowany na ścianie panel zaczął pulsować i w chwilę później gabinet zalało mocne, białe światło, które przywróciło przedmiotom ich kolory i proporcje. Tuż pod lampami umieszczone były negatywy; zajmował się nimi pod koniec zeszłego tygodnia. Seria zdjęć ludzkich żył ułożona została w odpowiedniej kolejności, w zależności od stopnia precyzyjnie kontrolowanego natężenia światła i kontrastu, który w subtelny sposób zmieniał się na każdym zdjęciu. Davida ekscytowała doskonałość, jaką udało mu się osiągnąć, oraz fakt, że zdjęcia mniej kojarzyły się z fragmentami ludzkiego ciała niż z innymi rzeczami: odgałęzieniem błyskawicy wbijającym się w ziemię, wartkim nurtem ciemnej rzeki czy falującej powierzchni morza.

Ręce wciąż trzęsły się mu jak w febrze. Zmusił się do kilku głębszych oddechów, a następnie zdjął poprzednie negatywy i wsunął pod klipsy zdjęcia Paula. Drobne kości jego syna, solidne, a mimo to delikatne, ukazały się w całej widmowej przejrzystości. Opuszkami palców przesunął po wypełnionym światłem obrazie. Jakie to piękne, pomyślał, kości małego dziecka, nieprzepuszczające światła, lecz mimo to zjawiskowo świetliste, jakby wypełniał je wewnętrzny blask... Półprzezroczyste odbicia zawieszone w ciemności gabinetu, podobne do przeplatających się gałęzi drzewa...

Uszkodzenie było dość oczywiste – wyraźne, proste pęknięcia kości łokciowej i promieniowej. Obie biegły równolegle do siebie. Największe niebezpieczeństwo podczas rekonwalescencji polegało na tym, że mogły się zrosnąć.

Pstryknął włącznikiem górnego oświetlenia i ruszył z powrotem wzdłuż plątaniny korytarzy, myśląc o wewnętrznym pięknie ukrytym w ciele chłopca. Wiele lat temu, podczas robienia zakupów w pewnym sklepie z butami w Morgantown, David skorzystał z okazji i gdy ojciec marszczył brwi nad metką z ceną, on stanął na urządzeniu prześwietlającym stopy promieniami Roentgena. Nagle zwykłe, niczym niewyróżniające się palce zmieniły się na moment w coś widmowego, tajemniczego... David w niemym zachwycie patrzył na pręty i bulwiaste cienie, które kryły się pod skórą palców i pięt.

Ten właśnie moment zdecydował o całej jego przyszłości, choć wówczas nie zdawał sobie z tego sprawy. Fakt, że istnieją inne światy – niewidzialne, nieznane, przekraczające granice wyobraźni – był dla niego prawdziwą rewelacją. W kolejnych tygodniach, obserwując biegnące jelenie, zrywające się do lotu ptaki, drżące liście albo śmigające spod nóg króliki, wyobrażał sobie ich wewnętrzną strukturę. Nawet June... Nawet na nią patrzył w ten sposób, gdy siedziała na schodkach prowadzących na ganek i z otwartymi ze skupienia ustami łuskała groch czy obierała kolby kukurydzy. W jego oczach była taka jak on, lecz zarazem całkiem inna, a to, co ich dzieliło, było okryte wielką tajemnicą.

Jego siostra – dziewczynka, która kochała wiatr, śmiała się do słońca pieszczącego jej twarz i nie bała się węży... Umarła i teraz nie pozostało po niej nic poza wspomnieniem braterskiej miłości. Nic poza kośćmi.

A jego córka, już sześcioletnia, chodziła gdzieś po świecie, ale on jej nie znał...

Gdy wrócił na salę, Norah trzymała Paula na kolanach – choć był już nieco za duży na takie pocieszanie – z głową niezgrabnie opartą na jej ramieniu. Zraniona ręka drżała na skutek urazu, wstrząsana konwulsjami.

– I co, jest złamana? – spytała natychmiast.

Skinął głową.

– Niestety, obawiam się, że tak. Zresztą chodź i zobacz sama.

Położył zdjęcia na podświetlanym stole i wskazał na zabarwione na ciemno pęknięcie.

„Kości zostały rzucone", mawiali ludzie. Albo „wyschnąć na kość" czy „uważaj, bo porachuję ci kości". Jednak kości były czymś żywym i namacalnym. Rosły, posiadały zdolność samonaprawiania. Potrafiły złączyć na powrót to, co zostało rozerwane.

– Tak strasznie uważałam z tymi pszczołami – Norah pomogła Davidowi przenieść syna na stół. – To znaczy, z osami. Miałam na myśli osy. Pozbyłam się os, no to zdarzyło się co innego.

– To przecież był wypadek – powiedział David.

– Wiem – Norah była teraz bliska łez. – W tym właśnie rzecz.

Nic nie odpowiedział. Przygotował materiały do zrobienia odlewu i teraz skoncentrował się na zakładaniu gipsu. Dużo czasu upłynęło od chwili, gdy robił to ostatni raz, bo zwykle nastawiał tylko złamanie, a resztą zajmowała się pielęgniarka, ale wykonywanie tych zwykłych czynności wyraźnie go uspokajało. Ramię Paula było nieduże i gips zasychał stopniowo, biały jak wyrzucona na brzeg muszelka i tak nieskazitelny, jak czysta kartka papieru. Za kilka dni zszarzeje i pokryją go kolorowe graffiti wykonane dziecięcymi rękoma.

– Trzy miesiące – oznajmił swobodnym tonem. – Wystarczą trzy miesiące i będziemy mogli go zdjąć.

– To prawie całe lato – zauważyła Norah.

– A co będzie z Małą Ligą? – zaniepokoił się Paul. – I z pływaniem?

– Nie ma mowy o baseballu – powiedział David. – Przykro mi. O pływaniu też możesz zapomnieć.

– Ale ja i Jason mieliśmy grać w Małej Lidze!

– Przykro mi – powtórzył David i Paul zalał się łzami.

– Powiedziałeś, że nic mu się nie stanie – zawołała Norah. – I widzisz? Ma złamaną rękę. Tak po prostu. Równie dobrze mógł skręcić sobie kark albo uszkodzić kręgosłup.

Nagle David poczuł się strasznie zmęczony. Rozdarty obawą o dziecko. Zirytowany słowami Norah.

– Owszem, tak mogło się stać, ale się nie stało, więc może lepiej przestań, dobrze? Zwyczajnie przestań, Norah.

Paul leżał nieruchomo i uważnie przysłuchiwał się tej wymianie zdań, zaalarmowany pełnym wyrzutu tonem matki i intonacją wypowiedzi ojca. Ciekawe, co zapamięta z dzisiejszego dnia, pomyślał nagle David, wyobrażając sobie własnego syna uwikłanego w niepewną przyszłość, w świecie, gdzie można było pójść na demonstrację i skończyć z kulą w karku. David poczuł nagle ten sam strach, który odczuwała Norah. Miała rację. Wszystko może się wydarzyć. Położył otwartą dłoń na głowie syna i przesunął po świeżo ostrzyżonych, ostrych włosach.

– Przepraszam, tato – szepnął Paul. – Nie chciałem popsuć ci zdjęć.

Po sekundzie zmieszania David przypomniał sobie, jak wrzasnął na niego kilka godzin wcześniej, gdy w ciemni paliło się czerwone światło, a Paul stanął w otwartych drzwiach, zbyt przerażony by wykonać najlżejszy ruch.

– Och, nie... Nie, synku, wcale nie mam do ciebie pretensji. Nie musisz się tym martwić – czule pogłaskał go po policzku. – Zdjęcia nie mają żadnego znaczenia. Dziś rano byłem po prostu zmęczony, rozumiesz?

Paul przesunął palcem po krawędzi gipsu.

– Nie chciałem cię przestraszyć – powtórzył David. – I wcale nie żałuję tych zdjęć.

– Czy mogę posłuchać przez stetoskop?

– Jasne.

David wsunął czarną końcówkę stetoskopu do ucha syna i przykucnął obok, kładąc zimny, metalowy krążek na własnym sercu.

Kątem oka widział, że Norah im się przygląda. Niezależnie od ożywienia i radosnego nastroju podczas przyjęcia, wciąż nosiła w sobie smutek jak ciemny kamień zamknięty w zaciśniętej dłoni. Marzył o tym, żeby przynieść jej ukojenie, ale żadne właściwe słowa nie przychodziły mu na myśl. Nagle zapragnął mieć do dyspozycji inny rodzaj promieni Roentgena – do prześwietlania ludzkich serc. Serca Norah i własnego serca.

– Chciałbym, żebyś była szczęśliwsza – powiedział miękko. – Chciałbym móc coś dla ciebie zrobić.

– Nie musisz się o mnie martwić – odparła. – Naprawdę nie musisz.

– Tak? – David wziął tak głęboki oddech, że Paul mógł usłyszeć ruch powietrza.

– Nie. Wczoraj załatwiłam sobie pracę.

– Pracę?

– Tak. I to dobrą pracę.

Opowiedziała mu o wszystkim – o biurze podróży, o czekających ich porankach. O tym, że zdąży wrócić do domu na tyle wcześnie, żeby odebrać Paula ze szkoły. Mówiła, a David miał wrażenie, jakby z każdym słowem odlatywała w dal. – Już zaczynałam dostawać wariacji – dokończyła z pasją, która zupełnie go zaskoczyła. – Nie miałam pojęcia, co zrobić z nadmiarem wolnego czasu. To dobrze, że wreszcie będę mogła zająć się czymś konkretnym.

– No dobrze – powiedział wreszcie. – W porządku. Jeśli tak bardzo chcesz iść do pracy, to idź.

Połaskotał Paula i sięgnął po otoskop.

– Proszę – powiedział. – Zajrzyj mi do uszu i sprawdź, czy przypadkiem nie ma tam jakiegoś ptaszka.

Paul roześmiał się i dotknął chłodnym metalem ojcowskiego ucha.

– Tak czułam, że ci się to nie spodoba – powiedziała Norah.

– O co ci chodzi? Przecież mówię, żebyś przyjęła tę pracę.

– Chodzi mi o twój ton. Szkoda, że siebie nie słyszałeś.

– No cóż, a czego się spodziewasz? – ze względu na Paula starał się mówić spokojnie. – Trudno, żebym nie odbierał tego jako pewnego rodzaju krytyki.

– To byłaby krytyka, gdyby chodziło wyłącznie o ciebie – powiedziała. – Właśnie tego nie jesteś w stanie pojąć. Ty nie masz z tym nic wspólnego. Tu chodzi wyłącznie o moje poczucie wolności. O to, żebym miała jakieś swoje życie. Szkoda, że mnie nie rozumiesz.

– Poczucie wolności? – powtórzył jak echo. Znowu rozmawiała ze swoją siostrą. Dałby sobie głowę uciąć, że tak było. – Myślisz, że ktokolwiek jest wolny, Norah? Myślisz, że ja jestem?

Zapadło długie milczenie, ale na szczęście przerwał je Paul.

– Tam nie ma żadnych ptaszków, tato. Tylko żyrafy.

– Naprawdę? A ile ich jest?

– Sześć.

– Sześć! O mój Boże! W takim razie sprawdź w drugim uchu.

– Być może znienawidzę tę pracę – powiedziała Norah. – Ale przynajmniej będę miała okazję się o tym przekonać.

– Nie ma ptaszków ani żyraf – oznajmił Paul. – Są słonie.

– Słonie w uchu... No tak – mruknął David zabierając otoskop. – Może lepiej jedźmy już do domu.

Zmusił się do uśmiechu i przykucnął, żeby dźwignąć Paula, nowy gips i całą resztę rzeczy. Czując ciężar syna i ciepły dotyk nagiego ramienia, zastanawiał się, czy ich życie wyglądałoby inaczej, gdyby wtedy, sześć lat temu, podjął inną decyzję. Pamiętał, jak padał śnieg i jak stał sam w absolutnej ciszy, i jak w jednym przełomowym momencie zmieniło się wszystko... „Davidzie, mam nowego przyjaciela. Jest bardzo miły. Z Phoebe wszystko w porządku; uwielbia łapać motyle i śpiewać", napisała w jednym z ostatnich listów Caroline Gill.

– Cieszę się, że znalazłaś pracę – powiedział do Norah, gdy czekali w korytarzu na windę. – Nie chcę, żebyś myślała, że usiłuję coś utrudniać. Ale nie wierzę, że to naprawdę nie ma nic wspólnego z moją osobą.

Westchnęła ciężko.

– Nie. I nie uwierzysz, że to prawda, mam rację?

– Co to ma znaczyć?

– Że uważasz się za pępek świata, Davidzie. Nieruchomy punkt, dookoła którego wszystko się kręci.

Winda nadjechała. Zebrali swoje rzeczy, weszli do środka i zjechali na dół. Na zewnątrz wciąż był piękny dzień, jasne i pogodne popołudnie. Zanim dotarli do domu, goście zdążyli się rozejść. Została tylko Bree z Markiem. Właśnie zanosili do kuchni talerze z jedzeniem. Kolorowe wstążki na słupie powiewały z każdym podmuchem lekkiego wiatru; aparat Davida leżał na stole, tuż obok skamielin, które ktoś pozbierał z ziemi. David zatrzymał się, żeby przeczesać wzrokiem trawnik, wciąż zastawiony krzesłami. Kiedyś ten cały świat znajdował się na dnie płytkiego morza, pomyślał. Zaniósł Paula na piętro, dał mu wody i pomarańczową aspirynę do żucia, a potem usiadł na łóżku i wziął w rękę jego dłoń. Ta dłoń jest taka mała, myślał, tak ciepła i pełna życia. Na wspomnienie obrazu kości widocznych na zdjęciu ogarnęło go zadziwienie pomieszane z niedowierzaniem. Za tym właśnie tęsknił i to pragnął uwieczniać na filmach – te rzadkie momenty, gdy świat wydawał się niepowtarzalny, spójny – i zamykać je w jednym ulotnym wizerunku. W tym srebrzystym odbiciu za pomocą oszczędnych środków można było wyrazić wszystko – i piękno, i nadzieję, i ruch – zupełnie jakby negatyw zdjęcia był czymś w rodzaju poezji. Ludzkie ciało też było poezją, napisaną w krążącej w żyłach krwi, w tkankach i kościach.

– Tato, poczytaj mi coś – poprosił Paul, więc David usadowił się wygodniej i trzymając Paula w objęciach, zaczął przewracać strony książeczki o ciekawskim Jerzyku, który wylądował w szpitalu ze złamaną nogą. Z dołu dobiegały odgłosy krzątaniny – to Norah sprzątała po gościach kolejne pokoje. Ekranowe drzwi otwierały się z rozmachem, zamykały i znów otwierały... Wyobraził sobie, jak ubrana w nowy kostium Norah wychodzi przez nie i podąża w stronę swojej nowej pracy i życia, z którego on został wykluczony. Złociste światło późnego popołudnia wypełniało cały pokój. David odwrócił następną kartkę, czując ciepło syna i jego miarowy oddech. Przyjemna bryza poruszała firankami, a na tle ciemnych desek płotu pyszniły się kwiaty derenia. David przerwał na chwilę czytanie i patrzył, jak białe płatki opadają na trawę i natychmiast znów podrywają się w powietrze. Ich uroda uspokajała go i niepokoiła jednocześnie. Starał się nie dostrzegać, że z tej odległości przypominają wyglądem płatki śniegu.

Czerwiec tysiąc dziewięćset siedemdziesiątego roku

No cóż, według mnie, Phoebe ma dokładnie twoje włosy – zauważyła Dorothy. Caroline przesunęła dłonią po karku, zastanawiając się nad tym, co usłyszała. Znajdowały się teraz ze wschodniej części Pittsburgha, w budynku starej fabryki, która została przerobiona na przedszkole integracyjne dla dzieci opóźnionych w rozwoju. Światło wpadało do środka przez wysokie okna, tworząc na podłodze ze zwykłych desek fantazyjne wzorki, i wydobywało na wierzch kasztanowy odcień cienkich warkoczyków Phoebe. Ona sama stała przed wielkim, drewnianym koszem, skąd pełnym garściami czerpała ziarna soczewicy i sypała z wysoka do naszykowanych słoików. W wieku sześciu lat była pucołowatym berbeciem z pofałdowanymi od tłuszczyku kolankami i o zniewalającym uśmiechu. Miała ciemnobrązowe oczy w kształcie migdałów, delikatnie wygięte ku górze, i małe dłonie. Tego ranka założyła sukieneczkę w różowo-białe pasy, którą wybrała osobiście i ubrała się sama – tyłem na przód. Oprócz tego została zmuszona do włożenia różowego sweterka, co wywołało w domu karczemną awanturę. „Moja droga, ona odziedziczyła temperament po tobie", mruczał pod nosem Leo. Nie żył już od roku, ale Caroline wciąż pamiętała, jak to powtarzał. Te słowa zawsze wywoływały w niej zdziwienie – nie dlatego, że Leo dostrzegał między nią a Phoebe jakiś genetyczny związek, który tak naprawdę wcale nie istniał, lecz że ktokolwiek uważał ją za kobietę z temperamentem.

– Naprawdę tak uważasz? – spytała, przesuwając ręką po włosach i zakładając za ucho niesforny kosmyk. – Naprawdę uważasz, że ma takie włosy jak ja?

– O, tak. Przecież od razu to widać.

– Teraz Phoebe zanurzyła ręce głęboko w aksamitnych ziarnach i chichotała razem z chłopcem, który przykucnął obok. Wyciągnęła pełne garści dłonie i otworzyła, pozwalając ziarnom przesypywać się między palcami, a chłopczyk próbował je łapać do żółtego, plastikowego kubeczka.

Dla innych dzieci uczęszczających do tego specjalnego przedszkola, Phoebe była zwyczajnie sobą; koleżanką, która lubiła błękitny kolor, jeść popsicle i kręcić się w kółko. Tutaj jej odmienność pozostawała niezauważona. W pierwszych tygodniach Caroline zachowywała ostrożność, przygotowana w duchu na komentarze, z którymi bez przerwy spotykała się gdzie indziej – na placu zabaw, w sklepie spożywczym czy w poczekalni u lekarza. „Boże, co to za wstyd!", albo „Pani przeżywa na jawie moje najgorsze nocne koszmary". Raz nawet zdarzyło się, że ktoś powiedział: „Przynajmniej to biedne dziecko nie będzie długo żyć... To prawdziwe błogosławieństwo". Czy było to skutkiem bezmyślności, ignorancji czy okrucieństwa, nie miało znaczenia, bo każde takie słowo na nowo jątrzyło ranę w sercu Caroline. Ale tutaj nauczyciele byli młodzi i pełni entuzjazmu, a rodzice spokojnie brali z nich przykład: Phoebe mogła wkładać w każdą czynność więcej wysiłku, robić coś wolniej, ale w końcu opanowywała wszystko co trzeba, jak każde inne dziecko.

Soczewica rozsypała się po podłodze. Chłopczyk porzucił łopatę i popędził w stronę korytarza, a Phoebe poszła w jego ślady. Nie zwracając uwagi na fruwające z tyłu warkoczyki, biegła do sąsiedniej sali, gdzie znajdowały się sztalugi i przybory do malowania.

Dorothy nie spuszczała z niej oka.

– Mam wrażenie, że Phoebe dobrze się tutaj czuje.

– Owszem – przytaknęła Caroline. – Szkoda, że nie widzi jej nikt z Rady Edukacyjnej.

– E tam. Macie mocne argumenty i dobrego prawnika. Dacie sobie radę.

Caroline zerknęła na zegarek. Jej przyjaźń z Sandrą dała początek silnej organizacji o politycznych wpływach. Teraz Stowarzyszenie Pomocy Dzieciom z Zespołem Downa liczyło ponad pięciuset członków i zabiegało w Departamencie Szkolnictwa o umożliwienie niepełnosprawnym dzieciom nauki w zwykłych, publicznych szkołach. Szanse wydawały się całkiem spore, ale mimo to Caroline bardzo się denerwowała. Tak wiele zależało od tej decyzji. Jakiś rozpędzony maluch przemknął obok Dorothy. W ostatniej chwili złapała go za ramię. Doro miała teraz śnieżnobiałe włosy, które mocno kontrastowały z jej ciemnymi oczyma i oliwkową cerą. Każdego ranka chodziła popływać, a oprócz tego zaczęła się uczyć grać w golfa. Ostatnimi czasy Caroline często łapała ją na tym, że uśmiecha się pod nosem, zupełnie jakby miała coś do ukrycia.

– To miło z twojej strony, że zgodziłaś się mnie zastąpić – powiedziała, zakładając płaszcz.

Dorothy machnęła ręką.

– Nie ma o czym mówić. Prawdę mówiąc, o wiele bardziej wolę być tutaj, niż walczyć w ministerstwie o dokumenty pozostawione przez ojca.

Mówiła znużonym głosem, lecz w pewnym momencie przez jej usta przemknął cień uśmiechu.

– Dorothy, gdybym nie znała cię tak dobrze, pomyślałabym, że jesteś zakochana.

– Cóż za śmiałe przypuszczenie – zaśmiała się Doro. – A jeśli już mówimy o miłości, to czy mam po południu spodziewać się wizyty Ala? Dziś jest przecież piątek.

Cienie rzucane przez kołyszące się jawory działały równie uspokajająco, jak patrzenie na płynącą wodę. Zgoda, dziś był piątek, ale Al nie zawsze odzywał się regularnie co tydzień. Zwykle dzwonił gdzieś z drogi między Columbus, Atlantą lub nawet z Chicago. Dwa razy w ciągu minionego roku prosił ją, by została jego żoną, ale mimo iż za każdym razem jej serce wyrywało się do niego, odpowiadała „nie". Nawet posprzeczali się o to podczas jego ostatniej wizyty – „Zawsze trzymasz mnie na długość wyciągniętej ręki", skarżył się Al i w końcu wyjechał obrażony, bez pożegnania.

– Jesteśmy tylko bliskimi przyjaciółmi, Al i ja – powiedziała Caroline.

– To nie takie proste.

– Nie bądź śmieszna. Nie ma nic prostszego, możesz mi wierzyć.

A więc to była miłość, pomyślała Caroline. Ucałowała Phoebe w pulchny policzek i odjechała starym Buickiem, odziedziczonym po Leo –

ogromnym, czarnym i tak wygodnym, że człowiek czuł się w nim jak w wielkiej łodzi. W ostatnim roku życia Leo był już bardzo słaby; spędzał większość czasu w fotelu przy oknie i z książką na kolanach gapił się na ulicę. Pewnego dnia Caroline znalazła go właśnie tam – siedział skurczony, z włosami sterczącymi dziko na wszystkie strony i z pobladłą twarzą. Nawet jego usta były białe jak kreda. Leo nie żył. Wiedziała to na pewno, zanim go dotknęła. Zaraz potem zdjęła mu okulary, położyła opuszki palców na powiekach i delikatnie zamknęła oczy. Kiedy ciało zostało zabrane, usiadła w pustym fotelu i próbowała sobie wyobrazić, jak wyglądało jego życie, gdy za szybą widział kołyszące się bezgłośnie gałęzie drzew, a nad sobą słyszał jej kroki i kroczki Phoebe...

– Och, Leo... – westchnęła. – Nie miałam pojęcia, jak bardzo byłeś samotny. Tak mi przykro...

Po cichym pogrzebie, pełnym profesorów fizyki i gardenii, Caroline zaproponowała, że się wyprowadzi, ale Dorothy nie chciała o tym słyszeć. „Przywykłam do ciebie. Do twojego towarzystwa. Nie, lepiej zostań. Będziemy rozliczać się jak dawniej, za dzień".

Caroline jechała teraz przez miasto, które nauczyła się kochać – twarde, wzniesione na piaszczystych wzgórzach i uderzająco piękne, z strzelającymi ku niebu wieżowcami, ozdobnymi mostami i ogromnymi parkami, ukrytymi na przedmieściach wokół szmaragdowych wzgórz. Znalazła wolne miejsce do parkowania na wąskiej uliczce i weszła do kamiennego budynku, poczerniałego od dziesiątków lat działania spalin i węglowego pyłu. Minęła hol z wysokim sklepieniem i zawiłą mozaiką na podłodze i wspięła się po schodach na drugie piętro. Tuż naprzeciwko klatki schodowej znajdowały się drewniane drzwi z wstawką z mlecznego szkła, całe w ciemnych plamach, i z matowym numerem z brązu: 304 B. Caroline wzięła głęboki oddech – ostatni raz była tak zdenerwowana podczas ustnych egzaminów – i popchnęła skrzydło. Zły stan wyposażenia pokoju bardzo ją zaskoczył. Wielki, dębowy stół był porysowany, a okna tak brudne, że dzień na zewnątrz wydawał się przyćmiony i szary. Sandra i pół tuzina rodziców ze Stowarzyszenia już czekało; na ten widok w Caroline wezbrała fala prawdziwego wzruszenia. Na początku spotykały się pojedynczo z ludźmi poznanymi w sklepach albo autobusach. Potem ich świat zaczął się rozszerzać, kiedy zupełnie nieznane osoby dzwoniły z prośbą o rozmowę. Ich prawnik, Ron Stone, siedział obok Sandry. Jej twarz wydawała się bledsza niż zazwyczaj i niezwykle poważna, a jasne włosy były zwinięte w ciasny kok. Caroline wsunęła się na wolne krzesło tuż przy niej.

– Wyglądasz na wykończoną – wyszeptała.

Sandra skinęła głową.

– Tim ma grypę. Nie śpię od ładnych kilku dni. Musiałam prosić mamę, żeby przyjechała z McKeesport i się nim zajęła.

Zanim Caroline zdążyła cokolwiek powiedzieć, drzwi otworzyły się z rozmachem i do środka gęsiego zaczęli wchodzić panowie z Rady Edukacyjnej. Sprawiali wrażenie całkiem swobodnych, opowiadali sobie nawzajem jakieś żarciki i wymieniali uściski dłoni. Gdy każdy z nich usiadł na wybranym miejscu i ustalono porządek zebrania, Ron Stone podniósł się z krzesła i odchrząknął znacząco.

– Wszystkie dzieci zasługują na to, by otrzymać jednakowy poziom wykształcenia – zaczął, a jego słowa wydawały się dziwnie znajome. Dowody, jakie przedstawił, nie pozostawiały żadnych wątpliwości: dzieci rozwijały się fizycznie, osiągały wyznaczone cele. Mimo to Caroline widziała, jak twarze siedzących przed nią mężczyzn stają się nieprzeniknione niczym maski. Na myśl przyszła jej Phoebe, która ostatniego wieczora, mocno ściskając długopis, zdołała napisać na kartce własne imię: robiła to koślawo i długo, mazała litery po całym papierze, ale w końcu się udało. Wreszcie panowie z Rady zaczęli chrząkać ze zniecierpliwieniem, przekładać z miejsca na miejsce jakieś papiery, a kiedy Ron Stone przerwał dla zaczerpnięcia oddechu, młody mężczyzna o ciemnych, falujących włosach wtrącił się natychmiast.

– Pańskie zaangażowanie, panie Stone, jest doprawdy godne podziwu. Jako członkowie Rady Edukacyjnej doceniamy to, co pan mówi, i doceniamy zaangażowanie i poświęcenie rodziców... Jednak nie da się ukryć, że te dzieci są opóźnione umysłowo, że mieszczą się absolutnie w okolicach dolnej granicy normy. Ich osiągnięcia, jakkolwiek niewątpliwe, zostały zrealizowane w specjalnych warunkach, z nauczycielami skłonnymi do poświęcenia każdemu dziecku dodatkowego czasu i być może niepodzielnej uwagi. Moim zdaniem to niezwykle istotny szczegół.

Caroline napotkała spojrzenie Sandry. Te słowa również zabrzmiały znajomo.

– Termin „opóźnione umysłowo" ma pejoratywny wydźwięk – oświadczył spokojnie Ron Stone. – Te dzieci są spowolnione w rozwoju, zgoda, nikt nie zamierza tego kwestionować, ale nie są głupie i nikt w tym pokoju nie może przewidzieć, co tak naprawdę są w stanie osiągnąć. Dla ich rozwoju zarówno fizycznego, jak intelektualnego najlepsze będzie to, co jest najlepsze dla wszystkich dzieci – możliwość dostępu do niczym nieograniczonej edukacji. Dziś walczymy wyłącznie o równe traktowanie.

– Ach, równe traktowanie... No tak. Ale my nie mamy na to odpowiednich środków – odezwał się inny członek Rady, wychudzony mężczyzna z przerzedzającymi się, siwymi włosami. – Żeby mówić o równości, musielibyśmy przyjąć wszystkich chętnych, co oznacza zalew opóźnionych w rozwoju indywiduów. To niewątpliwie za bardzo obciążyłoby nasz system szkolnictwa. Proszę spojrzeć.

Gładko ominął kopie raportów i przystąpił do sporządzania analizy kosztów. Caroline wzięła głęboki oddech. Nic dobrego nie wyniknie, jeśli poniosą ją nerwy. Przez moment skoncentrowała się na rozpaczliwym brzęczeniu muchy uwięzionej między szybami starego okna. Znów pomyślała o Phoebe – kochanym dziecku, ruchliwym jak żywe srebro. O dziewczynce, która zawsze potrafiła odnaleźć to, co akurat gdzieś się zapodziało, która umiała liczyć do pięćdziesięciu, samodzielnie się ubierać i jak z nut wyrecytować alfabet... O dziewczynce, której mówienie sprawiało pewną trudność, ale za to umiała w mig odczytywać nastrój przybranej matki.

„Ograniczone", mówiły głosy. „Opóźnieni umysłowo zaleją nasze szkoły. To kula u nogi dla środków finansowych systemu szkolnictwa i odbieranie szansy bystrzejszym dzieciom".

Nagle poczuła przypływ rozpaczy. Ci ludzie nigdy nie dostrzegą człowieczeństwa w kimś takim jak Phoebe. Zawsze będą widzieć wyłącznie jej odmienność, powolność w mówieniu i trudność w opanowaniu nowych umiejętności. W jaki sposób mogłaby pokazać im swoją prześliczną córeczkę, Phoebe, która, siedząc na dywanie, układa wieżę z klocków, z miękkimi włosami założonymi za uszka i wyrazem absolutnej koncentracji na buzi? Phoebe, która nastawia mały adapter kupiony specjalnie dla niej i oczarowana muzyką tańczy po gładkich, dębowych deskach podłogi? Małą rączkę, która niespodziewanie pojawia się na kolanie Caroline, gdy ta siedzi smutna albo zamyślona, zaabsorbowana problemami, jakie niesie życie? „Wszystko w porządku, mamusiu?". Albo po prostu: „Kocham cię". Phoebe, która jeździ na barana na ramionach Ala i obejmuje na powitanie każdego, kogo spotka... Phoebe, która miewa ataki złości i potrafi być uparta jak osioł... Phoebe, która nie dalej jak dzisiejszego ranka ubrała się całkiem sama i była z tego dumna...

Rozmowa przy stole zmieniła się w wyliczanie długich rejestrów cyfr i omawianie problemów logistycznych oraz udowadnianie, że jakiekolwiek zmiany są po prostu niemożliwe. W końcu Caroline podniosła się z miejsca. Drżała na całym ciele. Ręka nieżyjącej matki natychmiast pofrunęła w kierunku jej ust, żeby je zamknąć, ale było już za późno. Caroline sama nie mogła uwierzyć, że życie aż tak ją zmieniło. Była teraz kimś zupełnie innym niż przedtem. Powódź opóźnionych umysłowo, doprawdy! Mocno oparła się o stół obiema rękoma i czekała. Jeden po drugim mężczyźni milkli, aż w końcu zapadła cisza.

– Nie mówimy o liczbach, mówimy o dzieciach – oświadczyła z całym przekonaniem. – Mam córkę, która skończyła właśnie sześć lat. Opanowywanie nowych umiejętności zabiera jej więcej czasu, to prawda, ale w końcu uczy się wszystkiego, co umieją normalne dzieci. Umie czołgać się, chodzić, mówić, korzystać z łazienki, ubierać się... Nawet dziś rano ubrała się sama. Codziennie patrzę na nią i widzę małą dziewczynkę, która chce się uczyć i przyjaźnie odnosi się do każdej nowo poznanej osoby. A teraz widzę pokój pełen ludzi, którzy najwyraźniej zapomnieli, że żyjemy w kraju, który gwarantuje każdemu dziecku dostęp do edukacji, bez względu na jego zdolności.

Przez chwilę nikt się nie odezwał. W ciszy słychać było jedynie grzechotanie szyb, poruszanych słabymi podmuchami wiatru. Farba zaczęła się łuszczyć i wielkimi płatami odpadała z pomalowanych na beżowo ścian.

Głos ciemnowłosego mężczyzny był pełen delikatności.

– Odczuwam – jak zresztą wszyscy tu obecni – wielkie współczucie dla pani i zrozumienie dla pani trudnej sytuacji. Ale jakie jest prawdopodobieństwo, że pani córeczka albo którekolwiek z tych dzieci opanuje wiedzę na poziomie akademickim? I jaki wpływ będzie to miało na jej samoocenę? Gdyby to chodziło o mnie, raczej skoncentrowałbym się na nauczeniu takiego dziecka zwykłego, przydatnego rzemiosła.

– Ona ma dopiero sześć lat – powtórzyła Caroline. – Jeszcze za wcześnie jest na naukę konkretnego zawodu.

Ron Stone z uwagą przysłuchiwał się tej wymianie zdań i teraz zabrał głos.
– Tak naprawdę to ta cała dyskusja mija się z celem – oświadczył i otworzył teczkę, wyciągając stamtąd gruby plik papierów. – Tu nie chodzi o sprawy moralne czy logistyczne. To chodzi o prawo. Mam przed sobą petycję, podpisaną przez obecnych tu rodziców oraz pięćset innych osób. W imieniu tych rodzin zamierzam składać apelację do władz i prosić o przyjęcie dzieci do szkół publicznych w Pittsburghu.

– Mówi pan o kodeksie prawa cywilnego – siwowłosy mężczyzna podniósł wzrok znad dokumentów. – Nie może się pan na to powoływać. To jest niezgodne z literą prawa i duchem ustawy o szkolnictwie.

– W takim razie proszę, aby zechciał pan przejrzeć dokumenty – powiedział Ron Stone i zatrzasnął aktówkę. – Będziemy w kontakcie.

Dopiero gdy znaleźli się na zewnątrz, na kamiennych, starych schodach, zaczęli mówić wszyscy naraz. Ron wydawał się zadowolony i pełny spokojnego optymizmu, lecz pozostali dosłownie kipieli ze złości. Obejmując Caroline, gratulowali jej odwagi i wypowiedzi, a Caroline odwzajemniała ich uściski. Była jednocześnie wykończona i głęboko poruszona uczuciami, jakimi darzyła tych ludzi. Sandrę, która jak dawniej wpadała co tydzień na kawę; Colleen, która razem z córką wypisała na petycji nazwiska wszystkich zainteresowanych; Carla – wysokiego, żwawego mężczyznę, którego jedyny syn zmarł z powodu komplikacji kardiologicznych powiązanych z zespołem Downa i który bezpłatnie udostępnił Stowarzyszeniu powierzchnię biurową w swoim domu towarowym, specjalizującym się w handlu dywanami. Cztery lata temu Caroline poza Sandrą nie znała nikogo, a teraz wszyscy byli z nią związani poprzez przegadane wspólnie długie noce, niezliczoną ilość walk, drobne zwycięstwa i nieskończoną ilość nadziei.

Podekscytowana własnym wystąpieniem pojechała z powrotem do przedszkola. Na jej widok Phoebe oderwała się od grupy dzieci, popędziła do niej i mocno objęła za kolana.

Pachniała mlekiem i czekoladą, a na sukience widniała ciemna smuga brudu. Caroline pogładziła miękkie włoski i pokrótce opowiedziała Dorothy, co się wydarzyło. Paskudne słowa „zalew" i „kamień u szyi" wciąż krążyły jej po głowie. Doro, i tak już mocno spóźniona do pracy, dotknęła lekko ramienia przyjaciółki.

– Porozmawiamy wieczorem – powiedziała.

Droga powrotna do domu przyniosła Caroline trochę ukojenia. Młodziutkie liście i rozkwitłe bzy jak lekka mgiełka unosiły się nad wzgórzami. W nocy padało i deszcz pozostawił po sobie kryształowo czyste powietrze. Zaparkowała w głębi alei, nieco rozczarowana faktem, że Al jeszcze się nie pojawił. Razem z Phoebe przeszły w migotliwym cieniu jaworów, wypełnionym brzęczeniem uwijających się pszczół. Caroline usiadła na schodkach i włączyła radio, zaś Phoebe biegała po świeżej trawie z rozstawionymi na boki rączkami i odrzuconą do tyłu głową.

Caroline obserwowała jej poczynania, starając się wyrzucić z siebie gorycz i napięcie. Były powody do optymizmu, do tego wcale niemałe, ale po tylu latach spędzonych na zmaganiach z nieprzyjaznym światem, który za nic nie chciał zmienić swojego nastawienia do upośledzonych dzieci, Caroline wolała być ostrożna.

Phoebe podbiegła, zwinęła dłonie w trąbkę i wyszeptała jakąś tajemnicę prosto do ucha przybranej matki. Caroline nie zrozumiała ani słowa, dotarł do niej tylko podekscytowany pęd powietrza, ale Phoebe już nie było. Odbiegła w plamę słońca i wirowała w swojej różowej sukience, a promienie słońca rzucały na jej ciemne włosy bursztynowe błyski. Nagle Caroline przypomniała sobie Norah Henry, leżącą pod jasnymi lampami w klinice, i na ułamek sekundy poddała się znużeniu i wątpliwościom.

Naraz Phoebe przestała się kręcić. Szeroko rozstawiła rączki, żeby złapać równowagę, a potem wydała okrzyk radości i na złamanie karku popędziła przez trawnik do schodków, gdzie stał Al. W jednym ręku trzymał kolorową paczkę z prezentem dla Phoebe, a w drugim bukiet bzu, który zapewne zamierzał wręczyć Caroline.

Na jego widok jej serce podskoczyło z radości. Al zabiegał o jej względy powoli, acz z nieustępliwym uporem. Przyjeżdżał w odwiedziny tydzień po tygodniu. Przywoził bukiety kwiatów albo urocze upominki i za każdym razem cieszył się jak dziecko, że ją widzi. Caroline nie potrafiła go odprawić, jedynie pilnowała, żeby samej zbytnio się nie zaangażować. Nie wierzyła w niespodziewaną miłość, która przyszła nie wiadomo jak ani skąd. Teraz stała w miejscu, bez oporu poddając się uczuciu radości. Jak bardzo się obawiała, że tym razem Al zniechęcił się na dobre!

– Jaki miły dzionek – zauważył. Przykucnął, żeby objąć Phoebe, która na powitanie zarzuciła mu rączki na szyję. W pudełku znajdowała się przezroczysta siatka na motyle z rzeźbioną, drewnianą rączką. Phoebe od razu pobiegła z nią w stronę nasypu, na którym rosły ciemnoniebieskie hortensje. – Jak poszło spotkanie?

Opowiedziała mu wszystko ze szczegółami, a on słuchał, od czasu do czasu kiwając głową.

– No cóż, wygląda na to, że jednak szkoła nie jest dla każdego – zauważył. – Na przykład ja nie znosiłem jej jak diabli. Ale Phoebe jest takim słodkim dzieciakiem, że z pewnością nikt nie będzie próbował jej wyrzucić.

– Ja tylko chcę, żeby znalazła swoje miejsce w świecie – powiedziała Caroline. Nagle zrozumiała, że zawsze była przekonana o miłości Ala do niej. To miłość do Phoebe budziła jej wątpliwości.

– Kochanie, ona ma swoje miejsce. Tutaj. Ale z drugiej strony myślę, że masz rację i że dobrze robisz, tak ciężko walcząc dla niej o naukę w normalnej szkole.

– Mam nadzieję, że tobie ten tydzień minął znacznie lepiej – powiedziała. Dopiero teraz zauważyła ciemne półksiężyce pod jego oczami.

– Och, wszystko po staremu, wszystko po staremu... – mruknął. Usiadł na stopniach obok niej, wziął z trawy jakiś kijek i zaczął obdzierać go z kory. Z oddali dobiegał szum kosiarki i dźwięki małego radia Phoebe, które grało „Love, love me do". – Zrobiłem dwa tysiące trzysta dziewięćdziesiąt osiem mil. To rekord, nawet jak dla mnie.

Znów poprosi mnie o rękę, pomyślała. To był dobry moment. Al wydawał się zmęczony długą jazdą, chętny do ustabilizowania swojego życia... Na pewno poprosi. Patrzyła, jak jego ręce poruszają się zręcznie, szybko, jak szybko zdzierają korę... Tym razem powie „tak". Ale Al się nie odzywał. Cisza przedłużała się tak nieznośnie, że w końcu poczuła się zmuszona, żeby ją przerwać.

– To bardzo udany prezent – wskazała podbródkiem Phoebe, która biegała po trawie, wykonując siatką zamaszyste pociągnięcia.

– Zrobił ją mój kumpel z Atlanty. Niesamowicie miły facet. Ma całą kolekcję tych siatek, bo przygotował je dla swoich wnucząt. Zaczęliśmy gadać w sklepie spożywczym i okazało się, że od lat zbiera krótkofalówki i zaprosił mnie, żebym wpadł obejrzeć. Skończyło się na tym, że przegadaliśmy całą noc... Widzisz, takie są plusy życia wędrowca. O właśnie... –

sięgnął do kieszeni spodni i wyjął stamtąd białą kopertę. – W Atlancie czekał na ciebie ten list.

Bez komentarza wzięła ją z jego rąk. Wewnątrz znajdowało się kilka dwudziestodolarowych banknotów, zawiniętych starannie w gładki, biały papier. Al przywoził jej korespondencję z Cleveland, Memphis, Atlanty,
Akron... Ze wszystkich miast, które regularnie znajdowały się na jego trasie. Przy którejś okazji powiedziała mu, że te pieniądze pochodzą od ojca
Phoebe i są przeznaczone na potrzeby córki. Al powstrzymał się od jakichkolwiek uwag, choć Caroline była pewna, że ma w tej sprawie mieszane
uczucia. Czasami śniła, że idzie przez dom Norah Henry i zabiera różne
rzeczy z półek i szaf. W tym śnie czuła radosne podniecenie aż do momentu, gdy natykała się na samą Norah, która stała przy oknie, nieskończenie
smutna i nieobecna. Wtedy Caroline budziła się zlana potem. Wstawała,
parzyła sobie filiżankę herbaty, a potem długo siedziała w ciemności. Gdy
nadchodziły pieniądze, wpłacała je do banku i zapominała o nich, dopóki
nie zjawiła się następna koperta. Do tej pory zdarzyło się to pięciokrotnie,
a rachunek urósł do sumy prawie siedmiu tysięcy dolarów.

Phoebe wciąż biegała, uganiając się za motylami, ptaszkami, ćmami, a z radia płynęły niepokojące piski. To Al majstrował coś przy długości fal.

– Najlepszą rzeczą z mieszkania w dużym mieście jest to, że człowiek
może sobie posłuchać naprawdę dobrej muzyki. Jak czasem zatrzymuję się
w jakiejś pipidówie, odbieram jedynie jakąś durną listę przebojów. A ona
po chwili już jest nieaktualna – powiedział i zaczął mruczeć pod nosem
melodię *Begin the Beguine*.

– Moi rodzice lubili tańczyć przy tej piosence – powiedziała Caroline
i na ułamek sekundy myślami przeniosła się w przeszłość. Niewidziana
przez nikogo, lubiła siadać na schodkach rodzinnego domu i przyglądać
się, jak ubrana w długą, powiewną sukienkę matka wita gości. – Od lat nie
wracałam do tamtych dni. Od czasu do czasu w sobotę rodzice zwijali leżący
w salonie dywan, zapraszali kilka innych par i urządzali potańcówkę.

– My też musimy kiedyś pójść gdzieś potańczyć – zaproponował Al.
– Lubisz tańczyć, Caroline?

To pytanie obudziło w niej coś w rodzaju podekscytowania, jednak nie
umiała określić, skąd się ono wzięło: czy z gniewu, który ogarnął ją dziś
rano, czy z tętniącego życiem dnia, czy może z ciepła promieniującego od

Ala, który siedział tak blisko... Liście topoli trzepotały w podmuchach wietrzyka, ukazując srebrzysty połysk na spodniej stronie.

– Owszem. Czemu odkładać to na później? – spytała. Podniosła się ze schodka i wyciągnęła rękę.

Widziała, że Al jest zaskoczony i że ma głupią minę, ale już po chwili stał obok z ręką opartą na jej ramieniu. Zaczęli wirować po trawniku w rytm cichutkiej muzyki dobiegającej z radia i szumu samochodów pędzących autostradą. Słońce migotało we włosach Caroline, delikatna trawa pieściła opięte rajstopami stopy, a Al prowadził ją lekko i z taką łatwością, że czuła, jak z każdym krokiem opada z niej napięcie, które nosiła w sobie od porannego spotkania. Widząc jej rozanieloną minę, przyciągnął ją bliżej i uśmiechnął się. Ciepło słonecznych promieni przesunęło się na kark Caroline.

„Och, tak...", pomyślała. „Teraz powiem: tak."

Rozkoszowała się blaskiem słońca, radosnym śmiechem Phoebe i dotykiem męskiej dłoni na swoich plecach. Obracali się razem z muzyką, jakby to ona ich połączyła, zaś dobiegający w tle szum autostrady wyciszał ją jak szum oceanu. Nagle w rytm piosenki wmieszał się inny dźwięk, piskliwy i pełen przestrachu. Z początku Caroline niczego nie zauważyła. Dopiero Al odwrócił się i natychmiast przerwał taniec. Phoebe klęczała na trawie w pobliżu hortensji. Zanosiła się od płaczu, podnosząc wysoko rączkę. Caroline podbiegła do niej i uklękła obok. Na malutkiej dłoni widniał czerwonawy, okrągły ślad, który już zaczął puchnąć.

– Och, chyba użądliła ją pszczoła... Bardzo boli, kochanie, prawda?

Przytuliła twarz do miękkich włosów dziecka. Czuła, jak z każdym oddechem klatka piersiowa małej wznosi się i opada, a z wewnątrz dobiegają miarowe uderzenia serca. To właśnie była rzecz, której nie dało się w żaden sposób zmierzyć, określić ani nawet wytłumaczyć: Phoebe była całkiem odrębnym człowiekiem, zaś ludzkiej istoty nie da się podciągnąć pod jakąkolwiek kategorię. Nie można nawet przypuścić, czym jest albo czym może być cudze życie.

– Skarbie, już wszystko w porządku – pocieszała małą, głaszcząc ją po główce.

Ale Phoebe dalej zanosiła się od płaczu, a łkanie zaczęło niepokojąco przypominać świszczące dźwięki, jak wówczas, gdy jako niemowlę zapadła na krup. Rączka puchła coraz bardziej; opuchlizna zaczęła obejmować paluszki i resztę dłoni. Caroline poczuła, jak strach chwyta ją za gardło, ale już w następnej chwili poderwała się, żeby wołać o pomoc.

– Chodź tutaj! Szybko! – krzyknęła głośno nieswoim głosem. – Och, Al! Ona ma alergię!

Podniosła Phoebe, która bezwładnie zwisała w jej ramionach, a potem zatrzymała się, kompletnie zdezorientowana. Kluczyki do auta były w torebce w kuchni, a sama za nic nie potrafiła wykombinować, w jaki sposób z dzieckiem na ręku ma otworzyć drzwi. Phoebe rzęziła coraz mocniej, a potem nagle Al odebrał małą i pędził z nią do auta, zaś Caroline trzymała kluczyki, które w tajemniczy sposób znalazły się w jej zaciśniętej dłoni. Kluczyki i torebkę. Jechała przez zatłoczone ulice najszybciej jak się dało, ale i tak zanim dobrnęli do szpitala, Phoebe łapała oddech krótkimi, rozpaczliwymi haustami.

Samochód został tuż przy wejściu, zaś Caroline złapała za rękę pierwszą pielęgniarkę, jaka się nawinęła.

– To jest reakcja alergiczna. Musimy natychmiast dostać się z nią do lekarza.

Siostra była starszą, nieco ciężką kobietą, a jej siwe włosy obcięte były na pazia. Poprowadziła ich przez kilkoro stalowych drzwi do pomieszczenia, gdzie Al delikatnie położył Phoebe na noszach. Dziecko walczyło o oddech, zaś jego usteczka stały się sinoniebieskie. Caroline też miała kłopoty z nabieraniem powietrza, tak bardzo ściskał ją strach. Pielęgniarka odgarnęła do tyłu włosy Phoebe i przyłożyła palce do jej szyi, żeby wyczuć puls. I nagle Caroline ujrzała, że ta obca kobieta patrzy na jej córeczkę takim samym wzrokiem, jak doktor Henry w tamtą śnieżną noc przed wieloma laty. Widziała, że pielęgniarka spogląda na lekko skośne rysy, na małe rączki, które tak niedawno trzymały siatkę na motyle i że jej oczy zwężają się lekko, ale mimo wszystko nie była przygotowana na to, co nastąpiło.

– Czy jest pani pewna? – usłyszała pytanie. – Czy jest pani pewna, że chce pani, żebym wezwała lekarza?

Caroline zamurowało. Przypomniał się jej zapach gotowanych warzyw, gdy odjeżdżała z Phoebe z zakładu dla upośledzonych i obojętny wyraz twarzy panów z Rady Edukacyjnej, którzy siedzieli przed nią dziś rano. W ułamku sekundy jej strach przekształcił się w gniew, gwałtowny i rozdzierający. Poderwała rękę, żeby z całej siły uderzyć w tą dobrotliwą, beznamiętną twarz, ale Al w ostatniej chwili złapał ją za rękę.

– Proszę wezwać doktora – powiedział ostro. – Natychmiast.

Następnie objął mocno Caroline i nie wypuścił – przynajmniej nie wtedy, gdy pielęgniarka odwróciła się na pięcie i odeszła, ani gdy zjawił się lekarz, ani dopóki Phoebe nie zaczęła lżej oddychać, a na jej policzki wrócił normalny kolor. Dopiero wtedy poszli we dwoje do poczekalni i usiedli w plastikowych, pomarańczowych krzesełkach, na moment nie wypuszczając swoich dłoni. W milczeniu słuchali szmeru głosów personelu, dobiegających przez interkom, oraz płaczu dzieci.

– Ona mogła umrzeć – powiedziała w końcu Caroline. Głos się jej załamał; zaczęła się trząść jak osika.

– Ale nie umarła – odparł Al.

Dłoń Ala była duża, ciepła i przynosząca ukojenie. Przez te wszystkie lata wykazywał tyle cierpliwości, pomyślała... Przyjeżdżał i przyjeżdżał, i zawsze powtarzał, że będzie umiał sam odczytać pomyślną nowinę, kiedy tylko ją zobaczy. Obiecywał, że będzie czekać, aż ona się zdecyduje. Ale tym razem nie wracał aż przez dwa tygodnie. Nie zadzwonił z drogi, i mimo że jak zwykle przyniósł kwiaty, od sześciu miesięcy nie oświadczył się ani razu. Mógł przecież odjechać swoją ciężarówką i nigdy nie wrócić. Nigdy więcej nie dać jej szansy na powiedzenie „tak".

Podniosła do ust jego rękę i ucałowała otwartą dłoń – mocną, twardą od odcisków i poznaczoną zmarszczkami. Wyrwany z własnych myśli odwrócił się ze zdziwieniem i drgnął, jakby tym razem to jego użądliła pszczoła.

– Caroline – powiedział uroczystym tonem. – Chcę cię o coś zapytać.

– Wiem – zawołała. Przyłożyła jego dłoń do serca i przytrzymała ją tam przez dłuższą chwilę. – Och, Al, byłam skończoną idiotką... Oczywiście, że za ciebie wyjdę.

Rok 1977

Lipiec tysiąc dziewięćset siedemdziesiątego siódmego roku

Czy tak jak teraz? – spytała Norah.

Leżała na plaży, czując, jak drobny piasek przesypuje się i przesuwa pod jej pośladkami. Za każdym razem, gdy nabierała powietrza i gdy je wypuszczała, ziarna piasku wyślizgiwały się spod jej ciała. Słońce parzyło tak mocno, że chwilami miała wrażenie, iż jej skóra dotyka lśniącego, metalowego talerza. Leżała tak już ponad godzinę, na zmianę pozując i wypoczywając, choć słowo „wypoczynek" brzmiało w tym kontekście nieco ironicznie. Norah tęskniła za chwilą wytchnienia, ale absolutnie nie mogła sobie na nią pozwolić, choć to były przecież jej wakacje – wygrała dwutygodniowy pobyt na Arubie, bo w zeszłym roku udało się jej sprzedać największą ilość objazdowych wycieczek morskich w całym stanie Kentucky. Skończyło się na tym, że wylądowała właśnie tu, wciśnięta między słońce a plażę... Starała się leżeć bez ruchu, choć piasek nieznośnie lepił się do jej ramion i karku.

Żeby odwrócić uwagę od fizycznego dyskomfortu, zaczęła obserwować Paula, który ganiał gdzieś na granicy horyzontu, widoczny jedynie jako mała plamka. Ukończył niedawno trzynaście lat, a w zeszłym roku strzelił w górę jak młode drzewo. Wysoki i niezgrabny pędził tak szybko, jakby chciał uciec przed własnym życiem.

Leniwe fale powoli rozbijały się o brzeg, zmieniając kierunek. Niedługo powinien zacząć się przypływ, a i nieprzyjazne słońce miało wkrótce zacząć padać pod innym kątem, przez co zdjęcie, na którym tak zależało Davidowi, będzie musiało zostać odłożone do jutra rana. Pasemko włosów przy-

Ignęło do ust Norah i łaskotało nieznośnie, ale siłą woli zmusiła się do pozostania w niezmienionej pozycji.

– Dobrze – David pochylił się nad aparatem i klatka po klatce cyknął dłuższą serię zdjęć. – Och, tak, wspaniale! Teraz wyszło naprawdę świetnie.

– Strasznie mi gorąco – poskarżyła się.

– Jeszcze tylko kilka minut. Już prawie skończyłem.

Teraz klęczał przed nią, a jego białe po zimie uda odcinały się od miękkiej barwy piasku. Ostatnimi czasy pracował bardzo ciężko, a ponadto całe godziny spędzał w ciemni, wieszając do wyschnięcia świeżo zrobione zdjęcia. W tym celu osobiście rozciągnął od ściany do ściany linkę do suszenia bielizny.

– Pomyśl, jak wygląda morze. Fale na wodzie, fale na piasku... A ty jesteś częścią tego, Norah. Sama zobaczysz na zdjęciu. Pokażę ci.

Leżała w palącym słońcu, przyglądając się jak on pracuje i myślała o wczesnych dniach ich małżeństwa, kiedy wychodzili w wiosenne wieczory na długie spacery i trzymając się za ręce, wędrowali w powietrzu przesyconym zapachem kapryfolium i wonią hiacyntów. Co sobie wyobrażała ta młodsza wersja jej samej podczas wędrówek w miękkim świetle zmierzchu? Z pewnością nie takie życie, jakie przypadło jej w udziale. Przez ostatnich pięć lat Norah udało się zgłębić od środka tajniki biznesu, jakim jest prowadzenie biura podróży. Zorganizowała całe biuro i stopniowo zaczęła przejmować nadzór nad samymi wycieczkami. Udało się stworzyć w miarę stabilną listę klientów, a następnie nauczyć się reklamowania tego, co akurat miała w ofercie. Na blacie biurka lądowały lśniące broszury, a Norah opisywała ze szczegółami zapierającymi dech w piersiach miejsca, gdzie sama była dotąd jedynie w marzeniach. Stała się prawdziwym ekspertem w rozwiązywaniu problemów wynikłych w ostatniej chwili: szukania zaginionych walizek, odnajdywania położonych w niewłaściwym miejscu paszportów czy leczenia nagłych ataków biegunki. W ostatnim roku, gdy Pete Warren zdecydował się przejść na emeryturę, Norah wzięła głęboki oddech i kupiła od niego cały biznes. Teraz wszystko należało do niej, od niskiego budynku z cegły aż po zamknięte w szafach pudełka z niewypełnionymi biletami lotniczymi. Dni spędzała w gorączkowym pośpiechu, ale ta praca przynosiła jej satysfakcję. Jednak każdego wieczora wracała do domu... domu, w którym panowało coraz głębsze milczenie.

– Wciąż nie rozumiem – powiedziała, gdy David wreszcie skończył. Wstała i zaczęła otrzepywać ręce i nogi, i wytrząsać piasek z włosów. – Po co w ogóle robisz mi zdjęcie, jeśli chodzi o to, żebym znikła na tle krajobrazu?

– Bo zależy mi na odpowiedniej perspektywie – wyjaśnił, podnosząc wzrok znad aparatu. Jego włosy były w nieładzie, a policzki i przedramiona zarumieniły się od południowego słońca. Gdzieś daleko Paul zawrócił i teraz biegł w ich kierunku. – Chodzi wyłącznie o perspektywę, rozumiesz? Ludzie będą patrzeć na zdjęcie i widzieć plażę, wędrujące wydmy. A potem kątem oka zauważą coś niezwykłego, jakiś konkretny kształt wyda im się dziwnie znajomy... Albo przeczytają tytuł i spojrzą jeszcze raz na zdjęcie w poszukiwaniu kobiety, której nie dostrzegli za pierwszym razem. I wtedy zobaczą ciebie.

Mówił z coraz większym zapałem, a Norah patrzyła, jak nadlatujący znad oceanu wiatr unosi jego ciemne włosy. I wtedy ogarnął ją smutek, bo uświadomiła sobie, że mówił o fotografowaniu z taką samą pasją, jak niegdyś o medycynie, o ich małżeństwie... Ten ton obudził w niej wspomnienia przeszłości i napełnił tęsknotą. „Czy wy z Davidem rozmawiacie o poważnych sprawach, czy tylko o drobiazgach?", spytała kiedyś Bree i Norah poczuła się zszokowana, bo uświadomiła sobie, że jej rozmowy z mężem dotyczą wyłącznie rzeczy tak powierzchownych, jak prace domowe czy rozkład zajęć ich syna.

Słońce rzucało na jej włosy złocisty połysk, drobne ziarnka piasku dostały się gdzieś między uda, ale David był całkowicie zaabsorbowany składaniem aparatu. I pomyśleć, że miała nadzieję, że te wakacje staną się okazją do ponownego zbliżenia! To dlatego zmuszała się, żeby leżeć tyle godzin w piekącym słońcu i bez narzekania starała się trwać w całkowitym bezruchu, podczas gdy David pstrykał kolejne rolki filmu. Jednak upłynęły już trzy dni i nic nie wskazywało na to, że coś się znacząco zmieni w stosunku do tego, co było w domu. Każdego dnia w milczeniu pili poranną kawę, a potem David zajmował się własnymi sprawami. Codziennie wychodził robić zdjęcia albo wypuszczał się na ryby, wieczorami zaś kładł się w hamaku, żeby poczytać książkę. Z kolei Norah drzemała, chodziła na spacery, czasem pograła w golfa lub zaglądała do drogich sklepów w centrum miasta, przeznaczonych głównie dla turystów. Paul głównie grał na gitarze albo biegał.

Właśnie, Paul... Osłaniając ręką oczy, spojrzała na miękkie zakola plaży. Biegnący mężczyzna znajdował się już teraz znacznie bliżej. Od razu spostrzegła, że to wcale nie jest Paul. Ten człowiek wydawał się znacznie wyższy, był lekko przygarbiony i musiał mieć około trzydziestu pięciu lub nawet czterdziestu lat. Na sobie miał jedynie granatowe szorty z nylonu z białymi lamówkami, zaś wystawione na słońce ramiona, mimo że opalone, zdążyły się tak zarumienić, że z pewnością powodowało to fizyczny dyskomfort. Gdy zrównał się z nimi, zwolnił tempo, a potem się zatrzymał i dysząc, ciężko oparł ręce na biodrach.

– Ładny aparacik – powiedział, a potem spojrzał prosto na Norah. – I bardzo interesujące zdjęcie.

Zauważyła, że już zaczął łysieć i że jego oczy miały intensywny, brązowy kolor. Czując ich żar, odwróciła spojrzenie, zaś David wdał się w towarzyską pogawędkę. Z zapałem opowiadał nieznajomemu o falach i wydmach, o piasku i ludzkim ciele, o dwóch tak różnych wizerunkach połączonych w całość na jednej fotografii.

Norah odwróciła się w stronę plaży. Daleko, na granicy widoczności, ujrzała jeszcze jedną biegnącą sylwetkę. To tam był jej syn. Słońce świeciło tak intensywnie, że na moment zakręciło jej się w głowie, a pod powiekami przemknęły wirujące srebrzyste plamki, zupełnie jakby spoglądała bezpośrednio na krawędzie fal, w których odbijał się słoneczny blask. Howard, doleciało do niej. Zaczęła się zastanawiać, skąd pochodził nieznajomy i dlaczego nosił tak niespotykane imię. Obaj z Davidem dyskutowali teraz zawzięcie o przesłonach i filtrach.

– Ach, więc to ty byłaś inspiracją dla męża – Howard odwrócił się ku Norah.

– Tak mi się wydaje – odparła, otrzepując nadgarstki. – Trochę tu twardo na tym piasku. Niedobrze dla skóry – dodała. Ni stąd, ni zowąd pomyślała sobie, że nowy kostium kąpielowy bardziej odsłania jej wdzięki niż zakrywa. Podmuch wiatru chłodził przyjemnie odsłonięte ciało i rozrzucał rozpuszczone włosy.

– Och, nie. Masz przepiękną skórę – powiedział natychmiast Howard. Oczy Davida rozszerzyły się ze zdumienia. Patrzył na nią tak, jakby widział ją pierwszy raz w życiu i Norah poczuła, jak wzbiera w niej uczucie triumfu. „Widzisz? Mam prześliczną skórę", miała ochotę rzucić mu prosto w twarz, ale powstrzymało ją pełne przejęcia spojrzenie Howarda.

– Powinieneś zobaczyć inne dzieła Davida – powiedziała, wskazując gestem mały domek ukryty w cieniu palmy, z bugenwillą pnącą się po kracie osłaniającej ganek. – Przywiózł z sobą całe portfolio.

Jej ton nie pozostawiał wątpliwości. To było zaproszenie.

– Chętnie rzuciłbym okiem – odpowiedział natychmiast, odwracając się do Davida. – Bardzo interesują mnie twoje zdjęcia.

– Bardzo proszę – odparł David. – Może zjesz z nami lunch?

Niestety, Howard był już umówiony na spotkanie w mieście o pierwszej po południu.

– A oto Paul – zawołała Norah. Chłopiec biegł bardzo szybko po mokrym piasku na granicy fal, a jego ręce i nogi lśniły w blasku słońca i falującym od gorąca powietrzu. Widać było, że jest zmęczony, ale ostro parł do przodu przez te kilkaset ostatnich jardów. Mój syn, pomyślała z dumą. Świat nagle stanął otworem, jak zdarzało się czasem, gdy docierał do niej fakt jego obecności.

– Nasz syn – powiedziała do Howarda. – On też lubi biegać.

– Ma doskonałą kondycję – zauważył.

Paul podbiegł bliżej i zaczął zwalniać. Kiedy znalazł się obok rodziców, osunął się na piasek i tylko dyszał ciężko.

– Dobry czas – pochwalił go David. „Nie rób tego. Lepiej nie", poprosiła w myślach. Od pewnego czasu David zdawał się nie zauważać, jak dalece Paul nie zgadza się z jego sugestiami odnośnie własnej przyszłości. Ale David brnął dalej, jakby niczego nie zauważył. – Nie znoszę patrzeć, jak mój syn marnuje talent i powołanie. Popatrz na ten wzrost, Howardzie. Pomyśl, ile ten dzieciak mógłby zdziałać na boisku. Ale jego nic nie obchodzi koszykówka ani to, co sądzi na ten temat jego własny ojciec.

Paul popatrzył na niego i lekko się skrzywił, a Norah zauważyła w tym spojrzeniu znajomy wyraz irytacji. Czemu David nie rozumie, że im bardziej namawia syna do trenowania koszykówki, tym bardziej Paul się temu sprzeciwia? Gdyby chciał go zachęcić do grania, powinien mu zabronić i czekać na efekt.

– Ale ja wolę biegać – powiedział chłopiec.

– No i nie można cię za to winić – wtrącił Howard i wyciągnął na powitanie rękę. – Kto mógłby ci mieć to za złe, skoro osiągasz tak świetne rezultaty?

Paul zarumienił się po uszy. Ścisnął podaną sobie dłoń. „Masz prześliczną skórę", powiedział Howard do niej kilka chwil przedtem. Czy jej twarz również była tak przejrzysta i łatwa do odczytania? – Może wpadniesz na kolację? – zawołała pod wpływem impulsu, przejęta uprzejmością i dobrymi manierami nowego znajomego. Była głodna, spragniona, a gorące słońce sprawiło, że w głowie czuła dziwną lekkość. – Jeśli nie możesz przyjść na obiad, przyjdź na kolację. Oczywiście z żoną – dodała szybko. – Przyprowadź rodzinę. Zrobimy sobie ognisko na plaży i tam przygotujemy jedzenie.

Howard zmarszczył brwi. Przez moment spoglądał na migoczącą wodę, a potem złączył ręce i założył je za głowę, żeby się przeciągnąć. – Niestety, jestem tutaj sam – oświadczył. – Tak wyszło. Można powiedzieć, że w pewnym sensie uciekłem od rzeczywistości. Niedługo czeka mnie rozwód.

– Och, strasznie mi przykro – wykrztusiła, choć tak naprawdę wcale tego nie żałowała.

– Tak czy inaczej, przyjdź – odezwał się David. – Norah potrafi przygotować świetne jedzenie, a ja pokażę ci resztę zdjęć, nad którymi właśnie pracuję. Ta seria dotyczy percepcji. Transformacji.

– Ach, transformacji... Jestem jak najbardziej za. Z przyjemnością przyjdę na kolację.

Jeszcze przez parę minut rozmawiali we dwóch, podczas gdy Paul dla ochłody brodził po wodzie, a potem Howard odszedł. Kilka chwil później, krojąc ogórki na lunch, widziała przez kuchenne okno, jak idzie wzdłuż plaży, jak pojawia się i znika, w zależności od podmuchów wiatru, który poruszał firanką. Pamiętała spaloną na czerwono skórę na jego ramionach, przenikliwe spojrzenie i przyjemny w brzmieniu głos. Spod prysznica dobiegał szum wody, gdy Paul się kąpał, a potem w salonie rozległ się szelest papieru – to David rozkładał zdjęcia. W ciągu ostatnich lat jego upodobanie stało się wręcz obsesją; postrzegał cały świat – w tym także ją – jakby patrzył wyłącznie przez obiektyw aparatu. Ich zmarła córka wciąż istniała gdzieś na obrzeżu wzajemnych relacji i można było śmiało zaryzykować twierdzenie, że całe ich wspólne życie ukształtowało się dookoła tej straty. Czasami Norah zastanawiała się, czy przypadkiem nie jest to jedyna sprawa, jaka jeszcze ich łączy. Wrzuciła plasterki ogórka do miski i zaczęła obierać marchewkę. Howard był już malutki jak główka od szpilki, a po chwili zupełnie zniknął jej z oczu. Pamiętała, że jego dłonie wydawały się całkiem spore i że wewnętrzna strona dłoni była biała w porównaniu z opaloną resztą ciała. „Prześliczna skóra", powiedział, a jego oczy uparcie szukały jej spojrzenia.

Po lunchu David ułożył się do drzemki w hamaku na tarasie, zaś Norah wyciągnęła się na łóżku pod oknem. Znad oceanu wpłynęła do środka wilgotna bryza; Norah czuła się dziś niesamowicie pełna życia, w przedziwny sposób inspirowana wodą i piaskiem, poruszanymi przez podmuchy tego samego wiatru. Howard był przecież zwyczajnym facetem, łysiejącym i nieco kościstym, a mimo to wydawał się jej niezwykle atrakcyjnym obiektem pożądania, co być może stanowiło jedynie rezultat długiego osamotnienia i niezaspokojonej tęsknoty za czyjąś bliskością. Oczyma wyobraźni ujrzała Bree, która bez osłonek śmiała się z jej skrupułów. „No coś ty? Czemu nie?", powiedziała siostra. „Naprawdę, Norah, czemu się wahasz?".

„Bo jestem mężatką", odparła Norah, przesuwając spojrzenie po olśniewająco jasnym, ruchomym piasku, jakby naprawdę chciała się wdawać w spór z Bree.

„Norah, na litość boską, przecież żyje się tylko raz! Dlaczego nie chcesz się zabawić, jeśli akurat nadarza się okazja?".

Norah podniosła się, lekkim krokiem przebiegła po zniszczonych deskach do kuchni, żeby przygotować sobie dżin z tonikiem i limonką. Potem usiadła na huśtawce na ganku i kołysząc się leniwie, obserwowała drzemiącego Davida, o którym ostatnio tak niewiele wiedziała. W ciepłym powietrzu płynęły subtelne dźwięki gitary. Norah wyobraziła sobie syna, jak siedzi ze skrzyżowanymi nogami na wąskim łóżku, skoncentrowany i pochylony nad nową gitarą Almansy, ukochaną i upragnioną, którą otrzymał w prezencie od Davida na ostatnie urodziny. To był naprawdę piękny instrument, z hebanowym gryfem, z bokami i spodem z drewna różanego i kołkami do strojenia zrobionymi z mosiądzu. David próbował z różnych stron zbliżyć się do Paula. To prawda, może kładł za duży nacisk na uprawianie sportu, lecz jednocześnie często zabierał syna na ryby albo na piesze wycieczki, które spędzali na niekończącym się poszukiwaniu kamieni. Mnóstwo czasu poświęcił też na znalezienie odpowiednio dobrej gitary i sprowadzenie jej z Nowego Jorku, a gdy Paul z nabożnym skupieniem wyjmował ją z pudła, twarz Davida promieniała radością. Spojrzała na męża drzemiącego po przeciwnej stronie ganku, na jego policzek, który napinał się nawet we śnie.

– Davidzie... – szepnęła, ale jej nie słyszał. – Davidzie – powtórzyła odrobinę głośniej. Ale David nawet nie drgnął.

O czwartej sennie podniosła się z leżanki. Wyjęła z szafy letnią sukienkę w kwiaty, odcinaną w pasie i z wąskimi ramiączkami. Na nią założyła fartuch, a potem zabrała się do przygotowywania prostych, ale wykwintnych potraw. Na dzisiejszy wieczór zaplanowała gulasz z ostryg z kruchymi krakersami, żółte kolby kukurydzy, świeżą zieloną sałatę i małe homary kupione rano na miejscowym bazarze, które wciąż jeszcze pływały w wiadrze z morską wodą. Żwawo kręcąc się po malutkiej kuchni, robiła z ciasta podstawki do zapiekania, a zamiast majeranku dodała do sosu do sałaty świeże zioła oregano. Sztywny materiał spódnicy przy każdym ruchu ocierał się lekko o skórę ud, o biodra... Świeże powietrze, ciepłe i wilgotne jak oddech, owiewało ramiona Norah. Włożyła ręce pod kran z zimną wodą, żeby liść po liściu opłukać młodą sałatę. Na zewnątrz domu Paul i David usiłowali rozpalić ogień w na wpół przerdzewiałym grillu, ale żeby to osiągnąć, musieli najpierw zapchać dziury kuleczkami z aluminiowej folii. Na stoliku stały już jednorazowe talerze, a wino nabierało aromatu w kubeczkach z przezroczystego plastiku. Norah postanowiła, że zjedzą homary bezpośrednio z talerzy. Najwyżej masło będzie ściekać po palcach.

Usłyszała Howarda, zanim go zobaczyła; inny dźwięk, trochę niższy od głosu Davida i nieco bardziej nosowy, z neutralnym, północnym akcentem. Z każdą sylabą do wnętrza domku wlatywało rześkie powietrze, niosące z sobą zapach śniegu. Norah pospiesznie wytarła ręce i pobiegła do drzwi.

Trzej mężczyźni – tak, sama poczuła się zaskoczona, że w ten sposób pomyślała o Paulu, ale stojąc ramię w ramię obok Davida, wydawał się prawie równy mu wzrostem i coraz bardziej niezależny, zupełnie jakby to dorastające ciało nigdy nie miało nic wspólnego z jej ciałem – zatrzymali się na piasku tuż przy wejściu na ganek. Grill wydzielał aromatyczny zapach palonego drewna zmieszanego z zapachem żywicy, a żarzące się węgle wysyłały ku niebu fale rozgrzanego powietrza. Paul był bez koszuli i trzymając ręce w kieszeniach krótkich spodni, odpowiadał monosylabami na zadawane pytania. Żaden z nich jej nie widział – ani mąż, ani syn – bo ich oczy skierowane były na ogień i na rozciągający się w dali ocean, o tej porze gładki jak nieprzezroczyste szkło. To Howard, który stał przodem do nich, podniósł głowę i powitał ją uśmiechem.

Przez krótką chwilę – zanim tamci się odwrócili, zanim Howard podniósł butelkę wina i włożył prosto w jej ręce – ich oczy się spotkały. Ten moment był rzeczywisty tylko dla nich dwojga, choć trudno potem byłoby dowieść, że w ogóle zaistniał. Był zjednoczeniem dusz, niezależnym od tego, co im obojgu narzuci przyszłość. Ale to zdarzyło się naprawdę: przepastna głębia jego oczu, jego twarz i jej twarz, pełna radości i słodkich obietnic, jakby cały świat wokół rozbił się jak uderzająca o brzeg fala. A potem David odwrócił się ku niej i nagle ta chwila zatrzasnęła się przed nią jak popchnięte gwałtownie drzwi.

– To białe wino – powiedział Howard, wręczając jej butelkę. I wtedy uderzyło ją, że jej wyśniony rycerz wygląda tak zwyczajnie, że rosnące aż do połowy twarzy baczki prezentują się wręcz idiotycznie... Ukryte znaczenie minionej chwili zostało bezpowrotnie stracone. A może wszystko zdarzyło się jedynie w jej wyobraźni? – Mam nadzieję, że będzie pasowało.

– Jak najbardziej – odparła. – Na kolację będą homary.

Ta wymiana zdań także była taka zwyczajna. Olśnienie już należało do przeszłości i teraz Norah z wdziękiem powróciła do roli uroczej gospodyni, co przychodziło jej równie łatwo, jak zgrabne poruszanie się w zwiewnej sukience. Howard był jej gościem; wskazała mu miejsce na wiklinowym krześle i zaproponowała drinka. Zanim zdążyła wrócić z kuchni z butelką dżinu, tonikiem i kubełkiem pełnym kostek lodu, słońce oparło się o linię horyzontu. Wyżej kłębiły się lekkie obłoki w odcieniach różu i brzoskwini.

Kolację zjedli na tarasie. Szybko zapadła ciemność, więc David zapalił rząd świec osadzonych w świecznikach na balustradzie. Gdzieś dalej właśnie zaczynał się przypływ; niewidzialne fale wdzierały się coraz głębiej w piaszczystą plażę. W migotliwym blasku świec głos Howarda to wznosił się, to opadał i znów szedł w górę. Ich gość mówił coś na temat skonstruowanego własnoręcznie aparatu zwanego *camera obscura*. Całe urządzenie było mahoniową skrzyneczką, która zatrzymywała wewnątrz całe światło z wyjątkiem pojedynczej wiązki wielkości łebka od szpilki. Ten punkt pozostawiał w lustrze maleńkie odbicie zewnętrznego świata. Instrument był prekursorem aparatu fotograficznego, zaś niektórzy artyści – między innymi Vermeer – używali go przy malowaniu obrazów, jako narzędzie pomocnicze przy określaniu na przykład perspektywy. Howard prowadził badania także w tej dziedzinie.

Norah słuchała, mimowolnie poddając się magicznemu wpływowi nocy. Sugestywność opowieści Howarda wywarła na niej wrażenie. Oczami wyobraźni ujrzała świat odbity na wewnętrznej ścianie skrzyneczki i malutkie figurki uwięzione w wiązce światła... To było coś całkiem innego niż sesje z Davidem, kiedy jego aparat zdawał się zatrzymywać ją w czasie i przestrzeni, tu i teraz. A potem, popijając drobnymi łyczkami wino, uświadomiła sobie, że ten problem dotyczył właściwie wszystkiego, co wiązało się z osobą jej męża. Gdzieś po drodze obydwoje z Davidem znaleźli się w sytuacji bez wyjścia i teraz krążyli z dala od siebie, każde na swojej orbicie.

Nagle zorientowała się, że w międzyczasie panowie zmienili temat, bo teraz Howard opowiadał o czasie spędzonym w Wietnamie, gdzie pracował jako wojskowy fotograf i dokumentalista.

– Szczerze mówiąc, większość bitew była nudna jak cholera – powiedział, gdy Paul wyraził podziw dla jego wojennej przeszłości. – Mnóstwo z nich polegało po prostu na uganianiu się na łodziach wzdłuż Mekongu. Mówię wam, to nadzwyczajna rzeka, nadzwyczajne miejsce.

Po kolacji Paul wrócił do swojego pokoju i po chwili z góry spłynęła kaskada gitarowych pasaży, zmieszana z szumem fal. Paul nie miał ochoty przyjeżdżać tutaj w czasie wakacji; musiał przez to zrezygnować z tygodnia zajęć na obozie muzycznym, a w kilka dni po powrocie do domu czekał go poważny koncert. Jednak David nalegał na ten przyjazd. Nie traktował zbyt serio artystycznych ambicji syna. Jego zdaniem to było dobre jako rozrywka, ale nie jako kariera na przyszłość. Z kolei Paul pasjonował się grą na gitarze i zamierzał starać się o przyjęcie do Juilliard School, co u Davida – który ciężko pracował, by zapewnić rodzinie godziwy byt – wywoływało nerwowe napięcie za każdym razem, gdy ktoś podejmował ten temat. Teraz nuty płynęły jedna za drugą, uskrzydlone i pełne gracji, jednak każda z nich kończyła się zbyt ostro, przypominając czubek noża wbijającego się w ciało.

Rozmowa znów zmieniła kierunek: panowie przeszli od zagadnień optycznych do opisywania wysublimowanego światła w Hudson River Valley, gdzie mieszkał Howard, i do zachwytów nad urokami południowej Francji, gdzie lubił wpadać. Z werwą opisywał wąską drogę, unoszący się nad nią obłok kurzu i pola pełne żółtych słoneczników. Dla Norah był teraz jedynie głosem, bo kątem oka ledwie dostrzegała majaczącą w mroku sylwetkę, ale jego słowa przenikały ją na wskroś, podobnie jak muzyka Paula – jakby jednocześnie brzmiały na zewnątrz i w środku jej ciała. Potem David nalał wina i zaproponował, żeby przejść do jasno oświetlonego salonu, gdzie mógłby pokazać gościowi portfolio z czarno-białymi zdjęciami. W niedługim czasie obaj pogrążeni byli po uszy w dyskusji o walorach różnego typu oświetlenia.

Norah zwlekała z udaniem się w ich ślady. Fotografie, o których rozmawiali, były jej portretami – jej bioder, jej skóry, jej rąk i jej włosów – a mimo to czuła się wykluczona z rozmowy, zupełnie jakby była przedmiotem, nie podmiotem. Od czasu do czasu zdarzało się, gdy wchodziła do biura męża w Lexington, że na ścianie widziała zdjęcie, anonimowe, lecz w pewien sposób znajome. Jakieś zaokrąglenie ciała albo miejsce, które odwiedzała razem z Davidem, odarte z pierwotnego znaczenia i przekształcone. Wizerunek własnego ciała, które nagle stało się abstrakcją, ideą… Pozując Davidowi, miała nadzieję, że jej poświęcenie zmniejszy dzielącą ich przepaść. Czy stało się tak z jego winy, czy z jej – czy to w ogóle się liczyło? Ale teraz, gdy obserwowała Davida całkowicie zaabsorbowanego wyjaśnieniami, dotarło do niej, że tak naprawdę wcale jej nie widział, kiedy robił te zdjęcia, i że ten stan trwa już od lat.

W jednej chwili zalała ją fala gniewu. Drżąc z wściekłości, odwróciła się i wyszła z pokoju. Od dnia, gdy walczyła z osami, starała się nie nadużywać alkoholu, ale teraz nalała sobie pełną szklankę wina i wychyliła ją do dna. Wszędzie dookoła walały się brudne talerze z resztkami zakrzepłego masła, a płomiennoczerwone łuski homarów wyglądały jak skorupy martwych cykad. Tyle roboty za tak krótką przyjemność, pomyślała z żalem. Zwykle to David zmywał naczynia, ale dzisiaj Norah przywdziała fartuch, napełniła zlew ciepłą wodą i schowała do lodówki resztki potrawki z ostryg. Dobiegające z salonu głosy wznosiły się i opadały jak morskie fale. Co sobie właściwie wyobrażała, zakładając zwiewną sukienkę i wsłuchując się w głos Howarda? Była przecież zwykłą Norah Henry, żoną Davida, matką Paula, niemalże dorosłego syna! W jej włosach pojawiały się pierwsze siwe nitki, które dostrzegała, mrużąc oczy, w jaskrawym świetle w łazience, choć miała nadzieję, że poza nią nikt ich nie widzi... Najwyższy czas spojrzeć prawdzie w oczy. Howard przyszedł tutaj, żeby pogadać z Davidem o fotografice, to wszystko.

Wyszła z domku, żeby wynieść śmieci do kontenera. Piach lekko chłodził jej rozgrzane stopy, ale powietrze było tak samo gorące, jak skóra. Podeszła na skraj oceanu i zatrzymała się tam, żeby popatrzeć w mrugające białym blaskiem gwiazdy. Za jej plecami szklane drzwi otworzyły się, a potem z trzaskiem zamknęły. David z Howardem zmierzali w jej stronę przez piach i ciemność.

– Dzięki, że posprzątałaś – odezwał się David. Lekko musnął palcami plecy Norah, a ona spięła się i zacisnęła zęby, żeby nie się nie odsunąć. – Przepraszam, że ci nie pomogłem, ale zagadałem się z Howardem. Wiesz, on ma parę naprawdę świetnych pomysłów.

– Prawdę mówiąc, zahipnotyzowało mnie piękno twoich ramion – dorzucił Howard, nawiązując do setek zdjęć, jakie w ostatnim czasie zrobił David. Schylił się, podniósł leżący na piachu kawałek drewna i cisnął go przed siebie. Usłyszeli, jak drewno z chlupnięciem wpadło do wody, a po chwili prąd wciągnął je w głąb morza.

Stojący za nimi domek jaśniał jak latarnia, rzucając na piach jasne kręgi światła, ale oni we trójkę stali pogrążeni w kompletnej ciemności, tak gęstej, że Norah z trudem dostrzegała zarys twarzy męża, Howarda czy nawet własnych dłoni. Byli teraz jedynie stadem duchów – bezcielesnymi stworzeniami, które istniały jedynie w brzmieniu własnych głosów. Konwersacja zataczała coraz szersze kręgi, wracając z powrotem do techniki i sposobów wykonania zdjęcia. Norah pomyślała, że za chwilę zacznie wrzeszczeć. Uniosła bosą stopę, żeby odwrócić się i odejść, kiedy nagle czyjaś dłoń otarła się o jej udo. Momentalnie zatrzymała się w miejscu i z drżeniem czekała na to, co nastąpi. W chwilę potem palce Howarda przebiegły wzdłuż szwu sukienki i jego dłoń wślizgnęła się do kieszeni sukienki, sekretnym ciepłem rozgrzewając jej ciało.

Z wrażenia wstrzymała oddech, podczas gdy David dalej mówił coś na temat zdjęć. Norah wciąż miała na sobie fartuch, a dookoła panowały ciemności. Wystarczył lekki obrót i dłoń Howarda znalazła się na jej brzuchu, oddzielona jedynie cienkim materiałem od nagiej skóry.

— No cóż, to prawda — odezwał się niski głos Howarda. Ku swojemu zdumieniu przekonała się, że mówił zupełnie swobodnie, jak gdyby nic się nie wydarzyło. — Musisz częściowo zrezygnować z przejrzystości, jeśli zależy ci na tym konkretnym filtrze. Ale efekt z pewnością będzie tego wart, przekonasz się.

Powoli wypuściła oddech, zastanawiając się, czy Howard wyczuwa jej przyśpieszony puls i dzikie uderzenia serca. Jego dłoń promieniowała ciepłem i to wywołało w niej niemalże bolesną tęsknotę. Tuż przed nią fale wzbierały, opadały i znowu wędrowały w górę. Norah stała jak posąg, wsłuchana we własny, zadyszany oddech.

— A teraz za pomocą *camera obscura* będziesz o krok bliżej sukcesu — oświadczył Howard. — Naprawdę warto popatrzeć, w jaki sposób wówczas kształtuje się obraz. Bardzo chciałbym, żebyś wpadł do mnie i sam się przekonał. Co ty na to?

— Jutro zabieram Paula na ryby. Wypływamy na otwarte morze — odparł David. — Może pojutrze?

— Idę do domu — powiedziała Norah słabym głosem.

— Oho, zdaje się, że zanudziliśmy cię na śmierć.

— Chyba nie można mieć jej tego za złe — odpowiedział Howard i nagle jego dłoń znalazła się w dolnej części brzucha. Ten ruch był zdecydowany i szybki jak uderzenie skrzydła, a już w następnej chwili wysunął rękę z jej kieszeni. — A może ty masz ochotę zajrzeć jutro rano? Będę robił parę rysunków i zobaczysz, do czego służy mi ten aparat.

Norah bez słowa skinęła głową, wyobrażając sobie pojedynczą wiązkę światła, która przeszywa ciemności i pozostawia na ścianie zdumiewająco piękne odbicia.

Howard opuścił ich kilka minut później. Pożegnał się i prawie od razu zniknął w ciemności.

— Wiesz, ten facet naprawdę mi się podoba — oświadczył David, kiedy już weszli do środka. Kuchnia wyglądała teraz jak wzór nieskazitelności, a wszystkie resztki jej sennego popołudnia znikły bez śladu.

Norah stanęła przy oknie. Z obiema rękoma ukrytymi głęboko w kieszeniach sukienki spoglądała na pogrążoną w ciemnościach plażę, nasłuchiwała szumu fal.

— Owszem — zgodziła się z mężem. — Mnie też.

***

Następnego ranka David i Paul wstali przed wschodem słońca, żeby pojechać wzdłuż wybrzeża i złapać łódź płynącą na pełne morze. Kiedy się szykowali, Norah leżała sama w ciemności i rozkoszując się dotykiem miękkiego prześcieradła, słuchała hałasów, które dobiegały z salonu. Obaj panowie kręcili się niezgrabnie i wciąż wpadali na rozmaite sprzęty, choć bardzo starali się nie robić zamieszania. Potem usłyszała odgłosy pośpiesznych kroków i warkot silnika, który po chwili znikł w oddali, zastąpiony przez szum fal. Leżała ociężała od snu, dopóki nie pojaśniała linia horyzontu, na której niebo spotyka się z oceanem. Wtedy wzięła prysznic, ubrała się i zrobiła sobie filiżankę kawy. Zjadła pół grejpfruta, pozmywała po sobie naczynia i odstawiła je na suszarkę, a potem skierowała się ku drzwiom. Na sobie miała szorty i turkusową, wzorzystą bluzkę we flamingi, a białe tenisówki związane sznurowadłami trzymała w ręku. Wiatr wiejący znad oceanu momentalnie wysuszył i splątał umyte wcześniej włosy. Domek Howarda, niemal identyczny jak jej własny, znajdował się mniej więcej milę dalej. Howard siedział już na ganku, schylony nad drewnianą skrzyneczką pomalowaną na ciemny kolor. Ubrany był w białe, krótkie spodenki i pomarańczową koszulę z gładkiego jedwabiu, rozpiętą od szyi aż po pas. Stopy miał bose, podobnie jak ona. Gdy podeszła bliżej, podniósł się z miejsca.

– Zrobić ci kawy? – zawołał na powitanie. – Obserwowałem cię, jak idziesz po plaży.

– Dzięki, ale nie.

– Jesteś pewna? To kawa po irlandzku. Z małym dodatkiem, jeśli rozumiesz, co chcę przez to powiedzieć.

– Może za chwilę – wdrapała się na schodki i od razu przesunęła ręką po wypolerowanej, mahoniowej skrzyneczce. – Czy to właśnie *camera obscura*?

– Zgadza się – odparł. – Chodź. Chcesz rzucić okiem?

Przysiadła na krześle, wciąż ogrzanym przez ciepło jego ciała, i zerknęła przez mały otworek. Za nim znajdował się świat – długi odcinek plaży i stos głazów, i łódź płynąca gdzieś na horyzoncie... Wiatr huśtał gałązkami kazuaryny i wszystko wydawało się takie malutkie, lecz jednocześnie uchwycone w najdrobniejszych szczegółach, zestrojone i zamknięte w ramce, ale mimo to pełne życia. Potem Norah podniosła wzrok, zamrugała i przekonała się, że świat także uległ przekształceniu: kwiaty, tak ostro odrysowane na piasku, krzesło w jaskrawe pasy i para, która wędrowała wzdłuż granicy fal. Wszystko zdawało się żywe i zaskakująco wyraźne, i to o wiele bardziej niż się spodziewała.

– Och... – westchnęła i znowu pochyliła się nad skrzyneczką. – To doprawdy zdumiewające. Świat wydaje się tak precyzyjny, tak bogaty... Widziałam nawet wiatr, który porusza drzewami.

Howard roześmiał się.

– Faktycznie cudowne, prawda? Wiedziałem, że ci się spodoba.

Pomyślała o dniach, kiedy Paul był niemowlęciem i o jego usteczkach ułożonych w doskonałe „o", ilekroć widział coś, co wzbudzało jego pełne podziwu zainteresowanie. Tak samo ona – schyliła głowę, żeby zobaczyć zamknięty w skrzyneczce świat, a potem podniosła wzrok i ujrzała, że naprawdę uległ przeobrażeniu. Uwolniony z ciemnej ramki i pełny drgającego światła stał się pełny życia.

– Boże, jakie to piękne – wyszeptała. – Tak piękne, że prawie nie do wytrzymania.

– Wiem – odpowiedział w ten sam sposób. – Idź. Stań się częścią tego świata. Pozwól, że cię narysuję.

Podniosła się i weszła na gorący piach, prosto w oślepiający blask słońca. Po kilku krokach odwróciła się przodem do Howarda, który już zdążył się pochylić na aparatem, podczas gdy jego ręka zawzięcie szkicowała coś na białej kartce papieru. Słońce mocno już przypiekało i Norah przypomniała sobie wczorajszy dzień, spędzony na pozowaniu, taki sam jak przedwczorajszy. Ile razy zdarzyło się, że stała przed kimś w ten sposób – podmiot i przedmiot w jednej osobie – i pozowała, żeby wywołać lub zachować uczucie, które tak naprawdę wcale nie istniało? Ile razy musiała swoje myśli zachowywać dla siebie?

Tak samo stała teraz – kobieta zredukowana do doskonałej miniatury siebie samej, podczas gdy każdy szczegół jej ciała odbity został przez światło w lustrze. Wiatr znad oceanu, ciepły i wilgotny, tańczył w jej włosach i w dłoniach Howarda, między długimi palcami o starannie przyciętych paznokciach, które poruszały się w tak szybkim tempie, szkicując jej postać, utrwalając ulotny wizerunek na kartce papieru. Przypomniała sobie, jak piasek przesypywał się pod jej pośladkami, gdy pozowała dla Davida, i jak potem rozmawiali we dwóch o niej, jakby nie była kobietą z krwi i kości, lecz raczej produktem wyobraźni, kobiecym kształtem. Nagle jej ciało stało się czymś kruchym i wrażliwym, jakby to nie ona była kobietą sukcesu, która potrafiła pełnić rolę przewodnika grupy podczas podróży do Chin i z powrotem, ale kimś, kogo może przewrócić byle wiaterek. A potem przypomniała sobie ciepło ręki Howarda na swoim brzuchu. Tej samej ręki, która poruszała się tak zwinnie, szkicując jej postać.

Sięgnęła ręką do talii i chwyciła za brzeg bluzki, a następnie powoli, lecz bez wahania ściągnęła ją przez głowę i rzuciła na piasek. Howard przerwał rysowanie, choć nie podniósł głowy, jedynie drobne mięśnie na jego przedramionach na chwilę przestały się poruszać. Norah rozpięła zamek błyskawiczny w szortach. Gładko zsunęły się z bioder i opadły na ziemię, a ona wyszła z nich i przesunęła się o krok. Jak dotąd nie zdarzyło się nic niezwykłego: wciąż miała na sobie ten sam kostium, w którym tak wiele razy występowała w charakterze modelki. Ale teraz uniosła ręce i zwinnym ruchem odczepiła haftki stanika. Szybko zrolowała miękki materiał wokół bioder, ud, a następnie jednym kopnięciem odrzuciła kostium daleko od siebie. Wyprostowała się, czując jak wiatr i słońce omywają nagą skórę.

Howard podniósł powoli głowę znad aparatu. Siedział bez ruchu i jak urzeczony wpatrywał się w jej ciało.

W ułamku sekundy Norah ogarnęła panika i wstyd, zupełnie jak w sennym koszmarze, gdy idąc środkiem zatłoczonego parku, nagle orientowała się, że zapomniała założyć ubranie. Wyciągnęła rękę po kostium.

– Nie, zaczekaj – wyszeptał, a ona znów stanęła prosto. – Jesteś taka piękna.

Podniósł się z krzesła i szedł do niej; wolno, ostrożnie, jakby bał się spłoszyć ptaka rzadkiej urody. Ale Norah nie zamierzała uciekać. Jak nigdy dotąd odbierała wszystkimi zmysłami swoją cielesność, zupełnie jakby została stworzona z piasku – piasku, który na swojej drodze napotkał ogień i został przekształcony, wygładzony i wypełniony blaskiem. Wreszcie Howard pokonał te kilka kroków, które ich dzieliły, choć zdawało się to trwać całą wieczność. Jego stopy zapadały się w miękki piach. Stał teraz blisko, ale nawet nie próbował dotknąć, jedynie mierzył ją tęsknym spojrzeniem. Nagle wiatr zarzucił włosy na twarz Norah, i wtedy Howard ostrożnie odgarnął pasmo, które przywarło do jej ust, i założył za ucho.

– Nigdy nie uda mi się tego uchwycić – powiedział z żalem. – Mam na myśli to, jak teraz wyglądasz. Nigdy mi się to nie uda.

Norah uśmiechnęła się i oparła rękę na jego piersi. Pod jedwabną koszulą czuła ciepło ciała, napięcie mięśni, twardość kości... Mostek, przypomniała sobie. Kiedyś pilnie uczyła się tych nazw, chcąc bliżej poznać Davida i jego pracę. *Manubrium* i *gladianus*, oba w kształcie miecza... Żebra prawdziwe i rzekome, zjednoczone we wspólnocie...

Delikatnie objął jedną ręką jej policzek. Ręka Norah osunęła się bezwładnie w dół i wówczas bez słowa oboje skierowali się w stronę małego domku. Norah zostawiła ubranie na piasku; wcale nie troszczyła się, że ktoś je znajdzie, albo że ktoś może ich zobaczyć. Deski na ganku delikatnie uginały się pod jej nagimi stopami. Materiał, którym przykryta była *camera obscura*, leżał z boku i Norah z satysfakcją zauważyła, że Howard naszkicował plażę i horyzont, rozrzucone gdzieniegdzie głazy i nieliczne drzewa, a wszystko to oddał z niezwykłą precyzją i dokładnością. Jednak jeśli chodzi o nią, zdążył narysować włosy – miękką chmurę, bezpostaciową i bezkształtną, ale nic więcej. Tam, gdzie powinna znajdować się jej sylwetka, na kartce widniała biała plama. Bo właśnie wtedy ubranie opadało z niej jak liście i Howard musiał podnieść wzrok.

Przynajmniej raz udało się jej zatrzymać w biegu czyjś czas.

Pokój wydawał się bardzo ciemny w zestawieniu z jasnością na zewnątrz, zaś świat widziany w ramie okna, podobnie jak przez soczewki w *camera obscura*, sprawiał wrażenie tak jaskrawego i tętniącego życiem, że w oczach Norah stanęły łzy. Ostrożnie usiadła na brzegu łóżka.

– Połóż się – poprosił, ściągając przez głowę koszulę. – Chcę popatrzeć przez chwilę na ciebie.

Zrobiła jak chciał, a on stał nad nią i przesuwał spojrzeniem po jej nagim ciele.

– Zostań ze mną – wyszeptał, a potem nagle ukląkł i złożył głowę na płaskim podbrzuszu. Nieogolony policzek lekko drapał delikatną skórę. Norah czuła ten ciężar przy każdym oddechu i czuła, jak oddech Howarda wędrował wilgotnym ciepłem po jej ciele. Zanurzyła rękę w jego włosach i przyciągnęła bliżej, żeby mógł ją pocałować.

Potem, kiedy wspominała te chwile, sama czuła się zdziwiona. Nie dlatego, że zrobiła to, co zrobiła, albo że stało się to, co stało się później, ale że wszystko wydarzyło się na łóżku Howarda, pod odsłoniętym oknem, przez które świat na zewnątrz wyglądał jak obraz zamknięty w ramce aparatu. Co prawda David był daleko na morzu i razem z Paulem łowił ryby, ale przecież mógł ich zobaczyć ktoś inny, kto akurat szedł plażą. Mimo to nie przestała tego robić ani teraz, ani później. Odbierała jego fizyczność jak gorączkę, jak przymus silniejszy od jej woli, jak otwarte drzwi do zaspokojenia własnych potrzeb, które – jak wierzyła – mieściły się w poczuciu nieskrępowanej niczym wolności. Odkryła, że dziwnym trafem ten sekret łatwiej pozwalał jej znieść dystans dzielący ją od Davida. Wracała do Howarda każdego dnia... Nawet po tym, kiedy David zwrócił uwagę, że ostatnio żona zbyt często wychodzi na samotne, długie spacery. Nawet, gdy pewnego razu Howard poszedł do kuchni przygotować drinki, a ona, ociągając się z wyjściem z łóżka po miłosnych szaleństwach, znalazła w kieszeni leżących na podłodze szortów Howarda zdjęcie uśmiechniętej kobiety z trójką małych dzieci i list, w którym przeczytała następujące słowa: „Moja matka ma się lepiej, a my wszyscy tęsknimy za tobą. Kochamy cię i nie możemy doczekać się, kiedy wreszcie przyjedziesz. Do zobaczenia w przyszłym tygodniu".

To wydarzenie miało miejsce pewnego słonecznego popołudnia, gdy słońce migotało na falującej wodzie, a nad plażą unosiło się drgające od gorąca powietrze. Wentylator na suficie klekotał miarowo w zacienionym pokoju, podczas gdy ona trzymała w ręku fotografię, spoglądając przez szybę na skąpany w blasku świat swoich marzeń. W normalnym życiu natychmiast podarłaby to zdjęcie na drobne kawałeczki, ale tu nie czuła po prostu nic. Z powrotem wsunęła list do kieszeni szortów i upuściła je na podłogę. Tu taka rzecz nie miała najmniejszego znaczenia. Liczyły się tylko sny i migoczący blask za oknem. Przez następne dziesięć dni, aż do wyjazdu Howarda, spotykała się z nim jak dawniej.

Sierpień tysiąc dziewięćset siedemdziesiątego siódmego roku

David wbiegł po schodach do chłodnego foyer szkoły i zatrzymał się na moment, żeby złapać oddech i zorientować się, gdzie ma teraz iść. Spóźnił się na koncert Paula. Bardzo się spóźnił. Planował wyjść ze szpitala znacznie wcześniej, ale w chwili, gdy stał już w drzwiach, ambulans przywiózł parę staruszków – mąż zsunął się z drabiny i spadł na stojącą niżej żonę. On miał złamaną nogę, a ona rękę; nogę trzeba było nastawić i unieruchomić. David zadzwonił do Norah. Słyszał w jej głosie ledwo powstrzymywany gniew, ale nawet nie bardzo obeszło go, że ją zdenerwował, tak bardzo był zły na samego siebie. Zresztą, wychodząc za niego za mąż, zdawała sobie sprawę, na czym polega jego praca. W telefonie zapadła dłuższa chwila pełnego urazy milczenia, po czym on odwiesił słuchawkę.

Podłoga z kawałków marmuru miała lekko różowawy połysk, natomiast wzdłuż ścian stały rzędy ciemnoniebieskich szafek. David zatrzymał się, nasłuchując, ale przez moment słyszał wyłącznie własny oddech, a potem burza oklasków przyciągnęła go pod podwójne, drewniane drzwi audytorium. Pociągnął za jedno skrzydło i wszedł do środka, zatrzymując się za progiem, żeby dać oczom szansę na przystosowanie się do nowego oświetlenia. W środku panował straszny tłok; morze ciemnych głów kończyło się aż przy rzęsiście oświetlonej estradzie. Szybko rozejrzał się dookoła w poszukiwaniu Norah. Kiedy na scenę wychodził młodzieniec w dżinsach i z saksofonem w ręku, jakaś młoda kobieta wręczyła mu program i wskazała na numer piąty. David wziął głęboki oddech i natychmiast poczuł, jak opada z niego napięcie. Paul miał wystąpić jako siódmy. Jak dobrze, że zdążył przyjechać na czas.

Saksofonista rozpoczął występ. Grał z uczuciem i pełnym zaangażowaniem, lecz nagle zamiast czystej nuty wydał jakiś skrzek, po którym David poczuł zimny dreszcz przeszywający go wzdłuż kręgosłupa. Raz jeszcze rozejrzał się w poszukiwaniu Norah i dostrzegł ją z przodu w środkowym rzędzie, a obok niej wolne krzesło. Więc jednak pomyślała o nim, przynajmniej na tyle, żeby zająć mu miejsce. Zresztą wcale nie był pewien, czy naprawdę pomyślała; nie był już pewien niczego. No cóż, był pewien, że Norah jest wściekła i że on jest temu winien. Przekonanie o własnych zaniedbaniach kazało mu milczeć na temat tego, co widział na Arubie, choć tamta sprawa wciąż stała pomiędzy nimi. Jednak nie miał żadnych, najmniejszych nawet możliwości, by zerknąć w serce Norah, by dowiedzieć się czegokolwiek o jej pragnieniach czy pobudkach, jakimi się kierowała.

Saksofonista zakończył utwór wirtuozerską kadencją i podszedł do brzegu estrady, żeby się ukłonić. Podczas braw David przepchnął się do pogrążonego w mroku rzędu i niezgrabnie utorował sobie drogę do wolnego krzesła obok Norah pomiędzy siedzącymi ludźmi.

– David... – powiedziała na jego widok, zabierając płaszcz. – No, wreszcie raczyłeś się zjawić.

– Norah, to naprawdę była nagła operacja – odparł.

– Och, wiem, wiem... Już zdążyłam się przyzwyczaić. Teraz chodzi mi jedynie o Paula.

– Mnie też. Dlatego przyszedłem.

– No tak, doprawdy – mruknęła z przekąsem. – Załóżmy, że ci wierzę.

Czuł jej gniew, który falami promieniował w jego stronę. Jej krótkie blond włosy były idealnie wymodelowane, a cały strój mienił się kolorami kości słoniowej i złota. Miała na sobie garsonkę z naturalnego jedwabiu, którą kupiła podczas pierwszej podróży do Singapuru. W miarę jak biznes nabierał rozmachu, Norah podróżowała coraz częściej, prowadząc wycieczki w miejsca zarówno dobrze znane, jak i egzotyczne. W początkowym okresie David pojechał z nią kilka razy, bo wtedy wycieczki trwały krócej, a ich program był mniej ambitny, na przykład do Mammoth Cave albo na przejażdżkę łodzią po Missisipi. Patrzył wówczas z podziwem na Norah, a raczej na osobę, którą się stała. Turyści zwracali się do niej dosłownie ze wszystkimi problemami: skarżyli się na niedogotowaną wołowinę, za małą kajutę, zepsutą klimatyzację czy za twarde łóżko. Każdy mógł liczyć na jej niekończącą się cierpliwość, bo Norah niezależnie od sytuacji zachowywała spokój: kiwała głową, lekko dotykała ramienia albo w ostateczności sięgała po telefon. Zdaniem Davida wciąż była bardzo piękna, choć w jej urodzie krył się teraz jakiś obcy mu wyraz. Poza tym pracowała z pełnym oddaniem i była w tym naprawdę dobra. Wiele razy zdarzało się, że jakaś kobieta o farbowanych włosach brała Davida na stronę, żeby przekonać się, czy wie, jakim jest szczęściarzem.

Ciekaw był tylko, co powiedziałyby te wszystkie damulki, gdyby tak jak on natknęły się na jej ubranie leżące w bezładzie na plaży.

– Nie masz prawa się na mnie gniewać, Norah – wyszeptał. Doleciał go delikatny zapach pomarańczy; kątem oka zauważył, że Norah zaciska szczęki. Młody człowiek w błękitnym garniturze zasiadł za fortepianem, rozprostował palce i po chwili na słuchaczy spłynęła kaskada dźwięków. – Absolutnie nie masz prawa.

– Wcale się nie gniewam. Po prostu denerwuję się z powodu Paula. To ty ciągle się wściekasz.

– Nie, to ty – odparł. – Zachowujesz się tak od powrotu z tych cholernych wczasów na Arubie.

– Lepiej popatrz w lustro – syknęła w odpowiedzi. – Wyglądasz, jakbyś połknął jedną z tych małych jaszczurek, które mają zwyczaj wisieć u sufitu.

Nagle na ramieniu Davida spoczęła czyjaś dłoń. Odwrócił się i ujrzał jakąś zażywną damę, która siedziała obok swojego małżonka i tuzina dzieciaków.

– Najmocniej przepraszam – powiedziała. – Czy pan przypadkiem nie jest ojcem Paula Henry'ego? Bo wie pan, teraz na fortepianie gra nasz syn, Duke, i jeśli państwu to nie przeszkadza, to chętnie byśmy go posłuchali.

David poszukał oczyma spojrzenia Norah; przez ułamek sekundy spotkali się i odniósł wrażenie, że była bardziej zawstydzona niż on.

Posłusznie usadowił się na krześle i zaczął słuchać. Ten młody człowiek, Duke, najbliższy przyjaciel jego syna, grał z pewną nieśmiałością, choć od razu słychać było, że dysponuje niezłą techniką i jest niezwykle muzykalny. David obserwował, jak jego ręce sprawnie biegają po klawiszach, i myślał, o czym Paul i Duke rozmawiają, kiedy we dwóch jeżdżą na rowerach po cichych ulicach w sąsiedztwie. O czym marzą ci chłopcy? Czy Paul mówi swojemu przyjacielowi o czymś, o czym nigdy nie powiedziałby ojcu? Ubranie Norah porzucone na plaży, kolorowy zwitek materiału na białym piasku... Wiatr, który unosił krawędź jej wściekle kolorowej bluzki... O tym nigdy nie rozmawiali, choć David podejrzewał, że syn o wszystkim wie. Tamtego ranka wstali bardzo wcześnie, jeszcze przed wschodem słońca, żeby pojechać na ryby. Po ciemku wyszli z domu i ruszyli wzdłuż wybrzeża, mijając po drodze nieduże osady. Żaden z nich nie był zbyt rozmowny ani skory do zwierzeń, ale w tych wczesnych godzinach, podczas rytuału zarzucania wędki i kręcenia kołowrotkami, zawsze towarzyszyło im poczucie pewnego rodzaju jedności. David czekał z utęsknieniem na takie okazje, żeby być blisko jedynego syna, który dorastał stanowczo za szybko i równie szybko stawał się dla ojca niezgłębioną tajemnicą. Jednak tym razem wycieczka została odwołana; motor na łodzi odmówił posłuszeństwa i właściciel czekał na nowe części. Mocno rozczarowani takim obrotem sprawy pokręcili się parę minut po dokach i obserwując wschód słońca nad oceanem, wypili jakiś pomarańczowy napój, a potem pojechali z powrotem do domku.

Tego dnia światło było bardzo dobre i David, choć z jednej strony czuł rozczarowanie, z drugiej nie mógł się doczekać, kiedy weźmie do ręki aparat. W ciągu nocy przyszedł mu do głowy pewien pomysł. Howard wskazał miejsce, gdzie należało wykonać jeszcze jedno zdjęcie i wówczas wszystkie serie zostałyby połączone w jedną całość. Miły gość z tego Howarda, pomyślał. I w dodatku pojętny. Ich nocna rozmowa wciąż krążyła mu po głowie, wywołując stan lekkiego podekscytowania. Ledwo przespał tę noc, a teraz chciał jak najprędzej dostać się do domu i zrobić jeszcze parę fotek Norah leżącej na piasku. Ale domek był pusty i cichy, skąpany w świetle i wypełniony szumem fal. Norah zostawiła na stole miskę z pomarańczami, a jej filiżanka do kawy, starannie wypłukana, stała na ociekaczu przy zlewie. „Norah", zawołał. „Norah", powtórzył po chwili jeszcze raz, ale nikt mu nie odpowiedział. „Chyba pójdę pobiegać", oznajmił Paul. Był tylko świetlistym cieniem na tle otwartych drzwi i David skinął głową na znak przyzwolenia.

„Poszukaj mamy", rzucił jeszcze.

Kiedy został sam w domu, przeniósł misę z pomarańczami z powrotem do kuchni i rozłożył na stole fotografie. Bez przerwy sfruwały mu na podłogę w podmuchach lekkiej bryzy, aż w końcu musiał przycisnąć je kielisz-

kami do likieru. Norah skarżyła się, że fotografowanie stało się jego obsesją
– któż inny zabierałby na wakacje całe portfolio? – i być może to było
prawdą. Ale Norah myliła się co do całej reszty. Aparat nie służył mu do
ucieczki przed światem. Czasem, gdy obserwował kształty wyłaniające się
na papierze podczas kąpieli w wywoływaczu, w przelocie dostrzegał ramię
żony, pyszną krągłość jej bioder i nieruchomiał na myśl o tym, jak bardzo
i głęboko ją kocha. Wciąż jeszcze układał i przekładał zdjęcia, gdy Paul
wrócił. Wszedł do środka, zatrzaskując za sobą drzwi.

– Szybko ci poszło – zauważył David, podnosząc wzrok na syna.

– Tak… – mruknął Paul. – Zmęczyłem się.

– Poszedł prosto przez jadalnię i znikł w swoim pokoju.

– Paul? – David podszedł do drzwi i przekręcił gałkę. Zamknięte.

– Po prostu jestem zmęczony – powiedział ze środka głos Paula.

– Wszystko w porządku, tato.

David odczekał kilka minut. Ostatnimi czasy Paul zrobił się strasznie
kapryśny. Wszystko, co robił David, budziło w nim stanowczy sprzeciw,
a najgorsze były rozmowy o przyszłości. Mogła być naprawdę świetlana.
Paul wykazywał talenty w dziedzinie sportu i muzyki, i w obu dziedzinach
miał naprawdę wielkie możliwości. David często myślał, że jego własne
życie i trudne wybory, jakich musiał dokonać, zostaną w pewien sposób
usprawiedliwione jedynie wtedy, jeśli Paul wykorzysta w pełni swój poten-
cjał. Żył w stałym, niedającym mu spokoju lęku, że w jakiś sposób zawiódł
swojego syna, że Paul odrzuci to, czym obdarowała go natura. Delikatnie
zapukał jeszcze raz, ale Paul już nie odpowiedział.

W końcu David westchnął ciężko i wrócił do kuchni. Przez parę sekund
podziwiał misę z pomarańczami, zachwycając się krągłością owoców i urodą
ciemnego drewna, a następnie pod wpływem impulsu, którego nie potrafił
wytłumaczyć, wyszedł z domu i ruszył wzdłuż plaży. Uszedł przynajmniej
milę, zanim kątem oka zauważył w pewnej odległości porzucony na piasku stos kolorowych szmatek. Gdy podszedł bliżej, zorientował się, że to
ubranie żony i że leży przed domkiem, który musiał należeć do Howarda.
Zaskoczony odkryciem przystanął w blasku prażącego słońca. Czyżby poszli popływać? Rozejrzał się po gładkiej powierzchni wody, ale nie dostrzegł
nikogo. Już miał zamiar iść dalej, gdy zza uchylonego okna doleciał dobrze znany śmiech, niski i melodyjny. Stanął jak wryty. Po chwili usłyszał

drugi śmiech, który wydawał się echem śmiechu Norah i wtedy w jednej sekundzie zrozumiał, co zaszło. Poczuł piekący ból, tak ostry, jak gorący piach pod nagimi stopami.

Howard, łysiejący facet w skórzanych sandałach, który nie dalej jak wczorajszego wieczora stał pośrodku salonu i na zimno udzielał mu rad dotyczących fotografowania...

Howard... Jak ona mogła?

Jednak w tej samej chwili zrozumiał, że od lat czekał, aż ten moment nadejdzie.

Gorący piasek gniótł mu stopy, a jaskrawe słońce kompletnie oślepiało. Powróciło zadawnione, niezawodne przekonanie, że tamta śnieżna noc, kiedy oddał swoje dziecko Caroline Gill, nie minie bez konsekwencji. Co prawda życie toczyło się dalej, bogate i pełne, a on sam według wszelkich znaków mógł być uważany za człowieka sukcesu. Jednak mimo to zdarzały się momenty – podczas operacji, jazdy samochodem do domu czy tuż na krawędzi snu – gdy tamta sprawa nagle zaczynała go dręczyć, a poczucie winy odzywało się ze zdwojoną siłą. Z własnej i nieprzymuszonej woli oddał obcej kobiecie swoją córkę. Ten sekret ciążył na ich życiu rodzinnym i kształtował wzajemne relacje. Wiedział o tym, widział to – zupełnie jakby między nim a rodziną wyrosła kamienna ściana. Paul i Norah znajdowali się po drugiej stronie i wyciągając ręce, wciąż natrafiali na mur, choć żadne z nich nie wiedziało, dlaczego tak się dzieje. Rozumieli jedynie, że coś ich dzieli; coś, czego nie da się zobaczyć ani zburzyć.

Duke Madison zakończył swój występ efektownym pasażem, wstał i ukłonił się nisko. Norah, bijąc brawo, odwróciła się do siedzącej z tyłu rodziny.

– Był po prostu wspaniały – zawołała z zachwytem. – Duke ma niesamowity talent!

– Scena opustoszała, a brawa powoli ucichły. Minęła jedna chwila, potem druga... Wśród słuchaczy rozległ się pomruk.

– Gdzie on jest? – zaniepokoił się David, zaglądając do programu. – Gdzie jest Paul?

– Nie bój się, jest tutaj. Zaraz wyjdzie, zobaczysz – powiedziała.

Ku zaskoczeniu Davida wzięła go za rękę. Czuł na skórze chłodny dotyk jej dłoni i nagle poczuł niesamowitą ulgę, jakby tak naprawdę nic się nie zmieniło. Jakby nie dzieliła ich żadna ściana.

Jeszcze nie skończyła mówić, kiedy przy wejściu na estradę coś się poruszyło i po chwili na scenie pojawił się Paul. David chłonął wzrokiem postać syna, wysoką i przygarbioną, w czystej, białej koszuli z podwiniętymi do łokci rękawami i krzywym uśmieszkiem, którym zwykle obrzucał wpatrzoną w niego publiczność. Przez ułamek sekundy David czuł coś w rodzaju zaskoczenia. Jak to możliwe, że Paul był już prawie dorosły i z taką łatwością i pewnością siebie stał tutaj przed zaciemnioną salą pełną obcych ludzi? David sam nigdy nie wyobrażał sobie siebie w podobnej sytuacji, a mimo to przebiegła przez niego fala nieoczekiwanego niepokoju. Co będzie, jeśli nerwy go zawiodą? Jeśli Paul zbłaźni się przed tymi wszystkimi ludźmi? Nagle przypomniał sobie, że wciąż trzyma w ręku dłoń Norah, podczas gdy Paul pochylił się nad gitarą, przesunął palcami po strunach i zaczął grać.

W programie wypisane były dwa utwory Andre Segovii – miniatury zatytułowane *Estudio* i *Estudio Sin Luz*. Frazy obydwu, delikatne i precyzyjne, wydawały się Davidowi dziwnie znajome. Słyszał je przecież setki, ba, tysiące razy wcześniej, gdy Paul przygotowywał się do koncertu. Przez cały okres pobytu na Arubie ta muzyka wylewała się z jego pokoju, grana w szybszym lub wolniejszym tempie, a osobne takty lub frazy powtarzały się wielokrotnie. Poszczególne ozdobniki były teraz znane mu równie dobrze, jak widok zręcznych, długich palców Paula, które poruszały się zwinnie po strunach, posyłając w stronę widzów wspaniałą muzykę. Lecz mimo to David miał wrażenie, że słyszy ją po raz pierwszy, tak samo jak po raz pierwszy widzi Paula. Gdzie podział się niemowlak, który ściągał z nóżek buciki, żeby spróbować jak smakują, albo chłopiec, który wspinał się po drzewach i potrafił jeździć na rowerze bez trzymania rąk na kierownicy? Jakimś cudem to słodkie diablątko przeistoczyło się w przystojnego młodzieńca. Duma wypełniła serce Davida; zaczęło uderzać w tak szaleńczym tempie, że na moment ogarnął go lęk przed zawałem. Co prawda był za młody na zawał – miał zaledwie czterdzieści sześć lat – ale na tym świecie wszystko może się zdarzyć.

Powoli, powoli odprężył się i zamknął oczy, pozwalając żeby cudowna muzyka, muzyka Paula, przepływała przez niego jak fala. Łzy napłynęły mu do oczu, a gardło ścisnęło się ze wzruszenia. Pomyślał o siostrze stojącej na ganku przed domem i śpiewającej coś swoim słodkim głosikiem. Muzyka była jak srebrzysta mowa, którą porozumiewała się z otoczeniem –

i podobnie rzecz się miała z Paulem. Ta myśl na nowo rozbudziła w Davidzie poczucie straty, wywołane natłokiem przykrych wspomnień; głosik June zmieszał się z hukiem zatrzaskiwanych przez Paula drzwi i z widokiem rozrzuconego na plaży ubrania Norah. A potem ujrzał swoją córeczkę, Phoebe, którą kładzie na wyciągnięte ręce Caroline Gill.

Za dużo. Stanowczo za dużo. David poczuł, że zaraz się rozpłacze. Szybko otworzył oczy i zaczął powtarzać tablicę pierwiastków – wodór, hel, lit – żeby węzeł, który tkwił mu w żołądku, nie rozpuścił się w potoku łez. To podziałało jak zwykle, tak jak działało na sali operacyjnej, gdy szybko musiał skupić uwagę na tym, co robi. Odepchnął wszystko na bok: June, muzykę, przytłaczające uczucie miłości, jaką darzył syna... Palce Paula znieruchomiały na strunach gitary. David wysunął dłoń spomiędzy palców Norah i zaczął głośno bić brawo.

Spojrzała na niego z ukosa.

– Wszystko w porządku, David? Dobrze się czujesz?

– Bez słowa skinął głową. Bał się, że głos odmówi mu posłuszeństwa.

– Jest dobry – w końcu wyrzucił z siebie jednym tchem. – Boże, jest naprawdę dobry.

– Owszem – zgodziła się. – Właśnie dlatego wybiera się do Julliard School.

– Wciąż klaskała, a gdy Paul spojrzał w ich kierunku, przesłała mu na dłoni pocałunek.

– Zresztą powiedz sam, czy to nie byłoby cudowne? Paul ma przed sobą jeszcze kilka lat na ćwiczenia, i jeśli da z siebie wszystko, to... Kto wie?

– Paul skłonił się i zszedł z estrady. Oklaski wyraźnie przybrały na sile.

– Jeśli da z siebie wszystko... – powtórzył David. – A jeśli coś nie wypali?

– A jeśli wszystko się powiedzie?

– No nie wiem – odparł. – Moim zdaniem jest po prostu za młody, żeby zamykać sobie inne drzwi.

– Jest taki utalentowany! Słyszałeś przecież, Davidzie. Może ten talent otworzy przed nim możliwości, o jakich nam się nie śniło?

– Zgoda, ale on ma dopiero trzynaście lat!

– Tak, i uwielbia muzykę. Powiada, że czuje się najszczęśliwszy, kiedy gra na gitarze.

– Ale... Ale trudno przewidzieć, jak potoczy się jego kariera. Czy zarobi w ten sposób na życie?

– Norah wydawała się całkiem poważna.

– Nie wiem – pokręciła głową. – Ale jak mówi stare porzekadło: „Rób to, co kochasz, a pieniądze same przyjdą". Nie zamykaj mu drogi do realizacji marzeń.

– Nie mam zamiaru. Ale z drugiej strony naprawdę się martwię. Chcę, żeby czuł się w życiu bezpiecznie. A Julliard School to bardzo śliska droga, niezależnie od tego, jak dobry jest w tym, co robi. Nie chcę, żeby poczuł się skrzywdzony.

Norah już otworzyła usta, żeby odpowiedzieć, ale nie zdążyła, bo w międzyczasie widownia ucichła i na scenie pojawiła się młoda kobieta w ciemnoczerwonej sukni i ze skrzypcami w ręku, więc obydwoje znów skoncentrowali się na muzyce.

David patrzył na tę dziewczynę i na wszystkich, którzy występowali po niej, ale wciąż miał w uszach miniatury grane przez Paula. Koncert dobiegł końca, więc razem z Norah ruszyli w stronę foyer, choć co kilka kroków musieli się zatrzymywać, żeby wymienić z kimś uściski dłoni i wysłuchać słów zachwytu nad talentem syna. Gdy wreszcie udało im się przepchnąć do miejsca, gdzie stał Paul, Norah rzuciła się do przodu i mocno go objęła, zaś Paul z zawstydzeniem pogłaskał ją po plecach. David złapał w przelocie jego spojrzenie i uśmiechnął się szeroko. Ku jego zdumieniu Paul także się uśmiechnął. Ot, taki zwykły moment. Znów David pozwolił sobie uwierzyć, że wszystko jakoś się ułoży, ale sekundę potem Paul zaczął się zachowywać jak zwykle. Odepchnął matkę i odsunął się o krok.

– Byłeś po prostu wspaniały. Zagrałeś fantastycznie – oświadczył David, z dumą obejmując syna. Z przykrością zauważył, jak Paul przyjął ten serdeczny gest – sztywno i z rezerwą.

– Dzięki, tato. Trochę się denerwowałem.

– Nie sprawiałeś wrażenia kogoś, kto się denerwuje.

– Absolutnie – wtrąciła Norah. – Znakomicie się prezentujesz na scenie.

– Paul potrząsnął rękoma i zwiesił je luźno po bokach, jakby chciał wyrzucić z siebie resztki energii.

– Wiecie, Mark Miller zaprosił mnie, żebym zagrał na jego festiwalu. Powiedzcie, czy to nie wspaniała wiadomość?

Mark Miller był nauczycielem gry na gitarze, a jego reputacja zataczała coraz szersze kręgi. Davidowi znów zrobiło się przyjemnie.

– Tak, faktycznie to najlepsza wiadomość – przyznała Norah, śmiejąc się na cały głos. – Doprawdy, absolutnie najlepsza! Spojrzała w górę i dostrzegła wyraz twarzy syna.

– Co się stało? – spytała ze zdziwieniem. – O co chodzi?

Paul przestąpił z nogi na nogę, wsadził ręce do kieszeni i rozejrzał się po zatłoczonym holu.

– Po prostu... No, nie wiem... Ale to zabrzmiało potwornie głupio, mamo... To znaczy, nie masz kilkunastu lat i chyba nie powinnaś się tak zachowywać?

Norah oblała się rumieńcem. David obserwował, jak robi się jej przykro i poczuł w sercu ból. Norah nie wiedziała, skąd się wziął gniew Paula ani jego własny. Nie miała przecież pojęcia, że wiatr trzepotał w jej porzuconych na plaży ciuchach, ani o tym, że on sam przed wieloma laty wzniecił ten podmuch.

– Nie wolno ci się tak odzywać do matki – powiedział ostro, biorąc tę sprawę na siebie. – Masz ją przeprosić, i to zaraz.

Paul wzruszył ramionami.

– Racja. W porządku, mogę przeprosić. Przepraszam.

– Zrób to tak, jak należy.

– Davidzie... – na ramieniu poczuł rękę Norah. – Nie rozdmuchuj tej sprawy. Proszę cię. Wszyscy są jeszcze lekko podekscytowani, to wszystko. Lepiej jedźmy do domu i jakoś spróbujmy uczcić tę okazję. Myślałam, żeby zaprosić parę osób. Bree obiecała przyjechać. No i może Marshallów... Lizzie naprawdę pięknie gra na flecie, prawda? I może rodziców Duke'a? Co prawda prawie ich nie znamy, ale może także chcieliby przyjść?

– Nie – zaprotestował Paul. Znów wydawał się daleki i obcy. Patrzył przez Norah gdzieś w zatłoczone foyer.

– Naprawdę? Nie chcesz zaprosić rodziny Duke'a?

– Nie chcę nikogo zapraszać – warknął. – Po prostu chcę wrócić do domu.

Przez moment stali we troje – wyspa milczenia w sali wypełnionej przez podniecony, rozgadany tłum.

– W porządku – zdecydował David. – W takim razie jedziemy prosto do domu.

W domu panowała kompletna ciemność. Gdy zajechali, Paul poszedł prosto na górę, do swojego pokoju. Słyszeli odgłos kroków zmierzających do łazienki i z powrotem, a potem ciche zamknięcie drzwi i odgłos przekręcanego klucza.

– Nic nie rozumiem – powiedziała Norah. Zrzuciła z nóg pantofle i teraz, gdy w samych rajstopach stała pośrodku kuchni, wydawała się taka malutka i bezbronna. – Naprawdę świetnie sobie poradził na scenie. Wydawał się taki szczęśliwy... I co mu się nagle stało? Nie rozumiem – westchnęła. – Och, te nastolatki. Lepiej pójdę z nim porozmawiać.

– Nie – poprosił. – Pozwól, że ja to zrobię.

Nie włączając światła, wspiął się po schodach i stanął przed drzwiami Paula. Na moment zatrzymał się, bo przypomniały mu się palce syna i wysublimowana zręczność, z jaką przebiegały przez struny, wypełniając audytorium wspaniałą muzyką. Pomyślał o błędzie, jaki popełnił przed wieloma laty, bo oddanie własnej córki w ręce Caroline Gill należało uznać za fatalny błąd. Wówczas dokonał pewnego wyboru i skończyło się na tym, że oto teraz, tej nocy, stał w ciemności przed drzwiami pokoju jedynego syna. Zapukał, ale Paul nie odpowiedział. Zapukał jeszcze raz i gdy Paul znów się nie odezwał, David cofnął się do biblioteczki, wyciągnął cienki gwóźdź, który trzymał tam na podobne okazje i wsunął w otwór pod gałką. Rozległ się cichy klik i po przekręceniu gałki drzwi stanęły otworem. David wcale się nie zdziwił, że pokój jest pusty. Przekręcił włącznik światła, a wówczas lekki wiatr wślizgnął się pomiędzy białe firanki i uniósł je aż pod sufit.

– Paul gdzieś sobie poszedł – powiedział do Norah, która nie zdążyła jeszcze wyjść z kuchni. Stała z założonymi rękoma przy czajniku i czekała, aż woda się zagotuje.

– Poszedł?

– Przez okno. Pewnie zsunął się po drzewie.

– Zakryła rękoma twarz.

– Masz jakiś pomysł, dokąd mógł pójść?

Pokręciła głową. Czajnik zagwizdał przeciągle, ale Norah nie zareagowała i po chwili uporczywe zawodzenie wypełniło cały pokój.

– Nie wiem. Może umówił się z Duke'em?

David przeszedł na ukos przez kuchnię i zdjął czajnik z palnika.

– Na pewno nic mu się nie stało – powiedział.

– Norah przytaknęła, ale zaraz zaczęła kręcić głową.

– Nie – odparła. – Wiem, że planowali jakąś imprezę, choć nie sądzę, żeby akurat tam poszedł.

Wzięła do ręki słuchawkę i wybrała numer. Matka Duke'a podała adres, pod którym ktoś organizował party na cześć wykonawców. Norah sięgnęła po kluczyki.

– Nie – powstrzymał ją David. – Sam pojadę. Nie wydaje mi się, żeby miał ochotę z tobą rozmawiać.

– Z tobą także nie – warknęła.

Jednak zanim skończyła, dostrzegł w jej oczach błysk zrozumienia. W tym momencie pewna tajemnica została odarta ze swojej tajemniczości. Długie godziny, na które znikała podczas pobytu na Arubie, jej kłamstwa i wymówki, i kolorowe łaszki rozrzucone po plaży... I jego kłamstwa także. Wolno skinęła głową, a on przeraził się, że zrobi lub powie coś, co na zawsze odmieni ich życie. Bardziej niż czegokolwiek pragnął teraz zatrzymać bieg czasu. Osadzić w miejscu ich świat.

– To wszystko moja wina – wyszeptał. – Tylko moja.

Wziął kluczyki i wyszedł w łagodną, wiosenną noc. Księżyc w kolorze śmietanki, piękny i okrągły, wisiał nisko nad horyzontem. David, prowadząc samochód po wypełnionych ciszą ulicach, zerkał co chwila na otoczenie, tak bogate i zasobne. Jako dziecko nawet nie potrafił sobie wyobrazić, że istnieją takie miejsca. Właśnie tym różnił się od syna: wiedział, że życie bywa ryzykowne, a czasami nawet okrutne. Sam musiał ciężko walczyć, żeby zdobyć rzeczy, które dla Paula były czymś oczywistym.

Zauważył Paula na chodniku, mniej więcej w odległości skrzyżowania od miejsca, gdzie odbywało się party. Szedł przygarbiony, z rękoma w kieszeniach. Wzdłuż krawężnika stał rząd zaparkowanych samochodów i nie było gdzie się zatrzymać, więc David tylko zwolnił i nacisnął klakson. Paul podniósł głowę i przez chwilę David miał wrażenie, że chłopak zaraz rzuci się do ucieczki.

— Wsiadaj — polecił krótko. I Paul posłuchał.

David ruszył z miejsca. Nie zamienili z sobą ani słowa. Księżyc zalewał świat przepięknym, srebrzystym blaskiem. David ostrzej niż kiedykolwiek uświadamiał sobie fakt, że syn siedzi tuż obok, oddycha lekko, trzyma ręce na kolanach i odwraca głowę, spoglądając przez okno na pogrążone w ciszy trawniki, które mijali po drodze.

– Dziś zagrałeś naprawdę super. Byłem pod wrażeniem.

– Dzięki.

Kolejne dwa skrzyżowania przejechali w milczeniu.

– No tak... Mama mówi, że wybierasz się do Julliard School.

– Być może.

– Jesteś dobry, Paul – powiedział David. – Masz talent do tylu różnych rzeczy. Możesz w życiu wybierać i iść w dowolnym kierunku. Możesz być kimkolwiek zechcesz.

– Ja lubię muzykę – odparł Paul. – To dzięki niej czuję, że żyję, choć nie przypuszczam, żebyś był w stanie to zrozumieć.

– A jednak rozumiem – odezwał się David. – Tyle tylko, że trzeba jakoś żyć i na to życie zarobić.

– Dokładnie tak.

– Mówisz tak, bo nigdy w życiu niczego ci nie brakowało. Żyjesz w dobrobycie, którego nawet nie potrafisz pojąć.

Byli już blisko domu, lecz David skręcił w przeciwną stronę. Chciał jeszcze pobyć sam na sam z Paulem, jechać przez wypełniony księżycowym światłem świat, bo tylko tutaj ich rozmowa – choć przykra i pełna spięć – w ogóle była możliwa.

– Ty i mama... – wypalił gwałtownie Paul, jakby wstrzymywał te słowa od wielu miesięcy. – Co się z wami dzieje? Żyjecie tak, jakby nic was nie obchodziło. Nic was nie cieszy. Dzień po dniu przecieka wam między palcami, wszystko jedno jak. Nawet palcem nie kiwnąłeś, jak się puściła z tym gnojem, Howardem.

Więc jednak wiedział...

– Owszem, kiwnąłem – odparł. – Wiesz co, Paul... Pewne sprawy są bardziej skomplikowane, niż ci się wydaje I nie mam zamiaru z tobą o nich dyskutować, teraz ani kiedykolwiek. Jest mnóstwo rzeczy, których nie rozumiesz.

Paul nie odezwał się. Na skrzyżowaniu zapaliło się czerwone światło i David zatrzymał auto. Poza nimi na ulicy nie było żadnych samochodów, ale mimo to siedzieli w ponurym milczeniu, czekając na zmianę świateł.

– Lepiej skoncentrujmy się na tym, co jest tu i teraz – powiedział w końcu David. – Nie musisz się martwić o mamę czy o mnie. To nie twoja sprawa. Twoją sprawą jest znalezienie sobie miejsca w życiu. Wykorzystanie własnych zdolności. I pamiętaj, że one nie mogą być tylko dla ciebie. Musisz dać coś w zamian. Właśnie dlatego ja zdecydowałem się na pracę w klinice.

– Kocham muzykę – szepnął miękko Paul. – Kiedy gram... czuję się tak, jakbym właśnie to robił. Jakbym oddawał ludziom cząstkę siebie.

– Bo oddajesz. Właśnie tak... Ale pomyśl, Paul, może na przykład masz w sobie coś, co pozwoli ci na odkrycie nowego ciała we wszechświecie? Albo na wynalezienie leku na jakąś rzadką i nieuleczalną dotąd chorobę?

– To twoje marzenia – odparł Paul. – Twoje, nie moje.

David zamilkł, bo przyszło mu do głowy, że faktycznie Paul ma rację. To były jego marzenia. To on wyruszył, żeby naprawiać świat, zmieniać go i kształtować, a zamiast tego jechał w księżycową noc z własnym, dorastającym synem i każdy aspekt życia zdawał się być poza jego zasięgiem.

– Tak... – przyznał. – To moje marzenia.

– A może mam szansę stać się drugim Segovią? – spytał Paul. – Pomyśl o tym, tato. Co będzie, jeśli mam w sobie taki talent i nawet nie spróbuję go wykorzystać?

David nic nie odpowiedział. Znów znalazł się na ulicy prowadzącej do domu i tym razem skręcił we właściwą stronę. Samochód wjechał na dróżkę dojazdową, podskakując na nierówności krawężnika i zatrzymał się przez bramą garażu, stojącego obok budynku mieszkalnego. David wyłączył silnik i przez kilka minut siedzieli, nie odzywając się do siebie ani słowem.

– To nieprawda, że nic mnie nie obchodzi – odezwał się David. – Chodź. Chcę ci coś pokazać.

Poprowadził Paula przez zalany blaskiem księżyca dziedziniec i po zewnętrznych schodach do pokoju wybudowanego nad garażem. Paul stanął przy drzwiach z założonymi rękoma i z widocznym zniecierpliwieniem obserwował ojca. David wlał do naczynia odpowiednie chemikalia, a potem wsunął negatywy do aparatu do powiększeń.

– Podejdź do mnie – zawołał do Paula. – Co to jest według ciebie?

Po sekundzie wahania Paul przeszedł na ukos przez pokój i spojrzał.

– Drzewo? – spytał z niedowierzaniem. – To mi przypomina sylwetkę drzewa.

– Dobrze – powiedział David. – A teraz popatrz jeszcze raz. Zrobiłem to zdjęcie podczas operacji. Stałem na balkonie nad stołem operacyjnym i robiłem zdjęcia przez teleobiektyw. Czy teraz już widzisz, co to jest?

– Nie wiem... Serce?

– Zgadza się, to jest serce. Czy to nie zdumiewające? Przygotowuję całe serie takich zdjęć... Wizerunki ludzkiego ciała, które na pierwszy rzut oka kojarzą się z zupełnie czymś innym. Wiesz, czasem myślę, że obraz całego świata zawiera się w każdym żywym człowieku. Ta tajemnica i tajemnica percepcji... właśnie to mnie obchodzi. I dlatego rozumiem, co czujesz, myśląc o muzyce.

David przepuścił skoncentrowaną wiązkę światła przez aparat do powiększeń, a następnie wsunął papier fotograficzny do wywoływacza. Stojąc w tym zaciemnionym pokoju i dzwoniącej w uszach ciszy, czuł tuż za swoimi plecami obecność Paula.

– W ogóle fotografowanie ściśle wiąże się z odkrywaniem tajemnic – powiedział po kilku minutach, podnosząc szczypczykami zdjęcie i wkładając je do utrwalacza. – Tajemnic, które każdy z nas nosi w sobie i których nigdy nikomu nie zdradzi.

– Ale muzyka jest zupełnie czymś innym – zawołał Paul i David usłyszał w jego głosie nutę sprzeciwu. Spojrzał na syna, ale w tym miękkim, czerwonym świetle nie mógł rozeznać wyrazu jego twarzy. – Muzyka jest jak... jak dotknięcie pulsu świata. Muzyka jest czymś, co istnieje zawsze, w każdym czasie, a jeśli przez chwilę uda się dotrzeć do jej istoty, wszystkie rzeczy nagle łączą się w jedność.

Z tymi słowami odwrócił się i wyszedł z ciemni.

– Paul! – zawołał za nim David, ale usłyszał tylko gniewny tupot stóp syna na schodach. Podszedł do okna i patrzył, jak chłopak biegnie przez trawnik w kierunku tylnych drzwi i jak znika w głębi domu. Kilka sekund później na piętrze zapaliło się światło i w nocne powietrze uleciały precyzyjne i delikatne frazy utworu Segovii.

David jeszcze raz przeszedł w myślach całą ich rozmowę, bo przez chwilę zastanawiał się, czy nie pójść za Paulem. Zdecydowanie chciał podtrzymać nawiązane niedawno porozumienie, przedłużyć moment, kiedy każdy z nich dokładnie wiedział, czego oczekuje druga strona, ale jego pełne dobrych intencji myśli wciąż kręciły się wokół ostatniego sporu i dzielącego ich na nowo dystansu. Po chwili namysłu wrócił do ciemni. Ciepłe, czerwone światło działało uspokajająco. Rozważył jeszcze raz to, co powiedział Paulowi – że tak naprawdę świat jest zrobiony z sekretów, z rzeczy ukrytych przed ludzkim okiem; że został zbudowany na szkielecie, który nigdy nie ujrzy światła dziennego. To prawda, że niegdyś szukał w nim jedności, jakby niejasne związki między kształtem tulipana i budową płuc, układem żył i sylwetką drzewa czy ciałem a ziemią mogły zawierać pewien konkretny wzór, który on potrafiłby ogarnąć rozumem. Ale niczego podobnego nie udało mu się znaleźć. Za kilka minut wróci do domu i napije się wody. Potem wejdzie na piętro i znajdzie śpiącą Norah. Przez dłuższą chwilę będzie stał i się jej przyglądał – tej pełnej tajemnic kobiecie, osobie, której tak naprawdę nigdy nie znał, a która śpi teraz, zwinięta dookoła własnych sekretów.

David podszedł do maleńkiej lodówki, w której trzymał zestaw chemikaliów i filmy. Koperta tkwiła na samym końcu, wepchnięta za kilka butelek. Była pełna dwudziestodolarowych banknotów – nowych, szorstkich i zimnych w dotyku. Odliczył najpierw dziesięć, potem dwadzieścia i odłożył kopertę na miejsce. Banknoty leżały w porządku na kontuarze.

Zwykle wysyłał je owinięte w kartkę białego papieru, lecz dziś – gdy w ciemni unosiły się jeszcze resztki gniewu Paula, a z piętra płynęła jego muzyka – David zasiadł do pisania listu. Pisał szybko, jakby słowa same wylewały się na papier; pisał o Phoebe, o swoim żalu dotyczącym przeszłości i o nadziejach na przyszłość. Kim było to dziecko, krew z jego krwi i kość z jego kości, które niegdyś tak bezmyślnie oddał w obce ręce? Nie spodziewał się, że Phoebe będzie długo żyć, ani że będzie prowadzić ten tryb życia, o jakim pisała Caroline. Nagle pomyślał o synu, który siedział sam na estradzie, i o samotności, która wszędzie mu towarzyszyła. Czy tak samo było z Phoebe? Jak wyglądałoby ich życie, gdyby dorastali razem, jak Norah i Bree – tak różne pod każdym względem, a jednak blisko z sobą związane? Co stałoby się z nim samym, gdyby June nie umarła? „Bardzo chciałbym poznać Phoebe", pisał. „Chciałbym, żeby poznała swojego brata i żeby on poznał ją". Potem zawinął pieniądze w list i nie czytając go powtórnie, włożył do koperty i zaadresował. Zakleił kopertę, nalepił znaczek... Jutro z samego rana wrzuci go do skrzynki.

Światło księżyca wlewało się do wnętrza przez odsłonięte okna balkonu. Paul przestał grać. David wpatrzył się w księżyc, który wisiał już wysoko na niebie, wciąż jeszcze ostro i wyraźnie odbijając się od ciemności. Tam, na plaży, David dokonał pewnego wyboru; pozostawił leżące na piasku ubranie Norah i nie zareagował na jej śmiech, dobiegający z otwartego okna. Po prostu wrócił do domu i zajął się układaniem zdjęć, a gdy pojawiła się mniej więcej w godzinę później, ani słowem nie wspomniał o Howardzie. Zachował milczenie, ponieważ jego sekrety były o wiele bardziej mroczne, głębiej ukryte i ponieważ wierzył, że właśnie tamta tajemnica powołała do życia tajemnicę Norah.

Wrócił do ciemni i przeszukał pudełko z filmami. W czasie pamiętnej kolacji zrobił przecież kilka zdjęć: Norah z tacą pełną szkła, Paula stojącego obok grilla z uniesioną wysoko szklaneczką, całego towarzystwa, które odpoczywało na ganku... To, czego szukał, znajdowało się na ostatniej fotografii. Zrobił odbitkę na papierze, wsunął do kąpieli w wywoływaczu i patrzył, jak wolno, ziarno po ziarenku, coś pojawia się w miejscu, gdzie przed chwilą nie było niczego. W tym momencie David zawsze doświadczał czegoś w rodzaju intensywnego przeżycia mistycznego, kiedy patrzył, jak utrwalony na filmie obraz przyjmuje swój ostateczny kształt. Oto Norah i Howard siedzą naprzeciwko siebie, uśmiechnięci i ze szklaneczkami wina uniesionymi w toaście. Chwila tak niewinna i jednocześnie niosąca w sobie zarzewie winy; chwila, w której dokonano pewnego wyboru. David wyjął zdjęcie z wywoływacza, ale nie wsunął do naczynia z utrwalaczem. Zamiast tego poszedł do pokoju z balkonem i trzymając w ręku mokrą fotografię, przez dłuższy czas spoglądał przez okno na pogrążony w mroku dom. Paul i Norah byli w środku i śnili własne, osobiste sny; każde krążyło po swojej orbicie, a ich los stale kształtował się poprzez wybór, jakiego on dokonał tyle lat temu.

Wrócił do ciemni i powiesił zdjęcie do wyschnięcia. Niedokończony, nieutrwalony obraz nie wytrzyma próby czasu. Przez następne godziny nieosłonięty niczym papier będzie poddawany działaniu światła. Wizerunek Norah, bawiącej się w towarzystwie Howarda, będzie stopniowo ciemniał, by w końcu – za dzień lub dwa – zniknąć zupełnie.

Rozdział drugi

We dwóch włóczyli się w okolicy torowiska: Duke Madison szedł z rękoma wepchniętymi do kieszeni skórzanej kurtki, którą znalazł na wyprzedaży w sieci Goodwilla, a Paul kopał kamienie, które uderzały z brzękiem o metal. Z oddali dobiegł przeciągły gwizd pociągu. W milczącym porozumieniu obaj chłopcy weszli na nasyp i stanęli na szynach wiodących na zachód, balansując na ich krawędzi. Pociąg był coraz bliżej; czuli pod stopami coraz większą wibrację, a parowóz widoczny był w postaci małej kropeczki, która rosła z każdą sekundą, wydając z siebie przeraźliwy gwizd. Paul popatrzył na Duke'a. Jego oczy błyszczały z podniecenia wywołanego przez ryzyko i poczucie niebezpieczeństwa. Paul także poczuł, jak jego ciało przenika dreszcz podekscytowania, tak potężny, że niemal nie do zniesienia. Pociąg zbliżał się coraz bardziej i bardziej, a dziki ryk rozbrzmiewał po sąsiednich ulicach i niósł się echem po całej okolicy. Nagle w kabinie zapaliło się światło i dostrzegli sylwetkę maszynisty. Pociąg znów wydał z siebie ostrzegawczy, przenikliwy gwizd. Podmuch pędzącej maszyny kładł pokotem zielsko rosnące przy torach, ale Paul wciąż czekał, spoglądając na Duke'a, który balansował na krawędzi sąsiedniej szyny. Pociąg pędził na nich, prawie przez nich, a oni wciąż zwlekali. Paul pomyślał w końcu, że chyba nigdy nie zdecydują się skoczyć. A potem w jednej chwili był już na dole, wśród rosnących tam chwastów, a rozpędzona lokomotywa przemknęła o kilka stóp od jego twarzy. W ułamku sekundy dostrzegł pobladłą ze zdenerwowania twarz konduktora, a potem widział już tylko czarne cielska wagonów – na przemian ciemność i błysk, ciemność i błysk – które mijały go w szaleńczym pędzie. Po chwili wszystko się uspokoiło, ustał nawet dziki podmuch powietrza.

Duke siedział o krok dalej z twarzą wzniesioną ku rozgwieżdżonemu niebu.

– Cholera... – mruknął z podziwem. – Ależ to zapieprza.

Obaj otrzepali się z trawy i ruszyli w stronę domu Duke'a – małego, jednopiętrowego budynku z szeregowym układem pokoi – który stał tuż przy linii trakcyjnej. Paul urodził się w tej okolicy, zaledwie kilka przecznic dalej. Co prawda matka zabierała go czasem na przejażdżkę, żeby zobaczył mały park z letnim pawilonem i stojący po przeciwnej stronie ulicy dom, w którym mieszkał jako niemowlę, ale nie lubiła, kiedy przychodził tutaj sam albo wpadał z wizytą do Duke'a. Ale, do diabła, przecież jej nigdy nie było w domu. Dopóki pilnie odrabiał lekcje – a odrabiał – i dopóki kosił trawę, i ćwiczył godzinę dziennie na fortepianie – co także robił bez szemrania – zostawiała mu we wszystkich innych sprawach wolną rękę.

Ostatecznie nie mogło sprawiać jej przykrości to, czego nie widziała. Albo o czym nie miała pojęcia.

– Widziałeś tego gościa w pociągu? – spytał Duke. – Był totalnie wkurwiony.

– No – przytaknął Paul. – Wściekły jak sto diabłów.

Lubił przeklinać, bo to pozwalało mu na rozładowanie emocji, ale wspomnienie gorącego podmuchu na policzkach przynajmniej na jakiś czas zdusiło w nim zadawnioną złość. Tamtego ranka na Arubie był w doskonałym nastroju i z lekkim sercem szedł się wybiegać. Cieszył się na samą myśl o tym, jak mokry piach na granicy lądu i morza będzie osuwał się pod jego stopami i że za chwilę rozrusza wysportowane mięśnie nóg. Cieszył go także fakt, że wyprawa na ryby nie doszła do skutku. Ojciec uwielbiał jeździć na ryby. Potrafił długie godziny bez słowa siedzieć w łódce albo na nabrzeżu i na zmianę zarzucać i podrywać wędkę, żeby co jakiś czas złapać nieszczęsne stworzenie, które połakomiło się na przynętę. Paul jako dziecko też lubił te wyprawy, jednak interesował go nie tyle rytuał połowu, co czas spędzany sam na sam z ojcem. Jednak w miarę jak dorastał, wyprawy na ryby coraz częściej stawały się czymś w rodzaju obowiązku, zupełnie jakby ojciec planował akurat taką a nie inną formę rozrywki, bo nie miał nic ciekawszego do zaproponowania. Albo dlatego, żeby podtrzymać rodzicielską więź. Paul był przekonany, że ojciec musiał to wyczytać w jakimś mądrym poradniku dla rodziców. Podczas pewnych wakacji, gdy siedzieli uwięzieni na łódce na środku jeziora w Minnesocie, a piekące słońce smażyło im obnażone ramiona, ojciec zaczął rozmowę na temat sekretów życia. To wówczas Paul dowiedział się co nieco na temat rozrodczości i związanych z nim procesów. W tamtych dniach przyszłość syna była ulubionym tematem ojcowskich wykładów, choć jego pomysły wydawały się chłopcu równie interesujące, jak szklista powierzchnia gładkiej wody.

Tamtego dnia, idąc na plażę, czuł się w pełni szczęśliwy i odprężony, więc nic dziwnego, że na widok kłębka kolorowych szmat, porzuconego na piasku tuż przed wejściem do jednego z tych małych domków rozproszonych pomiędzy drzewami kazuaryny, nie pomyślał o niczym szczególnym. Przebiegł obok, uderzając rytmicznie nogami, a jego mięśnie wydawały z siebie coś w rodzaju muzyki, która podtrzymywała go na duchu przez całą trasę aż do skalistego miejsca stanowiącego metę. Tam zatrzymał się, przez chwilę pochodził w kółko, a potem zaczął biec z powrotem, tym razem znacznie wolniej. Kątem oka zauważył, że wiatr przesunął leżące na plaży ubranie; rękaw bluzki łopotał w gwałtownych podmuchach, a jasnoróżowe flamingi tańczyły w takt na turkusowym tle materiału. Paul wyraźnie zwolnił. Ta bluzka mogła należeć do kogokolwiek, ale wiedział, że jego matka miała dokładnie taką samą. Zaśmiewali się do rozpuku w sklepie w centrum miasteczka, gdy wyciągnęła ją z jakiejś półki. Matka wydawała się tak rozbawiona, że bez namysłu ją kupiła, traktując to jako żart.

Okay, na świecie mogły być setki, a nawet tysiące takich samych bluzeczek. Mimo to Paul schylił się i wziął ją do ręki. Z rękawa wysunął się znajomy kostium kąpielowy w ciclistym kolorze, bezkształtny i łatwy do rozpoznania. Paul stał jak wmurowany, zupełnie jakby został przyłapany na kradzieży, a błysk lampy przyszpilił go do podłoża. Upuścił bluzkę, ale wciąż nie był w stanie wykonać najlżejszego ruchu. W końcu powędrował wolnym krokiem w stronę własnego domku, a potem nagle rzucił się do ucieczki, jakby biegł poszukać schronienia w jakimś sanktuarium. Na chwilę zatrzymał się w wejściu, żeby trochę się pozbierać. W międzyczasie ojciec zdążył przenieść misę z pomarańczami na ladę w kuchni i teraz pracowicie układał swoje zdjęcia na wielkim stole w salonie. „Coś się stało?", spytał na widok syna, ale Paul nie mógł wydobyć z siebie głosu. Poszedł do swojego pokoju i zatrzasnął drzwi, i nie podniósł głowy nawet wówczas, gdy ojciec przyszedł i zapukał.

Matka Paula wróciła dwie godziny później, mrucząc pod nosem jakieś wyjaśnienia, a turkusowa bluzka we flamingi była wetknięta starannie za pasek beżowych szortów. „Wiesz, chyba pójdę przed lunchem trochę popływać", powiedziała jak gdyby nigdy nic. „Chcesz pójść ze mną?". Pokręcił głową, a sekret – jego sekret, teraz już wspólny, jego i jej – rozdzielił ich jak zwiewny welon.

Ojciec też miał swoje tajemnice: to, co działo się w pracy, albo to, co robił w zaciemnionym pokoju nad garażem. Paul sądził, że takie postępowanie jest czymś zwyczajnym, że tak żyją wszystkie rodziny... aż do dnia, gdy zaczął spotykać się z Duke'em, wzbudzającym podziw pianistą, którego poznał pewnego popołudnia w sali prób zespołowych. Madisonowie nie mieli pieniędzy, a ich skromny dom stał tak blisko linii kolejowej, że szyby w oknach grzechotały za każdym razem, gdy przejeżdżał pociąg. Mama Duke'a nigdy w życiu nie leciała samolotem. Paul wiedział, że powinna wzbudzać w nim litość, bo tak potraktowaliby tę kobietę jego rodzice. Była obarczona pięciorgiem dzieci i mężem, który pracował w fabryce GE Plants i nie miał żadnych perspektyw na zarabianie większych pieniędzy. Ale za to tata Duke'a grywał w piłkę ze swoimi chłopcami i codziennie wracał do domu o szóstej po południu, zaraz po skończonej zmianie. I nawet jeśli nie był bardziej rozmowny niż rodzony tata Paula, to przynajmniej był na miejscu, a nawet jeśli nie, to wszyscy wiedzieli, gdzie go szukać.

– No więc, czego twój stary od ciebie chce? – spytał Duke.

– A tam, jakieś głupoty – mruknął niechętnie Paul. – A twój?

Szyny wciąż brzęczały i Paul zaczął się zastanawiać, gdzie ten pociąg się zatrzymuje? Czy ktokolwiek zauważył go, kiedy stał na krawędzi torowiska tak blisko, że mógłby wyciągnąć rękę i dotknąć pędzącego wagonu, a podmuch powietrza rozwiewał mu włosy i boleśnie kłuł w oczy? A jeśli ktoś go dostrzegł, to co sobie pomyślał? Obrazy przesuwające się za oknem musiały wyglądać jak seria nieruchomych zdjęć. Jedno i zaraz następne, i tak dalej... Drzewo, tak; kamień, tak; chmura, tak... I żadne z nich nie miało prawa wyglądać tak samo. Następnie jakiś chłopak – on sam – roześmiany od ucha do ucha, z odrzuconą do tyłu głową. I już chłopak zniknął. Potem jakiś autobus, trakcja elektryczna, droga, która w ułamku sekundy przemknęła przed oczyma...

– Możemy iść i popykać trochę w koszykówkę.

– No.

Dalej wlekli się wzdłuż linii kolejowej. Kiedy minęli Rosemont Garden i weszli w wysoką trawę, Duke zatrzymał się i pogrzebał w kieszeni swojej skórzanej kurtki. Jego oczy były teraz intensywnie zielone, upstrzone niebieskimi plamkami. Zupełnie jak nasz świat, pomyślał Paul, bo właśnie z tym kojarzyły mu się oczy Duke'a. Z obrazem świata widzianym z księżyca.

– Chodź, zobacz – wyszeptał. – Spójrz, co dostałem w zeszłym tygodniu od mojego kuzyna, Danny'ego.

– W ręku trzymał plastikową torebkę pełną zielonego suszu.

– Co tam masz? – spytał Paul. – Garść zeschłej trawy?

Jeszcze nie skończył mówić, gdy dotarło do niego, co to jest. Oblał się rumieńcem wstydu na myśl, że okazał się takim durniem.

Duke roześmiał się, a jego śmiech odbił się głośnym echem w ciszy wypełnionej dotąd jedynie szelestem wybujałego zielska.

– Masz rację, chłopie. To trawka. Zdarzyło ci się kiedyś być na haju?

Paul pokręcił głową, zaszokowany i zły na siebie.

– Nie bój się, nic ci się nie stanie, jeśli właśnie o to się martwisz. Ja już paliłem dwa razy i żyję. Totalny odlot, mówię ci.

Niebo wciąż było szare, wiatr szumiał wśród liści, a z daleka doleciał gwizd kolejnego pociągu.

– Wcale się nie boję – odparł Paul.

– No jasne, nie ma się czego bać. Chcesz spróbować?

– Tak – Paul rozejrzał się dookoła. – Ale nie tu.

Duke roześmiał się.

– A kto twoim zdaniem może nas tu przyłapać?

– Posłuchaj – zawołał Paul i obaj nadstawili uszu.

Pociąg był już widoczny. Maleńka kropka na horyzoncie stawała się coraz większa i większa, a przenikliwy gwizd przeszywał powietrze. Chłopcy zeszli z torów i stanęli naprzeciw siebie po obu stronach szyn.

– Lepiej chodźmy do mnie do domu! – wrzasnął Paul, bo rozpędzona lokomotywa była już bardzo blisko. – Mam dziś wolną chatę!

Wyobraził sobie, jak popalają trawkę na nowej kanapie matki obitej jasnym materiałem, i tak go to rozbawiło, że wybuchnął głośnym śmiechem. I wtedy rozdzielił ich pociąg. Gdy mijały go kolejne wagony, Paul na zmianę słyszał ryk i ciszę, ryk i ciszę... W ułamkach sekund migała mu przed oczyma twarz kumpla, zupełnie jakby patrzył na serię fotografii wiszących w ciemni u ojca. Jakby wszystkie momenty z życia utrwalone na filmie były jedynie przelotnymi obrazami ujrzanymi z okna pędzącego pociągu. Jakby zostały schwytane i zamknięte na poszczególnych klatkach. Pęd, a potem cisza, zupełnie jak tutaj.

Wrócili do domu Duke'a, żeby zabrać stamtąd rowery, przejechali na ukos przez Nicholasville Road, a następnie zaczęli kluczyć w labiryncie bocznych uliczek, które prowadziły do domu Paula.

Dom był zamknięty, a klucz leżał schowany pod obluzowanym kamieniem obok rododendrona. Wewnątrz było całkiem ciepło, ale w powietrzu wisiał lekki zapach stęchlizny. Duke zadzwonił do domu, żeby zapowiedzieć, że dziś wróci nieco później, a w tym czasie Paul otworzył okno w salonie. Powiew świeżego powietrza wtargnął do środka, unosząc zasłony własnoręcznie uszyte przez matkę. Zanim zaczęła pracować, co roku zmieniała wystrój całego domu. Pamiętał, jak siedziała schylona nad maszyną do szycia i klęła, ilekroć nitka się splątała albo zrobił się supeł. Zasłony były w kolorze kremowym, ze scenkami rodzajowymi wymalowanymi na granatowo, dzięki czemu pasowały do tapety w ciemne pasy. Paul przypomniał sobie, jak siadywał przy stole i gapił się na nie, jakby spodziewał się, że lada chwila postacie zaczną się ruszać, być może wyjdą ze swoich domków, zdejmą robocze ubrania i pomachają mu na pożegnanie.

Duke zatrzymał się i rozejrzał dookoła.

– Cholera, chłopie – gwizdnął z podziwem. – Ale z ciebie bogacz!

Usiadł przy stole w jadalni i rozłożył na blacie prostokątny kawałek białego papieru. Paul patrzył zafascynowany, jak Duke sypie równy rządek poszarpanego zielska i zawija w rulon.

– Nie tutaj – powiedział, jakby w ostatniej chwili opuściła go pewność siebie. Wyszli na zewnątrz i usiedli na schodkach prowadzących do ogródka. Joint migotał na pomarańczowo, kiedy przekazywali go sobie z rąk do rąk, ostrożnie się zaciągając. Z początku Paul nie czuł nic szczególnego. Jakiś czas potem zaczęło trochę padać, potem przestało i w pewnej chwili

– Paul nie miał pojęcia, ile czasu upłynęło – zorientował się, że przygląda się kropli wody na chodniku. Kropla powoli się rozszerzała, aż połączyła się z kolejną kroplą i wtedy obie przelały się ponad krawężnikiem i znikły na trawniku. Duke śmiał się do rozpuku.

– Chłopie! – zawołał z rozbawieniem. – Szkoda, żeś siebie nie widział. Myślałem, że normalnie cię wmurowało!

– Odpieprz się ode mnie, ty głupku – odparł Paul i sam także zaczął się śmiać.

W którymś momencie wrócili do środka, choć zrobili to dopiero, gdy znów zaczął kropić deszcz. Przemoczył ich do suchej nitki i wtedy zaczęli trząść się z zimna. Matka zostawiła na kuchence garnek z potrawką, ale Paul zupełnie to zignorował. Zamiast tego wyciągnął z lodówki słoik z piklami i masło orzechowe, a Duke zamówił pizzę. Potem Paul wyjął z futerału gitarę i we dwóch poszli do salonu, gdzie stało pianino, żeby pograć trochę muzyki rozrywkowej. Jednak gdy tylko Paul usiadł na brzegu kominka, jego palce automatycznie zaczęły się poruszać w znajomym rytmie utworów Segovii, które grał zeszłego wieczora: *Estudio* i *Estudio Sin Luz...* Te tytuły przywiodły mu na myśl ojca, który w milczeniu pochylał się nad powiększalnikiem do zdjęć. Obie pieśni były jak światło i cień, jedna stanowiła przeciwieństwo drugiej, a teraz perliste nuty wplatały się w jego własne życie, w panującą w domu ciszę, w wakacje spędzone na egzotycznej plaży i szkolne sale o wysokich oknach. Paul grał i czuł, jak dzięki muzyce wznosi się coraz wyżej i wyżej, zupełnie jakby znalazł się na szczycie potężnej fali. Sam tworzył muzykę i jednocześnie stawał się muzyką. Czuł, że przez nią może dotrzeć na sam szczyt.

Gdy skończył, zapadła cisza. Upłynęła cała minuta, zanim Duke odważył się ją przerwać.

– Cholera... – mruknął. – To było naprawdę coś!

Przebiegł palcami po klawiaturze i nagle z energią i złowrogą radością zaczął grać utwór z własnego recitalu: *Marsz Trolli* Eduarda Griega z suity *Peer Gynt*. Duke grał, Paul słuchał i żaden z nich nie zwrócił uwagi na dzwonek ani pukanie do drzwi. Obaj jak na komendę podnieśli głowy dopiero wówczas, gdy chłopak z pizzerii stanął w progu. Przez otwarte drzwi Paul dostrzegł, że zdążył już zapaść ponury zmierzch. Zimny podmuch wtargnął do środka domu. We dwóch rozdarli pudełka i z dziką furią wgryźli się w pizzę, nie czując nawet jej smaku. Gorące ciasto parzyło im języki. Paul czuł, jak jedzenie wypełnia mu żołądek i gniecie, jakby połknął kamień. Wyjrzał przez przeszklone drzwi z tyłu domu na puste, szare niebo, a potem zerknął na twarz Duke'a, tak bladą, że wszystkie pryszcze wydawały się znacznie większe niż zazwyczaj, na jego ciemne włosy przyklejone do czoła i na umazane sosem pomidorowym usta.

– Psiakrew – jęknął. Oparł się szeroko rozstawionymi rękoma o dębową podłogę, szczęśliwy, że ją tam znalazł i że sam jest tak blisko niej.

– Pycha żarcie – zgodził się Duke. – Trochę się napchałem. Która godzina?

Paul podniósł się i powędrował do przedpokoju, gdzie stał zegar odziedziczony po dziadku. Parę minut temu – albo może kilka godzin? – razem z Duke'em stali przed nim i wyli ze śmiechu, podczas gdy zegar odmierzał kolejne sekundy, a odcinek czasu dzielący jedną od drugiej wydawał się wielki jak przepaść. Teraz Paul był w stanie myśleć jedynie o swoim ojcu, który przed tym właśnie antycznym czasomierzem zatrzymywał się każdego ranka, żeby sprawdzić czas na swoim zegarku, a potem przesunął spojrzenie na stół pełen zdjęć i nagle ogarnął go smutek. Wrócił myślami do minionego popołudnia i przekonał się, że bezpowrotnie odeszło, zmieniając się we wspomnienie równie wielkie, jak spływająca po szybie kropla deszczu. Niebo było już prawie ciemne.

Nagle zadzwonił telefon. Duke wciąż leżał na dywanie na środku salonu z taką miną, jakby nie miał zamiaru nigdy się stamtąd ruszyć. Paul miał wrażenie, że upłynęły całe wieki, zanim dobrnął do aparatu i podniósł słuchawkę. Po drugiej stronie usłyszał głos matki.

– Kochanie... – powiedziała. W tle słyszał brzęk sztućców i jakieś hałasy. Wyobraził sobie ją w kostiumie, być może w tym ciemnoniebieskim, przeczesującą palcami ostrzyżone krótko włosy, i błysk pierścionków na palcach. – Musiałam zaprosić tych klientów na kolację. To ci z IBM i w związku z tym rozumiesz, że to dość ważne spotkanie... Czy tata już wrócił do domu? Wszystko w porządku?

– Odrobiłem lekcje – powiedział drętwo, przyglądając się uważnie zegarowi, który niedawno wprawił go w tak świetny humor. – Poćwiczyłem na pianinie. Tata jeszcze nie wrócił.

Po drugiej stronie zapadła cisza.

– A obiecał mi, że dziś szybko wróci do domu – powiedziała matka po chwili milczenia.

– Ale naprawdę wszystko w porządku. Nigdzie się dziś nie wybieram – powtórzył, przypominając sobie poprzedni wieczór, kiedy siedział na skraju parapetu i zastanawiał się, czy skoczyć. A chwilę potem był już w powietrzu i z głuchym odgłosem lądował na ziemi. Nikt niczego nie usłyszał.

– No, nie wiem, Paul... Martwię się o ciebie.

– „Więc wróć do domu", miał na końcu języka, ale nagle usłyszał jakieś śmiechy, które stawały się coraz głośniejsze, a potem nagle załamały się jak rozbijająca się o brzeg fala.

– Wszystko w porządku – powiedział jeszcze raz.

– Na pewno?

– Na pewno.

– No cóż, sama nie wiem, czy powinnam ci wierzyć... – westchnęła i przykrywając słuchawkę, odezwała się do kogoś, a potem wróciła do rozmowy. – Dobrze przynajmniej, że odrobiłeś lekcje. Posłuchaj, Paul, zaraz zadzwonię do ojca i żeby nie wiem co, sama będę w domu najdalej za dwie godziny. Obiecuję. Czy tak może być? Bo jeśli mnie potrzebujesz, to rzucam wszystko i jadę natychmiast.

– Nic złego się nie dzieje – powiedział ze znużeniem. – Nie musisz dzwonić do taty.

Gdy się odezwała, jej głos był zimny jak lód.

– Tata mówił, że będzie po południu w domu. Obiecał.

– Powiedz, czy ci ludzie z IBM-u lubią flamingi? – wypalił bez ostrzeżenia.

– Znów zapadła cisza. Gdzieś z oddali dochodziły wybuchy śmiechu i brzęk szklanek.

– Paul... – powiedziała w końcu. – Na pewno dobrze się czujesz?

– Na pewno. To był tylko głupi żart. Nie przejmuj się.

Kiedy odwiesiła słuchawkę, Paul stał jeszcze przez chwilę, nasłuchując sygnału centrali. Dom wydawał się przeraźliwie cichy. To nie był ten rodzaj ciszy, jaki otaczał go w audytorium – napięty i pełen oczekiwania – lecz raczej była to cisza wynikająca z pustki. Sięgnął po gitarę, rozmyślając jednocześnie o swojej siostrze. Czy gdyby nie umarła, byłaby podobna do niego? Czy lubiłaby biegać? A może także śpiewać?

Duke wciąż leżał na dywanie w salonie, jedną ręką zakrywając twarz. Paul zebrał z podłogi porwany karton po pizzy i zmięte płachty zatłuszczonego papieru i zaniósł wszystko do pojemnika na śmieci. Czuł, że gardło ma wyschnięte jak gąbka, jakby biegł przez co najmniej dziesięć mil, więc zabrał z lodówki opróżniony tylko do połowy karton mleka i wypił duszkiem większą część, a potem wręczył resztę Duke'owi. Potem usiadł z gitarą i znów zaczął grać, tyle że znacznie ciszej. Dźwięki ulatywały w powietrze, lekkie i pełne gracji.

— Masz jeszcze więcej tej trawki? — spytał.

— Tak — odparł Duke. — Ale to będzie kosztowało.

Paul skinął głową, nie przerywając gry, podczas gdy Duke wstał i poszedł, żeby zadzwonić.

Raz zdarzyło się, że narysował siostrę. Był wówczas dzieckiem i chyba chodził do przedszkola. Mama opowiedziała mu o niej, więc narysował jej portret i nadał mu tytuł: „Moja rodzina". Był tam tata, nakreślony brązową kredką, mama z ciemnożółtymi włosami i on sam, trzymający za rękę jakąś nierzeczywistą postać. Przewiązany wstążką rysunek wręczył rodzicom przy śniadaniu jako prezent i wówczas na widok twarzy ojca pierwszy raz poczuł, że w jego duszy otwiera się czarna otchłań. Miał zaledwie pięć lat i nie potrafił tego wyjaśnić ani opisać, ale instynkt podpowiadał, że tym podarunkiem obudził w ojcu jakiś żal. Matka także posmutniała, gdy wzięła rysunek do rąk, lecz szybko ukryła prawdziwe uczucia za sztucznie uśmiechniętą maską; pamiętał, że emanowała z niej taka sama przesadna wesołość, z jaką teraz rozmawiała z każdym ze swych klientów. Przypominał sobie muśnięcie jej ręki na policzku. Wciąż jeszcze od czasu do czasu dotykała go w ten sposób, patrząc przy tym tak, jakby za chwilę mógł rozpłynąć się w powietrzu. „Och, to naprawdę prześliczne", powiedziała tamtego dnia. „Bardzo pięknie to narysowałeś, Paul".

Potem, gdy był już starszy i miał dziewięć albo dziesięć lat, zabrała go na cichy cmentarz zagubiony wśród pól, gdzie spoczywała jego siostra. Kapał wiosenny deszczyk, a jego matka siała gloriozę wzdłuż obramowania z lanego żelaza. Paul stał i z niepokojem w sercu czytał napis — PHOEBE GRACE HENRY — oraz datę własnych urodzin. Nie umiał wyjaśnić, skąd się wziął przygniatający go ciężar. „Dlaczego ona umarła?", spytał, kiedy matka skończyła sadzić kwiatki i ściągała z rąk ogrodowe rękawiczki. „Tego nikt nie wie", odparła i mocno go przytuliła. „To nie twoja wina, synku. Nie miałeś z tym nic wspólnego", dodała gwałtownie.

Ale on jej nie uwierzył i nie wierzył jej do dziś. Jeśli ojciec każdego wieczora wymykał się samotnie do ciemni, a matka przez większą część tygodnia pracowała do późnej nocy, zaś podczas wakacji zostawiała na plaży ubranie, żeby wślizgnąć się do domku obcego mężczyzny, to czyja to mogła być wina? Z pewnością nie siostry, która umarła przy urodzeniu, pozostawiając po sobie tę straszliwą ciszę. W końcu każdego ranka budził się z uczuciem, że w żołądku nosi węzeł wielkości jednocentówki, który w miarę upływu dnia szybko się powiększał i w okolicach wieczora przyprawiał o mdłości. Ostatecznie to on pozostał przy życiu. Był tutaj, więc z pewnością to jego sprawą było chronienie rodziców.

Przestał grać, bo w drzwiach prowadzących do holu pojawił się Duke.

– On zaraz przyjedzie. Znaczy się Joe – oznajmił. – Oczywiście, jeśli masz kasę.

– Mam – odparł Paul. – Chodź ze mną.

Wymknęli się przez tylne drzwi i po betonowych schodkach zbiegli do ogródka, a potem wspięli się na pięterko nad garażem. Duży, przestronny pokój został wyposażony w wysokie okna na każdej z czterech ścian i blask słońca wlewał się do środka przez okrągły dzień. Pozbawiona światła ciemnia, niewiele większa od szafy, została doklejona tuż przy wejściu. Kilka lat temu, gdy jego zdjęcia zaczęły zyskiwać uznanie, ojciec wybudował to pomieszczenie i teraz spędzał tu większą część wolnego czasu na wywoływaniu kolejnych filmów albo eksperymenty z oświetleniem. Prawie nikt inny tu nie zaglądał, a już na pewno nie matka Paula. Od czasu do czasu Paul bywał zapraszany do sanktuarium i musiał przyznać, że czeka na te okazje z utęsknieniem, które przyprawiało go o rumieniec wstydu.

– Hej, ale to fajowe – zawołał Duke. Szedł wzdłuż zewnętrznej ściany i oglądał rozwieszone tam, oprawione w ramki zdjęcia.

– Spadaj, nam nie wolno tu być – warknął Paul. – W ogóle nie powinniśmy tutaj wchodzić.

– No, to już widziałem – Duke zatrzymał się przed fotografią, na której David uwiecznił dopalające się resztki budynku ROTC na terenie kampusu, z bladymi płatkami derenia na tle poczerniałych ruin. To zdjęcie stanowiło przełom w karierze ojca. Przed wieloma laty zostało wybrane przez agencje informacyjne i rozpowszechnione w dziennikach na terenie całego kraju. „Od tego wszystko się zaczęło", powtarzał z dumą David. „Dzięki niemu zyskałem nazwisko".

– Tak – potwierdził Paul. – To zdjęcie zrobił mój tata. Tylko niczego nie dotykaj, dobra?

– Odczep się, stary – zaśmiał się Duke. – Wszystko jest w najlepszym porząsiu, mówię ci.

Paul wszedł do ciemni, gdzie powietrze było cieplejsze i bardziej nieruchome. Na sznurku wisiały świeże fotografie, pozostawione tam do wyschnięcia. Otworzył drzwi malutkiej lodówki, w której ojciec trzymał filmy i spod tylnej ścianki wyciągnął kremową kopertę. W środku znajdowała się druga koperta, pełna dwudziestodolarowych banknotów. Wysunął jeden, po krótkim namyśle drugi, a resztę zawinął starannie i odłożył na miejsce.

Przychodził tutaj z ojcem, ale zdarzało się, że w tajemnicy zaglądał także sam. I pewnego popołudnia, gdy przyszedł poćwiczyć na gitarze, przypadkiem trafił na tę kopertę. Pamiętał, że tego dnia był wściekły jak cholera, bo ojciec obiecał, że nauczy go obsługiwać powiększalnik, a potem w ostatniej chwili wszystko odwołał. Czuł się zły, rozczarowany, a w końcu zachciało mu się jeść, więc pogrzebał w lodówce i znalazł pieniądze – całkiem nowe banknoty, których obecności w żaden sposób nie potrafił sobie wytłumaczyć. Za pierwszym razem zabrał tylko dwadzieścia dolarów, potem zdarzało się, że więcej. Ojciec nigdy niczego nie zauważył, więc od czasu do czasu Paul wpadał na górę i podbierał pieniądze.

Czuł pewien dyskomfort na myśl, że kradnie i że nigdy nie został przyłapany na tej kradzieży. To samo uczucie towarzyszyło mu, gdy stał w ciemności obok ojca i przyglądał się, jak na jego oczach ulotne wizerunki nabierają ostatecznego kształtu. Negatyw to nie było jedno zwykłe zdjęcie, jak powiedział niegdyś ojciec. Tych zdjęć było znacznie więcej. Utrwalony na klatce moment nie był jedną chwilą, lecz raczej nieskończoną sumą drobnych zdarzeń, zależną od tego, kto na nie patrzy i pod jakim kątem. Paul słuchał ojcowskiej przemowy i znów czuł, jak otwiera się w nim otchłań. Jeśli te słowa zawierały choćby źdźbło prawdy, to znaczyło, że Paul nigdy tak naprawdę nie zdołał poznać swojego ojca i ta myśl go poraziła. Mimo wszystko lubił tu przychodzić, lubił przebywać w miękkim świetle i wśród zapachu chemikaliów. Potrafił bez znużenia obserwować serię precyzyjnych kroków od początku do końca, kiedy kartka naświetlonego papieru fotograficznego trafiała do kąpieli z wywoływacza i nagle znikąd na papierze pojawiał się zarys kształtów. Zegar odliczał określony czas, zdjęcie trafiało do utrwalacza, a potem schło na sznurku, błyszczące i tajemnicze.

Zatrzymał się, żeby dokładnie je obejrzeć. Dziwacznie pokręcone kształty przypominały do złudzenia zwinięte w przestrachu kwiaty. To fragment rafy koralowej, doszedł do wniosku, sfotografowany podczas pobytu na Arubie. Koral z gatunku *Meandrina*, prawie pozbawiony miąższu, jedynie jego wewnętrzny szkielet. Pozostałe zdjęcia były bardzo podobne – porowate rozstępy, rozkwitające bielą w blasku flesza, podobne do krajobrazu pełnego kraterów przekazanego z księżyca. „Szkielet meandriny", przeczytał na karteczce, która leżała na stole obok aparatu do powiększeń.

Tamtego dnia na Arubie, zanim ojciec wyczuł jego obecność i podniósł głowę, Paul przez moment widział jego twarz: otwartą, miotaną uczuciami równie gwałtownymi, jak wiatr podczas burzy. Było tam coś na kształt zranionej miłości i świadomość utraty czegoś ważnego i drogiego sercu. Na ten widok zapragnął coś powiedzieć, coś zrobić – cokolwiek, co pomogłoby poskładać na nowo świat – ale w tej samej chwili pomyślał, że lepiej się stąd wyrwać, zapomnieć o wszystkich problemach dotyczących rodziców, uwolnić się od nich. Odwrócił spojrzenie, a kiedy spojrzał ponownie, ojciec zdążył przybrać zwykłą, obojętną minę. Równie dobrze mógł myśleć o technicznych problemach z wywoływaniem filmu, o chorobach kości albo zwyczajnie o tym, co będzie na lunch.

Każdy moment mógł oznaczać tysiące różnych rzeczy.

– Hej, ty! – usłyszał głos Duke'a, a po chwili w uchylonych drzwiach ukazała się jego głowa. – Wcięło cię, czy jak?

Paul wsunął zimne banknoty do kieszeni i wrócił do większego pokoju. Przy stole siedzieli jacyś dwaj chłopcy, starsi od niego, którzy w przerwie na lunch zwykle włóczyli się po pustym parkingu naprzeciwko szkoły i popalali papierosy. Jeden przyniósł z sobą sześciopak piwa; teraz wysupłał puszkę i podał ją Paulowi. Paul już otworzył usta, żeby powiedzieć: „Zejdźmy na dół i usiądźmy na dworze", ale właśnie zaczęło mocniej padać, a poza tym ci chłopcy byli starsi od niego i wyglądali na silniejszych, więc po prostu usiadł na krześle i dołączył do nich. Duke wziął pieniądze i po chwili zapalony skręt zaczął krążyć dookoła stołu. Paul pomyślał, że fascynują go palce Duke'a – delikatność, z jaką trzymały skręta, niezrównana precyzja, z jaką poruszały się po klawiaturze... Jego ojciec też był taki skrupulatny i drobiazgowy, przecież potrafił naprawiać ludzkie kości, ludzkie ciała...

– Czujesz to? – spytał po chwili Duke.

Jego głos dobiegał z pewnej odległości, jakby dzieliła ich woda i zagłuszał daleki gwizd pociągu. Tym razem nie było dzikiego wybuchu radości ani radosnego roztargnienia, tylko ciemna studnia, w którą Paul spadał coraz głębiej i głębiej. Wnętrze studni nagle stało się częścią ciemności panującej na zewnątrz i wtedy stracił z oczu twarz Duke'a. To go przeraziło.

– Ty, kurwa, co się z nim dzieje? – spytał czyjś głos, a Duke odpowiedział: – Według mnie, to on ma jakieś cholerne przywidzenia.

Te słowa zabrzmiały tak potężnie, że wypełniły całe pomieszczenie i Paul czuł, jak dosłownie wgniatają go w ścianę. Długie salwy śmiechu przetoczyły się ponad jego głową, a wesołość w dziwny sposób zniekształcała twarze siedzących obok kolegów. Paul nie mógł się śmiać; wydawało mu się, że przymarzł do krzesła. Gardło miał wyschnięte na wiór, a ręce stanowczo zbyt duże w stosunku do rozmiarów ciała. Zaczął uważnie przyglądać się drzwiom, jakby spodziewał się, że ojciec wtargnie tu lada chwila i że jego gniew przetoczy się przez nich jak wzburzone fale oceanu. A potem chichoty ucichły; pozostali zaczęli podnosić się z miejsc. Grzebali w szufladach w poszukiwaniu czegoś do zjedzenia, ale znaleźli jedynie starannie prowadzone archiwum. „Zostaw", starał się krzyknąć, gdy zobaczył jak najstarszy – ten z brodą – zaczął wyciągać kolejne segregatory i otwierać je. „Zostaw"; ten krzyk rozległ się w jego głowie, bo z ust nie wydobył się najcichszy szept. Pozostali dwaj stali już obok tamtego i wyjmowali folder po folderze, wyrzucając na podłogę odbitki i negatywy, tak starannie poukładane przez Davida.

– Hej, Paul – zawołał Duke. Odwrócił się, żeby pokazać mu błyszczącą odbitkę osiem na dziesięć cali. – To ty?

Paul siedział jak posąg, z rękoma złożonymi na kolanach, a każde nabranie powietrza sprawiało mu trudności. Nie ruszał się; zwyczajnie nie był w stanie. Duke upuścił zdjęcie na podłogę i przyłączył się do swoich kumpli, którzy zabawiali się wyrzucaniem fotografii i negatywów na błyszczącą lakierem podłogę.

Siedział bardzo, bardzo cicho. Przez długi czas był zbyt przerażony, żeby w ogóle się poruszyć, a potem nagle, nie wiedzieć skąd ani jak, znalazł się w ciemni. Skulony w ciepłym kąciku obok komody, którą ojciec trzymał zamkniętą na klucz, nasłuchiwał, co się dzieje na zewnątrz. Docierały do niego jakieś uporczywe hałasy, czyjś śmiech, a potem trzask rozbijanej butelki. Wreszcie wszystko się uspokoiło. Drzwi do ciemni otworzyły się i do środka wsunęła się głowa Duke'a.

– Hej, chłopie, jesteś tu? Jak tam, wszystko okay?

Kiedy nie odpowiadał, na zewnątrz odbyła się pospieszna narada, a potem na schodach załomotały czyjeś kroki. Paul powoli podniósł się i przez ciemność powlókł się ku galerii, zaśmieconej stosami zniszczonych fotografii. Zatrzymał się dopiero przy oknie.

Z góry patrzył, jak Duke zjeżdża na swoim rowerze w dół dróżki dojazdowej, z prawą nogą zwisającą swobodnie nad pedałem, i w końcu znika w głębi ulicy.

Był strasznie zmęczony. Wyczerpany. Odwrócił się i popatrzył na pokój: zdjęcia fruwały dookoła, unoszone przez lekki wiatr wpadający przez otwarte okno, a zwieszające się z lamp i blatu stołu negatywy wyglądały jak serpentyny porzucone niedbale po skończonym balu. Na podłodze leżała stłuczona butelka, a stół poplamiony był piwem. Ktoś wymalował na ścianach wymyślne graffiti i kilka obscenicznych rysunków. Paul oparł się o drzwi, a potem zsuwał się po nich, aż poczuł, że siedzi na podłodze. Pomyślał, że powinien zebrać siły i wstać, trochę posprzątać, posortować fotografie, poukładać je porządnie…

Podniósł głowę, żeby spojrzeć na zdjęcie, które przypadkiem wsunęło mu się pod rękę. Był przekonany, że pierwszy raz widzi to miejsce: waląca się chata przyklejona do górskiego zbocza, a przed nią cztery osoby. Kobieta w spódnicy sięgającej łydek, w fartuchu i ze skrzyżowanymi rękoma. Zabłąkany kosmyk włosów przyklejony przez wiatr do jej twarzy. Obok kościsty, wychudzony mężczyzna, zgięty jak przecinek i z kapeluszem przyciśniętym do piersi. Kobieta lekko zwraca się ku mężczyźnie i oboje mają na ustach cień zduszonego na siłę uśmiechu, zupełnie jakby jedno z nich opowiedziało przed chwilą dowcip. Ręka matki spoczywa na blond główce dziewczynki, a między nimi stoi chłopak, w podobnym do Paula wieku, i z pełną powagą patrzy prosto w obiektyw. Ten obrazek wydał się Paulowi dziwnie znajomy. Nagle poczuł się wyczerpany do cna i bliski łez i zamknął oczy.

***

Obudził go blask świtu wpadający do środka przez wschodnie okna i postać ojca, która odezwała się gdzieś ze środka tego blasku.

– Paul. Co tu się stało, do diabła?

Usiadł prosto, z całych sił starając sobie przypomnieć, co właściwie się wydarzyło. Zniszczone zdjęcia i filmy zaścielały całą podłogę, a na nich odcisnęły się zabłocone podeszwy czyichś butów. Wyjęte z pudełek negatywy wisiały wszędzie dookoła jak poskręcane serpentyny, zaś potłuczone szkło walało się pod stołem, pozostawiając na polakierowanych deskach grube, głębokie zadrapania. Na ten widok Paula obleciał strach; miał wrażenie, że za chwilę ze zdenerwowania zacznie wymiotować. Ręką zasłonił oczy, bo poranne słońce zupełnie go oślepiało.

– Chryste Panie! Paul! – mówił ojciec. – Coś ty tutaj zrobił?

Wreszcie David wysunął się z plamy światła, pochylił i kucnął obok syna. Z chaosu panującego na podłodze wyłowił zdjęcie nieznanej rodziny i przez moment przyglądał się mu z uwagą, a następnie usiadł, opierając się o ścianę i uważnym spojrzeniem omiótł cały pokój.

– Co się stało, synu? – spytał znacznie spokojniej.

– Przyszło paru kumpli. I chyba sprawy wymknęły się spod kontroli.

– Chyba tak… – przytaknął David. Przycisnął rękę do czoła. – Czy Duke też tu był?

Paul zawahał się, a potem skinął głową. Dzielnie walczył ze łzami, ale za każdym razem, gdy popatrzył na zniszczone zdjęcia, coś ściskało go od wewnątrz, jakby nosił tam potężną pięść.

– Czy ty także brałeś w tym udział? – spytał ojciec. Tym razem jego głos zabrzmiał osobliwie łagodnie.

Natychmiast pokręcił głową.

– Nie. Ale też nie zrobiłem nic, żeby ich powstrzymać.

David skinął głową.

– Minie kilka tygodni, zanim uda się wszystko posprzątać – powiedział po dłuższym milczeniu. – I to będzie twoje zadanie, Paul. Pomożesz mi odtworzyć archiwum. To będzie nas kosztowało mnóstwo pracy. I mnóstwo czasu. Będziesz musiał zrezygnować z ćwiczenia na gitarze.

Paul posłusznie przytaknął, choć czuł, że ucisk w piersi wyraźnie przybrał na sile, a on w żaden sposób nie może temu zapobiec.

– Szukasz jakiegoś wykrętu, żebym przestał grać, tak?

– Paul, to nie tak... Psiakrew, dobrze wiesz, że wcale nie o to mi chodzi!

Przez chwilę Paul bał się nie na żarty, że ojciec zaraz wstanie i wyjdzie, ale on tylko popatrzył smutnym wzrokiem na zdjęcie, które wciąż trzymał w ręku. Było czarno-białe, a ozdobnie wycięte, białe krawędzie otaczały rodzinę stojącą przed niskim, małym domkiem.

– Wiesz, kto to jest? – zapytał.

– Nie – odpowiedział Paul, ale jeszcze zanim skończył mówić, doszedł do wniosku, że jednak wie. – To chyba ty – dodał, wskazując na stojącego na stopniach chłopca.

– Zgadza się. Miałem wtedy tyle lat, ile ty teraz. Za mną stoi mój ojciec, a obok mnie siostra. Ja miałem siostrę, wiedziałeś o tym? Na imię miała June. Była bardzo uzdolniona muzycznie, zupełnie jak ty... To ostatnie zdjęcie, na którym jesteśmy wszyscy razem. June chorowała na serce i następnej jesieni umarła. To prawie zabiło moją matkę. Nigdy nie przebolała tej straty.

Paul patrzył teraz na zdjęcie całkiem innym wzrokiem. Ci ludzie już nie byli obcy, bo łączyły ich więzy krwi. Na przykład Duke miał babcię, która mieszkała w pokoju na piętrze i robiła pierożki z jabłkami, i każdego popołudnia oglądała w telewizji opery mydlane. Paul przyglądał się kobiecie na zdjęciu, spoglądał na jej ledwo skrywany uśmiech... A jego babcią była właśnie ta kobieta, której nigdy nie miał okazji poznać.

– Czy ona także umarła? – spytał.

– Moja mama? Tak, wiele lat później. Twój dziadek także. Nie byli bardzo starzy, żadne z nich nie było... Ale mieli za sobą ciężkie życie. I nie chodzi mi tylko o to, że nie byli bogaci, choć nieraz zdarzało się, że nie było wiadomo, czy będziemy mieli co jeść. To strasznie bolało ojca, który ciężko na nas pracował. I moją matkę, bo nie mogła znikąd otrzymać pomocy dla June. A ja, kiedy miałem tyle lat co ty, musiałem iść do roboty, żeby zarobić pieniądze na dalszą naukę. Zacząłem się uczyć w średniej szkole w mieście, a kiedy June umarła, złożyłem przed samym sobą uroczystą przysięgę, że wyrwę się z biedy i zacznę naprawiać ten świat... – pokręcił głową. – Oczywiście, tak naprawdę niczego nie udało mi się naprawić. I skończyło się na tym, Paul, że jesteśmy tu, gdzie jesteśmy. Mamy wiele różnych rzeczy. Nigdy nie musimy się martwić, że zabraknie nam jedzenia. A ty, jeśli będziesz miał takie życzenie, możesz sobie wybrać dowolny college. I nagle okazuje się, że interesuje cię jedynie ćpanie z kolegami i marnowanie wszystkiego, co dostałeś od losu.

Zacisk, który dotąd mieścił się w okolicach żołądka, przesunął się wyraźnie w stronę gardła i Paul nie mógł wykrztusić ani słowa. Świat wciąż był zbyt jaskrawy i niestabilny. Paul pragnął ze wszystkich sił, żeby z głosu ojca zniknął ten przytłaczający smutek, żeby znikła cisza, która dotąd wypełniała ich dom. Bardziej niż za czymkolwiek innym tęsknił za chwilą, kiedy ojciec usiądzie obok, żeby opowiadać mu rodzinne historie – i tak w nieskończoność. Bał się, że powie jakieś niewłaściwe słowo, które może wszystko zniweczyć, podobnie jak zbyt wiele światła niszczy wystawione na jego działanie zdjęcie. I jeśli taka rzecz się przydarzy, zniszczenia są nieodwracalne.

– Przepraszam... – wyszeptał.

Ojciec odpowiedział krótkim skinięciem, nie odrywając przy tym wzroku od podłogi. Nagle szybkim, pieszczotliwym ruchem przesunął ręką po włosach Paula.

– Wiem.

– Wszystko posprzątam.

– Wiem.

– Ale ja kocham muzykę! – nie wytrzymał Paul. Wiedział, że robi niewłaściwą rzecz, że ten wybuch jest właśnie czymś w rodzaju nagłego impulsu światła, który nieodwracalnie zaczerni zdjęcie, ale mimo to nie potrafił się powstrzymać. – Gitara to całe moje życie! Nigdy z niej nie zrezygnuję!

– Ojciec siedział przez jakiś czas ze spuszczoną głową, a potem westchnął i wstał.

– Po prostu nie zamykaj więcej drzwi – powiedział. – To wszystko, o co proszę.

Paul patrzył, jak ojciec wchodzi ciemni, a potem podciągnął się na kolana i zaczął zbierać kawałki szkła. Z dali dolatywał stukot pędzącego pociągu, a niebo za oknem powoli stawało się przejrzyste i błękitne. Paul zatrzymał się na moment przy oknie w szorstkim świetle poranka. Nasłuchiwał, jak ojciec pracuje przy zdjęciach i wyobrażał sobie te same ręce, jak poruszają się zgrabnie we wnętrzu czyjegoś ciała, naprawiając to, co zostało uszkodzone.

Wrzesień tysiąc dziewięćset siedemdziesiątego siódmego roku

Gdy tylko z polaroida wysunęło się zdjęcie, Caroline ostrożnie chwyciła je kciukiem i palcem wskazującym. Obraz już zaczynał się tworzyć. Stół nakryty białym obrusem wydawał się unosić na morzu ciemnozielonej trawy. Stokrotki, także białe i lekko opalizujące, pięły się po zboczu pagórka. Phoebe w białej sukience z konfirmacji wyglądała na tym tle jak jasna, rozmazana nieco plama. Caroline pomachała zdjęciem, żeby szybciej wyschło. Gdzieś w dali rozległ się grzmot; nadciągała letnia burza, a przybierający na sile wiatr poruszał papierowymi serwetkami.

— Muszę zrobić jeszcze jedno zdjęcie — oświadczyła.

— Och, mamo... — zaprotestowała Phoebe, ale posłusznie nie ruszyła się z miejsca.

Jednak wystarczyło, że tylko usłyszała kliknięcie aparatu, i już jak wicher popędziła po trawie w stronę, gdzie ich ośmioletnia sąsiadka, Avery, trzymała na ręku malutkiego kociaka o futerku w tym samym ciemnorudym odcieniu, co jej włosy. Phoebe była dość mała jak na trzynaście lat, pucołowata, impulsywna i skłonna do uniesień. Uczyła się wolno, za to przejawiała zadziwiającą skłonność do popadania z radości w melancholię, a ze smutku znów w radość, a w dodatku potrafiła to robić w zaskakującym tempie.

— Jestem już po konfirmacji! — wykrzyknęła i szerokim gestem wyrzuciła w górę obie ręce. Goście zastygli ze szklaneczkami w ręku, a na ustach wszystkich pojawił się uśmiech. A Phoebe, zamiatając spódnicą, pędziła już w kierunku syna Sandry, Tima, także już nastolatka. Dopadła go, zarzuciła mu ręce na szyję i z wylewną czułością cmoknęła w policzek. Potem nagle spłoszyła się i z wyraźną obawą zerknęła w stronę Caroline. Przytulanie stało się na początku tego roku szkolnego wielkim problemem. „Lubię cię!", wykrzykiwała Phoebe, zamykając w objęciach jakieś młodsze dziecko i za nic nie potrafiła zrozumieć, czemu nie wolno tak robić. „Przytulanie to coś specjalnego", tłumaczyła na okrągło Caroline. „Przytulać się można tylko do członków własnej rodziny". I Phoebe powoli się nauczyła. Jednak teraz, widząc że takie postępowanie wynika z czystej sympatii, Caroline zaczęła się zastanawiać, czy słusznie postąpiła.

– Wszystko w porządku, kochanie – zawołała. – To nic złego, że w czasie zabawy przytulisz się do kogoś, kogo lubisz.

Phoebe odprężyła się i razem z Timem poszli pogłaskać kociaka. Caroline spojrzała na trzymany w ręku Polaroid: wypełniony blaskiem dnia ogród i promienny uśmiech Phoebe. Ulotny moment, który przeminął bezpowrotnie, został utrwalony na zdjęciu. Grzmoty odzywały się coraz częściej, ale wieczór wciąż jeszcze był piękny, ciepły i pełen zapachu kwiatów. Goście przechadzali się po trawniku, śmiali się i rozmawiali, uzupełniając przy tym zawartość szklaneczek. Tort, składający się z trzech pięter i pokryty białym, matowym lukrem, stał na udekorowanym szkarłatnymi różami stole. Trzy poziomy tortu symbolizowały trzy okazje, dla których wszyscy się dziś spotkali: konfirmację Phoebe, rocznicę ślubu Caroline i przejście Dorothy na emeryturę, co jednocześnie oznaczało pożegnanie przed długą podróżą.

– To mój tort!

Cienki głosik Phoebe wznosił się ponad gwarem rozmów, to znów opadał. Dziś byli tu wszyscy: profesorowie fizyki, sąsiedzi, członkowie chóru kościelnego i koledzy ze szkoły, rodziny ze Stowarzyszenia Pomocy Dzieciom z Zespołem Downa i cała masa dzieciaków. Przyszły nawet koleżanki Caroline ze szpitala, gdzie podjęła pracę w niepełnym wymiarze godzin, odkąd Phoebe poszła do szkoły. To ona zgromadziła w jednym miejscu tak wiele różnych osób. Sama zaplanowała, że jej przyjęcie zacznie się po południu i jak wieczorny kwiat rozwinie się o zmroku.

– To mój tort – zawołała znów Phoebe wysokim, donośnym głosikiem. – To ja zostałam konfirmowana!

Caroline wolno sączyła wino, rozkoszując się muśnięciami powietrza ciepłego jak oddech. Nawet nie zauważyła, kiedy Al przyjechał. Teraz zjawił się obok niej,

Owinął rękę dookoła jej talii i gorąco pocałował w policzek. Jego obecność, jego zapach całkiem nią owładnęły. Pięć lat temu poślubiła go podczas przyjęcia podobnego do tego dzisiaj, kiedy truskawki pływały w szampanie, a w ciężkim od zapachu róż powietrzu fruwały stada świętojańskich robaczków. Pięć lat... Urok nowości jeszcze nie zdążył się rozwiać. Pokój Caroline na trzecim piętrze domu Dorothy stał się miejscem równie tajemniczym i zmysłowym jak ten ogród. Budziła się obok ciepłego, ciężkiego ciała mężczyzny, który spał obok z ręką na jej brzuchu, a jego zapach – świeży zapach mydła zmieszany z wonią Old Spice'a – powoli przesączał przez powietrze w pokoju, pościel i ręczniki. Był tuż obok, a ona każdym nerwem czuła jego obecność. Był, a potem nagle znikał.

– Kochanie, wszystkiego najlepszego z okazji naszej rocznicy – wyszeptał prosto do ucha Caroline i lekko przycisnął do siebie.

Uśmiechnęła się, bo sprawił jej tym prawdziwą przyjemność. Wieczór zapadał coraz szybciej. Zgromadzeni w ogrodzie goście prowadzili ożywione rozmowy i co chwila słychać było czyjś śmiech. W ciepłym powietrzu pachniało kwiatami, a na pogrążającym się w mroku trawniku zbierała się rosa. Gęstniejącą ciemność rozjaśniały jedynie białe płatki stokrotek. Caroline ujęła rękę Ala, mocną i pewną, i o mały włos nie wybuchnęła śmiechem, bo przypomniała sobie, że Al dopiero przyjechał i na pewno nie dotarły do niego żadne nowiny. Dorothy wyjeżdżała w towarzystwie swojego ukochanego mężczyzny o imieniu Trace na zaplanowaną na rok podróż dookoła świata. To akurat Al wiedział, ponieważ Dorothy od kilku miesięcy dzieliła się z nimi swoimi pomysłami. Ale nie miał pojęcia, że Doro – w przypływie tego, co nazywała radosnym uwolnieniem się od brzemienia przeszłości – podarowała Caroline swój stary dom.

Dorothy właśnie przyjechała. W eleganckiej, jedwabnej sukni zstępowała ze schodów prowadzących w górę alejki, a Trace szedł tuż za nią, dzierżąc w ręku kubełek z lodem. Był o rok młodszy od niej, miał sześćdziesiąt pięć lat, krótkie, siwe włosy, pociągłą twarz, pełne, mięsiste wargi i z natury bladą cerę. Był dość przysadzisty, z czego zdawał sobie sprawę, lubił kaprysić gdy chodziło o jedzenie, i należał do zagorzałych wielbicieli opery i sportowych aut. Trace był niegdyś członkiem olimpijskiej ekipy pływaków i niewiele brakowało, a zdobyłby brązowy medal. Pewnie nie myślał o niczym szczególnym, gdy pewnego ranka zanurkował w odmętach Monongaheli i ociekając wodą, wdrapał się na przeciwny brzeg, gdzie właśnie odbywał się doroczny piknik Wydziału Fizyki. W ten właśnie sposób zaczęła się ich znajomość. Trace był miły i dobry dla Dorothy, która go wręcz uwielbiała, a choć do Caroline odnosił się powściągliwie i z rezerwą, nie zmieniło to jej zdania, że stosunki łączące go z Doro nie powinny jej interesować.

Nagły podmuch silniejszego wiatru zmiótł ze stołu serwetki, więc Caroline schyliła się, żeby je pozbierać.

– Przyniosłaś z sobą wiatr – powiedział Al, gdy Dorothy podeszła nieco bliżej.

– Ach, jakie to podniecające – odparła, podnosząc obie ręce. Z wiekiem coraz bardziej upodabniała się do Lea: jej rysy wyostrzyły się, a obcięte króciutko włosy były teraz śnieżnobiałe.

– Al, jesteś zupełnie jak ci starzy marynarze – zażartował Trace. Postawił lód na stole, a Caroline przycisnęła stos serwetek małym kamykiem. – Dostrajasz się do zmian pogody. Och, Doro – zawołał. – Kochanie, nie ruszaj się przez chwilę. Boże, jaka ty jesteś piękna. Naprawdę. Wyglądasz teraz jak bogini wiatru.

– Jeśli faktycznie jesteś boginią wiatru, to okiełznaj nieco swoje żywioły, żebyśmy mogli jakoś dokończyć to przyjęcie – zażartował Al.

– Czy to nie wspaniałe? – odrzekła. – Takie przepiękne przyjęcie. To doprawdy cudowne pożegnanie.

Phoebe podbiegła, tuląc w objęciach kociaka – małą, nastroszoną kulkę jasnorudego futerka.

– Czy możemy go zatrzymać? – poprosiła.

– Nie – powiedziała Caroline, jak zwykle przy takich okazjach. – Ciocia Doro ma alergię.

– Mamo... – poskarżyła się Phoebe, ale zaraz jej uwagę odwrócił pięknie przystrojony stół. Pociągnęła Dorothy za jedwabny rękaw sukni. – Ciociu, to mój tort – pochwaliła się.

– Mój także – odparła Dorothy, obejmując ją ramieniem. – Wybieram się w daleką podróż, więc nie zapominaj, że ten tort jest także dla mnie, i dla twojej mamy, i Ala, bo od ich ślubu właśnie minęło pięć lat.

— Ja też jadę na wycieczkę – zawołała Phoebe.

— Och, nie, kochanie. Nie tym razem. To wycieczka tylko dla dorosłych, takich jak ja albo Trace.

Mina Phoebe świadczyła o jej rozczarowaniu równie intensywnym, jak niedawna radość. Bystra, ruchliwa jak żywe srebro... Jej uczucia w danej chwili były całym jej światem.

— Hej, skarbie – zawołał Al i przykucnął obok. – Jak myślisz, może kotek chciałby napić się trochę śmietanki?

Phoebe zdusiła uśmiech, a potem skinęła głową, na moment zapominając o stracie.

— No to super – Al wziął ją za rączkę i mrugnął do Caroline.

— Tylko nie zabierajcie tego kota do środka – ostrzegła.

Ustawiła na tacy szklanki i ruszyła w tłum gości, cały czas zastanawiając się nad swoim życiem. Czyżby ona – Caroline Simpson, matka Phoebe, żona Ala, organizatorka protestów – była tą samą osobą co nieśmiała, bojaźliwa kobieta, która trzynaście lat temu stała z niemowlęciem w ramionach w cichym, zasypanym przez śnieg biurze kliniki? Miała wrażenie, że różni się od tamtej pod każdym względem. Odwróciła się, żeby popatrzeć na dom. Ściany z jasnej cegły odcinały się od poszarzałego nieba. „To mój dom", powiedziała w głębi ducha, powtarzając wcześniejszą przyśpiewkę Phoebe. I uśmiechnęła się do następnej myśli, która wydała się wyjątkowo pasować do kontekstu. „Zostałam konfirmowana".

Sandra stała obok kapryfolium i obie z Doro zaśmiewały się do rozpuku. Pani Soulard szła alejką z wazonem pełnym lilii. Trace, któremu wiatr wciąż zawiewał na twarz kosmyk włosów, usiłował zapalić świece, osłaniając zapałkę skuloną dłonią. Płomyki zachwiały się, zatrzeszczały, ale w końcu świece zapłonęły, oświetlając migotliwym blaskiem biały, lniany obrus, małe, przezroczyste kubeczki z plastiku z wotywnymi napisami, wazon pełen lilii i ciasto z bitą śmietaną. Z niedalekiej autostrady dochodził szum samochodów, zagłuszany przez śmiechy i szelest liści. Przez moment Caroline zatrzymała się, myśląc o Alu i szukając w ciemności nadchodzącej nocy jego rąk. „To właśnie jest szczęście", powiedziała sobie. „Tak wygląda szczęście".

Przyjęcie trwało aż do jedenastej. Dorothy i Trace zwlekali z odejściem do chwili, aż ostatni goście się pożegnają, a potem zaczęli zabierać na tace kubeczki, resztki ciasta, wazon z kwiatami, odnieśli krzesła do garażu. Phoebe już spała. Al musiał zanieść ją na górę po tym, jak dostała ataku histerii na wieść o wyjeździe Doro. Nadmiar wrażeń i zmęczenie sprawiły, że zanosiła się od łkań tak gwałtownych, że prawie traciła oddech. – Zostawcie to – poprosiła Caroline. Zatrzymała Dorothy tuż przy schodach, obok gęstych, zielonych gałęzi bzu. Posadziła je tutaj trzy lata temu, ale dopiero w tym roku krzaczki ukorzeniły się na dobre i strzeliły w górę. Zapowiadało się, że na przyszłą wiosnę będą ciężkie od kwiatów. – Posprzątam to jutro. Macie rano samolot i musicie się wyspać, żeby w ogóle chciało się wam wstać.

– Ale ja chcę jechać – wyszeptała Dorothy tak cicho, że Caroline musiała wytężać słuch, żeby w ogóle cokolwiek usłyszeć. Skinęła głową w kierunku domu, gdzie w czyściutkiej kuchni Al i Trace zaczęli sprzątanie po przyjęciu od skrobania talerzy. – Tylko że to takie słodko-gorzkie uczucie. Wcześniej przeszłam się po wszystkich pokojach. Po raz ostatni. Całe swoje życie spędziłam w tym domu i trochę mi nieswojo, że go zostawiam. Ale jednocześnie w tym samym momencie czuję się podekscytowana, że wyjeżdżam.

– Zawsze możesz tu wrócić – powiedziała Caroline, z trudem zwalczając nagły przypływ wzruszenia.

– Mam nadzieję, że nie będę chciała – odparła Dorothy i wzięła przyjaciółkę pod rękę. – Zresztą, tak czy inaczej przyjadę do was z wizytą. Chodź, posiedzimy sobie na ganku.

Przeszły wzdłuż bocznej ściany domu pod wygiętymi w łuk gałązkami wisterii i usiadły na huśtawce, patrząc na sznur samochodów ciągnący się po autostradzie. Wielkie jak talerze liście jawora trzepotały w podmuchach wiatru, co chwila zasłaniając uliczne lampy.

– Chyba nie będziesz tęskniła za tymi samochodami – zauważyła Caroline.

– Nie, to prawda… Kiedyś tu było tak cicho. W czasie zimy zamykano całą drogę i mogliśmy zjeżdżać na sankach ze środka ulicy aż pod sam dom. O, dokładnie tutaj.

Caroline popchnęła huśtawkę, wspominając dawno minioną noc, gdy blask księżyca srebrzył trawniki i wlewał się przez okno do środka łazienki, Phoebe dusiła się od kaszlu w jej ramionach, a czaple podrywały się z pól, które Dorothy pamiętała z dzieciństwa.

Szklane drzwi otworzyły się i Trace wyszedł na zewnątrz.

– No cóż? – spytał. – Jesteś gotowa, Doro?

– Za sekundę, skarbie – odparła.

– No dobrze, w takim razie pójdę po samochód i podjadę pod bramę. Cofnął się do środka, a Caroline zaczęła liczyć przejeżdżające samochody. Doliczyła do dwudziestu. Dwanaście lat temu przyszła pod te drzwi z niemowlęciem na ręku i stanęła dokładnie w tym miejscu, czekając na to, co miało się wydarzyć.

– O której macie samolot?

– Oj, wcześnie. O ósmej. Och, Caroline... – Dorothy pochyliła się na oparcie huśtawki i szeroko wyciągnęła ramiona. – Wiesz, po tych wszystkich latach czuję się wreszcie taka wolna. Kto wie, dokąd ostatecznie zdecyduję się polecieć?

– Będę za tobą tęsknić. I Phoebe także.

Dorothy skinęła głową.

– Wiem. Ale przecież będziemy w kontakcie. Obiecuję wysyłać kartki ze wszystkich miejsc, do których dotrzemy.

Ze zbocza pagórka spłynęły światła reflektorów, a potem wynajęty z wypożyczalni samochód zwolnił i Trace pomachał do nich przez otwarte okno.

– Chodź, droga nas wzywa – zawołał.

– Trzymaj się – powiedziała do Dorothy Caroline. Objęła ją mocno, czując na policzku muśnięcie jej policzka. – Wiesz, że wtedy, przed laty, uratowałaś mi życie?

– Kochanie, ty także mi pomogłaś – Doro odsunęła się, a jej ciemne oczy zwilgotniały. – Teraz to twój dom. Niech ci się dobrze w nim mieszka.

Chwilę potem była już na schodkach, a wiatr szarpał połami jej białego swetra. Wsiadła do samochodu, pomachała na pożegnanie i już jej nie było.

Caroline patrzyła, jak samochód włącza się do ruchu na drodze przecinającej miasto i niknie w rzece pędzących świateł. Burza nadal krążyła gdzieś między wzgórzami; białe błyskawice co chwila rozrywały niebo, a z dala dobiegały głuche echa grzmotów. Al wyszedł na zewnątrz z drinkami w ręku, otwierając sobie drzwi nogą.

– No, całkiem udane przyjęcie – zauważył.

– Owszem. Chyba ludzie dobrze się bawili. Ale ja jestem wykończona.

– Znajdziesz jeszcze trochę sił, żeby to otworzyć? – spytał, podając jej małą paczuszkę.

Caroline wzięła ją i odwinęła niezgrabnie złożony papier. Ze środka wypadło małe serduszko z czereśniowego drewna, gładkie jak wyrzeźbiony przez wodę kamyk. Zamknęła je w dłoni, przypominając sobie dzień, gdy po raz pierwszy ujrzała ten medalion w zimnym świetle szoferki Ala i inny, odległy od tamtego o kilka miesięcy, gdy maleńka rączka Phoebe wreszcie zdołała go uchwycić.

– Jest piękne – przycisnęła medalion do policzka. – To taki ciepły podarunek. Spójrz, dokładnie mieści mi się we wnętrzu dłoni.

– Sam go wyrzeźbiłem – powiedział z dumą. – Nocami, kiedy byłem w drodze. Najpierw myślałem, że to może zbyt sentymentalne i mdłe, ale potem pewna kelnerka, którą poznałem w Cleveland, przekonała mnie, że ci się spodoba. Mam nadzieję, że tak jest.

Caroline objęła palcami dłoń męża.

– Nawet bardzo. Ja też mam coś dla ciebie – powiedziała, podając mu małe pudełko po kartach do gry. – Tylko nie miałam czasu, żeby je zapakować.

Otworzył pudełko i wyjął ze środka nowy klucz.

– Co to jest? Klucz do twojego serduszka? – zażartował.

Caroline roześmiała się.

– Nie. To klucz do naszego domu.

– Dlaczego mi go dajesz? Pozmieniałaś zamki?

– Nie – Caroline popchnęła huśtawkę. – To prezent od Dorothy. Czy to nie zdumiewające? W domu mam wszystkie dokumenty. Powiedziała, że chce, żebym mogła zacząć nowe życie.

Jedno uderzenie serca, drugie, trzecie... I wciąż tylko jednostajne skrzypienie huśtawki.

– To dość niezwykłe – powiedział w końcu. – A co będzie, jeśli ona zechce kiedyś tu wrócić?

– Zadałam jej to samo pytanie. Powiedziała, że Leo zostawił jej mnóstwo pieniędzy. Patenty, oszczędności... Sama nie wiem, co jeszcze. A Doro przez całe życie była niezwykle oszczędna, więc tak naprawdę nie potrzebuje dużo. Jeśli wróci, to pewnie razem z Trace'em kupią segment albo coś w tym stylu.

– Cóż to za wspaniałomyślność – odparł Al.

– Tak.

Znów zamilkł, a Caroline zaczęła wsłuchiwać się w skrzypienie huśtawki, gwizd wiatru i szum samochodów na autostradzie.

– Możemy go sprzedać – zadumał się Al. – Możemy się stąd wyprowadzić i wyjechać dokądkolwiek.

– On nie jest dużo wart – powiedziała powoli, bo takie rozwiązanie nawet nie przemknęło jej przez myśl. – Zresztą, dokąd mielibyśmy pójść?

– Och, Caroline, nie mam pojęcia. Przecież mnie znasz. Całe życie jestem w drodze i tylko tak sobie głośno myślę. Po prostu chłonę to, czego się dowiedziałem.

W ciemności, w ciszy przerywanej jedynie skrzypieniem huśtawki, Caroline znów poddała się niepewności. Kim był ten mężczyzna siedzący obok niej, zastanawiała się, który przyjeżdżał tu co weekend i z taką poufałością wślizgiwał się do jej łóżka? Który każdego ranka przechylał głowę pod określonym kątem, żeby ochlapać szyję i podbródek wodą po goleniu Old Spice? Co tak naprawdę wiedziała o jego marzeniach, o sekretach ukrytych w głębi serca? Prawie nic, pomyślała teraz, podobnie jak on niewiele wiedział o niej.

– Więc wolałbyś nie mieć domu? – zaczęła naciskać.

– Nie o to chodzi. To ładnie ze strony Dorothy, że tak postąpiła.

– Ale czujesz, że to w pewien sposób przywiązuje cię do miejsca.

– Lubię wracać do domu. Do ciebie, Caroline. Lubię jechać autostradą te kilka ostatnich mil i wiedzieć, że jesteś tu razem z Phoebe i że robisz coś w kuchni albo sadzisz kwiatki, albo cokolwiek. Ale również podoba mi się to, co oni zrobili. Pakowanie. Wyjazd. Wędrówka po świecie. To chyba miłe, tak sądzę. Taka niczym nieskrępowana wolność.

– A ja nie chcę już więcej myśleć, że cokolwiek muszę – odparła. Zapatrzyła się w pogrążony w ciemności ogród, w rozrzucone w dali światła miasta i czerwone litery reklamy Foodland, które jak mozaika układały się na tle gęstego listowia. – I jest mi zupełnie dobrze, że jestem tu, gdzie jestem. Tylko boję się, że zaczniesz się ze mną nudzić.

– Nie, skarbie. Dzięki temu łatwiej nam było się dopasować – powiedział Al.

– Przez jakiś czas siedzieli w milczeniu, słuchając jedynie wiatru i szumu autostrady.

– Poza tym Phoebe nie lubi zmian – powiedziała Caroline. – Na pewno nie poradziłaby sobie łatwo z czymś takim.

– No cóż, mnie także o nią chodzi.

– Przez moment milczał, a potem odwrócił się i spojrzał jej prosto w oczy.

– No wiesz, Caroline, Phoebe zaczyna dorastać. Już niedługo przestanie być słodką, małą dziewczynką.

– Ma dopiero trzynaście lat – zaprotestowała, myśląc o tym, jak Phoebe bawiła się z kociakiem i jak łatwo wracała do beztroskich, dziecięcych zabaw.

– Zgadza się, trzynaście. Ale ona... no, sama rozumiesz... zaczyna się rozwijać jako kobieta. Trochę mi było niezręcznie, kiedy musiałem ją podnieść tak jak dziś wieczorem.

– Więc nie podnoś – odrzekła szorstko, ale przypomniała sobie, jak na początku tygodnia wybrała się z Phoebe na basen. Pływały we dwie tam i z powrotem, i w pewnej chwili Caroline chwyciła ją pod wodą, trafiając rękoma na świeżo rozkwitłe zawiązki piersi.

– Nie musisz od razu się wściekać, Caroline. Nigdy o tym nie rozmawialiśmy, prawda? O tym, co z nią się stanie i jak będzie wyglądać nasze życie, kiedy oboje pójdziemy na emeryturę. Jak Doro i Trace – zawahał się, a ona wyczuła, że Al stara się ostrożnie dobierać słowa. – Lubię myśleć o tym, że być może będziemy chcieli gdzieś wyjechać. Dostaję lekkiej klaustrofobii na myśl, że mógłbym do śmierci tkwić w tym domu. I co wtedy będzie z Phoebe? Czy zawsze będzie musiała z nami mieszkać?

– Nie wiem – odparła ze znużeniem Caroline. Nagle dopadło ją zmęczenie, potężne i obezwładniające jak noc. Tyle bitew stoczyła, żeby Phoebe mogła normalnie żyć w tym obojętnym na los innych świecie. Jak dotąd udawało się rozwiązać wszystkie problemy, a nawet w ciągu ostatniego roku Caroline udało się wreszcie trochę odpocząć. Ale to, gdzie Phoebe zamieszka, gdy dorośnie, ani w jaki sposób będzie żyć... Wszystko to pozostawało na razie nieznane. – Och, Al... Czy naprawdę muszę zastanawiać się nad tym dziś wieczorem? Proszę cię.

Ławeczka huśtała się miarowo w przód i w tył.

– Kiedyś w końcu trzeba o tym pomyśleć.

– Na razie ona jest małą dziewczynką. Co usiłujesz mi zasugerować?

– Zasugerować? Absolutnie nic. Wiesz przecież, że kocham Phoebe. Ale pewnego dnia ja albo ty możemy umrzeć. Nie zawsze uda się nam być obok, żeby się nią zająć. Być może nadejdzie dzień, kiedy Phoebe nie będzie chciała przyjąć od nas pomocy. Ja tylko pytam, czy o tym pomyślałaś. Na co oszczędzasz te pieniądze. Podsuwam temat, na który w końcu trzeba podyskutować. Pomyśl sama. Czy nie byłoby miło, gdybyś od czasu do czasu mogła gdzieś ze mną wyskoczyć? Na przykład na weekend?

– Tak, byłoby miło – przyznała łagodnie.

Jednak wcale nie była tego pewna. Próbowała wyobrazić sobie codzienne życie Ala; co noc inny pokój, różne miasta i droga, która wciąż rozwija się jak nieskończona szara wstążka. Jego pierwsza myśl – sprzedać dom, ruszyć w drogę, powędrować w świat – świadczyła o tym, że na wieść o niespodziewanym spadku ogarnął go niepokój.

Al skinął głową, opróżnił szklaneczkę i zaczął się zbierać do odejścia.

– Zostań jeszcze chwilkę – poprosiła. – Muszę z tobą o czymś pomówić.

– Oj, to zabrzmiało całkiem serio – odparł, sadowiąc się z powrotem na huśtawce. – Chyba nie chcesz mi powiedzieć, że odchodzisz? – zaśmiał się nerwowo. – No wiesz, dostałaś całkiem niezły spadek i w ogóle...

– No jasne, że nie. Zresztą chodzi o zupełnie co innego – westchnęła. – W tym tygodniu dostałam list. Dość dziwny list – i właśnie o nim chcę z tobą porozmawiać.

– Od kogo?

– Od ojca Phoebe.

Znów skinął głową. Skrzyżował ramiona, ale nie odezwał się jednym słowem. Oczywiście wiedział o tych listach. Przychodziły od lat, a w każdym z nich znajdowała się jakaś suma pieniędzy i karteczka z jednym pośpiesznie nagryzmolonym zdaniem: „Proszę, daj mi znać, gdzie mieszkacie". Caroline nigdy nie spełniła tej prośby, choć we wcześniejszych latach opowiadała Davidowi Henry'emu dosłownie o wszystkim. Pisała szczere do bólu listy, zupełnie jakby był jej serdecznym przyjacielem i powiernikiem. Z biegiem czasu stała się bardziej kompetentna w opiece nad Phoebe i wysyłała jedynie zdjęcia oraz dosłownie parę zdań, a i to nie zawsze. Jej życie stało się tak bogate, pełne i zarazem skomplikowane, że uznała iż nie sposób przelać wszystkiego na papier, więc po prostu przestała próbować.

Jakież więc musiało być jej zdziwienie i przestrach, gdy pewnego razu dotarł do niej gruby list od Davida Henry'ego – pełne trzy strony zapisane charakterystycznym, zwartym pismem, żarliwe wyznanie, które zaczynało się od opowiadania o Paulu, jego talencie i marzeniach, jego wściekłości i gniewie.

Wiem, że to był błąd. Że źle zrobiłem, oddając ci moją córkę... Wiem, że popełniłem straszny błąd i że nie jestem w stanie cofnąć tego, co się stało, ale mimo wszystko chciałbym ją poznać, Caroline. Chciałbym jakoś naprawić, zadośćuczynić... Chciałbym wiedzieć coś więcej o Phoebe i o tym, jak dajecie sobie radę w życiu.

Obrazy, jakie przed nią roztoczył, całkiem odebrały jej odwagę i pewność siebie. Paul, nastolatek, utalentowany gitarzysta marzący o studiach w Julliard School; Norah, prowadząca własny biznes, i on, David, utrwalony w jej pamięci przez minione lata tak wyraziście, jakby spoglądała na fotografię w książce. Widziała go pochylonego nad tą kartką papieru, z sercem wypełnionym przez tęsknotę i poczucie winy. Wrzuciła list do szuflady i zamknęła ją, jakby w ten sposób mogła zamknąć zawarte w nim słowa, ale one wciąż krążyły w jej myślach i zatruwały dosłownie każdą chwilę tego męczącego i pełnego emocji tygodnia.

– On chce się z nią spotkać – powiedziała, mnąc w palcach brzeg szala, który Dorothy zostawiła na oparciu huśtawki. – Chce znów stać się częścią jej życia.

– Jak to miło z jego strony – zakpił. – No widzisz? Tyle lat musiało minąć, żebyś się w końcu dowiedziała, jaki to przyzwoity facet.

Caroline skinęła głową.

– Ale mimo wszystko on jest jej ojcem.

– No to w takim razie kim ja jestem?

– Proszę... – żachnęła się Caroline. – Jesteś jedynym ojcem, którego Phoebe zna i kocha. Ale ja nie powiedziałam ci wszystkiego, Al... Nie wiesz, w jaki sposób doszło do tego, że Phoebe jest razem ze mną. I myślę, że lepiej będzie, jeśli tak zostanie.

Ujął mocno jej dłonie.

– Caroline... Trochę włóczyłem się po Lexington po tym, jak wyjechałaś. Rozmawiałem z twoimi sąsiadkami i słyszałem różne opowieści. No cóż, może nie jestem bardzo wykształcony, ale nie jestem też kompletnym idiotą i wiem, że doktor Henry stracił nowo narodzone dziecko, córeczkę, akurat wtedy, gdy ty wyjechałaś z miasta. Chcę od razu zaznaczyć, że to, co wydarzyło się między wami, nie ma znaczenia. Przynajmniej dla mnie. Dla nas. Rozumiesz więc, że nie musisz zdradzać mi żadnych szczegółów.

Caroline siedziała, w milczeniu obserwując ruch samochodów na autostradzie.

– On jej nie chciał – wyszeptała. – Miał zamiar oddać ją do pewnego domu... To znaczy do takiej instytucji dla upośledzonych... Poprosił, żebym ją tam zawiozła i zrobiłam jak chciał, ale nie mogłam jej tam zostawić... To takie okropne miejsce.

Al przez chwilę nic nie mówił.

– Słyszałem co nieco o takich miejscach – powiedział w końcu. – Słyszałem rozmaite niedobre rzeczy. Jesteś dzielną dziewczyną, Caroline, i zrobiłaś to, co zrobić należało. Trudno nawet wyobrazić sobie, żeby Phoebe miała dorastać w takim otoczeniu.

– Caroline przytaknęła. W oczach stanęły jej łzy.

– Tak strasznie mi przykro, Al. Powinnam była powiedzieć ci o tym całe wieki temu.

– Caroline – odezwał się łagodnym tonem. – Wszystko w porządku. Było, minęło...

– Co twoim zdaniem powinniśmy zrobić? – pytała. – To znaczy z tym listem. Odpowiadać na niego? Pozwolić mu spotkać się z Phoebe? Nie wiem, co o tym myśleć i dręczy mnie to przez cały tydzień. A jeśli on zechce ją zabrać?

– Nie wiem, co mu odpowiedzieć – oznajmił po namyśle. – Nie do mnie należy decyzja.

Caroline skinęła głową. To całkiem uczciwe postawienie sprawy, pomyślała. Zresztą czego innego mogła się spodziewać, skoro tak długo utrzymywała wszystko w tajemnicy?

– Ale pamiętaj, że możesz na mnie liczyć – dodał, ściskając jej dłoń. – Cokolwiek czujesz i postanowisz, będę cię popierał w stu procentach. Ciebie i Phoebe.

– Dziękuję. Tak strasznie się martwiłam.

– Caroline, martwisz się nie o to, o co trzeba.

– Czy to w żaden sposób nas nie dotknie? – spytała. – To znaczy mam na myśli to, że ci nie powiedziałam... Czy nic się między nami nie zmieni?

– Nie, na tysiąc procent.

– W takim razie w porządku.

– W porządku – powiedział, wstając z huśtawki. – Ale to był długi dzień. Idziesz już na górę?

– Za minutkę.

Przeszklone drzwi skrzypnęły, a potem zamknęły się z trzaskiem. Silniejszy podmuch wiatru przeleciał przez ganek, na którym siedziała, i wreszcie zaczął padać deszcz. Z początku łagodnie stukał o dach, potem zadudnił na całego. Caroline zamknęła dom – teraz już jej dom – i weszła na piętro. Zatrzymała się przed sypialnią Phoebe, żeby sprawdzić, czy wszystko w porządku. Jej policzki były ciepłe i wilgotne; poruszyła się niespokojnie, a jej usta zadrgały w rytm niewypowiedzianych słów, po czym znów pogrążyła się we śnie.

– Moja kochana dziewczynka – szepnęła Caroline i naciągnęła wyżej kołdrę. Stała jeszcze następną minutę w wypełnionym dudnieniem deszczu pokoju, poruszona kruchością drobnej postaci Phoebe – swojej córeczki, której według wszelkiego prawdopodobieństwa nie była w stanie uchronić przed zagrożeniami jakie niesie świat. Potem wróciła do siebie i wślizgnęła się obok Ala między chłodne prześcieradła. Przypomniała sobie dotyk jego rąk, twardość brody ocierającej się o jej kark i własny krzyk w ciemności nocy. Był dobrym mężem dla niej, dobrym ojcem dla Phoebe... Człowiek, który wstanie w poniedziałek o świcie, weźmie prysznic, ubierze się i zniknie w swojej ciężarówce na tydzień, ufając że cokolwiek ona zrobi z Davidem Henrym i jego listem, będzie najlepszym rozwiązaniem. Caroline długo jeszcze leżała z otwartymi oczyma z ręką opartą na jego piersi i nasłuchiwała, jak deszcz bębni o szyby.

***

Zbudziła się o świcie, słysząc dudnienie kroków na schodach. To Al zdecydował się pojechać tak wcześnie na wymianę oleju. Kaskady wody przelewały się w rynnach i rurach spustowych, gromadziły w kałużach i spływały rwącymi strumieniami w dół pagórka. Caroline zeszła na dół i zaczęła przygotowywać kawę. Była tak pogrążona we własnych myślach i przesiąknięta atmosferą pustego domu, że nie usłyszała, kiedy Phoebe stanęła w wejściu do kuchni.

– Deszcz – powiedziała Phoebe. Poły szlafroka zwisały swobodnie, niezwiązane w pasie. – Koty i psy.

– Tak – przytaknęła Caroline. Kiedyś spędziły mnóstwo czasu na uczeniu się tego idiomu, pracując przy pomocy plakatu, na którym Caroline wymalowała zagniewane chmurki i wylewające się z nieba stada psów i kotów. Takie porównywanie należało do ulubionych zabaw Phoebe. – Choć dzisiaj to są raczej żyrafy i słonie.

– Krowy i świnie – zawołała Phoebe. – Albo świnie i kozy.

– Chcesz tosta?

– Chcę kotka.

– Czego chcesz? Mów pełnymi zdaniami.

– Proszę, tak bardzo chciałabym mieć kotka – powiedziała Phoebe.

– Wiesz przecież, że nie możemy mieć kota.

– Ale ciocia Dorothy wyjechała. Teraz mogę mieć kotka.

– Caroline głowa pękała od natłoku bolesnych myśli. Co się kiedyś stanie z Phoebe?

– Phoebe, posłuchaj... Masz tu tosta, a o kocie porozmawiamy kiedy indziej, dobrze?

– Ale ja chcę kota – upierała się Phoebe.

– Później.

– Kota!

– Cholera! – Caroline z całej siły walnęła otwartą dłonią o blat, co równie mocno zaskoczyło je obie. – Przestań mi truć o jakimś kocie! Słyszysz?

– Usiąść na ganku – oświadczyła Phoebe z ponurą miną. – Popatrzeć na deszcz.

– Czego chcesz? Mów pełnymi zdaniami.

– Chcę posiedzieć na ganku i popatrzeć na deszcz.

– Zaziębisz się.

– Chcę...

– Och, dobrze – przerwała jej Caroline, machnąwszy niecierpliwie ręką. – W porządku. Idź, usiądź sobie na ganku. Patrz na deszcz. Rób cokolwiek.

Za jej plecami drzwi otworzyły się, a potem zamknęły. Caroline wyjrzała przez okno. Phoebe siedziała pod parasolką na huśtawce, z tostem na kolanach. Caroline była zła na siebie, że straciła cierpliwość. W dodatku wcale nie chodziło o Phoebe. Po prostu nie wiedziała, co odpowiedzieć doktorowi Henry'emu i stąd całe zmartwienie.

Wzięła do ręki album i nieposegregowane zdjęcia, którymi dopiero miała zamiar się zająć, i usiadła na kanapie, skąd mogła obserwować poczynania Phoebe, która pod parasolką wciąż kołysała się na ogrodowej huśtawce. Caroline rozłożyła na stole ostatnie fotografie, wyjęła czysty papier listowy i zaczęła pisać list do Davida.

Phoebe wczoraj została konfirmowana. Wyglądała naprawdę prześlicznie i słodko w białej sukieneczce z różowymi wstążkami i śpiewała w kościele solo. Wysyłam zdjęcia z przyjęcia w ogrodzie, które odbyło się po uroczystości. Trudno uwierzyć, że już jest tak duża. Zaczynam się poważnie martwić o to, co przyniesie przyszłość. Przypuszczam, że właśnie to miałeś na względzie tamtej nocy, kiedy kazałeś mi ją zabrać... Tak ciężko walczyłam o nią przez te wszystkie lata, a teraz czasami jestem przerażona, gdy pomyślę, co może się zdarzyć, i jeszcze...".

Zatrzymała się, żeby zastanowić się nad impulsem, który kazał jej odpowiedzieć. Bynajmniej nie chodziło o pieniądze. Każdy cent z tego, co David jej przysyłał, wędrował do banku i przez wszystkie lata uskładała się całkiem pokaźna suma prawie piętnastu tysięcy dolarów, która w całości miała zostać przeznaczona na potrzeby Phoebe. Być może powodem było coś na kształt przyzwyczajenia albo pragnienie podtrzymania kontaktu? A może że zwyczajnie chciała mu dać do zrozumienia, jak wiele stracił? „Spójrz tylko", pragnęła rzucić mu prosto w twarz, trzymając za kołnierz jak schwytanego na gorącym uczynku złoczyńcę. „Oto jest twoja córka, Phoebe, lat trzynaście, z uśmiechem promiennym jak słońce".

Odłożyła pióro, żeby rozmyślać o Phoebe. O tym, jak wyglądała w białej sukience, jak jej czysty głosik wplatał się w śpiew chóru i jak trzymała w objęciach rudego kotka. Jak mogła napisać o tym wszystkim do Davida, a potem nie uwzględnić jego prośby o spotkanie z córką? Mimo to, jeśli on przyjechałby tu po tych wszystkich latach, to co jeszcze mogło się wydarzyć? Nie sądziła, żeby po tak długim czasie jeszcze go kochała, ale może tamta miłość na nowo mogła się w niej obudzić.

Może wciąż jeszcze była na niego wściekła za to, że dokonał takiego a nie innego wyboru i że nigdy nie zadał sobie trudu, żeby przekonać się, kim ona naprawdę jest? Zadręczała się, że musi się zdobyć na taką surowość. A jeśli okaże się, że on się zmienił? A jeśli nie? Wówczas może zranić Phoebe tak samo jak zranił kiedyś i nawet nie zdawać sobie z tego sprawy.

Odepchnęła na bok list i zamiast tego wypełniła kilka rachunków, a potem wyszła na zewnątrz, żeby włożyć je do skrzynki pocztowej. Phoebe siedziała na frontowych schodkach, osłonięta przed deszczem parasolką. Caroline obserwowała ją przez chwilę, po czym puściła drzwi i poszła do kuchni po jeszcze jedną filiżankę kawy. Przez dłuższy czas stała przy tylnym wejściu i patrzyła na ociekające deszczem liście, mokry trawnik, strumyczki płynące w dół ścieżki. W gąszczu krzaków tkwił kubeczek z papieru, a serwetki leżące w okolicach garażu powoli zmieniały się w mokrą papkę. Za kilka godzin Al znowu wyjedzie, pomyślała z roztargnieniem. Jak to możliwe, że takie życie ma dla niego posmak wolności?

Nagle deszcz przybrał na sile i mocniej zagrzechotał o dach. Coś otworzyło się w sercu Caroline, odezwał się w niej jakiś potężny instynkt, bo odwróciła się i pobiegła do salonu. Zanim jeszcze znalazła się na ganku, wiedziała, że nikogo tam nie znajdzie. Pusty talerz stał na betonowym schodku, a huśtawka wisiała nieruchomo.

Phoebe znikła bez śladu.

Dokąd poszła? Caroline wyjrzała poza obrys ganka i poprzez zasłonę deszczu bystrym wzrokiem przeczesała ulicę. Gdzieś w oddali rozległ się gwizd pociągu; droga w lewo prowadziła pod górę i krzyżowała się z trakcją kolejową. Odcinek w prawo kończył się na podjeździe prowadzącym na autostradę. „W porządku, wszystko jest w porządku", myślała w popłochu. „Rusz głową i pomyśl. Dokąd mogła pójść?".

Trochę dalej dzieci Swanów bawiły się boso w kałużach. Caroline przypomniała sobie, że wcześniej tego dnia Phoebe mówiła: „chcę kotka" i że Avery przyniosła na przyjęcie małą, futrzastą kulkę. Przypomniała sobie jej fascynację kocim maleństwem i zainteresowanie, jakie wzbudziły w niej jego popiskiwania. I rzeczywiście, na pytanie o Phoebe dzieciaki Swanów bez wahania wskazały nieduży zagajnik po drugiej stronie ulicy. Kociak uciekł, a Avery i Phoebe poszły go poszukać.

Caroline poczekała na przerwę między samochodami i jak strzała przemknęła na przeciwną stronę drogi. Ziemia do tego stopnia nasączona była wilgocią, że w śladach pozostawionych przez buty Caroline natychmiast zbierała się woda. Zaczęła przedzierać się przez gęsty zagajnik, aż w końcu trafiła na rozległą polanę. Od razu zobaczyła Avery. Dziewczynka klęczała obok rury, która odprowadzała wodę ze wzgórza do betonowego kanału. Obok niej leżała żółta parasolka Phoebe.

– Avery! – Caroline kucnęła obok małej, delikatnie dotykając mokrego ramienia dziewczynki. – Gdzie jest Phoebe?

– Poszła po kotka – wyjaśniła Avery i wskazała ujście rury odpływowej. – Weszła tam.

Caroline rzuciła po cichu jakieś przekleństwo i uklękła przy odpływie. Zimna woda obmywała jej kolana i oparte na betonie ręce.

– Phoebe! – krzyknęła w ciemność, aż jej głos odbił się echem. – Kochanie, tu mama! Skarbie, jesteś tam?

Cisza. Caroline posunęła się parę cali w głąb rury, choć woda była tak zimna, że całkiem zdrętwiały jej ręce.

– Phoebe! – wrzasnęła, a w jej głosie słychać było nutkę histerii. – Phoebe!

Słuchała w napięciu, aż po sekundzie, która ciągnęła się w nieskończoność, dobiegł do niej jakiś słabiutki dźwięk. Caroline wczołgała się jeszcze parę stóp dalej, torując sobie drogę przez niewidoczną, pędzącą w dół wodę. A potem musnęła ręką jakiś materiał, czyjeś chłodne ciało i po chwili Phoebe, drżąc z zimna, była już w jej objęciach. Caroline trzymała ją blisko siebie, wspominając noc, gdy nosiła chore niemowlę po wilgotnej łazience wyłożonej purpurowymi płytkami i zaklinała, żeby zechciało oddychać.

– Musimy stąd wyjść, kochanie. Musimy jakoś się wydostać.

– Ale Phoebe nawet nie drgnęła.

– Mój kot – powiedziała piskliwie i Caroline poczuła, że pod spódnicą Phoebe coś się porusza i zaczyna miauczeć. – Tu jest mój kot.

– Zapomnij o tym cholernym kocie – wrzasnęła Caroline. Delikatnie pociągnęła Phoebe w kierunku, z którego przyszła. – Chodź, Phoebe. Chodź zaraz.

– Mój kot – powtórzyła z uporem dziewczynka.

– Dobrze – zgodziła się Caroline. Woda wyraźnie się podniosła i sięgała jej teraz do połowy łydki. – Dobrze, to twój kot. A teraz chodź.

Phoebe powoli zaczęła pełznąć w stronę kręgu światła. W końcu obie wynurzyły się z rury, a lodowata woda wpadała między nimi do betonowego kanału. Phoebe była przemoknięta do suchej nitki, włosy kleiły się jej do twarzy. Kociak też był cały mokry. Między drzewami Caroline w przelocie ujrzała swój dom, mocny i ciepły – bezpieczną oazę pośród pełnego zamętu świata. Wyobraziła sobie Ala, który właśnie pędzi gdzieś autostradą, i przytulne, dobrze jej znane pokoje, które od niedawna były jej własnością.

– W porządku – przytuliła do siebie Phoebe. Kotek wykręcił się i przy okazji przesunął malutkimi pazurami po wierzchu jej dłoni. Deszcz wciąż padał, ociekając z ciemnych, ożywionych podmuchami wiatru liści.

– Przyjechał listonosz – oznajmiła Phoebe.

– Tak – Caroline patrzyła, jak mężczyzna wspina się na ganek i wsuwa do skórzanej torby rachunki, które pozostawiła mu w skrzynce.

Niedokończony list do Davida Henry'ego leżał na stole. Caroline przypomniała sobie, jak stała przy drzwiach prowadzących do ogrodu i patrząc na deszcz, rozmyślała wyłącznie o ojcu Phoebe, podczas gdy dziewczynka w tym samym czasie wpakowała się w niebezpieczeństwo. Nagle ta sytuacja wydała się jej przepowiednią, a strach, który poczuła gdy Phoebe znikła, zmienił się w gniew. Nie napisze ani słowa do Davida, postanowiła. Chciał od niej zbyt wiele i zbyt późno się na to zdecydował. Listonosz powoli zszedł po stopniach i w oddali ujrzała mignięcie jego jaskrawej parasolki.

– Tak, kochanie – odparła, głaszcząc kościsty łebek malutkiego kotka.
– Tak, masz rację.

Rok 1982

Kwiecień tysiąc dziewięćset osiemdziesiątego drugiego roku

Rozdział pierwszy

Caroline stała na przystanku autobusowym na rogu Forbes i Braddock i obserwowała dzieciaki ganiające we wszystkie strony na pobliskim placu zabaw. Ich radosna wrzawa zagłuszała chwilami stały szum ulicznego ruchu. Dalej, na boisku do baseballa, ubrane na niebiesko i czerwono postacie z rywalizujących zespołów z miejscowych barów z wystudiowaną gracją poruszały się po świeżej trawie. Nadchodził ciepły, wiosenny wieczór. Za kilka minut rodzice siedzący na ławkach lub czekający z rękoma w kieszeniach na swoje potomstwo zaczną wołać dzieci i zbierać się do domu. Zabawa dorosłych potrwa trochę dłużej – póki nie zapadnie ciemność. Wówczas gracze przyjaźnie poklepią rywali po plecach i także odejdą, żeby w barach usiąść przy drinku i pośmiać się głośno. Caroline widziała ich, kiedy pewnego razu zdecydowali się z Alem wyjść wieczorem do miasta. Najpierw był jakiś wczesny show w Regent, potem kolacja i parę piw, ponieważ Al akurat nie musiał być pod telefonem.

Natomiast dzisiejszego wieczora Al musiał wyjechać. Gnał przed siebie na południe, prosto w nadciągającą noc, od Cleveland do Toledo, a potem do Columbus. Caroline przykleiła na lodówce cały rozkład jego tras. Wiele lat temu, w te przedziwne dni, które nastąpiły zaraz po wyjeździe Dorothy, wynajęła kogoś do opieki nad Phoebe i raz czy dwa pojechała z Alem, w nadziei że to pomoże zmniejszyć dystans między nimi. Godziny uciekały, a ona na przemian spała i budziła się, aż w końcu straciła poczucie czasu. Ciemna nitka jezdni wiła się w nieskończoność, rozdzielona przez białą, połyskującą w mroku linię, nęcąca i hipnotyzująca jednocześnie. Wreszcie Al, zmęczony do nieprzytomności, zatrzymał się na jakimś parkingu dla ciężarówek i zabrał Caroline do restauracji, która nie różniła się znacząco od tej, w której jedli wczoraj, wszystko jedno w jakim mieście. Życie na drodze wydawało się podobne do wpadania w czarne dziury we wszechświecie, zupełnie jakby człowiek mógł wejść do toalety w jednym miejscu Ameryki, a potem wyjść przez te same drzwi i przekonać się, że jest zupełnie gdzie indziej. Te same centra handlowe, jednakowe stacje benzynowe i fast foody, i wszędzie podobny pisk opon o nawierzchnię drogi. Zmieniały się jedynie nazwy, światła, twarze... Wyjechała z Alem dwukrotnie, a potem zdecydowała, że już nigdy więcej.

Autobus wyłonił się zza narożnika i skręcił na przystanek. Drzwi rozsunęły się. Caroline wsiadła i zajęła miejsce przy oknie. Patrzyła na migające za szybą drzewa, gdy z rykiem silnika przemknęli po moście i dalej, przez leżącą poniżej dolinę. W przelocie minęli cmentarz, przecisnęli się przez Squirrel Hill i przez stare przedmieścia przedarli się do Oakland, gdzie Caroline wysiadła. Przez chwilę stała przed Carnegie Museum i zbierając się na odwagę, obserwowała budynek wzniesiony z kamiennych bloków, z kaskadowymi schodami od frontu i jońskimi kolumnami po bokach. W górze portyku w podmuchach wiatru łopotał olbrzymi banner, a na nim widniał ogromny napis: LUSTRZANE ODBICIA. WYSTAWA FOTOGRAFII DAVIDA HENRY'EGO.

Otwarcie wystawy zapowiedziane było na dzisiejszy wieczór, i w związku z tym należało się spodziewać obecności autora, który miał powiedzieć kilka słów do publiczności. Drżącymi z przejęcia rękoma Caroline wyciągnęła z kieszeni gazetę. Nosiła ją z sobą od przeszło dwóch tygodni, za każdym razem czując ukłucie w sercu, gdy przypadkiem jej dotknęła. Przynajmniej tuzin razy, a może nawet częściej, zmieniała zdanie. No bo co dobrego mogło wyniknąć z takiego spotkania po latach?

Z drugiej strony, czy należało się spodziewać, że komuś stanie się przez to krzywda?

Gdyby Al był na miejscu, pewnie zostałaby w domu i pozwoliła, żeby ta okazja minęła bez echa. Spoglądałaby na zegarek i czekała, aż otwarcie wystawy dobiegnie końca, a David Henry z powrotem zniknie w życiu, które teraz prowadził.

Ale Al zadzwonił, żeby powiedzieć, że musi dziś wyjechać, pani O'Neill bez oporów zgodziła się przyjść i zająć Phoebe, a autobus przyjechał o czasie. Serce waliło jej jak młotem. Caroline stała bez ruchu i oddychała głęboko, podczas gdy świat nadal wirował wokół niej, wypełniony piskiem hamulców i gęstym smrodem paliwa, zmieszanym z lekkim trzepotaniem pierwszych, delikatnych liści. Szmer rozmów przybierał na sile, gdy ludzie zbliżali się do niej, potem się oddalał, a strzępki rozmów dolatywały do jej uszu jak kawałki papieru unoszone przez wiatr. Sznur ludzi – kobiet ubranych w jedwabne suknie, wysokie obcasy i mężczyzn w ciemnych, kosztownych garniturach, ciągnął się po kamiennych stopniach wiodących do muzeum. W międzyczasie niebo zdążyło przybrać barwę indygo, a uliczne lampy zaświeciły pełnym blaskiem. W powietrzu przypłynęła do niej woń cytryny i mięty – to w znajdującym się przy następnym skrzyżowaniu kościele obrządku grecko-prawosławnego odbywał się właśnie jakiś festiwal. Caroline zamknęła oczy, przypominając sobie smak czarnych oliwek, który poznała dopiero po przeprowadzce tutaj. Myślała o dzikiej mieszaninie zapachów na targu, który w każdy sobotni ranek odbywał się w Strip. Woń świeżego chleba, kwiatów, owoców i warzyw, wyuzdana orgia zapachów i kolorów, która całymi kilometrami ciągnęła się wzdłuż rzeki... Nigdy nie poznałaby tego świata, gdyby nie David Henry i tamta niespodziewana zamieć... Powoli weszła na jeden stopień, potem na drugi, aż wreszcie wmieszała się w tłum gości.

Muzeum okazało się wysoką salą o białym sklepieniu i posadzce z dębowej klepki, polakierowanej na kolor ciemnego złota. Ktoś wcisnął jej do ręki program z grubego, kremowego papieru z nadrukowanym wielkimi literami nazwiskiem autora zdjęć. Dalej znajdowała się lista tytułów. „Wydmy o zmierzchu", przeczytała. „Drzewo we wnętrzu serca". Śmiałym krokiem weszła do galerii i znalazła najbardziej znane zdjęcie Davida: pofałdowaną plażę, która tak naprawdę była czymś więcej niż plażą, bo kryła się w niej krągłość kobiecego biodra i gładka długość nóg wtopiona w tło wydm. Wizerunek falował na obrzeżach, stopniowo przeistaczając się w coś innego, i nagle stawał się tym czymś innym. Za pierwszym razem Caroline stała przed tym zdjęciem przez dobre piętnaście minut. Wiedząc, że to wspaniałe ciało musi należeć do Norah Henry, przypominała sobie białe wzniesienie brzucha napinanego przez kolejne skurcze i rozpaczliwie silny uścisk dłoni. Przez całe lata pocieszała się własną, nieco pogardliwą opinią na temat Norah Henry – zbyt wyniosłej jak na jej gust, przyzwyczajonej do wygody i wydawania poleceń; kobiety, którą stać by było na to, żeby oddać własną córkę do przytułku. Ale to, co teraz zobaczyła, zniszczyło bezpowrotnie tę całą starannie wymyśloną ideologię, bo zdjęcia Davida przedstawiały kobietę, której Caroline wcale nie znała.

Ludzie kłębili się po całej sali, zajmując przygotowane krzesła. Caroline także usiadła; przyglądała się z uwagą wszystkiemu, co ją otaczało. Wreszcie światła nieco przygasły, a kiedy znów rozbłysły, przed zebranymi pojawił się David Henry – wysoki, dobrze znany, może nieco bardziej zażywny niż dawniej. Wybuchły gromkie brawa, i wtedy David z uśmiechem odwrócił się ku widowni. Caroline czuła się zszokowana faktem, że stanowczo przestał być młodym mężczyzną. W jego włosach pojawiły się smugi siwizny, a sylwetka nieco się przygarbiła. Podszedł do podium i uważnym spojrzeniem omiótł siedzących przed nim ludzi. Caroline z wrażenia wstrzymała oddech. Musiał ją dostrzec w tym tłumie, musiał poznać od razu, tak samo jak ona poznała jego... Ale David zwyczajnie odchrząknął, rzucił jakiś oklepany dowcip na temat pogody, a gdy chichoty na widowni ucichły, zajrzał do notatek i zaczął mówić. Wówczas zrozumiała, że dla niego była kimś obcym, anonimową twarzą wśród tłumu zebranych.

Mówił melodyjnym głosem, z całkowitą pewnością siebie, lecz Caroline prawie nie zwracała uwagi na treść. Przyglądała się dobrze znanej gestykulacji rąk, nowym zmarszczkom w kącikach oczu. Miał dłuższe włosy niż kiedyś, grubsze i bardziej zmysłowe pomimo siwizny, sam zaś sprawiał wrażenie człowieka, któremu się w życiu powiodło. Przyszła jej na myśl tamta noc, odległa już o prawie dwadzieścia lat, gdy zbudził się, podniósł głowę znad biurka i spojrzał na nią, jak stała w drzwiach gabinetu z sercem po brzegi wypełnionym miłością, której nawet nie starała się ukrywać. W tamtej chwili każde z nich otworzyło się przed drugim tak bardzo, jak tylko było to możliwe. Caroline dostrzegła wówczas coś, czego doktor Henry na co dzień starał się nie ujawniać; jakieś doświadczenie, oczekiwanie lub marzenie zbyt osobiste, by je z kimś dzielić. Ale to musiało być prawdą, bo wciąż w nim to widziała – widziała ukryte życie Davida Henry'ego. Jej błąd sprzed dwudziestu lat polegał na tym, że uwierzyła, iż ten sekret ma coś wspólnego z nią, z potajemną miłością, jaką w nim wzbudziła.

Kiedy skończył mówić, zerwała się burza oklasków, a potem on zszedł z podium, pociągnął ze szklanki potężny łyk wody i zaczął odpowiadać na pytania. Padło ich zaledwie kilka – od jakiegoś mężczyzny z notesem w ręku, pewnej matrony z siwym kokiem oraz dziewczyny w czerni z rozpuszczonymi ciemnymi włosami, która gniewnym tonem pytała o coś z zakresu formy. Caroline czuła, jak rośnie w niej napięcie i jak rytm jej serca przyspiesza tak bardzo, że zaledwie może oddychać. Wreszcie czas przeznaczony na zadawanie pytań dobiegł końca. Zapadła chwila ciszy, a potem David Henry odchrząknął raz jeszcze, uśmiechnął się jakby chciał tym uśmiechem podziękować zebranym za przybycie i odwrócił się w stronę wyjścia. Caroline zorientowała się nagle, że sama także wstaje, choć odbywa się to prawie bez udziału jej woli, i że ściska w ręku torebkę osłaniając się nią jak tarczą. Przeszła na ukos przez salę i dołączyła do małej grupki wielbicieli zebranych wokół Davida. Spojrzał na nią i uśmiechnął się, ale nie poznał. Czekała cierpliwie aż tamci skończą, bo w miarę upływu czasu powracał do niej spokój. Kurator wystawy kręcił się w pobliżu, jakby bał się, że fani artysty rozerwą go na strzępy. Wreszcie nastąpiła krótka chwila ciszy; Caroline wystąpiła naprzód i położyła rękę na ramieniu Davida.

– Davidzie… – powiedziała spokojnie. – Poznajesz mnie?

Uważnym spojrzeniem obrzucił jej twarz.

– Czyżbym aż tak bardzo się zmieniła? – wyszeptała.

I nagle dostrzegła w oczach Davida błysk zrozumienia. Jego twarz zmieniła się w jednej chwili, zmienił się nawet jej kształt, jakby siła ziemskiego przyciągania nieoczekiwanie zwiększyła swoją moc. Potem na kark wypełzł krwisty rumieniec, a mięśnie na policzkach zadrgały nerwowo. Caroline poczuła, że coś dziwnego stało się z czasem; znów znaleźli się we dwoje w pustej klinice, a za oknami sypał gęsty śnieg. Cała sala i wszyscy ludzie nagle odpłynęli w niebyt, podczas gdy oni dwoje patrzyli na siebie bez słowa.

– Caroline… – powiedział, powoli odzyskując przytomność umysłu. – Caroline Gill. Moja przyjaciółka z dawnych lat… – dodał na użytek ludzi, którzy wciąż otaczali go gęstym wianuszkiem. Z wdziękiem poprawił krawat i uśmiechnął się, choć ten uśmiech nie zdołał dosięgnąć oczu. – Dziękuję państwu – skinął głową. – Bardzo dziękuję, że zechcieli się państwo pofatygować. A teraz proszę nam wybaczyć...

We dwójkę przeszli na ukos przez zatłoczoną salę. David trzymał się blisko Caroline. W pewnej chwili lekkim acz zdecydowanym ruchem położył rękę na jej ramieniu, jakby bał się, że w przeciwnym razie może gdzieś zniknąć.

– Chodź tutaj – powiedział, skręcając za panel wystawowy, gdzie w białej ścianie znajdowały się ledwo widoczne drzwi. Wprowadził ją do środka jakiegoś pozbawionego okien pomieszczenia, tym samym odgradzając od reszty świata. Caroline rozejrzała się. Znajdowali się w niewielkim składziku, oświetlonym jedną nagą żarówką, gdzie półki uginały się pod ciężarem farb i narzędzi. David stał tuż przy niej, tak blisko, że dzieliło ich zaledwie kilka cali. Poczuła słodkawy zapach wody kolońskiej, a pod nim coś, co dobrze pamiętała – woń medykamentów zmieszaną z adrenaliną. W składziku panował nieznośny zaduch i Caroline zakręciło się w głowie, a przed oczyma zaczęły wirować ciemne plamy.

– Caroline – usłyszała głos Davida. – Więc mieszkasz tutaj? W Pittsburghu? Czemu nie chciałaś dać mi znać, gdzie jesteś?

– Chyba nietrudno było mnie znaleźć – odparła chłodno. – Paru osobom to się udało.

Przypomniała sobie, jak Al szedł aleją w jej stronę. Jego wytrwałość od samego początku budziła w niej szacunek. Natomiast David Henry dość łatwo dał sobie spokój, choć z drugiej strony prawdą było, że Caroline robiła wszystko, żeby zniechęcić go do poszukiwań.

Z zewnątrz dobiegły odgłosy kroków. Ktoś szedł w ich stronę i nagle się zatrzymał. Potem rozległo się jakieś zamieszanie i szmer pomieszanych głosów. Caroline z bliska wpatrywała się w twarz Davida. Przez te wszystkie lata myślała o nim dosłownie każdego dnia, a mimo to teraz nie potrafiła wykrztusić niczego sensownego.

– Czy nie powinieneś do nich wyjść? – wykrztusiła, zerkając na drzwi.

– Poczekają.

Znów w milczeniu spoglądali na siebie. Przez cały czas rozłąki Caroline zachowała w pamięci jego obraz, jak setki lub tysiące połączonych z sobą fotografii. Na każdej z nich David Henry był młodym człowiekiem, pełnym zapału i energii, a teraz, patrząc na jego ciemne oczy, mięsiste policzki i starannie wymodelowane włosy, doszła do wniosku, że równie dobrze mogłaby minąć go na ulicy i nie poznać.

Kiedy przemówił po raz drugi, jego ton wyraźnie złagodniał, choć mięśnie na policzkach wciąż napinały się nerwowo.

– Pojechałem do ciebie do domu, Caroline. Tamtego dnia, zaraz po nabożeństwie za Phoebe. Wszedłem na górę, ale ciebie już nie było. Przez ten cały czas... – zaczął i nagle urwał.

Ktoś delikatnie zapukał do drzwi, a potem usłyszeli przytłumione pytanie.

– Jeszcze chwila – odkrzyknął David.

– Bardzo cię kochałam – powiedziała nieoczekiwanie. Sama była zdziwiona tym wyznaniem, ponieważ pierwszy raz ośmieliła się ubrać w słowa to uczucie, nawet przed sobą samą, choć ta pewność miłości istniała w niej od lat. Szczere wyznanie prawdy znacznie jej ulżyło i teraz bez oporów mówiła dalej. – Wiesz, na różne sposoby wyobrażałam sobie życie z tobą, i właśnie wtedy, w tamtym kościele... wtedy pierwszy raz przyszło mi do głowy, że ty tak naprawdę nigdy o mnie nie pomyślałeś.

Słuchając tych gorzkich słów, zwiesił głowę, ale teraz popatrzył jej prosto w oczy.

– Wiedziałem o tym – powiedział spokojnie. – Wiedziałem, że jesteś we mnie zakochana. Jak mógłbym inaczej poprosić cię o pomoc? Przepraszam cię, Caroline. Od tylu lat... tak strasznie tego żałuję.

Skinęła głową. Łzy napłynęły jej do oczu, gdy ujrzała młodszą wersję siebie samej, jak stoi na obrzeżu tłumu zebranego na nabożeństwie, niewidoczna i nierozpoznana. Nawet teraz ta scena budziła jej gniew. David wówczas wcale na nią nie patrzył, a mimo to nie zawahał się poprosić, żeby uwolniła go od niechcianej córeczki.

– Czy jesteś szczęśliwa? – zapytał. – Czy byłaś szczęśliwa, Caroline? A Phoebe?

To pytanie, zadane w dodatku tak subtelnym tonem, całkiem ją rozbroiło. Pomyślała o Phoebe, z takim trudem walczącej o to, żeby nauczyć się pisać, żeby wiązać sznurowadła. O Phoebe, która bawiła się w ogródku, podczas gdy Caroline wykonywała telefon za telefonem, żeby umożliwić jej zdobycie wykształcenia. O Phoebe, która przy każdej okazji obejmowała jej szyję cieplutkimi rączkami i mówiła: „Kocham cię, mamusiu". Myślała o Alu, zbyt często nieobecnym, lecz jednak wracającym do domu pod koniec każdego tygodnia z bukietem kwiatów, torbą ciasteczek lub małym prezencikiem dla niej i dla Phoebe. Była młoda i naiwna, gdy, pracując w biurze doktora Henry'ego, wyobrażała sobie siebie jako pewnego rodzaju naczynie, które druga osoba może napełnić miłością. Tymczasem ta miłość była w niej obecna przez cały czas i tylko poprzez dawanie jej innym stale ulegała odnowieniu.

– Naprawdę chcesz wiedzieć, Davidzie? – spytała hardo, odwzajemniając jego spojrzenie. – Postąpiłam tak, ponieważ ty nigdy nie raczyłeś mi odpisać. Z wyjątkiem tego jednego, jedynego razu nigdy nie spytałeś o żaden szczegół z naszego życia. Nigdy, przez tyle długich lat.

Dopiero teraz doszła do wniosku, że właściwie dlatego przyjechała na otwarcie wystawy. Nie z powodu miłości ani posłuszeństwa, do którego nawykła w przeszłości, ani nawet nie z powodu poczucia winy. Przyszła tu, żeby wyrzucić z siebie złość i raz na zawsze wszystko wyjaśnić.

– Przez całe lata nie interesowało cię, jak sobie radzę. Jak sobie radzi Phoebe. Nie poświęciłeś nam nawet jednej cholernej myśli... A potem nagle przychodzi ten ostatni list, na który już nie odpisałam. Ni z tego, ni z owego zapragnąłeś mieć swoją córkę przy sobie.

David zaśmiał się krótko, nieprzyjemnie.

– Więc tak to widzisz? Czy dlatego przestałaś do mnie pisać?

– A jak mam to widzieć?

Ze smutkiem pokręcił głową.

– Caroline, przypomnij sobie... Wiele razy prosiłem, żebyś podała mi wasz adres. Zawsze, kiedy wysyłałem pieniądze. A w tamtym ostatnim liście poprosiłem, żebyś zechciała mnie znów zaprosić do swojego życia. Co więcej mogłem zrobić? Posłuchaj, pewnie nawet nie przyszło ci to do głowy, ale przez te wszystkie lata starannie przechowywałem każdy twój list. A kiedy przestałaś się odzywać, poczułem się tak, jakbyś zatrzasnęła mi drzwi tuż przed nosem.

Caroline pomyślała o swoich listach, o szczerych słowach przelewanych z serca wprost na papier. Nie potrafiła sobie przypomnieć, o czym pisała: o szczegółach z życia Phoebe, o własnych nadziejach, snach i obawach.

– Gdzie one są? – spytała w końcu. – Gdzie przechowujesz moje listy?

Wydawał się szczerze zaskoczony.

– W ciemni, w mojej szafie na dokumenty, w dolnej szufladzie. Jest zawsze zamknięta na klucz. A dlaczego pytasz?

– Bo nie sądziłam, że w ogóle zadałeś sobie trud, żeby je przeczytać – odparła Caroline. – Miałam wrażenie, że trafiam w próżnię i być może dlatego pozwalałam sobie na pewną swobodę. Zupełnie jakbym mogła napisać po prostu wszystko, bo to i tak nie miało żadnego znaczenia.

David potarł ręką policzek. Przypomniała sobie, że robił tak zawsze, gdy czuł się zmęczony lub zniechęcony.

– Owszem, czytałem wszystkie. Uczciwie przyznaję, że za pierwszym razem zmusiłem się do czytania, ale potem zawsze chciałem wiedzieć, co się dzieje, nawet jeśli by to miało okazać się bolesne. Dzięki tobie mogłem choć trochę widzieć Phoebe. Zupełnie jakbyś wysyłała mi okrawki z materiału, którym było wasze życie. Czekałem na nie.

Nie odpowiedziała. Przypomniała sobie przyjemność, jaką poczuła tamtego deszczowego dnia, kiedy wysłała na górę Phoebe razem z jej kociakiem, Kropelką, żeby zmieniła mokre ubranie, a sama została w salonie. W pewnej chwili zaczęła drzeć list Davida. Na cztery, osiem, szesnaście kawałeczków, aż w końcu wyrzuciła drobne confetti do kosza na śmieci. Sprawiło jej to dziką satysfakcję, pomieszaną z zadowoleniem z faktu, że sprawa raz na zawsze została zamknięta. Kompletnie zapomniała wówczas – a może nawet było jej to obojętne – o uczuciach Davida.

– Nie chciałam ryzykować, że ją utracę – powiedziała po prostu. – Od długiego, bardzo długiego czasu byłam na ciebie zła, ale wtedy najbardziej martwiłam się o to, że jeśli pozwolę wam na spotkanie, na pewno zechcesz ją zabrać. To dlatego przestałam się odzywać.

– Nigdy nie miałem takiego zamiaru.

– Nie miałeś zamiaru zrobić wielu rzeczy, a jednak się zdarzyły – odpowiedziała.

David Henry westchnął ciężko, a wówczas wyobraziła go sobie, jak chodzi po pustym apartamencie i widzi, że ona wyniosła się stąd na dobre. „Powiedz mi, co planujesz", usłyszała w pamięci. „To wszystko, o co proszę".

– Gdybym wtedy nie zgodziła się jej wziąć, być może zmieniłbyś zamiar – dorzuciła miękko.

– Nie zatrzymałem cię, chociaż mogłem to zrobić – powiedział cierpkim tonem i znów spojrzał jej prosto w oczy. – Wtedy, na nabożeństwie, miałaś na sobie czerwony płaszcz... Widziałem cię i widziałem, jak odjeżdżasz.

Caroline nagle poczuła się wyczerpana i słaba, jakby za chwilę miała stracić przytomność. Nie wiedziała czego należało się spodziewać po takiej rozmowie, ale nie sądziła, że taka będzie jej treść: jego żal i gniew i jej uraza.

– Widziałeś mnie?

– Prosto stamtąd pojechałem do twojego mieszkania, bo myślałem, że cię tam zastanę.

Caroline zamknęła oczy. Wtedy była już w drodze na autostradę, w drodze do nowego życia, które czekało na nią właśnie tutaj. Przypuszczalnie rozminęła się z Davidem Henry'm o parę minut, najwyżej o godzinę. Ile spraw zaczęło się w tamtym momencie! Jakże inaczej mogło potoczyć się jej życie!

David odchrząknął i znów zwrócił się do niej.

– Nie odpowiedziałaś na moje pytanie. Czy jesteś szczęśliwa, Caroline? Czy Phoebe jest szczęśliwa? Jak jej zdrowie? Czy ma jakieś problemy z sercem?

– Na szczęście z sercem wszystko jest w porządku – odparła. Pomyślała o wczesnych latach życia Phoebe, o stałym strachu o jej kondycję fizyczną – o nieskończonej ilości wypraw do lekarzy i dentystów, kardiologów, specjalistów od uszu, nosa i gardła... Ale Phoebe dorosła i czuła się całkiem nieźle. Bez problemu trafiała piłką do kosza ustawionego na dróżce dojazdowej i mogła tańczyć całymi godzinami. – W książkach, które czytałam, gdy Phoebe była mała, mądrzy ludzie pisali, że takie dzieci umierają, zanim osiągną dojrzałość. Przypuszczam, że Phoebe po prostu miała sporo szczęścia, bo nigdy nie chorowała na serce. Uwielbia śpiewać. Ma kota, którego nazwała Kropelką. Uczy się tkactwa. Teraz jest w domu i właśnie tym się zajmuje – tkaniem.

Caroline potrząsnęła głową.

– Oczywiście chodzi do szkoły. Do normalnej szkoły, razem z innymi dziećmi. Walczyłam jak lwica, żeby jej to załatwić. A teraz jest już prawie dorosła i nie mam pojęcia, co będzie dalej. Udało mi się znaleźć dobrą pracę. Pracuję w niepełnym wymiarze godzin w klinice medycyny wewnętrznej w miejskim szpitalu. Mój mąż... On bardzo często wyjeżdża. Phoebe codziennie chodzi na spotkania integracyjne w domach. Ma tam mnóstwo kolegów. Uczy się pracy biurowej. Co jeszcze mogę ci powiedzieć, Davidzie? Ominęło cię mnóstwo cierpienia, ale i mnóstwo radości.

– Wiem o tym – odparł. – Wiem lepiej, niż ci się zdaje.

– A co u ciebie? – zapytała, znów uderzona tym, jak bardzo się zestarzał. Wciąż próbowała przyzwyczaić się do jego obecności, do tego że po tylu latach znaleźli się we dwoje w tym maleńkim pomieszczeniu. – Czy jesteś szczęśliwy? A Norah? Paul?

– Nie wiem – powiedział powoli. – Chyba na swój sposób są szczęśliwi, tak jak każdy. Paul jest taki bystry... Mógłby robić dosłownie wszystko, ale on chce zdawać do Julliard School i grać na gitarze. Moim zdaniem popełnia błąd, ale Norah uważa inaczej. Przez to w naszym domu stale są spięcia.

Caroline pomyślała o tym, jak Phoebe lubi czystość i porządek, jak ślicznie śpiewa sama dla siebie, kiedy zmywa naczynia albo sprząta mopem podłogę, jak z całego serca kocha muzykę i nigdy nie będzie miała szansy, żeby nauczyć się grać na gitarze.

– A co u Norah? – spytała prędko, żeby odpędzić tamte myśli.

– Jest właścicielką biura podróży. I tak jak twój mąż, mnóstwo czasu spędza na wyjazdach.

– Biuro podróży? – powtórzyła z niedowierzaniem. – Norah?

– No właśnie. Ja też byłem zaskoczony. Ale ona robi to już od lat i jest w tym naprawdę dobra.

Gałka przekręciła się i drzwi uchyliły się na kilka cali. Kurator wystawy wetknął głowę do środka, a w jego niebieskich oczach kryła się ciekawość i pewien niepokój. Nerwowo przesunął ręką po ciemnych włosach i dopiero wtedy przemówił.

– Doktorze Henry? Wie pan, na zewnątrz czeka mnóstwo osób. Pańskie zniknięcie wzbudziło pewien rodzaj... tego, no... zainteresowania... Czy wszystko w porządku?

David popatrzył na Caroline. Widziała, że on się waha, ale również że zaczyna się niecierpliwić, i czuła, że za chwilę odwróci się, poprawi krawat i zwyczajnie odejdzie. Coś, co przetrwało przez tyle lat, miało się skończyć właśnie w tym momencie. „Nie odchodź", szepnęła w duchu, ale kurator chrząknął znacząco i zaśmiał się z zażenowaniem.

– Nie ma sprawy, już idę... – szybko powiedział David. – Poczekasz, prawda? – zwrócił się do Caroline i wziął ją pod rękę.

– Muszę wracać – odpowiedziała. – Phoebe czeka.

– Proszę.

Zatrzymał się za drzwiami, żeby jeszcze raz spojrzeć na nią. Napotkała jego wzrok i ujrzała w nim ten sam smutek i współczucie, które widziała wiele lat temu, kiedy oboje byli znacznie, znacznie młodsi.

– Tyle mamy sobie do powiedzenia. Tak wiele spraw nagromadziło się przez tak długi czas. Proszę, powiedz, że poczekasz? To nie powinno potrwać długo.

Była tak zakłopotana, że prawie ją mdliło, ale posłusznie skinęła głową, na co David zareagował uśmiechem.

– Dobrze. Pójdziemy gdzieś na kolację, zgoda? Ta cała gadka z publicznością... Muszę ją odbębnić. Wiesz, wtedy przed laty bardzo się myliłem. Marzę o tym, żeby dostać coś więcej niż tylko strzępki.

Jego ręka spoczywała na jej ramieniu, gdy z powrotem torował sobie drogę między gośćmi. Caroline nie była w stanie wydobyć z siebie głosu. Ludzie bez skrępowania gapili się na nich i z ciekawością szeptali coś między sobą. Szybko sięgnęła do torebki po kopertę, którą przygotowała w domu, a w której znajdowało się kilka ostatnich zdjęć Phoebe. David wziął ją, spojrzał w jej oczy i z poważną miną skinął głową, ale wówczas szczupła panienka w czarnej sukience z lnu wzięła go za ramię. Była to ta sama piękna i nieco napastliwa kobieta z publiczności, która wcześniej usiłowała z nim porozmawiać. Teraz zadała następne pytanie dotyczące formy.

Caroline stała w miejscu jeszcze przez kilka minut. Patrzyła, jak David wskazuje zdjęcie, na którym widniało coś przypominającego ciemne gałęzie drzewa, i mówi do nieznajomej. Zawsze był bardzo przystojny i takim pozostał. Dwa razy zerknął w stronę Caroline, a gdy przekonał się, że stoi tam, gdzie ją zostawił, całkowicie skoncentrował się na chwili obecnej. „Poczekasz, prawda?", powiedział. „Poczekaj, proszę". Spodziewał się, że ona zrobi tak, jak sobie życzył. Znów poczuła, jak w żołądku wzbiera fala mdłości. Nie chciała czekać, to wszystko. W młodości stanowczo zbyt wiele czasu zmarnowała na czekanie. Czekanie na słowa uznania, na przygody, na miłość... Jej prawdziwe życie zaczęło się dopiero wtedy, gdy z Phoebe na ręku odwróciła się i wyszła z domu w Louisville, kiedy spakowała manatki i wyprowadziła się z Lexington. Z czekania nigdy nie wynikło nic dobrego. David stał z pochyloną głową; na zmianę przytakiwał i słuchał kobiety o ciemnych włosach, ściskając w ręku białą kopertę, starannie ukrytą za plecami. W pewnym momencie wsunął ją do kieszeni, zupełnie jakby zawierała coś trywialnego, a nawet nieco nieprzyjemnego – coś w rodzaju rachunku za prąd albo mandatu.

Kilka chwil później Caroline była już na zewnątrz i zbiegała po kamiennych schodach prosto w objęcia nocy.

Była wiosna, rześkie powietrze pachniało wilgocią, a ona czuła się zbyt podekscytowana, żeby spokojnie poczekać na autobus. Szybko mijała skrzyżowanie za skrzyżowaniem, nie zważając na uliczny ruch czy nielicznych przechodniów, ani nawet na pewne niebezpieczeństwo, na jakie narażała się, idąc samotnie ulicą o tak późnej porze. Przed oczami migały kawałki wcześniejszego spotkania, dziwnym trafem całkiem oderwane od siebie. Pasmo ciemnych włosów, założone za prawym uchem, przycięte krótko paznokcie... Zakończone kwadratowo palce, które pamiętała z przeszłości... I głos, choć akurat jego głos się zmienił, stał się o wiele bardziej poważny. To wprawiło ją w zakłopotanie; portret Davida, który przez tyle lat zachowała w pamięci, przestał istnieć w chwili, gdy go ujrzała.

A ona? Jak ona dziś wypadła w jego oczach? Co zobaczył, co kiedykolwiek widział w Caroline Lorraine Gill? Czy znał sekrety jej serca? Absolutnie nie. Nie miał o nich bladego pojęcia. I ona także o tym wiedziała, wiedziała od lat. Od momentu, gdy stała na zewnątrz kościoła, kiedy ostatecznie zamknął przed nią swoje życie, a ona odwróciła się i odeszła. Gdzieś w głębi serca utrzymywała przy życiu to głupie, romantyczne wyobrażenie, że David Henry w pewien sposób znał ją lepiej niż ktokolwiek inny. Ale to nie było prawdą. David Henry nigdy jej nie widział, nawet w przelocie.

Przeszła przez pięć skrzyżowań, kiedy rozpadało się na dobre. Po kilku minutach miała całkiem mokrą twarz, tak samo jak ubranie i buty, a nocny chłód wdzierał się przemocą do wnętrza jej ciała, sączył się pod skórę. Była już blisko zakrętu, kiedy autobus linii 61 B zatrzymał się z piskiem na przystanku, a ona rzuciła się biegiem, żeby go złapać. Odgarniając mokre włosy, klapnęła na pękniętym, plastikowym siedzeniu. Światła, neony i rozmazana czerwień sygnalizacji świetlnej przesuwały się za zamazanymi przez deszcz szybami. Chłodne, wczesnowiosenne powietrze obmywało jej twarz, podczas gdy autobus posuwał się ociężale przez kolejne ulice, aż w końcu dobrnął do zaciemnionego odcinka drogi, który ciągnął się wzdłuż parku położonego na niskim, długim zboczu pagórka.

Caroline wysiadła na środku Regent Square. Z baru, obok którego wypadło jej przejść, wylewały się wrzaski i okrzyki, a przez okna widać było ciemne sylwetki graczy. Widziała ich już wcześniej, a teraz siedzieli ze szklankami w ręku wokół telewizora i wymachiwali w powietrzu pięściami. Światła z szafy grającej rzucały niebieskawe prążki na ręce kelnerki, kiedy odwróciła się od stolika stojącego najbliżej okna. Caroline zatrzymała się. Adrenalina, która krążyła w jej żyłach podczas spotkania z doktorem Henrym, nagle zniknęła bez śladu, rozpuszczając się jak mgła w chłodzie wiosennej nocy. Ostro odczuwała teraz własne osamotnienie, podczas gdy mężczyźni w barze spędzali wesoło czas, a mijający ją przechodnie spieszyli ku własnym sprawom do miejsc, których nawet nie potrafiła sobie wyobrazić.

Pod powiekami Caroline wezbrały piekące łzy. Ekran telewizora zamigotał, a przez szklaną taflę okna przedarł się kolejny ryk entuzjazmu. Odskoczyła, potrącając kobietę niosącą papierową torbę z zakupami, i potknęła się o porzuconą resztkę fast fooda, którą ktoś pozostawił na skraju chodnika. W dół zbocza i w alei wiodącej do jej domu uliczne światła wskazywały drogę do domów tak dobrze znanych i znajomych rodzin: O'Neillsów, gdzie złoty blask przebijał ponad drzewem derenia, Soulardsów z pogrążonym w mroku olbrzymim ogrodem, i wreszcie trawnika należącego do Margolisów, gdzie latem zawsze rosły nieprawdopodobne ilości stokrotek. Stojące w rzędzie domy wyglądały jak szereg stopni wiodących w dół pagórka, gdzie na końcu stał jej własny dom.

Zatrzymała się pośrodku ulicy, żeby popatrzeć na wysoki, wąski budynek. Przed wyjściem zamknęła żaluzje, była tego pewna, ale teraz żaluzje były odsunięte i Caroline mogła zajrzeć do środka przez okna jadalni. Nad stołem, na którym leżała przędza, włączony był kinkiet. Phoebe schylona nad krosnami przesuwała nici, skupiona na pracy i spokojna. Kropelka zwinęła się na jej kolanach i przypominała teraz napuszony, rudy kłębek. Caroline obserwowała ją, myśląc z niepokojem, jak bardzo jej córeczka wydaje się wrażliwa i bezbronna wobec świata, który w tajemniczy sposób wirował w ciemności tuż za jej plecami. Zmarszczyła brwi, usiłując przypomnieć sobie tamten moment – własną rękę, która przekręca plastikowy drążek i opadające deseczki żaluzji. A potem kątem oka zauważyła w głębi domu czyjś cień, który przesunął się za przeszklonymi drzwiami w stronę salonu.

Wstrzymała oddech, zaskoczona, lecz mimo to nie zatrwożona; po sekundzie cień przybrał znajomy kształt i Caroline poczuła ulgę. To nie był nikt obcy, lecz Al, który najwyraźniej wcześniej wrócił z podróży i teraz snuł się po domu. Jego obecność sprawiła jej miłą niespodziankę, bo Al ostatnio brał coraz więcej zleceń i często nie widywała go nawet przez dwa tygodnie pod rząd. Ale teraz był tutaj. Wrócił do domu i otworzył żaluzje, żeby dać Caroline możliwość posmakowania jej własnego życia zamkniętego pośród czterech ścian, obramowanego blatem bufetu, który właśnie skończyła odnawiać, fikusem, którego dotąd nie udało się jej zamordować, oraz pokładami szkła, które z takim oddaniem czyściła przez te wszystkie lata. Phoebe podniosła głowę znad pracy i niewidzącym wzrokiem wpatrzyła się w ciemny, mokry trawnik, odruchowo gładząc miękki, koci grzbiet. Al przeszedł przez pokój z filiżanką kawy w ręku, zatrzymał się obok niej i gestem wskazał coś na dywaniku, który właśnie tkała.

Deszcz siąpił coraz mocniej. Caroline miała zupełnie mokre włosy, ale mimo to nie ruszała się z miejsca. To, co przy oknie baru odbierała jako osamotnienie i realną, przerażającą pustkę, zostało zatarte przez obraz czekającej na nią rodziny. Woda spływała jej po policzkach, rysowała bruzdy na szybach i zbierała się w kroplach na ciepłym, wełnianym płaszczu. Zdjęła rękawiczki i pogrzebała w torebce w poszukiwaniu kluczy, ale potem doszła do wniosku, że drzwi musiały być otwarte. Jeszcze przez chwilę stała na pogrążonym w mroku trawniku, nasłuchując nieustannego szumu aut przemykających po autostradzie i spoglądając, jak ich reflektory omiatają gęste krzaki bzu, posadzone tutaj całe wieki temu dla ochrony przed hałasem. Tak właśnie wyglądało jej życie. Nie było to takie życie, o jakim niegdyś marzyła, ani którego wyczekiwała lub pragnęła jako młoda dziewczyna, ale było realne i prawdziwe, zbudowane z troską i starannością, i przez to dobre.

Zamknęła torebkę, wdrapała się na schodki, a następnie otworzyła tylne drzwi i weszła do domu.

Rozdział drugi

Nieznajoma okazała się być profesorem historii sztuki w Carnegie Mellon i pragnęła porozmawiać z Davidem na temat formalnej struktury jego prac.

– Co pańskim zdaniem oznacza pojęcie piękna? – pytała. Trzymając Davida pod rękę, prowadziła go po lśniącej, dębowej posadzce między białe ściany, na których wisiały jego zdjęcia. – Czy piękno wynika z formy, czy raczej jest kwestią przekazu?

Odwróciła się, odrzucając włosy do tyłu i jedną ręką założyła za ucho niesforne pasemko.

Przez moment patrzył na nią – na jej twarz, na biały przedziałek między włosami, na bladą, gładką cerę.

– Moim zdaniem piękno to kwestia odpowiedniego połączenia obydwu pojęć – wyjaśnił łagodnie, rzucając przez ramię spojrzenie na miejsce, gdzie zostawił Caroline. Zatrzymała się przed zdjęciem przedstawiającym leżącą na plaży Norah i teraz z ulgą stwierdził, że wciąż tam była. – To umiejętność odnalezienia punktu styczności pomiędzy nimi. Właśnie do tego dążę. Nie interesuje mnie teoretyczne podejście, jedynie sam akt fotografowania.

– Ale przecież nie można istnieć poza teorią – wykrzyknęła, ale zaraz potem przestała go dręczyć i ze zwężonymi oczyma zagryzała dolną wargę. Nie widział jej zębów, ale wyobrażał sobie, jak wyglądają. Musiały być proste, białe i równe. Miał wrażenie, że cała sala wiruje wokół niego, czyjeś głosy wznosiły się i opadały, a kiedy na moment zapadła cisza, usłyszał bicie własnego serca i dostrzegł, że wciąż trzyma w ręku kopertę, którą dała mu Caroline. Znowu spojrzał na drugi koniec sali – tak, Caroline wciąż tam była, jak dobrze – i troskliwie wsadził białą kopertę do kieszeni koszuli. Zauważył przy tym, że ręce drżą mu lekko.

„Mam na imię Lee", mówiła teraz ciemnowłosa kobieta. Była krytykiem pisującym recenzje do miejscowych gazet. David skinął głową, słuchając jednym uchem tego, co miała mu do powiedzenia. Czy Caroline mieszkała w Pittsburghu, czy może przypadkiem zobaczyła gdzieś reklamę wystawy i specjalnie skądś przyjechała, na przykład z Morgantown, Columbus albo Filadelfii? Wysyłała do niego listy ze wszystkich tych miast, a potem ni stąd ni zowąd wyszła z anonimowego tłumu, prawie taka sama jak przedtem, choć jednak starsza, bardziej schludna i nieustępliwa, bo delikatny urok jej młodości dawno już przeminął.

– Nie poznajesz mnie, Davidzie? – spytała, a on poznał ją natychmiast, choć w pierwszej chwili tak naprawdę nie przyjął tego faktu do wiadomości.

Przeszukał wzrokiem salę, ale teraz nigdzie jej nie dostrzegał i wówczas poczuł pierwsze ukłucia paniki – maleńkie, lecz złowróżbne, jak pierwsze zarodki grzyba ukrytego we wnętrzu drewnianej kłody. Zadała sobie przecież trud, żeby tu przyjechać i obiecała, że zaczeka, więc z pewnością dotrzyma słowa. Ktoś przeszedł obok z tacą pełną kieliszków z szampanem, więc bez namysłu sięgnął po jeden z nich. Po chwili znów zjawił się kurator i zaczął zawracać mu głowę. Koniecznie chciał przedstawiać sponsorów wystawy. David wziął się w garść na tyle, żeby odpowiadać inteligentnie i z humorem, ale wciąż myślał o Caroline. Miał nadzieję, że za chwilę dostrzeże ją gdzieś na obrzeżach sali. Opuścił ją w wierze, że będzie czekać, ale teraz z drżeniem serca przypomniał sobie tamten odległy ranek – ceremonię żałobną w intencji Phoebe – i Caroline, która w czerwonym płaszczu stała na skraju rozmodlonego tłumu. Przypomniał sobie natarczywy chłód marcowego dnia, wypełnione słonecznym blaskiem niebo i leżącego w wózku Paula, który z zapałem kopał kocyk. Przypomniał sobie, że wówczas także pozwolił jej odejść.

– Proszę mi wybaczyć na moment... – mruknął, przerywając swojemu rozmówcy w pół zdania i przeszedł po twardej, drewnianej posadzce do foyer przy głównym wejściu. Tam zatrzymał się, odwrócił z powrotem ku galerii i jeszcze raz przeczesał spojrzeniem kłębiący się w środku tłum. Niewątpliwie nie mógł pozwolić sobie na to, by kolejny raz ją utracić, skoro udało mu się ją odnaleźć po tak długim czasie.

Ale Caroline odeszła. Za oknami światła wielkiego miasta mrugały uwodzicielsko, jak cekiny rozrzucone pomiędzy falującymi, pełnymi życia wzgórzami. Gdzieś tam, daleko albo całkiem blisko, Caroline Gill zmywała naczynia, zamiatała podłogę, zatrzymywała się na moment, żeby wyjrzeć przez okno... Poczucie straty i żal potężny jak fala zalały go od stóp do głów, i to tak nieoczekiwanie, że musiał oprzeć się o ścianę i pochylić głowę, żeby zwalczyć atak nudności. Z pewnością dał się ponieść nadmiernie silnym emocjom, niewspółmiernym do sytuacji. Ostatecznie tyle lat żył, nie widując Caroline Gill. Wziął głęboki oddech, przepowiedział w myślach fragment tablicy Mendelejewa – srebro, kadm, ind, cynk – ale tym razem mu to nie pomogło.

Sięgnął do kieszeni i wyjął kopertę, którą mu dała na pożegnanie. Być może zostawiła tam adres albo numer telefonu, pomyślał z nadzieją. W środku były dwa zdjęcia wykonane Polaroidem – sztywne, w lichych kolorach, przyćmione i zmieszane z odcieniem szarości. Na pierwszym ujrzał uśmiechniętą Caroline, która obejmowała ramieniem stojącą obok dziewczynkę ubraną w wykrochmaloną niebieską sukienkę z szarfą, obniżoną w talii. Za nimi znajdowała się ceglana ściana jakiegoś domu, a silny blask słońca wyprał tę fotografię z wszelkiego bardziej intensywnego koloru. Dziewczynka wyglądała na krępą, mocno zbudowaną osóbkę. Sukienka dobrze na niej leżała, ale mimo to nie dodawała jej wdzięku. Włosy w miękkich falach opadały wokół pucołowatej buzi; dziewczynka uśmiechała się od ucha do ucha, mrużąc przy tym oczy, wpatrzona w obiektyw lub na kogoś, kto trzymał w ręku aparat. Miała szeroką twarz o delikatnych rysach, a nieznaczne wygięcie ku górze kącików oczu mogło wynikać wyłącznie z kąta nachylenia aparatu. „Phoebe podczas szesnastych urodzin", napisała na odwrocie Caroline. „Słodka nastolatka".

Wsunął pierwszą fotografię za drugą, bardziej aktualną. Tutaj Phoebe była sama i grała w koszykówkę. Ustawiła się do zdjęcia, unosząc obcasy nad asfaltową nawierzchnię chodnika. Koszykówka... Sport, którego Paul tak stanowczo nie chciał uprawiać. David spojrzał na odwrotną stronę zdjęcia, zajrzał do koperty, ale nie znalazł adresu ani telefonu. Duszkiem wychylił szampana i odstawił kieliszek na marmurowy stolik. W galerii wciąż było pełno ludzi, a szmer rozmów przypominał brzęczenie owadów. David na chwilę zatrzymał się w drzwiach. Obserwował to wszystko z niezwykłą obojętnością, zupełnie jakby znalazł się tu przypadkowo, jakby cała sytuacja nie miała z nim nic wspólnego. Potem odwrócił się na pięcie i po prostu wyszedł w miękkie, chłodne i przepojone wilgocią powietrze. Wsunął kopertę od Caroline z powrotem w kieszeń na piersi i ruszył przed siebie, nie zastanawiając się, dokąd ani po co idzie.

Oakland, gdzie niegdyś mieszkał, uczęszczając do college'u, było zmienione, a jednak częściowo wyglądało jak dawniej. Forbes Field, gdzie spędził tyle popołudniowych godzin, siedząc zgarbiony na odsłoniętej trybunie w promieniach bezlitosnego słońca i krzyczał z entuzjazmem, ilekroć po uderzeniu kijem piłka szybująca wysoko ponad polem zielonej trawy znikała w którymś z dołków. W miejscu, gdzie niegdyś rozlegał się ryk wiwatującego tłumu, stał teraz nowy budynek uniwersytecki, kwadratowy i przysadzisty. David zatrzymał się i odwrócił wzrok w stronę Katedry Wiedzy – wysmukłego, szarego monolitu, którego sylwetka odcinała się na tle nocnego nieba – bo jego obecność pozwalała mu odnaleźć dawne związki z tym miejscem.

Potem poszedł dalej przez pogrążone w ciemności ulice, między ludźmi, którzy właśnie wylegli z restauracji i teatrów. Właściwie nie myślał po co ani gdzie idzie, choć od początku wiedział, dokąd zmierza. Dopiero teraz zrozumiał, że żył jak w więzieniu od momentu, gdy oddał Caroline Gill swoją córkę. Całe jego życie kręciło się dookoła tamtego pojedynczego zdarzenia – wciąż widział nowo narodzone dziecko leżące w jego ramionach, a potem własne ręce, wyciągnięte do obcej kobiety, żeby oddać jej maleństwo. Być może właśnie dlatego od tylu lat poświęcał każdą wolną chwilę na robienie zdjęć – żeby uchwycić inny moment o podobnym znaczeniu i równym ciężarze gatunkowym. Zupełnie jakby chciał unieruchomić pędzący przed siebie świat, zatrzymać przepływ zdarzeń, choć oczywiście było to niemożliwe.

Szedł przed siebie, podekscytowany, od czasu do czasu mrucząc coś pod nosem. Coś, co dotąd było uśpione w jego sercu, dzięki spotkaniu z Caroline na nowo wróciło do życia. Myślał o Norah, która stała się kobietą samowystarczalną i przekonaną o własnej wartości. Z błyskotliwą pewnością siebie potrafiła prowadzić firmowe rachunki i wracała z bankietów, wnosząc do domu zapach wina i deszczu, a ślady uśmiechu, triumfu i sukcesu wciąż były widoczne na jej pięknej twarzy. Przez ostatnich kilka lat pozwoliła sobie na parę romansów. David wiedział o każdym z nich, i w końcu jej sekrety, podobnie jak jego sekret, utworzyły między nimi mur nie do przebycia. Czasem wieczorami zdarzało się, że przez mgnienie oka dostrzegał w niej kobietę, którą niegdyś poślubił; Norah kołyszącą na ręku niemowlę, Norah z ustami poplamionymi sokiem z jagód i w fartuchu zawiązanym w talii, Norah jako początkującą agentkę biura podróży, do późnej nocy siedzącą nad rachunkami... Jednak te wszystkie wcielenia zrzucała z siebie równie łatwo, jak wąż zrzuca skórę i coraz częściej zdarzało się, że żyli w ogromnym domu jak para całkiem obcych ludzi.

Paul cierpiał z tego powodu i David świetnie go rozumiał. Dokładał wszelkich starań, żeby dać synowi wszystko, czego tamten zapragnął. Próbował być dobrym ojcem. Razem z Paulem zbierał skamieliny, układał je i opisywał, a potem w salonie odbywały się miniwystawy. Przy każdej okazji zabierał chłopaka na ryby. Ale niezależnie jak bardzo się starał uczynić życie Paula gładkim jak jedwab, fakt pozostawał faktem – David zbudował to życie na kłamstwie. Chciał uchronić jedynaka przed sprawami, z powodu których sam cierpiał w dzieciństwie – przed biedą, zmartwieniem i żałobą – a mimo to jego wysiłki wykreowały innego rodzaju cierpienia, których istnienia nie potrafił przewidzieć. Kłamstwo wyrosło między nimi jak skała, zmuszając ich do omijania go, tak jak drzewo okręca się dookoła głazu.

Ulice zbiegały się i schodziły pod coraz bardziej dziwnymi kątami. Miasto zwężało się aż do miejsca, gdzie spotykały się wielkie rzeki, Monongahela i Allegheny, a ich wspólny nurt tworzył Ohio, które płynęło do Kentucky i dalej, aż łączyło się z Missisipi i znikało w jej głębinach. David poszedł do samego końca cypla. Jako młody człowiek, student, często przychodził w to miejsce i zatrzymując się na brzegu, patrzył, jak mieszają się ze sobą wody dwóch rzek. Minął pewien czas i znowu stał tutaj, z palcami u stóp zawieszonymi nad ciemnym lustrem rzeki, i myślał obojętnie, jak zimna jest ta czarna otchłań i czy starczyłoby mu sił, żeby dopłynąć do brzegu, gdyby przypadkiem wpadł w jej objęcia. I tak samo jak dawniej wiatr bez trudu przenikał przez materiał garnituru, kiedy David patrzył na rzekę przesuwającą się między czubkami jego butów. Posunął się o cal w jej kierunku i wtedy przez znużony umysł przemknął błysk żalu: to mogłoby być naprawdę dobre zdjęcie, ale aparat pozostał w hotelowym schowku. Daleko w dole woda wirowała, a piana uderzała z wściekłością o cementowe pale i odpływała w dal. David czuł krawędź betonowego nabrzeża dokładnie pod sklepieniami stóp. Gdyby skoczył albo wpadł i nie udało mu się dopłynąć do brzegu, znaleziono by przy nim zegarek z wygrawerowanym na kopercie imieniem ojca, portfel z dwustu dolarami, prawo jazdy, otoczak ze strumienia w pobliżu rodzinnego domu, który nosił przy sobie od trzydziestu lat... I te dwa zdjęcia, ukryte w kopercie wetkniętej do kieszeni na sercu.

Na jego pogrzebie z pewnością zjawiłyby się tłumy, a żałobny orszak zająłby spory odcinek ulicy.

Ale na tym wszystko by się skończyło. Caroline mogła nigdy nie dowiedzieć się prawdy. Tak samo nawet jedno słowo nie dotarłoby jeszcze dalej, do miejsca, gdzie niegdyś się urodził.

A gdyby nawet dotarło, to i tak nikt nie domyśliłby się, o kogo chodzi.

Kiedy pewnego dnia wrócił ze szkoły, ten list czekał na niego w sklepiku na rogu, wepchnięty za pustą puszkę po kawie. Nikt nic nie powiedział, ale wszyscy patrzyli na niego, bo i tak każdy wiedział, co to jest. Logo Uniwersytetu w Pittsburghu było widoczne z daleka. Pamiętał, że zabrał tę kopertę na górę i położył na stoliku obok łóżka, zbyt zdenerwowany, żeby ją otworzyć. Tego dnia niebo za oknem było szare i płaskie, a jedynym urozmaiceniem pustki był widok bezlistnych gałęzi wiązu.

Przez dwie godziny bał się nawet spojrzeć w tamtym kierunku, a potem zdobył się na odwagę i rozerwał kopertę. W środku były same dobre wiadomości. Został przyjęty na studia, a w dodatku przyznano mu pełne stypendium. Usiadł na brzegu łóżka, zbyt ogłuszony tym, co przeczytał, zbyt ostrożny – zresztą będzie taki przez całe życie – żeby pozwolić sobie na radość. „Miło nam powiadomić pana...".

Ale zaraz potem zauważył ten błąd. Ponura prawda uderzyła go gdzieś w okolicy żołądka, a potem ulokowała się tam, gdzie się spodziewał – w zagłębieniu tuż pod żebrami. Nazwisko wypisane na liście nie było jego nazwiskiem. Adres się zgadzał, podobnie jak reszta szczegółów, od daty urodzenia po numer ubezpieczenia socjalnego. Tak samo dwa imiona – David po ojcu i Henry po dziadku – były prawidłowe i starannie wydrukowane przez sekretarkę, której najwyraźniej przeszkodził czyjś telefon albo niespodziewany petent. Albo może sprawiło to wiosenne powietrze... Sekretarka podniosła wzrok znad listu, marząc o wieczornym spotkaniu z narzeczonym, który będzie czekał na nią z bukietem kwiatów i drżącym z niepokoju sercem. A potem trzasnęły drzwi. Rozległ się odgłos kroków, kroków jej szefa. Natychmiast wróciła do rzeczywistości, zamrugała i wzięła się z powrotem do pracy. Uderzyła w klawisze maszyny do pisania, żeby kontynuować pracę.

Imiona David Henry wydrukowane zostały poprawnie, ale pominięto nazwisko McCallister.

David nigdy nikomu o tym nie wspomniał. Pojechał do college'u, zarejestrował się i nikt nie domyślił się prawdy. Zresztą imiona się zgadzały, choć mimo wszystko David Henry był kimś innym niż David Henry McCallister. Ale wtedy wydawało się jasne, że lepiej iść do college'u jako David Henry – osoba bez przeszłości, nieobciążona jakimkolwiek bagażem. Człowiek, który dostał od losu szansę, żeby wykreować się na nowo.

Dokładnie tak zrobił. Pozwoliło mu na to nowe nazwisko. W pewnym stopniu nazwisko wymagało od niego zmian, bo brzmiało dostojnie, solidnie i budziło dobre skojarzenia. Poza wszystkim istniał ktoś taki jak Patrick Henry, mąż stanu i znany orator. We wczesnym okresie pobytu w college'u David pozwalał sobie napomknąć – choć nigdy nie bezpośrednio – o jakimś odległym pokrewieństwie, bo czasami czuł się nieco zakłopotany podczas rozmów z ludźmi, którzy byli bogatsi i mieli lepsze koneksje, niż on mógł mieć kiedykolwiek; z ludźmi poruszającymi się swobodnie w kręgach, do których on rozpaczliwie pragnął dołączyć. Wówczas przywoływał na pomoc rząd rzekomych przodków, którzy mieli go wspierać.

Właśnie takie dziedzictwo pragnął przekazać w spadku Paulowi – miejsce w świecie, którego nikt nie będzie kwestionował.

Woda między czubkami jego butów była teraz brązowawa, otoczona wianuszkiem niezdrowo białej piany. Wiatr przybierał na sile, a skóra Davida okazała się równie porowata, jak materiał garnituru i po kilku minutach poczuł, jak zimno przenika mu do krwi. Kłębiąca się w dole woda zamigotała. David poczuł w gardle palenie kwasu, a już po chwili klęczał, podpierając się rękoma i wymiotował w dziki nurt rzeki aż do momentu, kiedy w żołądku nie pozostało zupełnie nic. Potem przez dłuższy czas leżał w ciemności na zimnych kamieniach, aż w końcu podniósł się, wytarł usta wierzchem dłoni i powlókł się z powrotem do miasta.

***

Przesiedział całą noc na dworcu linii Greyhound, na zmianę drzemiąc i zrywając się ze snu, a rano złapał pierwszy autobus, który odjeżdżał w stronę rodzinnego domu w Zachodniej Virginii. Znów zagłębił się między zielone wzgórza, które objęły go czułym uściskiem jak czyjeś stęsknione ramiona. Po siedmiu godzinach autobus zatrzymał się tam gdzie zawsze, na rogu Main i Vine, a następnie odjechał z rykiem silnika, pozostawiając Davida przed sklepem spożywczym. Na ulicy panował spokój. Słup telefoniczny oblepiony był gazetą, a zielsko wychylało się ze szpar w chodniku. Niegdyś pracował w tym sklepie, żeby zarobić na pokój na górze i wyżywienie. Bystry dzieciak, mówiono, przyszedł tutaj z gór, żeby się uczyć. Zdumiewał go dźwięk dzwonów i uliczny ruch, panie domu, które robiły zakupy, dzieciaki ze szkoły gromadzące się przy budce z wodą sodową, i mężczyźni, którzy spotykali się wieczorami, żeby pożuć tytoń, pograć w karty i spędzić czas na opowiadaniu różnych ciekawych historii. Ale to wszystko bezpowrotnie się skończyło. Zabite deskami okna pokryte były czerwono-czarnymi rysunkami, które zdążyły się już zamazać i stały się całkiem nieczytelne.

Z pragnienia całkiem zaschło mu w gardle. Po drugiej stronie ulicy dwaj mężczyźni w średnim wieku – jeden całkiem łysy, a drugi z siwiejącymi włosami, które opadały mu na ramiona – siedzieli na ganku, grając w warcaby. Na widok Davida podnieśli głowy i popatrzyli na niego z zainteresowaniem zmieszanym z pewną dozą podejrzliwości. Przez moment spojrzał na siebie ich oczyma – zobaczył faceta w poplamionych i wymiętych spodniach, mocno nieświeżej koszuli, bez krawata i z włosami przyklepanymi od niewygodnego spania w autobusie. Nie należał do tego miejsca, nigdy nie należał. W wąskim pokoiku nad sklepem książki zaściełały całe łóżko, a on tęsknił za domem tak bardzo, że na niczym nie mógł się skupić, ale mimo to kiedy wracał w góry, tęsknota nie zmniejszała się ani na jotę. W malutkim, drewnianym domu rodziców, wczepionym mocno w górskie zbocze, godziny ciągnęły się w nieskończoność, odmierzane przez ojca stukaniem w krzesło fajką, westchnieniami matki i wzruszającymi zabawami siostry. Życie w górze strumienia było inne niż to na dole, ale przejmujące uczucie samotności wszędzie wyglądało tak samo.

Kiwnął głową w stronę gapiących się na niego mężczyzn, a potem odwrócił się i odszedł, czując na plecach ich spojrzenia.

Zaczął kropić lekki deszczyk, delikatny jak mgła. David z uporem wędrował przed siebie, choć od marszu bolały go nogi. Pomyślał o swoim jasnym, przestronnym biurze, odległym od tego miejsca o całe lata świetlne. Zbliżało się późne popołudnie. Norah na pewno była jeszcze w pracy, zaś Paul pewnie siedział w swoim pokoju, zamieniając gniew i samotność w przejmujące dźwięki muzyki. Spodziewali się go w domu dziś wieczorem, ale on z pewnością nie zdoła tam dotrzeć. Będzie musiał zadzwonić, ale później, kiedy już postanowi, co dalej. Zawsze mógł wsiąść w powrotny autobus, świetnie o tym wiedział, ale takie rozwiązanie wydawało się całkiem niemożliwe. Tak samo jak to, że tamten i ten świat mogły istnieć równolegle obok siebie.

W miarę oddalania się od centrum miasteczka nierówny chodnik coraz częściej przerastały kępy trawy. Z daleka musiało to przypominać coś w rodzaju alfabetu Morse'a, który co pewien czas pojawiał się w nierównych odstępach, aż wreszcie znikł zupełnie. Po obu stronach wąskiej drogi biegły płytkie rowy – pamiętał, jak rosło w nich całe mnóstwo liliowców, a pomarańczowa masa przypominała kolorem żywe płomienie. Teraz wsunął ręce pod pachy, żeby trochę je ogrzać. Tutaj zdecydowanie panowała jeszcze poprzednia pora roku i raczej trudno byłoby znaleźć bzy, które już kwitły w Pittsburghu, albo spodziewać się ciepłego deszczu. Połacie zmarzniętej ziemi skrzypiały pod podeszwami butów; David co chwila kopał jakiś poczerniały kawałek lodu do rowu, gdzie wciąż zalegała masa śniegu. Spod niej gdzieniegdzie wychylało się zielsko i kamienie.

W końcu dotarł do większej lokalnej drogi. Pędzące auta zmuszały go do uskakiwania na pobocze i opryskiwały rozmiękłym błotem. Przypomniał sobie, że kiedyś była to spokojna szosa, a nadjeżdżający samochód słychać było kilka mil wcześniej, jeszcze zanim pojawił się w zasięgu wzroku. Zwykle za przednią szybą widział znajomą twarz, a potem samochód zwalniał, zatrzymywał się i kierowca otwierał drzwi, żeby wpuścić Davida do środka. Wszyscy go znali, tak samo jak jego rodzinę i po krótkiej rozmowie – „Jak tam tata? A mama? Czy w ogródku wszystko ładnie rośnie?" – zwykle zapadała cisza. Zupełnie jakby osoby siedzące w aucie zastanawiały się, co należy powiedzieć, a czego lepiej nie przy chłopcu, który okazał się na tyle bystry, żeby otrzymać stypendium, a którego siostra była zbyt chora, żeby w ogóle pójść do szkoły. Wśród społeczności żyjącej w górach – a być może w ogóle na świecie – pokutowała teoria o równowadze, która w skrócie polegała na tym, że za każdy dar od losu trzeba zapłacić utratą czegoś innego. „No cóż, jesteś naprawdę utalentowana, nawet jeśli twoja kuzynka jest znacznie ładniejsza". Komplementy, uwodzicielskie i pełne uroku jak kwiaty, przy bliższych oględzinach okazywały się pełne cierni. „Owszem, jesteś zdolny, ale wyglądasz naprawdę paskudnie". „Może ona jest ładna, ale za to głupia jak but". Teoria rekompensaty, równowagi panującej we wszechświecie. Po przyjęciu na studia David słyszał oskarżenia pod swoim adresem dosłownie z każdej strony – że za wiele dostał, że właściwie zagarnął dla siebie wszystko – a w samochodach lub ciężarówkach, do których wsiadał, zapadało milczenie tak ciężkie, że wydawało się niemożliwe, iż czyjś głos zdoła je przerwać.

Szosa zakręcała raz, potem drugi raz... „Tańcząca droga", mówiła o niej June. Zbocza pagórków stawały się coraz bardziej strome, strumienie spadały w dół z coraz większych wysokości, zaś domy wyglądały coraz skromniej, wręcz bardzo ubogo. Na zboczach pojawiły się także mieszkalne przyczepy – w odcieniach turkusu, błękitu i żółci, tyle że żółć zdążyła wypłowieć na słońcu na jasnokremowy kolor – przypominające zmatowioną biżuterię z tanich sklepów. David zauważył znajomy jawor i skałę w kształcie serca, a zaraz potem doszedł do zakrętu, przy którym wbite w ziemię stały trzy białe krzyże, udekorowane wyblakłymi kwiatami i wstążkami. Skręcił i powędrował prosto w kierunku następnego strumienia – swojego strumienia – choć ścieżka była prawie zarośnięta i miejscami niemal niewidoczna.

Prawie godzinę zabrała mu wędrówka do rodzinnego domu. Drewniane ściany zdążyły zszarzeć, dach wygiął się na wysokości środka kalenicy i brakowało sporej części gontu. David zatrzymał się, tak intensywnie zwracając się ku przeszłości, że spodziewał się lada moment ujrzeć wszystko tak jak przedtem – matkę, która schodziła ze schodków z ocynkowanym cebrzykiem w ręku, żeby przynieść z potoku trochę wody na pranie, siostrę siedzącą na ganku – i usłyszeć dobiegające zza domu uderzenia siekiery, którą ojciec rąbał drewno na opał. Kiedy on wyjechał do szkoły i June umarła, jego rodzice zostali tu tak długo, jak tylko dali radę, bo z niechęcią myśleli o porzuceniu ziemi. Jednak nie wiodło się im zbyt dobrze, a potem ojciec także umarł, w dość jeszcze młodym wieku, i po jego śmierci matka zdecydowała się wyjechać na Północ, do swojej siostry, gdzie miała obiecaną pracę w fabryce samochodów. David rzadko przyjeżdżał z Pittsburgha do domu, ale od śmierci matki nie zajrzał tu ani razu. To miejsce było mu równie znajome, jak własna dłoń, lecz odległe jak księżyc od życia, jakie teraz prowadził.

Wiatr wciąż przybierał na sile. David wszedł po schodkach i przekonał się, że drzwi zwisały krzywo na zawiasach i w związku z tym nie były zamknięte. Wewnątrz panował chłód i śmierdziało stęchlizną. Na dole był tylko jeden pokój, zaś użytkowy strych zniszczył zapadający się dach. Na ścianach widniały plamy po wodzie, a przez szczeliny prześwitywało błękitne niebo. Pamiętał, jak pomagał ojcu wznieść ten dach, jak obydwu pot lał się z czoła, a ręce mdlały z wysiłku, kiedy podnosili w słońcu młotki, wciągając w płuca zapach świeżo heblowanych, cedrowych deszczułek.

O ile David wiedział, od lat nikt tu nie zaglądał. Mimo to na starym piecu stała patelnia z zastygłym tłuszczem, który wcale nie był zjełczały, o czym David przekonał się, wąchając go z bliska. W rogu znajdowało się stare, żelazne łóżko przykryte zniszczoną kołdrą, taką samą jak te, które szyły babcia i matka. Pościel była lekko wilgotna, a pod spodem brakowało materaca, tylko na desce osadzonej w stelażu leżało kilka koców. Drewniana podłoga lśniła czystością, a w słoiku na oknie stało kilka krokusów.

Najwyraźniej ktoś tutaj mieszkał. Lekki wiatr przemknął po pomieszczeniu i poruszył wycinankami z papieru, które wisiały dosłownie wszędzie – przy suficie, koło okien, nad łóżkiem. David przeszedł się po pokoju, przyglądając się im z coraz większym podziwem. Były maleńkie jak płatki śniegu, które wycinał w szkole, ale nieskończenie bardziej zawiłe i szczegółowe. Z uwzględnieniem drobiazgów pokazywały różne scenki: targowisko, schludny salon z kominkiem, piknik z fajerwerkami. Delikatne i precyzyjne nadawały staremu domowi posmak tajemniczości. Ostrożnie dotknął fryzowanej krawędzi wycinanki przedstawiającej wóz z sianem, z dziewczętami w kapeluszach obramowanych koronką i chłopcami w spodniach podwiniętych do kolan. Diabelskie koła, wirujące karuzele, samochody mknące po szosie... To wszystko, kruche i delikatne, wisiało nad łóżkiem i lekko kręciło się w przeciągu.

Kto miał tyle talentu i cierpliwości, żeby wycinać takie cudeńka? David pomyślał o własnych fotografiach: tak bardzo starał się uchwycić konkretny moment, przyszpilić go, sprawić, by trwał, ale obrazy zmieniały się, zanim zdążył je wysuszyć w czerwonym świetle w ciemni. Mijały godziny i dni, on sam stopniowo stawał się nieco inną osobą, a mimo to wciąż tak samo zależało mu na uchwyceniu momentu, który zaraz miał zniknąć, i tak wciąż i wciąż, bez końca.

Usiadł na krawędzi twardego łóżka. Głowa pękała mu z bólu, więc położył się i naciągnął na siebie zawilgoconą kołdrę. Przez okna wlewało się do środka szarawe światło dnia. Nagi stół, piec... Wszystko śmierdziało pleśnią, a kolejne warstwy gazet przylepione do ścian powoli zaczynały odłazić. Jego rodzina była strasznie biedna; wszyscy, których znali, także byli biedni. To jeszcze nie było zbrodnią, ale równie dobrze mogło się nią stać. To dlatego zbierało się różne rzeczy, stare silniki, puszki i butelki po mleku rozrzucone po górskich zboczach – jako zabezpieczenie w razie potrzeby, jako ochronę przed niedostatkiem. Kiedy David był jeszcze mały, pewien chłopiec nazwiskiem Daniel Brinkerhoff zatrzasnął się w starej lodówce i tam umarł z braku powietrza. David pamiętał przyciszone szepty i ciało dziecka otoczone palącymi się świecami, które leżało na stole w chacie całkiem podobnej do tej. Pamiętał, że matka płakała, co wydawało mu się zupełnie bez sensu; był jeszcze zbyt mały, by zrozumieć czyjś żal i znaczenie śmierci. Ale szczególnie wyraziście przypominał sobie słowa pogrążonego w udręce ojca, wypowiedziane tak, żeby nie dosłyszała ich matka Davida: „Dlaczego to spotkało akurat moje dziecko? Dlaczego nie tamtą chorowitą dziewczynkę? Jeśli ktoś musiał umrzeć, to czemu nie ona?".

Zamknął oczy. Dookoła panowała absolutna cisza. Pomyślał o dźwiękach, które wypełniały jego życie w Lexington: o odgłosach kroków i szmerach rozmów dobiegających z holu, piskliwym dzwonku telefonu, popiskiwaniu pagera na tle audycji radiowej, której słuchał podczas jazdy samochodem. Dom rozbrzmiewał dźwiękami gitary i głosem Norah, która ze sznurem telefonicznym owiniętym dookoła nadgarstka bez przerwy konferowała z klientami; zaś w środku nocy budziły go telefony ze szpitala, że jest potrzebny i natychmiast musi przyjść. Wtedy wstawał w ciemności i wychodził w zimną noc.

Ale nie tutaj. Tutaj jedynym dźwiękiem był wiatr szeleszczący w zeschniętych liściach i odległy pomruk strumienia szemrzącego pod cienką warstwą lodu. I pukanie gałęzi w którąś ze ścian. Zrobiło mu się zimno, więc podniósł się nieco na piętach i plecach, wyciągnął kołdrę spod siebie i szczelnie się nią otulił. Poczuł jak ukryte w kieszeni zdjęcia kłują go w pierś. Jeszcze przez kilka minut drżał z zimna i zmęczenia podróżą, a kiedy zamykał oczy widział przed sobą dwie rzeki, które dążą do zjednoczenia, i kłębiące się w dole ciemne wiry. Kusiły, żeby w nie skoczyć z własnej woli, i właśnie dlatego David tak długo balansował na krawędzi urwiska.

Tym razem zamknął oczy na dobre. Tylko na parę minut, pomyślał, żeby trochę odpocząć. Teraz poza spleśniałą wonią stęchlizny doleciał do niego inny zapach, słodki, cukierkowy. Matka kupowała cukier w mieście i David niemalże czuł smak ciasta upieczonego z okazji urodzin June, żółtego i gęstego od kremu, i tak słodkiego, że miał wrażenie, że z powodu nadmiaru słodyczy zaraz wybuchnie mu w ustach. Z dołu szli sąsiedzi, a ich głosy niosły się echem przez dolinę. Roześmiane kobiety w kolorowych sukienkach brnęły przez wysoką trawę, mężczyźni mieli na sobie ciemne spodnie i wysokie buty, a dzieci rozbiegały się po całym podwórzu, wrzeszcząc przy tym w niebogłosy. Potem wszyscy zbierali się obok domu, żeby zjeść lody, czekające w solance pod gankiem i zamarznięte na kamień. Cierpliwie czekali, aż podniesione zostanie metalowe wieko i słodki, zimny krem trafi do miseczek.

Być może to wydarzenie miało miejsce zaraz po urodzeniu June, być może po jej chrzcinach, kiedy June wyglądała zupełnie tak samo jak inne niemowlęta. Wymachiwała drobnymi rączkami i przesuwała nimi po buzi brata, ilekroć schylał się, żeby ją pocałować. W spiekocie letniego dnia, z lodami schowanymi pod gankiem, świętowali tamto radosne wydarzenie. A potem nadeszła jesień, potem zima... June wciąż nie próbowała siadać, a gdy zbliżały się jej pierwsze urodziny, była zbyt słaba, żeby chodzić. Nadeszła kolejna jesień. Przyjechał w odwiedziny kuzyn z synem prawie w tym samym wieku i ten syn nie tylko chodził, lecz biegał przez wszystkie pokoje i zaczynał mówić, podczas gdy June siedziała na kocyku i ze spokojem patrzyła na otaczający ją świat. Wtedy już wiedzieli, że coś jest nie tak. David pamiętał, jak jego matka obserwowała przez dłuższą chwilę dziarskiego malca. Łzy cicho płynęły jej po policzkach, aż w końcu westchnęła głęboko, odwróciła się w stronę pokoju i zajęła swoimi sprawami. To wspomnienie, które nosił z sobą wszędzie, ciążyło mu jak kamień. Chciał oszczędzić takiego cierpienia Paulowi i Norah, i w rezultacie okazało się, że udało mu się powołać do życia tyle innych.

– Davidzie… – powiedziała tamtego dnia matka, szybko wycierając oczy, żeby syn nie zauważył łez. – Zabierz ze stołu te papiery i pójdź po drewno i wodę. I to zaraz. Pokaż, że potrafisz się do czegoś przydać.

David zrobił to, o co prosiła. Sprawy toczyły się zwykłym trybem, tego dnia i każdego następnego. Zamknęli się we własnym gronie, zaniechali nawet składania wizyt z wyjątkiem rzadkich okazji chrzcin albo pogrzebu, aż do dnia, gdy Daniel Brinkerhoff zatrzasnął się w lodówce. Z czuwania przy zwłokach wracali po ciemku, na wyczucie odnajdując ścieżkę biegnącą wzdłuż strumienia. Ojciec niósł June na rękach. Od tamtej pory matka już nigdy nie opuściła gór – aż do chwili, gdy przeprowadziła się do Detroit.

***

– Chyba nie sądzisz, że przydasz nam się do czegokolwiek – mówił głos. Wciąż na wpół pogrążony we śnie David nie był pewien, czy mu się to śni, czy naprawdę w podmuchach wiatru słyszy jakieś głosy, zmienione następnie w ciągnięcie w okolicy nadgarstków i czyjeś mamrotanie. Wyschniętym na wiór językiem przesunął po podniebieniu. Życie ich nie rozpieszczało, długie dni od świtu do nocy wypełniała ciężka praca, i nikt nie miał czasu ani cierpliwości na myślenie o żałobie. Człowiek musiał żyć z dnia na dzień, to wszystko, co mógł zrobić, a ponieważ rozmowa o June nie mogła jej zwrócić ani wynagrodzić im straty, nigdy o niej nie wspominali. David przekręcił się na drugi bok, a wówczas ból w nadgarstkach dał o sobie znać. Zaskoczony – choć wciąż nie do końca przytomny – otworzył oczy i przesunął wzrokiem po izbie.

Dziewczyna stała przy piecu, zaledwie kilka stóp od niego, w podniszczonym, oliwkowym trykocie opinającym szczupłe biodra i krzykliwych rajtuzach. Miała na sobie sweter koloru rdzy, przetykany błyszczącą pomarańczową nitką, a na tym flanelową męską koszulę w zielono-czarną kratę. Na dłonie włożyła rękawiczki z obciętymi czubkami palców i z wdziękiem kręciła się dookoła paleniska, mieszając jajecznicę, która smażyła się na patelni. Na zewnątrz zdążyła zapaść ciemność – David musiał spać naprawdę długo – i teraz cały pokój oświetlał blask świec osadzonych w świecznikach. Żółtawe światło dodawało wnętrzu miękkości i ciepła. Delikatne wycinanki poruszały się lekko.

Nagle tłuszcz prysnął i ręka dziewczyny pofrunęła w górę. David od kilku minut leżał bez ruchu, obserwując jej poruszenia, chłonąc wzrokiem każdy detal: czarne rączki przy piecu, które szorowała jego matka, obgryzione do skóry paznokcie nieznajomej, migotanie płomyków odbijających się w okiennych szybach. Dziewczyna sięgnęła na półkę nad piecem po sól i pieprz; David poczuł się olśniony, widząc, jak blask świec pełga po jej skórze i jak migocze w jej włosach, kiedy płynnym ruchem wchodziła w cień i wysuwała się w plamę światła.

A on zostawił aparat w hotelowym depozycie.

Próbował usiąść, lecz powstrzymało go szarpnięcie przy nadgarstkach. Zaskoczony, odwrócił głowę. Okazało się, że jest przywiązany wstążką z czerwonego szyfonu do jednej nogi łóżka, a sznurkami wyciągniętymi z mopa do drugiej. Dziewczyna zauważyła kątem oka jego ruch, bo nagle odwróciła się i popukała lekko drewnianą łyżką w otwartą dłoń.

– Mój chłopak będzie tu lada chwila.

David opadł ciężko na poduszkę. Dziewczyna sprawiała wrażenie wiotkiej i wydawała się być w tym samym wieku – a być może nawet młodsza – co jego syn Paul. Co robiła na takim odludziu? Mieszkała z facetem, odpowiedział sam sobie. Na wspomnienie o jej chłopaku po raz pierwszy pomyślał, że być może powinien się bać.

– Jak ci na imię? – spytał.

– Rosemary – odparła, a potem obrzuciła go zaniepokojonym spojrzeniem. – Możesz w to wierzyć albo nie – dodała.

– Rosemary – powtórzył, myśląc o małej sosence, którą Norah posadziła w słonecznym miejscu i o cienkich gałązkach pokrytych pachnącymi igłami. – Zastanawiam się, czy byłabyś tak uprzejma mnie rozwiązać?

– Nie – odparła szybko. – W żaden sposób.

– Chce mi się pić.

Przez moment patrzyła prosto na niego. Miała brązowe oczy o ostrożnym spojrzeniu, lekko zabarwione odcieniem bursztynu. Potem wyszła na zewnątrz, wpuszczając do środka powiew świeżego powietrza, który zatrzepotał papierowymi wycinankami. Po chwili wróciła z metalowym kubkiem, pełnym źródlanej wody.

– Dzięki – odparł. – Ale jak mam się napić, skoro leżę związany jak prosię?

Na moment zatrzymała się przy piecu, żeby zamieszać jajecznicę, a następnie przeszukała szufladę i wyciągnęła stamtąd plastikową rurkę z jakiegoś fast fooda, brudną na jednym końcu, i wsadziła ją do kubka.

– Myślę, że w ten sposób powinno się udać – powiedziała. – Oczywiście, jeśli faktycznie chce się panu pić.

Pochylił głowę i pociągnął solidny łyk, zbyt spragniony żeby myśleć o czymkolwiek innym niż tylko o smaku kurzu rozpuszczonego w wodzie. Dziewczyna przełożyła jajecznicę na niebieski metalowy talerzyk pokryty białymi plamami i usiadła przy drewnianym stole. Jadła z pośpiechem, nagarniając jajecznicę na plastikowy widelec za pomocą palca wskazującego lewej ręki, zupełnie jakby w chacie poza nią nie było nikogo. W tej samej chwili David doszedł do wniosku, że rzekomy przyjaciel był wyłącznie fikcją. Dziewczyna mieszkała tutaj sama.

Pił, dopóki w rurce nie zatrzeszczało powietrze; woda spłynęła mu w głąb gardła jak rzeka brudu.

– Moi rodzice mieszkali kiedyś w tym domu – oznajmił, gdy skończył pić. – I gwoli ścisłości – on wciąż należy do mnie. Mam na to odpowiednie dokumenty. Formalnie rzecz biorąc, zajęła pani cudzą własność.

Uśmiechnęła się i odłożyła widelec na środek talerza.

– Więc przyjechał pan tutaj przedstawić swoje roszczenia? Formalnie rzecz biorąc?

Jej twarz, jej włosy przyciągały do siebie migotliwe światło. Była taka młoda, ale już pojawiło się w niej coś ostrego i mocnego; coś, co świadczyło o osamotnieniu i determinacji.

– Nie.

Pomyślał o swojej dziwnej podróży, jaką odbył od zwykłego poranka w Lexington – od Paula, zajmującego łazienkę przez długie godziny, i Norah, która marszczy brwi na widok książeczki czekowej balansującej na krawędzi stołu, wdychając zapach parującej kawy – poprzez wystawę fotografii, rzekę aż do tego miejsca.

– Więc czemu pan przyjechał? – spytała, odpychając talerz na środek stołu. Zauważył, że jej ręce pokryte są odciskami, a paznokcie całkiem połamane. Jak to możliwe, że takimi rękoma zrobiła te misterne, papierowe dzieła sztuki, którymi wypełniona była chata?

– Nazywam się David Henry McCallister – po raz pierwszy od wielu lat wymówił swoje prawdziwe nazwisko.

– Nie znam żadnych McCallisterów – odparła spokojnie. – Ale prawdę mówiąc nie pochodzę z tych okolic.

– Ile masz lat? Piętnaście?

– Szesnaście – poprawiła i zaraz dodała z afektacją – Szesnaście, dwadzieścia albo czterdzieści. Może pan wybierać.

– Szesnaście... – powtórzył z zadumą. – Mam syna starszego od ciebie.

Syna, pomyślał. I córkę.

– Naprawdę? – spytała obojętnie.

Znów wzięła do ręki widelec i znów patrzył, jak ona je. Nabierała nieduże kęsy i żuła je starannie, i wtedy nagle przemknęła mu przed oczyma chwila, którą przeżył dokładnie w tym samym miejscu. June siedziała przy stole i w ten sam sposób jadła jajecznicę. To zdarzyło się w roku, w którym umarła. Siedzenie przy stole sprawiało jej trudność, ale starała się nie zwracać na to uwagi. Każdego wieczora jadła z nimi kolację, a światło lampy rozjaśniało jej blond włosy. Pamiętał, że jej ręce poruszały się powoli, z wyszukanym wdziękiem.

– Dlaczego nie chcesz mnie rozwiązać? – zasugerował delikatnie, choć jego głos był ochrypły z emocji. – Jestem lekarzem. Nie zrobię ci krzywdy.

– Jasne.

Wstała od stołu i zaniosła do zlewu metalowy talerz.

Dopiero gdy odwróciła się bokiem, żeby wziąć z półki mydło, zauważył że była w ciąży i to zupełnie go zszokowało. Ciąża nie wydawała się bardzo zaawansowana; to mógł być piąty albo szósty miesiąc, jak przypuszczał.

– Posłuchaj, naprawdę jestem lekarzem. W portfelu są moje wizytówki. Możesz sprawdzić.

Nie odpowiedziała, tylko starannie umyła widelec i talerz i osuszyła ręce ręcznikiem. David pomyślał, jak dziwne jest to, że znalazł się tutaj, w miejscu, gdzie niegdyś został poczęty i zrodzony, gdzie spędził większą część dzieciństwa; jakie to dziwne, że jego rodzina tak zupełnie znikła z powierzchni ziemi, a ta dziewczyna, tak młoda, uparta i najwyraźniej zagubiona, przywiązała go do łóżka.

Przeszła na ukos przez pokój i wyciągnęła portfel z kieszeni. Wykładała na stół każdą rzecz z osobna: gotówkę, kartę kredytową, rozmaite notatki i kawałki papieru.

– Tu jest napisane, że jesteś fotografem – powiedziała, odczytując wizytówkę w migotliwym świetle świecy.

– Zgadza się – odparł. – Fotografem także. Czytaj dalej.

– Okay – dorzuciła, chwilę potem pokazując mu jego kartę identyfikacyjną. – Więc jesteś lekarzem? I co z tego? Czy to robi mi jakąś różnicę?

Włosy miała związane z tyłu w koński ogon, ale pojedyncze pasma wysunęły się z gumki i spadały jej na twarz. Niecierpliwym ruchem odgarnęła je z czoła i założyła za ucho.

– To znaczy, że nie zrobię ci krzywdy, Rosemary. Pamiętaj – „Po pierwsze: nie szkodzić”.

Obrzuciła go krótkim, taksującym spojrzeniem.

– Możesz gadać, co ci się żywnie podoba. Nawet jeśli zamierzałeś zrobić mi coś złego.

Przyglądał się jej twarzy, nieuczesanym włosom, ciemnym oczom.

– Mam przy sobie pewne zdjęcia – powiedział. – Gdzieś tutaj...

Przesunął się i poczuł przez materiał koszuli ostry róg koperty.

– Proszę, rzuć na nie okiem. To są zdjęcia mojej córki. Jest prawie dokładnie w twoim wieku.

Kiedy wsunęła mu rękę do kieszeni, znów poczuł ciepło jej ciała i zapach, naturalny, lecz czysty. Czy to właśnie była ta woń cukierka, zastanawiał się, przypominając sobie swój sen i tacę z nadziewanymi ciasteczkami, obok której przechodził przed otwarciem wystawy.

– Jak ona ma na imię? – spytała Rosemary. Uważnie przestudiowała jedno zdjęcie, a potem drugie.

– Phoebe.

– Phoebe... Ładne imię. Czy dostała je po matce?

– Nie.

David przypomniał sobie noc, kiedy rodziły się jego dzieci. Zanim znieczulenie zaczęło działać, Norah powiedziała, jakie imiona wybiera. Caroline słyszała i postąpiła zgodnie z jej życzeniem.

– Otrzymała imię po ciotecznej babce ze strony matki. Ja osobiście nie miałem okazji jej poznać.

– A ja dostałam imię po obu babciach – odezwała się miękko Rosemary.

– Rose po matce ojca, a Mary po matce mamy.

Ciemne włosy opadły na blady policzek, więc odgarnęła je w tył. David wyobraził ją sobie, jak siedzi przy oświetlonym blaskiem lampy stole w towarzystwie własnej rodziny. Miał ochotę otoczyć ją ramieniem, zabrać do domu, zaoferować pomoc i opiekę.

– Czy twoja rodzina wie, gdzie jesteś? – spytał.

Pokręciła głową.

– I tak nie mogę do nich wrócić – odezwała się cicho tonem, w którym brzmiał zarówno ból, jak i gniew. – Nigdy tam nie wrócę.

Wyglądała tak młodo, siedząc przy stole z zaciśniętymi dłońmi i pociemniałą, pełną obaw twarzą.

– Dlaczego? – zapytał.

Pokręciła głową i popukała w zdjęcie Phoebe.

– Powiedziałeś, że ona ma tyle lat co ja?

– Tak sądzę. Urodziła się szóstego marca tysiąc dziewięćset sześćdziesiątego czwartego roku.

– A ja w lutym sześćdziesiątego szóstego – ręce Rosemary drżały lekko, gdy odkładała zdjęcia. – Moja mama zamierzała wydać przyjęcie z okazji moich szesnastych urodzin. Uwielbia te wszystkie koronki i różowe plisowane sukieneczki.

David patrzył, jak dziewczyna przełyka ślinę, znów zakłada za ucho niesforne pasmo włosów i niewidzącym spojrzeniem wpatruje się w ciemne okno. Chciał jakoś ją pocieszyć, tak samo jak pragnął pocieszyć inne – June, swoją matkę, Norah – ale zarówno teraz, jak i wtedy nic mu nie przychodziło do głowy. Spokój i ruch: coś w tym było. Coś czego koniecznie potrzebował się dowiedzieć, ale za nic nie mógł pozbierać rozproszonych myśli. Czuł się schwytany, zamknięty w czasie jak na fotografii, a moment, w którym go uwieczniono był znaczący i pełen cierpienia. Tylko raz płakał po stracie June – wtedy, gdy stał ze swoją matką na górskim zboczu i w przenikliwym wietrze recytował nad świeżą mogiłą wersety z *Biblii*. Płakał razem ze swoją matką, która od tamtego dnia nienawidziła wiatru, a potem obydwoje pogrzebali w sercach żałobę i wrócili do normalnego życia. Taka była kolej rzeczy, i nikt tego nie kwestionował.

– Phoebe jest moją córką, ale nie widziałem jej od dnia narodzin – powiedział. Zdumiał go dźwięk własnego głosu, a mimo to czuł dziwny przymus, żeby opowiedzieć tę historię, ujawnić sekret, który skrywał od tak wielu lat. Zastanowił się przez chwilę, ale zaraz mówił dalej. – Oddałem ją zaraz po urodzeniu. Ona ma zespół Downa, co oznacza opóźnienie w rozwoju. Więc ją oddałem. Nigdy nikomu nie wspomniałem słowem o tym, co zrobiłem.

Rosemary zmiażdżyła go spojrzeniem.

– Według mnie wyrządziłeś jej straszną krzywdę – powiedziała.

– Owszem. Też tak uważam.

Przez dłuższy czas obydwoje milczeli. Gdziekolwiek David spojrzał, przypominała mu się jego rodzina. Ciepły oddech June na jego policzku, śpiew matki, gdy składała na stole czystą bieliznę, opowieści ojca odbijające się echem od tych samych ścian... Odeszło, wszystko już odeszło. Jego córka także. Z przyzwyczajenia starał się zwalczyć żal, ale łzy pociekły mu po policzkach i nie mógł zrobić nic, żeby je zatrzymać. Płakał z powodu June, lecz także dlatego, że wtedy w klinice oddał własne dziecko w ręce Caroline i patrzył, jak ona odwraca się, żeby odejść. Rosemary siedziała przy stole, poważna i milcząca. Wreszcie ich oczy się spotkały; David zatrzymał na dłużej jej spojrzenie, olśniony tą chwilą intymnej bliskości. Przypomniała mu się Caroline, która, stojąc w drzwiach do gabinetu, obserwowała go, gdy spał, a jej twarz przepełniona była miłością, której nawet nie starała się ukrywać. Mógł razem z nią zejść po schodach prowadzących do muzeum i wrócić do jej życia, ale jak ostatni dureń pozwolił, żeby ta okazja wymknęła mu się z rąk.

– Tak mi przykro, że naraziłem cię na kłopot – powiedział, starając wziąć się w garść. – Nie byłem tutaj bardzo długo.

Nie odpowiedziała i wtedy zaczął się zastanawiać, czy przypadkiem nie uważa go za człowieka niespełna rozumu. Wziął głęboki oddech.

– Kiedy spodziewasz się dziecka?

Jej ciemne oczy rozszerzyły się z zaskoczenia.

– Mniej więcej za pięć miesięcy, tak mi się przynajmniej wydaje.

– Zostawiłaś go, prawda? – zapytał delikatnie. – Mam na myśli twojego chłopaka. Może wcale nie chciał tego dziecka.

Odwróciła głowę, ale zdążył jeszcze zobaczyć, jak jej oczy wypełniają się łzami.

– Bardzo przepraszam – powiedział natychmiast. – Nie chciałem być wścibski.

Lekko pokręciła głową.

– Nie ma sprawy. Wszystko jest okay.

– Gdzie on mieszka? – drążył tym samym tonem. – Gdzie jest twój dom?

– W Pensylwanii – odpowiedziała po dłuższej przerwie. Wzięła głęboki oddech i David zrozumiał, że jego opowieść, jego ból i jego wyznanie sprawiły, że Rosemary łatwiej było odkryć przed nim własne sekrety. – Niedaleko Harrisburga. Miałam tam ciotkę – kontynuowała. – Nazywała się Sue Wallis i była siostrą mojej matki. Teraz już nie żyje. Ale kiedy byłam małą dziewczynką, przyjechaliśmy tutaj, w to miejsce. Wędrowaliśmy po okolicznych wzgórzach... Ten dom zawsze stał pusty, więc przychodziliśmy tu, żeby się pobawić, naturalnie kiedy jeszcze byliśmy dziećmi... To były naprawdę piękne czasy... I to było najlepsze miejsce, jakie udało mi się wymyślić.

Skinął głową, przypominając sobie ciszę, wypełnioną jedynie szelestem liści. Sue Wallis. Nagle ujrzał kobietę idącą w górę zbocza, która niosła placek brzoskwiniowy przykryty ręcznikiem.

– Rozwiąż mnie – poprosił.

Zaśmiała się gorzko i szybko przesunęła dłonią po oczach.

– A dlaczego? Czemu miałabym to zrobić, skoro jesteśmy tutaj tylko we dwoje i nikogo nie ma w pobliżu? Nie jestem skończoną idiotką.

Wstała, wzięła nożyczki, a z półki nad piecem wyciągnęła niedużą stertę papieru. Białe ścinki sfruwały na podłogę, gdy zręcznie operowała nożyczkami. Zerwał się wiatr, a przeciąg poruszał płomieniami świec. Twarz Rosemary była skupiona, zacięta i pełna determinacji – zupełnie jak twarz Paula, gdy zaczynał grać, wyrażając w ten sposób protest przeciwko warto-

ściom, którym hołdował David. Nożyczki migały coraz szybciej. David
widział, jak dziewczyna zaciska szczęki. Wcześniej nie przyszło mu do głowy, że to ona może mu zrobić krzywdę.

– Te twoje wycinanki... – powiedział niepewnie. – Są przepiękne.

– Babcia Rose mnie nauczyła. Nazywają się „Scherensnitte". Babcia pochodziła ze Szwajcarii i coś mi się zdaje, że oni tam nie zajmują się niczym
innym.

– Musi teraz martwić się o ciebie.

– Babcia nie żyje. Umarła w zeszłym roku.

Zamilkła, całkiem skupiona na tym, co robiła.

– Lubię to robić. To mi ją przypomina – dorzuciła po chwili.

David przytaknął ze zrozumieniem.

– Zaczyna się od tego, że masz jakiś pomysł? – spytał.

– Pomysł jest w papierze – odrzekła. – Ja nie tyle wymyślam te scenki,
ile je odnajduję.

– Odnajdujesz... Tak, rozumiem. Tak samo jest ze mną, kiedy robię zdjęcia. One już są, a ja tylko je odkrywam.

– Zgadza się – Rosemary odwróciła papier. – Dokładnie tak to widzę.

– Co zamierzasz zrobić ze mną? – zainteresował się.

Nie odezwała się, tylko dalej wycinała nową scenkę.

– Chce mi się sikać.

Miał nadzieję, że nieco zaszokuje ją tym wyznaniem, ale niestety, była to
również bolesna prawda. Przez chwilę Rosemary przypatrywała mu się
z uwagą, a potem odłożyła nożyczki, papier i bez słowa wyjaśnienia znikła
za drzwiami. Słyszał, jak chodzi na zewnątrz, wśród ciemnej nocy. Po chwili wróciła z pustym słoikiem po maśle orzechowym.

– Posłuchaj, Rosemary... – zaczął z zażenowaniem. – Proszę, rozwiąż
mnie.

Postawiła słoik na podłodze i znów wzięła do ręki nożyczki.

– Jak mogłeś ją oddać? – zapytała.

Światło świec zamigotało na ostrzu, a ten błysk przypomniał mu lśnie-
nie skalpela podczas episiotomii... Wtedy miał wrażenie, że odpływa z własnego ciała i z zewnątrz przygląda się samemu sobie i temu, co robi. To właśnie wydarzenia tamtego wieczora ustawiły cały bieg jego życia – jedna
sprawa prowadziła do następnej, jedne drzwi otwierały, choć nikogo za

nimi nie było, inne zamykały... Aż wreszcie dotarł do tego określonego momentu, kiedy już nic nie mógł zrobić ani nie miał dokąd pójść, zaś nieznajoma dziewczyna szukała zawiłego wzoru ukrytego w papierze i czekała, aż on odpowie na zadane sobie pytanie.

– Czy właśnie to cię niepokoi? Że masz zamiar oddać swoje dziecko?

– Nigdy. Nigdy tego nie zrobię – odparła gwałtownie i z zaciętością, której się nie spodziewał. Więc ktoś jej to zrobił, w ten czy inny sposób, a potem wyrzucił za burtę jak niepotrzebny balast, żeby utonęła lub nauczyła się pływać. Miała szesnaście lat, była w ciąży i siedziała przy tym stole zupełnie sama...

– Ja także doszedłem do wniosku, że popełniłem poważny błąd – oznajmił. – Tyle tylko, że na wszystko było za późno.

– Nigdy nie jest za późno.

– Masz dopiero szesnaście lat – zauważył z goryczą. – Wierz mi, czasami może być za późno.

Jej twarz ściągnęła się na moment, nie odpowiedziała, tylko zajęła się pracą. W końcu to David przerwał ciszę, żeby wyjaśnić jej prawdę o tamtej śnieżnej nocy i o błysku skalpela w niemiłym świetle sali operacyjnej. O tym, jak znalazł się na zewnątrz własnego „ja" i stamtąd obserwował, jak brnie przez ten świat. Jak przez osiemnaście ostatnich lat każdego ranka budził się z myślą, że to może dziś, że może właśnie dziś uda mu się naprawić zło. Ale Phoebe przepadła, a on nie potrafił jej odnaleźć, więc jak miał powiedzieć Norah prawdę? Ta tajemnica kładła się cieniem na całym ich małżeństwie, jak podstępny bluszcz truciciel, który potrafi się wcisnąć w każdy kąt. Norah najpierw piła za dużo, a potem zaczęła pozwalać sobie na romanse; pierwszy był ten marny pośrednik w handlu nieruchomościami, którego poznała na plaży, ale za nim przyszli inni... Próbował tego nie zauważać, starał się wszystko wybaczać, ponieważ wiedział, że w pewnym sensie sam ponosi winę za klęskę ich związku. W tym czasie sam robił zdjęcie za zdjęciem, jakby pragnął w ten sposób zatrzymać czas albo uwiecznić na klatce filmu moment tak ważny, że jego znaczenie przerosłoby tamtą chwilę, kiedy oddawał córeczkę Caroline Gill.

Jego głos wznosił się, to znów opadał. Kiedy już raz zaczął o tym mówić, nie mógł się powstrzymać. Wszelkie próby z góry skazane były na niepowodzenie, zupełnie jakby chciał zatrzymać deszcz, strumień spadający z gór albo rybę, uporczywą i nieuchwytną jak pamięć, która śmiga pod lodem skuwającym powierzchnię wody. Jedno ciało wprawia w ruch kolejne, pomyślał, bo właśnie przyszedł mu do głowy urywek wykładu z fizyki. Oddał swoje dziecko Caroline Gill i przez to znalazł się tu, całe lata później, obok dziewczyny, która także została doprowadzona w to miejsce poprzez własne czyny. Powiedziała „tak" i zdarzył się krótki moment zapomnienia na tylnym siedzeniu samochodu albo w pokoju pustego domu. Potem wstała, poprawiła ubranie i wyszła, nie mając pojęcia, że ten moment zdecydował o całej przyszłości.

Rosemary pracowała nad wycinanką, ale widział, że pilnie słucha tego, co mówił. Jej milczenie rozwiązało mu język. Słowa wypływały z niego jak woda i przemierzały pustą przestrzeń starego domu z siłą, której nie był w stanie opanować. W którymś momencie zaczął płakać, i tego także nie udało mu się powstrzymać. Rosemary nie pozwoliła sobie na jakikolwiek komentarz, więc mówił i mówił aż potok słów wyraźnie zwolnił, zaczął gasnąć i w końcu zamarł.

Zapadła głucha cisza.

Rosemary nie odezwała się ani słowem. Nożyczki zamigotały, kiedy podniosła się z miejsca, a na wpół gotowa wycinanka osunęła się na podłogę. David zamknął oczy. Czuł jak wzbiera w nim strach, ponieważ widział w jej spojrzeniu wściekłość, ponieważ wszystko było jego winą...

Usłyszał zbliżające się kroki, a potem metalowe ostrze, zimne jak lód, przesunęło się po jego skórze.

Napięcie, jakie czuł w nadgarstkach, wyraźnie zelżało. Otworzył oczy i ujrzał, jak Rosemary odsuwa się o krok. Jej spojrzenie, jasne i ostrożne, poszukało jego oczu.

– W porządku – oznajmiła. – Jesteś wolny.

Rozdział trzeci

Paul! – zawołała. Usłyszał, jak jej obcasy wybijają na lakierowanych schodach ostry rytm *staccato*, i po chwili już stała w drzwiach, smukła i szykowna w ciemnoniebieskiej garsonce z wąską spódniczką i szerokimi poduszkami na ramionach. Przez ledwo co uchylone powieki widział to, co musiała widzieć ona: ubranie rozrzucone po całej podłodze, stosy albumów i pojedynczych kartek z nutami i starą gitarę opartą w kącie pokoju. Pokręciła głową i ciężko westchnęła.

– Wstawaj, Paul, słyszysz? I to zaraz.

Kiedy jestem chory – wymamrotał, naciągając kołdrę na głowę. Dołożył wszelkich starań, żeby jego głos zabrzmiał ochryple i niezdrowo. Między fałdami lekkiego koca widział, jak stoi w progu z rękoma opartymi na biodrach. Poranne światło migotało w jej włosach, wczoraj jeszcze śnieżnobiałych, a dziś połyskujących czerwienią i złotem. Słyszał jej rozmowę telefoniczną z Bree, kiedy opisywała, jak poszczególne pasemka były zawijane w srebrną folię i przypiekane.

Rozmawiając przez telefon, jednocześnie podsmażała wołowinę. Mówiła spokojnym głosem, choć oczy miała zaczerwienione od wcześniejszego płaczu. Ojciec Paula zniknął i przez trzy dni nikt nie wiedział, czy żyje, czy umarł. A potem zeszłej nocy wrócił do domu i jak gdyby nigdy nic wszedł do środka. Podniesione głosy rodziców godzinami niosły się po całym domu.

– Posłuchaj – powiedziała teraz, spoglądając na zegarek. – Wiem, że wcale nie jesteś chory, a przynajmniej nie bardziej niż ja. Ja też miałabym ochotę spać przez cały dzień, Bóg mi świadkiem. Ale nie mogę sobie na to pozwolić i ty też nie możesz, więc rusz się wreszcie i zacznij ubierać. Podrzucę cię do szkoły.

– Strasznie mnie boli gardło – wychrypiał najpiękniej jak potrafił.

Zawahała się i westchnęła ciężko, zamykając przy tym oczy, a wtedy już wiedział, że udało mu się wygrać.

– Ale jeśli zostaniesz w domu, to masz siedzieć w domu – ostrzegła. – Nie ma mowy, żebyś gdzieś się wałęsał z tym swoim kwartetem. Poza tym musisz posprzątać ten chlew. Mówię całkiem poważnie, Paul. Mam teraz za dużo rzeczy na głowie, żeby jeszcze się zajmować twoim bałaganem.

– Jasne – wycharczał. – Posprzątam.

Przez chwilę stała bez słowa.

– Wiem, że ci ciężko – powiedziała wreszcie. – Mnie też jest ciężko. Zostałabym z tobą, Paul, ale obiecałam Bree, że pojadę z nią do lekarza.

Wsparł się na łokciach, zaalarmowany przygnębieniem, które usłyszał w jej głosie.

– A jak ona się czuje? Dobrze?

Matka skinęła głową, ale nagle zainteresowała się czymś za oknem, jakby celowo chciała uniknąć patrzenia mu w oczy.

– Tak sądzę. Ale musi przejść parę testów i zdaje się, że trochę się tym denerwuje. Zresztą to chyba całkiem naturalne. Obiecałam jej w zeszłym tygodniu, że z nią pojadę. Jeszcze przed tym, jak zdarzyła się ta historia z ojcem.

– Wszystko w porządku – Paul pamiętał, żeby mówić z przekonującą chrypką. – Absolutnie powinnaś z nią pojechać. Dam sobie radę.

Mówił z przekonaniem, ale w głębi duszy miał nadzieję, że matka nie zwróci na to uwagi i że jednak zdecyduje się zostać w domu.

– To nie powinno długo trwać. Zaraz potem wracam.

– A gdzie jest tata?

Pokręciła głową.

– Nie mam pojęcia. Na pewno nie tutaj. Ale czy to coś niezwykłego, Paul?

Paul nie odpowiedział, tylko położył się na wznak i zamknął oczy. Nie bardzo, pomyślał. Prawdę mówiąc, nie ma w tym nic niezwykłego.

Matka pogłaskała go czule po policzku, ale on nawet się nie poruszył. Zaraz potem poszła, pozostawiając uczucie chłodu w miejscu, gdzie spoczywała jej dłoń. Z dołu dobiegło trzaśnięcie drzwi, a potem rozległ się głos Bree. Przez ostatnie lata jego matka i Bree stały się sobie szczególnie bliskie. Nawet upodobniły się wyglądem, zwłaszcza gdy Bree zrobiła sobie pasemka i nabrała zwyczaju chodzenia wszędzie z aktówką. Paul uważał ją za naprawdę fajną i świetnie zorganizowaną babkę. Jako jedyna nie bała się ryzyka i nie zawahała się poradzić mu, żeby słuchał własnego serca i starał się o przyjęcie do Julliard School, skoro mu na tym zależy. Zresztą większość ludzi bardzo lubiła Bree – za jej skłonność do ryzykownych przedsięwzięć, za jej bogatą osobowość. Bree zajmowała się mnóstwem różnych spraw. Ona i matka Paula często się uzupełniały, przynajmniej tak Bree mówiła. We dwie były jak punkt i kontrapunkt – jedna bez drugiej nie istniała i we wszystkich życiowych sprawach jedna ciągnęła za sobą drugą. Teraz z dołu dobiegały ich zmieszane głosy, czasem głośniej zabrzmiał pełen zmartwienia śmiech matki, a potem rozległo się trzaśnięcie drzwiami. Paul usiadł na łóżku. Był wolny.

W domu panowała cisza, przerywana jedynie miarowym tykaniem podgrzewacza do wody. Zszedł na dół i zatrzymał się przy lodówce. W bladym świetle padającym z jej wnętrza palcami wyciągnął z garnka trochę makaronu z serem, a następnie przejrzał zawartość półek. Niewiele tam było. W zamrażarce znalazł sześć pudełek Girl Scout z czekoladowymi ciasteczkami o smaku miętowym. Zjadł pełną garść i spłukał smak czekolady mlekiem, które znalazł w plastikowym dzbanku, następnie zjadł jeszcze kilka sztuk i z dzbankiem w ręku powędrował z powrotem przez salon do gabinetu ojca, obok stosu porządnie poukładanych na kanapie koców.

Dziewczyna wciąż tam była. Spała. Paul wsunął do ust jeszcze jedno ciasteczko, rozkoszując się smakiem wolno rozpuszczającej się czekolady, i przyglądał się z uwagą nieznajomej. Ostatniej nocy głosy rodziców dotarły aż do jego pokoju i chociaż usłyszał, że się sprzeczają, to jednak kamień spadł mu z serca. Na myśl, że być może ojciec leży martwy i że odszedł na zawsze, czuł w gardle dziwny ucisk i nagle ten strach rozmył się bez śladu. Paul wygrzebał się z łóżka i zaczął schodzić, ale zatrzymał się na podeście, bo nagle zobaczył, co się dzieje w salonie. Ojciec w białej koszuli niepranej od kilku dni, ze spodniami poplamionymi błotem, przemoczony i bez sił, z niechlujną brodą i ledwo przygładzonymi włosami stał obok matki, ubranej w satynową podomkę w brzoskwiniowym kolorze i kapcie, a obok nich ta obca dziewczyna, owinięta w za duży, czarny płaszcz, którego zbyt długie rękawy przytrzymywała czubkami palców. Głosy rodziców mieszały się z sobą, wznosiły się, to znów opadały... Dziewczyna podniosła głowę, jakby ta gniewna dyskusja nie miała nic wspólnego z jej osobą, i wtedy jej spojrzenie skrzyżowało się ze spojrzeniem Paula. Od razu zauważył jej bladość, niepewny wzrok, delikatnie wyrzeźbione uszy. Miała oczy w kolorze jasnego brązu i widać było w nich zmęczenie. Paul poczuł nagłą chęć, żeby zejść na dół i objąć dłońmi jej twarz.

– Trzy dni – mówiła matka. – A potem nagle wracasz do domu w takim stanie – Chryste, spójrz tylko na siebie! I w dodatku przyprowadzasz mi tę dziewczynę. Jest w ciąży, powiadasz? I pewnie spodziewasz się, że ją przyjmę i nie będę zadawać żadnych pytań?

Dziewczyna wzdrygnęła się i odwróciła wzrok, a spojrzenie Paula natychmiast osunęło się na jej brzuch. Na pierwszy rzut oka wydawał się całkiem płaski, ale gdy dziewczyna położyła na nim rękę, ujrzał pod swetrem lekkie wybrzuszenie. Stał nieruchomo i słuchał, co będzie dalej. Dyskusja trwała nadal i zdawała się nie mieć końca. W końcu matka Paula zacisnęła usta i w pełnym urazy milczeniu poszła do bieliźniarki, skąd wyciągnęła stos prześcieradeł, poduszkę i koc. Wszystko to poszybowało ze schodów prosto w objęcia ojca, który oficjalnym gestem ujął nieznajomą pod rękę i poprowadził do swojego gabinetu.

Teraz dziewczyna spała na rozkładanej kanapie, z głową lekko przechyloną na bok i ręką obok policzka. Paul patrzył, jak lekko drżą jej powieki, jak klatka piersiowa wznosi się i opada przy każdym oddechu... Leżała na plecach i pod kocem na wysokości brzucha widać było niewielką wypukłość. Na ten widok Paul poczuł falę podniecenia, której sam się przestraszył. Od marca sześć razy zdarzyło mu się uprawiać seks z Lauren Lobeglio. Całymi tygodniami pętała się w okolicy sali prób, gdzie Paul ćwiczył ze swoim kwartetem i obserwowała go w pełnym zachęty milczeniu. Ot, ładniutka, pełna tajemniczego uroku panienka bez przydziału. Któregoś dnia została dłużej, poczekała aż reszta zespołu wyszła i nagle znaleźli się tylko we dwoje w pustym garażu. Przez okna wpadało światło rozproszone przez liście drzewa rosnącego tuż przy ścianie, rzucając na betonową podłogę fantazyjne wzory i roztańczone cienie. Lauren wydawała mu się niezwykle seksowna z długimi, rozpuszczonymi włosami i ciemnymi oczyma. Usiadł na starym, ogrodowym krześle i zaczął stroić gitarę, zastanawiając się jednocześnie, czy nie powinien podejść do regału z narzędziami, przy którym stała, żeby ją pocałować.

Ale to Lauren pierwsza zdecydowała się podejść. Na ułamek sekundy zatrzymała się przed nim, a potem zwyczajnie podwinęła spódnicę, ukazując białe, szczupłe uda i wślizgnęła mu się na kolana. Właśnie o tym mówili mu ludzie – że Lauren Lobeglio zrobi to, jeśli się jej podobasz. Nigdy nie sądził, że to prawda, ale teraz był tu i wsuwał obie ręce pod jej koszulkę. Ciepła skóra była przyjemna w dotyku, a cudownie miękkie piersi dokładnie mieściły się w dłoniach.

Wiedział, że źle robi. Wiedział o tym, ale to było jak upadek – kiedy raz zaczniesz się ześlizgiwać, nie jesteś w stanie się zatrzymać, póki coś nie zatrzyma ciebie. Tak jak przedtem, Lauren nadal kręciła się w pobliżu, tyle tylko że teraz atmosfera między nimi była naprawdę gorąca. Kiedy tylko zostawali sami, podchodził do niej, całował i gładził rękoma jedwabistą skórę na jej plecach.

Dziewczyna w łóżku westchnęła i powiedziała coś bezgłośnie. „Uważaj, ona jest nieletnia i za seks za nią możesz trafić do pierdla", ostrzegali przyjaciele, mówiąc o Lauren. Zwłaszcza Duke Madison. W zeszłym roku musiał zrezygnować ze szkoły, żeby ożenić się ze swoją dziewczyną i teraz rzadko kiedy miał czas pograć na fortepianie, a jeśli już, to przy klawiaturze sprawiał wrażenie lekko nieprzytomnego i zaganianego na śmierć. „Wpędź ją w ciążę i będziesz załatwiony na amen", uprzedzał.

Paul przyglądał się nieznajomej dziewczynie – jej bladej cerze, długim włosom, rozsypanym po policzkach piegom. Kim była? Jego ojciec, systematyczny i łatwy do przewidzenia jak szwajcarski zegarek, po prostu zniknął. Drugiego dnia matka powiadomiła policję, gdzie z początku potraktowano tę sprawę nieco żartobliwie i udzielono wymijającej odpowiedzi – aż do chwili, gdy okazało się, że w szatni muzeum w Pittsburghu znaleziono teczkę Davida, a w schowku hotelowym jego walizkę i aparat. Ostatnio widziano go na przyjęciu, jak sprzeczał się z jakąś czarnowłosą damą. Okazało się, że owa pani była krytykiem sztuki; jej recenzje z wystawy ukazały się we wszystkich miejscowych gazetach i raczej nie należały do przychylnych.

Nie chodziło o nic osobistego, powiedziała policji.

A potem ostatniej nocy w zamku zazgrzytał klucz i ojciec wszedł do domu z tą nieznajomą, ciężarną dziewczyną. Twierdził, że dopiero co ją poznał i nie potrafił wytłumaczyć, skąd się wzięła. „Ona potrzebuje pomocy", powiedział krótko.

„Jest mnóstwo sposobów pomagania takim dziewczynom", upierała się matka. „Możesz dać jej trochę pieniędzy. Możesz zaprowadzić do przytułku dla niezamężnych matek. Ale nie możesz bez słowa znikać na trzy dni, a potem zjawić się jak gdyby nigdy nic z osobą, której podobno w ogóle nie znasz! Mój Boże, David, czy ty masz pojęcie, co zrobiłeś? Zadzwoniliśmy na policję! Myśleliśmy, że nie żyjesz!".

„Być może rzeczywiście nie żyję", odparł ojciec. Te dziwne słowa natychmiast zgasiły wszelkie dalsze pretensje matki. Paul nawet nie drgnął.

Teraz nieznajoma spała nieświadoma tego, co dzieje się wokół niej, a w mrocznym wnętrzu jej brzucha wzrastało dziecko. Paul wyciągnął rękę i musnął ciemne włosy. Strasznie chciał znaleźć się w tym łóżku razem z nią i wziąć ją w ramiona. Odczuwał to zupełnie inaczej niż w wypadku Lauren, bo tym razem bynajmniej nie chodziło o seks. Po prostu chciał być blisko tej dziewczyny, czuć pod dłonią jej skórę i rozkoszować się jej ciepłem. Chciał budzić się obok niej, przesuwać ręką po wypukłości brzucha, dotykać twarzy i trzymać za rękę.

Chciał odkryć, co ta dziewczyna wiedziała na temat ojca.

Nagle zamrugała powiekami. Przez moment wpatrywała się w Paula niewidzącym spojrzeniem, a potem zerwała się z posłania i usiadła prosto, jednocześnie przeczesując rękoma włosy. Miała na sobie jedną ze spłowiałych koszulek Paula, niebieską w logo Kentucky Wildcats, którą zniszczył kilka lat temu podczas biegania. Ramiona dziewczyny były długie i wychudzone, a pod materiałem mignął zarys gładkich, delikatnych piersi.

— Czego się gapisz? — mruknęła, spuszczając nogi na podłogę.

Tylko pokręcił głową, bo nie mógł wykrztusić słowa.

— Ty jesteś Paul — powiedziała. — Twój ojciec opowiadał mi o tobie.

— Tak? — spytał, wściekły na siebie za to, że tak bardzo pragnął się dowiedzieć. — Co konkretnie mówił?

Wzruszyła ramionami. Założyła za ucho włosy i wstała.

– Czekaj, niech sobie przypomnę... Aha, że jesteś bardzo rozgarnięty, że go nienawidzisz i że genialnie grasz na gitarze.

Paul poczuł, jak na policzki wypełza mu krwisty rumieniec. Zwykle miał wrażenie, że ojciec nie dostrzega jego obecności, albo widzi jedynie te dziedziny życia, w których syn nie dorasta mu do pięt.

– To nie jest tak, że go nienawidzę – mruknął. – To chodzi o coś zupełnie innego.

Schyliła się, żeby złożyć posłanie, a potem usiadła, trzymając na ręku poukładane w kostkę koce i rozejrzała się dookoła.

– Całkiem tu miło – zauważyła. – Pewnego dnia ja też będę miała taki dom.

Paul zaśmiał się zaskoczony.

– Jesteś w ciąży – powiedział. Jego własny strach krążył po pokoju; strach, który pojawiał się za każdym razem, gdy z drżeniem szedł przez garaż w stronę Lauren, przyciągany przez żądzę nie do odparcia.

– Zgadza się. I co z tego? Jestem w ciąży, a nie martwa.

Mimo wyzywającego tonu słyszał w jej głosie przerażenie. Takie samo przerażenie, jakie czasem budziło go w środku nocy ze snu o Lauren, o jej ciepłej, jedwabistej skórze i słodkich słówkach szeptanych wprost do ucha... Wiedział, że nie zdoła się jej oprzeć, choć bez wątpienia oboje zmierzają ku katastrofie.

– Równie dobrze mogłoby być to drugie – mruknął.

Ostro poderwała w górę głowę, a w jej oczach zabłysły łzy, zupełnie jakby ją spoliczkował.

– Przepraszam – zawołał natychmiast. – Nie chciałem ci zrobić przykrości.

Ale dziewczyna nie przestała płakać.

– Nawiasem mówiąc, co tutaj robisz? – pytał natarczywie, zły, że ona płacze, że w ogóle tu jest. – To znaczy, za kogo się uważasz, że przyczepiłaś się do mojego ojca jak rzep do psiego ogona? Jak to się stało, że cię tu przyprowadził?

– Za nikogo się nie uważam – odparła. Najwyraźniej ton Paula ją zaskoczył, bo wytarła oczy i zaczęła się odnosić do niego z większym dystansem. – Poza tym wcale nie prosiłam, żeby mnie tu zabierał. To był pomysł twojego ojca.

— To przecież nie ma sensu! Po co miałby to robić?

Wzruszyła ramionami.

— Skąd mam wiedzieć? Mieszkałam w tym starym domu, w którym on spędził całe dzieciństwo, ale on powiedział, że nie mogę tam zostać. To jego dom, zgadza się? Więc co mogłam powiedzieć? Rano zabrał mnie do miasta, kupił bilety na autobus i przyjechaliśmy. Ten autobus to była jakaś totalna klęska. Myślałam, że w życiu nigdzie nie dojedziemy.

Zebrała z tyłu długie włosy i związała w koński ogon, a Paul pomyślał, że dziewczyna ma zgrabne uszy. Przez moment zastanowił się, czy jego ojciec też to zauważył.

— Cóż to za stary dom? — zapytał. Czuł w piersi gorąco i ostre ukłucia.

— Już mówiłam. Ten, w którym mieszkał jako dziecko. Teraz ja tam mieszkałam, bo nie miałam dokąd pójść — dodała, wbijając wzrok w podłogę.

Wypełniły go emocje, których nawet nie potrafił nazwać po imieniu. Może była to zazdrość, że ta dziewczyna, nieznajoma z pięknie wyrzeźbionymi uszami, znalazła się w miejscu, które miało tak wielkie znaczenie dla Davida. W miejscu, którego on nigdy nie oglądał. „Kiedyś cię tam zabiorę", obiecywał ojciec, ale lata mijały, a on już więcej o tym nie wspominał. Mimo to Paul nigdy nie zapomniał, jak we dwóch siedzieli w ciemni, w bałaganie pozostawionym przez kolegów Paula, i z jaką troską ojciec zbierał z podłogi tamte fotografie. „To moja mama, Paul, a twoja babcia... Miała naprawdę ciężkie życie... Ja miałem siostrę, wiedziałeś o tym? Nazywała się June. Pięknie śpiewała i była bardzo utalentowana muzycznie, zupełnie jak ty". Do dziś dnia pamiętał, jak ojciec wówczas pachniał — czystością, świeżym ubraniem, które już założył do wyjścia do szpitala — a mimo to nie wahał się usiąść na brudnej podłodze i rozmawiać z synem, jakby nigdzie mu się nie spieszyło. I opowiadał wówczas historie, jakich Paul nigdy przedtem nie słyszał.

— Mój ojciec jest lekarzem — powiedział teraz. — Zwyczajnie lubi pomagać ludziom.

Skinęła głową, a potem spojrzała prosto na niego. Z jej oczu wyczytał coś na kształt politowania i natychmiast poczuł falę gniewnego gorąca, która przesunęła się przez całe ciało aż po czubki palców.

— O co chodzi? — spytał ostro.

– O nic – pokręciła głową. – Masz rację, potrzebuję pomocy. To wszystko.

Pojedyncze pasemko wyślizgnęło się z końskiego ogona i przywarło do policzka dziewczyny. Paul spojrzał na ciemny kolor i lekko rudawe błyski, i przypomniał sobie, jak miękkie i przyjemne w dotyku były te włosy, gdy przesunął po nich palcami i jak wielką miał ochotę wyciągnąć rękę i założyć za ucho niesforny kosmyk.

– Wiesz, mój ojciec miał siostrę – oznajmił, bo właśnie przyszedł mu do głowy łagodny, monotonny ton ojca i opowieść, jaką wtedy usłyszał. Postanowił sprawdzić, czy to prawda, że ona rzeczywiście tam była.

– Wiem – odparła bez wahania. – Na imię miała June i została pochowana na zboczu, trochę powyżej domu. Byliśmy tam przed odjazdem.

Malutki płomyczek gniewu wyraźnie się powiększył, spłycając i przyspieszając oddech Paula. Dlaczego tak się przejmował, że ona o wszystkim wiedziała? Czy to robiło mu jakąś różnicę? Mimo to nie mógł opanować wyobraźni i wciąż widział, jak ona wspina się po górskim zboczu do miejsca, którego on nigdy nie miał ujrzeć.

– No i co? Co z tego, że tam byłaś?

Otworzyła usta, żeby coś odpowiedzieć, ale zaraz potem zmieniła zamiar i ruszyła przez salon w stronę kuchni. Ciemne włosy, związane w długi, ciężki warkocz, podskakiwały przy każdym kroku. Zauważył jej szczupłe, delikatne ramiona i pełen ostrożnego wdzięku sposób chodzenia, zupełnie jakby była tancerką.

– Zaczekaj – zawołał za nią, ale gdy posłusznie się zatrzymała, nie bardzo wiedział, co ma powiedzieć.

– Muszę mieć jakieś miejsce, gdzie chwilowo mogę się przechować – odezwała się, rzucając mu przez ramię spojrzenie. – To wszystko, co musisz o mnie wiedzieć, Paul.

Patrzył, jak znika za drzwiami kuchni, a potem do jego uszu doleciał trzask drzwiczek lodówki. Poszedł na górę i z dolnej szuflady wyciągnął album, w którym po rozmowie z ojcem schował zdjęcia, uratowane po tamtej nieszczęsnej nocy.

Wsadził album pod pachę, zabrał ze stojaka gitarę i bez koszuli, i boso wyszedł na ganek. Przycupnął na ogrodowej huśtawce i grał, przyglądając się przez okno dziewczynie, która wędrowała po wszystkich pomieszczeniach na dole, od kuchni przez salon aż do jadalni. Zauważył, że zjadła mało, zaledwie jeden jogurt, za to przez dłuższą chwilę stała przed regałem z książkami należącymi do jego matki, aż w końcu wybrała jakąś powieść i usiadła z nią na kanapie.

Grał dalej. Muzyka go uspokajała i wyciszała bardziej niż cokolwiek innego. Miał wrażenie, że wznosi się na inny poziom, gdy palce pozornie bez jego woli poruszały się po strunach. Następna nuta znajdowała się w tym miejscu, tam kolejna, tam trzecia i czwarta... Wreszcie doszedł do końca utworu i zatrzymał się, z zamkniętymi oczyma słuchając, jak ostatnia fraza zamiera w powietrzu.

Już nigdy. Nigdy nie zdarzy się ta muzyka, ta chwila. Nigdy więcej.

– O kurczę!

Otworzył oczy i ujrzał, jak dziewczyna opiera się o framugę drzwi prowadzących na ganek. Otworzyła je na oścież, wyszła na zewnątrz i usiadła ze szklanką wody w ręku.

– Twój ojciec miał rację. To było doprawdy zachwycające.

– Dzięki.

Schylił głowę, żeby nie zauważyła, jak bardzo jest dumny z pochwały i uderzył jeszcze jeden akord. Muzyka zawsze miała na niego dobroczynny wpływ i Paul jak zwykle poczuł, że opuszcza go wszelki gniew.

– A ty? Grasz na jakimś instrumencie?

– Nie. Kiedyś chodziłam na lekcje fortepianu.

– Mamy fortepian – podbródkiem wskazał wnętrze salonu. – Nie krępuj się.

Uśmiechnęła się, ale jej wzrok był teraz całkiem poważny.

– W porządku, ale dzięki. Nie bardzo jestem dziś w nastroju. Nawiasem mówiąc, jesteś naprawdę, naprawdę dobry. Jak profesjonalista. Chyba bym się wstydziła odbębnić „Dla Elizy" albo jakiś inny, równie popularny kawałek.

Także się uśmiechnął.

– „Dla Elizy"? Znam tę miniaturę. Możemy sobie pograć w duecie.

– W duecie? – trochę się zmarszczyła, ale zaraz popatrzyła w górę. – Czy ty jesteś jedynakiem? – zapytała.

Trochę go zaskoczyła tym pytaniem.

– I tak, i nie. To znaczy, miałem siostrę bliźniaczkę, ale ona umarła.

Rosemary skinęła głową.

– Myślisz o niej czasami?

– No jasne – nagle poczuł się niezręcznie, więc odwrócił wzrok. – Choć właściwie nie myślę o niej, bo nigdy jej nie znałem... Raczej o tym, jaka mogłaby być.

Spłonął rumieńcem, nieco zszokowany faktem, że spowiada się obcej dziewczynie z tak intymnych przeżyć; dziewczynie, która zniszczyła ich świat i której tak naprawdę wcale nie lubił.

– Okay – oświadczył. – Teraz twoja kolej. Opowiedz mi coś o sobie. Coś, o czym nie wie mój ojciec.

Obrzuciła go badawczym spojrzeniem.

– Nie lubię bananów – powiedziała w końcu i Paul się roześmiał. Po chwili śmiali się już obydwoje. – Naprawdę nie lubię, możesz mi wierzyć! Co jeszcze? Aha, kiedy miałam pięć lat, spadłam z roweru i złamałam sobie rękę.

– Ja też. Ja złamałem rękę, kiedy miałem sześć lat. Zleciałem z drzewa.

Pamiętał tamto zdarzenie. Pamiętał, jak ojciec podnosił go z ziemi, pamiętał przebłyski błękitnego nieba, pełnego słońca i trzepoczących nad głową liści, pamiętał jak niesiono go do samochodu... I ręce ojca, które z pełną precyzji delikatnością nastawiały uszkodzoną kość, i powrót do domu w jasne, słoneczne popołudnie...

– Hej! – zawołał. – Czekaj, chcę ci coś pokazać!

Położył gitarę na ławce i podniósł ziarniste, czarno-białe zdjęcia.

– Czy to ten dom? – spytał, wręczając jej pierwsze z brzegu. – Czy właśnie tutaj spotkałaś mojego ojca?

Wzięła fotografię, przyjrzała się jej z uwagą, a następnie skinęła głową.

– Tak. Teraz wygląda trochę inaczej. Na tym zdjęciu widzę, że kiedyś był to całkiem sympatyczny domek. Wystarczy spojrzeć na te słodkie firaneczki w oknach i na kwiaty na grządkach. Teraz nikt tam nie mieszka. Dom świeci pustkami. Kiedy byłam dzieckiem, uwielbiałam tam się bawić. Uciekaliśmy między wzgórza i razem z kuzynami bawiliśmy się w dom. Oni mówili, że ten dom jest przeklęty, ale we mnie on zawsze budził miłe uczucia, sama nie wiem dlaczego. To było moje sekretne miejsce. Czasami przychodziłam tam sama, żeby posiedzieć i pomarzyć, kim kiedyś będę.

Przytaknął ze zrozumieniem, a potem odebrał zdjęcie i z uwagą spojrzał na postacie, którym już tyle razy zdążył się przyjrzeć, zupełnie jakby mogły odpowiedzieć mu na wszystkie pytania związane z osobą ojca.

– Ale to chyba ci się nie śniło – zauważył, podnosząc głowę.

– Nie – przyznała łagodnie. – Nigdy.

Przez kilka minut żadne z nich nie odezwało się ani jednym słowem. Promienie słońca przedzierały się przez gałęzie drzewa i rzucały cień na drewnianą, malowaną podłogę.

– W porządku. Teraz znów twoja kolej – powiedziała po mniej więcej minucie.

– Moja? – zdziwił się.

– Tak. Opowiedz mi o sobie coś, czego nie wie twój ojciec.

– Idę do Julliard School – te słowa same mu się wymknęły, jasne i namiętne jak muzyka wypełniająca pokój. Do tej pory nie zwierzył się nikomu poza własną matką. – Byłem pierwszy na liście oczekujących i w zeszłym tygodniu przysłali mi informację, że zostałem przyjęty. Wtedy jego już nie było.

– No, no, no! – uśmiechnęła się, ale w tym uśmiechu krył się smutek. – Raczej myślałam, że powiesz mi coś na temat ulubionych warzyw – dodała. – Ale to super, Paul! Zawsze myślałam, że studia to wspaniała rzecz.

– Też możesz kiedyś pójść na studia – powiedział, bo nagle przyszło mu do głowy, jak wiele straciła.

– Pójdę. Zdecydowanie pójdę.

– Pewnie będę musiał sam za to zapłacić – oświadczył, przejęty jej determinacją i ledwo skrywaną obawą. – Mój ojciec już zaplanował dla mnie jakąś bardziej bezpieczną karierę. Nienawidził samej myśli o tym, że mógłbym zostać muzykiem.

– Tego nie wiesz – odparła ostro i spojrzała na niego. – Tak naprawdę nie masz pojęcia, kim jest twój ojciec ani jaka jest jego przeszłość.

Paul nie wiedział, co odpowiedzieć i znów przez kilka minut siedzieli w milczeniu. Od strony ulicy zasłaniała ich krata, po której piął się klematis pełny białych i fioletowych kwiatów. Nic więc dziwnego, że gdy na podjazd zajechały dwa samochody – ojciec i matka zjawili się jednocześnie o tak dziwnej porze, w środku dnia – Paul zauważył kątem oka jedynie błysk chromowanych elementów. Oboje z Rosemary wymienili spojrzenia. Drzwiczki zatrzasnęły się z hukiem, aż echo poniosło się po sąsiednich posesjach, a potem rozległy się odgłosy kroków i ciche, stanowcze głosy obydwojga rodziców, którzy zatrzymali się tuż za krawędzią ganku. Rosemary otworzyła usta, jakby chciała zdradzić ich obecność, ale Paul zdążył podnieść rękę i pokręcić głową, więc dalej siedzieli w milczeniu, nadstawiając uszu.

– Ten dzień... – mówiła Norah. – Ten tydzień... Boże, Davidzie, gdybyś wiedział, jak wiele bólu nam sprawiłeś!

– Bardzo mi przykro. Masz rację, powinienem był zadzwonić. Nawet miałem zamiar to zrobić.

– I myślisz, że to wystarczy? A co będzie, jeśli to ja zniknę na tydzień? – spytała z irytacją. – Ot, tak po prostu zniknę i już. Pojadę sobie gdzie mnie oczy poniosą i wrócę z przystojnym, młodym facetem, i nawet nie będę się starała czegokolwiek wytłumaczyć. Co o tym sądzisz, kochanie?

Zapadła cisza. Paul przypomniał sobie leżący na plaży kolorowy stos ubrań. Pomyślał o często zdarzających się wieczorach, kiedy matka nie wracała do domu przed północą. Interesy, wzdychała, zrzucając z nóg pantofle, i szła prosto do łóżka. Popatrzył na Rosemary, która właśnie z zainteresowaniem oglądała własne dłonie. Postarał się dalej siedzieć nieruchomo, wpatrzony w jej profil, wsłuchany w rozmowę rodziców i zwyczajnie czekał na to, co się wydarzy.

– To jeszcze dziecko – odezwał się w końcu ojciec. – Ma szesnaście lat i jest w ciąży. Mieszkała sama jak palec w opuszczonym domu na odludziu... Nie mogłem jej tam zostawić, chyba sama rozumiesz.

Matka westchnęła ciężko. Paul wyobraził sobie, jak przeczesuje palcami włosy.

– Czy to kryzys wieku średniego? – spytała. – Czy to właśnie tak wygląda?

– Kryzys wieku średniego? – głos ojca był spokojny i zamyślony, jakby rzeczywiście rozważał taką możliwość. – Być może. Wiem, Norah, że doszedłem do ściany. W Pittsburghu, jako młody człowiek, byłem pełen determinacji, żeby osiągnąć wyznaczony cel. Nie mogłem pozwolić sobie na luksus jakichkolwiek wątpliwości. Więc chciałem wrócić do tamtych czasów i na nowo odnaleźć parę rzeczy. A potem tam, w moim starym domu, spotkałem Rosemary. Moim zdaniem to nie był przypadek. Wiem, że to brzmi idiotycznie i nie potrafię w żaden sposób tego wyjaśnić, ale tak to czuję. Proszę, zaufaj mi. Nie jestem w niej zakochany. I nigdy nie będę. To zupełnie coś innego.

Paul spojrzał na Rosemary. Siedziała z opuszczoną głową, więc nie mógł dostrzec wyrazu jej twarzy, lecz widział, że jej policzki wyraźnie się zaróżowiły. Zaczęła skubać skórki przy zniszczonych paznokciach, jakby za nic nie chciała spojrzeć mu w oczy.

– Nie wiem, w co mam wierzyć – powiedziała wolno Norah. – Ten tydzień, Davidzie, był najgorszy ze wszystkich tygodni... Czy wiesz, gdzie teraz byłam? Z Bree, u onkologa. W zeszłym tygodniu zrobili jej biopsję lewej piersi. To nieduży guzek i rokowania są całkiem dobre, ale okazał się złośliwy.

– Nie wiedziałem o tym, Norah. Strasznie mi przykro.

– Nie, nie dotykaj mnie, Davidzie.

– Kto będzie ją operować?

– Ed Jones.

– Ed? To dobry chirurg.

– Lepiej, żeby tak było. Davidzie, twój kryzys wieku średniego jest ostatnią rzeczą, jakiej teraz mi trzeba.

Paul słuchał pilnie. Nagle odniósł wrażenie, że świat nieco zwolnił swój bieg. Myślał o Bree, o jej śmiechu, o tym że potrafiła godzinami słuchać jak on gra, a muzyka starczała im za wszelkie słowa. Po prostu zamykała oczy, wyciągała się na huśtawce i chłonęła dźwięki, którymi ją obdarzał. Nie potrafił sobie wyobrazić, że świat może istnieć bez niej.

– Czego więc chcesz? – dobiegło pytanie ojca. – Czego ode mnie oczekujesz, Norah? Jeśli chcesz, zostanę. Jeśli nie, jestem gotów się wyprowadzić. Ale nie mogę wypędzić Rosemary, bo ona naprawdę nie ma dokąd pójść.

Zapadła głucha cisza. Paul czekał, zaledwie ośmielając się oddychać. Bardzo chciał się dowiedzieć, co odpowie matka, i jednocześnie pragnął, by nigdy nie odpowiedziała.

– A co ze mną? – nagle ze zdumieniem usłyszał własny głos. – Czy kogoś interesuje to, czego ja chcę?

– Paul? – to był głos matki.

– Tutaj – zawołał, biorąc do ręki gitarę. – Na ganku. Siedzimy tu sobie z Rosemary.

– Wielki Boże... – powiedział ojciec. Sekundę później pojawił się przy schodkach. Od ostatniej nocy zmienił się nie do poznania – miał na sobie czysty garnitur, był starannie ogolony i pachniał świeżością. Mimo to Paul spostrzegł, jak bardzo jest chudy i zmęczony. Tak samo matka, która chwilę potem stanęła obok męża.

Powoli podniósł się z ławki i stanął z ojcem twarzą w twarz.

– Idę do Julliard School, tato. W zeszłym tygodniu dostałem powiadomienie, że zostałem przyjęty. Mam zamiar skorzystać z tego.

W napięciu czekał, aż ojciec zacznie mówić to, co zwykle – że kariera muzyka to nic pewnego, nawet jeśli bierzemy pod uwagę granie muzyki klasycznej. I że Paul ma przed sobą tyle możliwości. I że przecież zawsze może grać i mieć z tego przyjemność, nawet jeśli będzie zarabiał na życie w inny sposób. Czekał, że ojciec okaże zdecydowanie, zdrowy rozsądek i opór wobec jego planów, co pozwoli Paulowi znaleźć ujście dla gniewu i frustracji, jaką odczuwał. Czuł, że jest spięty i gotów do konfrontacji, ale ku swemu zdumieniu zobaczył, że ojciec kiwa głową.

– To dobrze – powiedział krótko, a potem jego rysy rozświetliła duma. Nawet uporczywa zmarszczka na czole, która pojawiała się w chwilach zmartwienia, nagle gdzieś znikła. Kiedy przemówił, jego głos był cichy i stanowczy. – Paul, wiem, że właśnie to chcesz w życiu robić, więc idź tam. Idź, ciężko pracuj i bądź szczęśliwy.

Paul przestępował z nogi na nogę. Ilekroć próbował rozmawiać z ojcem przez te wszystkie lata, miał wrażenie, że trafia na twardą ścianę. A teraz ściana rozmyła się w powietrzu, a on szybował w otwartej przestrzeni, co przyprawiało go o zawrót głowy.

– Paul? Chcę, żebyś wiedział, że jestem z ciebie dumny, synu.

Wszyscy gapili się teraz na niego, a on miał łzy w oczach. Nie wiedział kompletnie, co zrobić lub powiedzieć, więc zaczął iść. Z początku szedł tylko po to, żeby zniknąć im z oczu, żeby ukryć zakłopotanie, a potem naprawdę zaczął biec, nie wypuszczając z ręki gitary.

– Paul! – krzyknęła za nim matka, więc zatrzymał się i wrócił kilka kroków. Przekonał się, jak bardzo jest blada, że kurczowo przyciska do piersi obie ręce, a jej włosy w nowo zrobionych pasemkach rozwiewa lekki wiatr. Pomyślał o Bree, o tym, co przed chwilą usłyszał, i jak bardzo matka i ciotka stały się podobne do siebie. Nagle ogarnął go strach. Przypomniał sobie, jak ojciec stał w korytarzu w brudnym ubraniu, z potarganymi włosami i nieogoloną szczeciną na policzkach. Teraz, choć wyglądał schludnie i porządnie, nadal wydawał się odmieniony. Nieskazitelny, precyzyjny, pewny swego facet stał się kimś całkiem innym. Za jego plecami, na wpół skryta za klematisem, z rozpuszczonymi włosami, które opadały swobodnie na ramiona, i ze skrzyżowanymi ramionami siedziała Rosemary i przysłuchiwała się pilnie rozmowie. Paul wyobraził sobie ją w starym domu podczas rozmowy z ojcem, a potem w autobusie, gdzie spędzili tak wiele długich godzin... Doszedł do wniosku, że ona musi mieć coś wspólnego z tą zmianą, która się w nim dokonała i znów zaczął się bać. Bał się tego, co działo się z nimi wszystkimi.

Właśnie dlatego zaczął biec.

Był słoneczny dzień, całkiem ciepły. Pani Ferry i pani Pool pomachały do nich ze swoich tarasów, zaś Paul odpowiedział im podnosząc wysoko gitarę i pobiegł dalej. Był już trzy skrzyżowania od domu, potem pięć i wreszcie dziesięć. Po drugiej stronie ulicy, naprzeciwko jednego z małych, jednopiętrowych domków stał opuszczony samochód z pracującym silnikiem. Prawdopodobnie ktoś zapomniał zabrać coś z domu i wrócił na chwilkę po marynarkę albo po teczkę z dokumentami. Paul zatrzymał się. To był brązowy Gremlin, najbrzydszy wóz jaki istniał we wszechświecie, w dodatku cały pokryty rdzą. Paul przeszedł na drugą stronę, otworzył drzwiczki i wślizgnął się do środka. Nikt nie wrzasnął na niego ani nie wybiegł z domu, więc zatrzasnął je za sobą i odsunął fotel, żeby zrobić miejsce na nogi. Gitara wylądowała na siedzeniu obok. Samochód wyposażony był w automatyczną skrzynię biegów, a w środku walały się papierki po cukierkach oraz mnóstwo pustych pudełek po papierosach. To auto musi należeć do jakiegoś totalnego bałaganiarza, pomyślał. Na przykład do jednej z tych paniuś, które nakładają na twarz zbyt grubą warstwę makijażu i pracują w charakterze sekretarki w jakiejś paskudnej, skostniałej instytucji, może w pralni chemicznej lub w banku. Wrzucił bieg i ostrożnie nacisnął na gaz.

Dalej nic. Żadnego alarmu ani wrzasków. Przerzucił dźwignię na bieg *drive* i oderwał się od krawężnika.

Do tej pory nieczęsto zdarzało mu się prowadzić samochód, ale podejrzewał, że z tym musi być tak jak z seksem: jeśli będziesz udawał, że wiesz o co chodzi, to dość szybko będziesz wiedział, a zaraz potem stanie się to twoją drugą naturą. W szkole Ned Stone i Randy Delaney zwykle pętali się tuż za rogiem budynku, a przed powrotem do szkoły rzucali niedopałki w trawę. Paul szukał wzrokiem Lauren Lobeglio, która czasami stała tam razem z nimi. Gdy ją potem całował, czuł w jej oddechu dym papierosów. Gitara ześlizgnęła się z fotela. Zatrzymał się, żeby przypiąć ją pasami. Co to za gówno, ten Gremlin. Teraz jechał przez miasto, przez błękitny, tętniący życiem dzień i ostrożnie zatrzymywał się na każdych światłach. Myślał o oczach Rosemary, które wypełniły się łzami. Nie miał zamiaru jej zranić, a jednak to zrobił. Poza tym coś się wydarzyło, coś uległo zmianie... Ona miała w tym swój udział, a on nie, choć musiał przyznać, że gdy oznajmił ojcu nowinę, przez mgnienie oka ujrzał na jego twarzy niczym niezmącone szczęście.

Jechał przed siebie, gdzie go oczy poniosą. Niezależnie od tego, co teraz miało się wydarzyć, za nic nie chciał wracać do domu. Dotarł do międzystanowej drogi i bez wahania skręcił na zachód, w stronę Louisville. Gdzieś w głowie mignęła mu Kalifornia – muzyka i bezkresna plaża. Lauren Lobeglio z pewnością znajdzie sobie następną sympatię. Nie kochała go ani on nie kochał jej; była dla niego jak narkotyk, a to, co razem robili, było równie mroczne jak uzależnienie. Kalifornia. Niedługo usiądzie na plaży, pogra w jakimś bandzie, żeby zarobić parę groszy i przeżyje beztroskie, długie lato. Na jesieni znajdzie się jakiś sposób na powrót do Julliard School. Na przykład jazda autostopem przez cały kraj. Pokręcił korbką, żeby opuścić szybę i do wnętrza auta wtargnął świeży, ożywczy powiew. Gremlin ledwo wyciągał pięćdziesiąt pięć mil na godzinę, chociaż Paul wciskał pedał gazu niemal do podłogi. Jednak mimo to czuł się tak, jakby nagle wyrosły mu skrzydła.

Już kiedyś jechał tą trasą. Były to zwykłe, szkolne wycieczki do zoo, a wcześniej te szalone wyprawy z matką, kiedy, leżąc w foteliku na tylnym siedzeniu, przyglądał się migającym za szybą liściom, gałęziom i liniom telefonicznym. Matka śpiewała głośno razem z piosenkami nadawanymi w radiu, choć głos co chwila odmawiał jej posłuszeństwa. Pamiętał jej obietnice, że zaraz zatrzymają się na lody albo na jakiś poczęstunek, jeśli tylko będzie grzecznym chłopcem i posiedzi jeszcze przez parę minut cicho. Przez wszystkie minione lata starał się być grzeczny, ale to i tak okazało się nie mieć najmniejszego znaczenia. Potem odkrył muzykę i dźwiękami opowiadał w ciszy pustego domu o stanie własnego serca, o braku, jaki śmierć siostry pozostawiła w sercach jego rodziców, ale to również nikogo nie interesowało. Próbował ze wszystkich sił oderwać swoich bliskich od przyziemnych problemów codziennego życia i przekazać im to piękno i radość, które właśnie odkrył. Grał coraz dłużej i coraz lepiej mu to wychodziło, a mimo to żadne z nich nie spojrzało na niego ani razu, aż do chwili, gdy Rosemary przekroczyła próg ich domu i wszystko zmieniła. Zresztą może niczego nie musiała zmieniać. Może zwyczajnie sama jej obecność rzuciła nowe światło na jego rodzinę i wymusiła ułożenie pewnych spraw od nowa. Jak mawiał ojciec, jedno zdjęcie może przedstawiać tysiące różnych rzeczy.

Położył rękę na gryfie gitary. Dotyk ciepłego drewna działał uspokajająco. Wcisnął gaz do dechy i pomknął między dwiema wapiennymi ścianami tunelu, który wgryzał się w zbocze wzgórza, a potem opadał w stronę meandrów Kentucky River. Jeszcze chwila i powierzchnia mostu zaśpiewała pod oponami auta. Paul jechał i jechał, starając się nie robić nic. Jedynie myśleć.

Rozdział czwarty

Poza granicami gabinetu Norah, oddzielonym od reszty przeszklonymi drzwiami, w całym biurze aż huczało od plotek. Neil Simms, dyrektor od zarządzania zasobami ludzkimi w IBM, wszedł przez zewnętrzne drzwi w lśniącym nowością, czarnym garniturze i lakierkach. Bree, która zatrzymała się na chwilę w sekretariacie, żeby zabrać faksy, odwróciła się na jego widok. Miała na sobie żółty komplet z lnu i ciemnożółte pantofle, a gdy wyciągnęła rękę na powitanie, delikatna, złota bransoletka osunęła się na nadgarstek. Pod wyszukaną elegancją Bree ukrywała nadmierną szczupłość i ostro wystające kości, ale jej uśmiech był tak samo promienny jak dawniej. Wskazała przez szklane drzwi siedzącą z telefonem w ręku Norah. Błyszczący folder, nad którym pracowała od tygodni, rozłożony był przed nią na biurku, zaś nazwa IBM była wydrukowana tłustym, czarnym drukiem na samym przodzie.

– Posłuchaj, Sam – mówiła właśnie Norah. – Powiedziałam, żebyś do mnie nie dzwonił i naprawdę to właśnie miałam na myśli.

Po drugiej stronie słuchawki zapanowała głęboka, nabrzmiała od żalu cisza. Wyobraziła sobie Sama w domu, jak pracuje przy biurku ustawionym przy ścianie, skąd rozciąga się przepiękny widok na jezioro. Był analitykiem inwestycyjnym i Norah poznała go na parkingu sześć miesięcy temu. Stał w ponurym, odbijającym się od betonu świetle i czekał na windę. Kluczyki wysunęły się z jej kieszeni, ale on szybkim i płynnym ruchem złapał je, zanim upadły na posadzkę, zaś jego ręka zamigotała przy tym jak skacząca w wodzie ryba. „Czy to pani?", zapytał ze zniewalającym uśmiechem, co oczywiście miało być dowcipnym zagajeniem rozmowy, ponieważ poza nimi w pobliżu nie było żywej duszy. Norah poczuła przypływ znajomego podekscytowania, coś na kształt rozkosznego ciężaru, i ochoczo skinęła głową. Jego palce musnęły jej dłoń i zimne kluczyki spoczęły na rozgrzanym ciele.

Tej samej nocy pozostawił wiadomość na jej sekretarce. Na sam dźwięk głosu Sama serce Norah zaczęło mocniej bić. Mimo to, gdy taśma się skończyła, zmusiła się, żeby usiąść przy biurku i policzyć romanse, na które pozwoliła sobie w ciągu ostatnich lat – krótkie i długotrwałe, namiętne i nieco chłodniejsze, gorzkie i pełne przyjaznych uczuć.

Cztery. Zapisała tę liczbę na dole porannej gazety. Kanciasta cyfra, nakreślona ciemnym grafitem odbijała się od białej krawędzi papieru. Na górze woda kapała do wanny. Paul siedział w salonie i brzdąkał na gitarze jeden i wciąż ten sam akord. David jak zwykle był poza domem – pracował w ciemni. Tak wiele przestrzeni ich dzieli, pomyślała. Za każdym razem, gdy nawiązywała romans, towarzyszyła jej nadzieja na początek czegoś nowego i niespodziewanego, a potajemne spotkania tylko potęgowały to wrażenie. Po Howardzie wplątała się w dwa przelotne, przyjemne związki, a potem w jeszcze jeden, tym razem nieco dłuższy. Każdy z nich rozpoczynał się od przygniatającej ciszy w domu i poczucia osamotnienia, które doprowadzały ją do obłędu i wówczas niezgłębiony wszechświat czyjejś obecności – czyjejkolwiek obecności – wydawał się przynosić jej ulgę.

– Norah, proszę, po prostu mnie wysłuchaj – mówił do niej Sam. Silny, porywczy mężczyzna, który świetnie umiał prowadzić negocjacje... Człowiek, którego nawet specjalnie nie lubiła. Widziała, jak w recepcji Bree odwróciła się ze zniecierpliwieniem, żeby rzucić w jej stronę wiele mówiące spojrzenie. Tak, machnęła ręką, zaraz kończę. Przez prawie rok ich firma starała się nawiązać kontakty z IBM-em, więc z pewnością Norah się pospieszy.

– Chciałem tylko zapytać o Paula – upierał się Sam. – Chciałem usłyszeć, czy cokolwiek wiesz. Bo bardzo mi na tobie zależy, Norah, rozumiesz? Słyszysz, co mówię? Jestem totalnie, absolutnie i wyłącznie dla ciebie.

– Słyszę – burknęła, zła na samą siebie. Nie chciała, żeby Sam wspominał o jej synu. Paul zniknął przed dwudziestu czterema godzinami i zniknął także samochód zaparkowany trzy ulice dalej. Norah patrzyła, jak Paul oddala się od nich po tamtej wyczerpującej nerwowo scenie na ganku i usiłowała sobie przypomnieć, co takiego powiedziała, co takiego mógł usłyszeć, że na twarzy syna pojawiło się bolesne zażenowanie. David słusznie zrobił, dając mu swoje błogosławieństwo, ale w przedziwny sposób jego zgoda zdawała się tylko pogarszać sytuację. Patrzyła, jak Paul biegnie, ściskając w ręku ukochaną gitarę i niewiele brakowało, a pobiegłaby za nim. Ale głowa dosłownie pękała jej z bólu, a poza tym pomyślała, że być może Paul potrzebuje to sobie przemyśleć i że pewnie wolałby teraz być sam. Poza tym z pewnością nie pobiegnie daleko... Zresztą, dokąd miałby pójść?

– Norah? – usłyszała głos Sama. – Norah, dobrze się czujesz?

Na moment zamknęła oczy. Zwyczajne promienie słońca pieściły jej twarz. W oknach sypialni Sama znajdowały się szyby pryzmatyczne i tego olśniewającego ranka po każdej tafli przesuwała się gama żywych, świetlistych kolorów. „Czuję się zupełnie tak, jakbyśmy uprawiali miłość w dyskotece", powiedziała mu pewnego dnia, na poły z narzekaniem, na wpół z zachwytem, kiedy długie, barwne cienie przesuwały się po jego ramionach i po jej bladej skórze. Tego dnia – jak zresztą każdego, gdy się spotykali – Norah zamierzała zakończyć sprawę. Jednak potem, gdy palce Sama przesuwały się po jej udach w ślad za zmieniającymi się jak w kalejdoskopie barwami, czuła jak jej zdecydowanie zaczyna mięknąć, zamazywać się, a emocje w tajemniczej kolejności przeistaczały się jedna w drugą. Ciemne indygo zmieniało się w złoto, a w tym samym czasie niechęć Norah w przedziwny sposób stawała się pożądaniem.

Jednak przyjemność nigdy nie trwała dłużej niż droga powrotna do domu.

– Teraz jestem zajęta wyłącznie Paulem – odpowiedziała. – Posłuchaj, Sam, prawdę mówiąc, mam cię dość – dorzuciła ostro. – Tamtego dnia mówiłam całkiem serio. Nie dzwoń więcej.

– Moim zdaniem jesteś załamana.

– Być może. Ale wiem, co mówię. Nie dzwoń do mnie nigdy więcej.

Odłożyła słuchawkę. Czuła, że ręka jej drży, więc z całej siły przycisnęła ją do blatu. Zniknięcie Paula odbierała jako pewien rodzaj kary – za długotrwałe, gniewne nastroje Davida, za swoją własną złość. Skradziony samochód został odnaleziony zeszłego wieczora na jednej z bocznych uliczek Louisville, ale po Paulu nie został nawet najmniejszy ślad. Oboje z Davidem spędzili całą noc na czuwaniu, chodząc bez celu po wypełnionych milczeniem pokojach przestronnego domu. Dziewczyna z Zachodniej Virginii nadal nocowała na rozkładanej sofie w gabinecie Davida. David nie próbował jej dotykać i prawie nie zamieniał z nią słowa, poza pytaniem, czy czegoś jej nie trzeba. Mimo to Norah wyczuwała między nimi jakąś emocjonalną więź, żywą i pełną pozytywnych wibracji, która drażniła ją równie mocno, a może nawet bardziej, niż jakikolwiek związek cielesny.

W końcu Bree zapukała w przeszklone drzwi i uchyliła je na kilka cali.

– Norah, wszystko w porządku? Bo przyszedł Neil, ten gość z IBM.

– W porządku – odparła. – A ty, Bree? Dobrze się czujesz?

– Dobrze, że tu jestem – odpowiedziała zdecydowanie. – Zwłaszcza biorąc pod uwagę, co się dzieje z innymi sprawami.

Norah skinęła głową. Obdzwoniła wszystkich przyjaciół Paula, a David powiadomił policję. Całą noc i ranek chodziła po domu w szlafroku, pijąc mnóstwo kawy i wymyślając wszystkie możliwe nieszczęścia, więc szansa powrotu do pracy i zajęcia się przynajmniej częściowo czym innym była dla niej jak zbawienie.

– Zaraz do was idę – powiedziała.

Telefon zabrzęczał, kiedy Norah już stała gotowa do wyjścia. Fala złości dosłownie wypchnęła ją przez drzwi. Nie pozwoli, żeby Sam wytrącał ją z równowagi, nie pozwoli mu zniszczyć ważnego dla niej spotkania, nigdy w życiu! Jej pozostałe związki kończyły się inaczej, szybko lub powoli, w przyjacielskiej atmosferze lub wręcz przeciwnie, ale żaden nie pozostawił po sobie tak dojmującego uczucia niepewności. „Nigdy więcej", myślała w głębi duszy. „Niech to się skończy i już nigdy więcej".

Pobiegła przez hol, ale Sally zatrzymała ją przy recepcji. W ręku trzymała słuchawkę.

– Lepiej odbierz, kochanie – powiedziała. Norah natychmiast zorientowała się, o co chodzi; z drżeniem serca odebrała telefon.

– Znaleźli go – głos Davida był całkiem spokojny. – Właśnie dzwonili z policji. Znaleźli go w Louisville. Został przyłapany na kradzieży. Nasz syn ukradł w sklepie kawałek sera.

– Więc nic mu nie jest, tak? – zawołała, wypuszczając z płuc oddech, o którym w ogóle nie wiedziała, że go wstrzymuje. Czuła, jak krew zaczyna znów krążyć, jak dociera do koniuszków palców... Mój Boże, była na wpół martwa i wcale o tym nie wiedziała.

– Tak, wszystko z nim w porządku. Najwyraźniej był głodny. Właśnie jadę po niego i chciałem się dowiedzieć, czy może też chcesz przyjechać?

– Może powinnam, sama nie wiem... Boję się, Davidzie, że możesz powiedzieć coś niewłaściwego. „Lepiej by było, żebyś został w domu z tą swoją panienką", miała na końcu języka.

Westchnął ciężko.

– Zastanawiam się, Norah, co właściwego można powiedzieć w takiej sytuacji? Naprawdę nie wiem. Powiedziałem, że jestem z niego dumny, a on zwiał z domu i ukradł samochód. Więc co, pytam, mogę powiedzieć, żeby wszystko było jak należy?

„Trochę za mało, trochę za późno", miała chęć powiedzieć. „A może to chodzi o tę twoją młodziutką przyjaciółkę?". Ale ugryzła się w język i zachowała milczenie.

– Norah, problem w tym, że on ma osiemnaście lat. Ukradł samochód i musi ponieść za to odpowiedzialność.

– A ty masz pięćdziesiąt jeden! – nie wytrzymała. – I co z twoją odpowiedzialnością?!

Po drugiej stronie słuchawki zapadło milczenie. Norah wyobraziła sobie męża, jak stoi pośrodku gabinetu – budzący zaufanie lekarz w białym fartuchu – z włosami, które zaczęły pokrywać się srebrem. Nikt, kto go widzi, nie wyobraża sobie, jak ten człowiek wyglądał całkiem niedawno, kiedy wrócił do domu nieogolony, w podartym i brudnym ubraniu, a przy jego boku stała młodziutka dziewczyna w ciąży, owinięta czarnym, zniszczonym płaszczem.

– Posłuchaj, po prostu zostaw mi adres – powiedziała. – Spotkamy się na miejscu.

– On jest na posterunku policji, Norah. Gdzieś w centrum. Wiesz, gdzie jest zoo? Zresztą zaczekaj, zaraz podam ci adres.

Norah zapisała i podniosła wzrok akurat w momencie, gdy Bree zamykała drzwi za Neilem Simms'em.

– Czy Paul jest cały i zdrowy? – zapytała Bree.

Norah przytaknęła, zbyt poruszona i szczęśliwa, żeby przemówić. Kiedy usłyszała z ust Bree jego imię, nowiny stały się czymś rzeczywistym.

Paul był bezpieczny, być może w kajdankach, ale bezpieczny. Pracownicy biura, którzy dotąd włóczyli się po kątach sali przyjęć, zaczęli klaskać, zaś Bree szybko podeszła, żeby ją uściskać. Boże, jaka ona chuda, myślała Norah i łzy stanęły jej w oczach. Łopatki siostry były delikatne i ostro zakończone, jak ptasie skrzydła.

– Ja poprowadzę – mówiła teraz Bree. – Chodź, opowiesz mi wszystko po drodze.

Norah pozwoliła się poprowadzić wzdłuż korytarza do windy, a następnie zwieźć do garażu. Bree przeciskała się przez zatłoczone centrum, podczas gdy Norah opowiadała wszystko po kolei. Poczucie ulgi odświeżało ją jak powiew chłodnego wiatru.

– Wciąż nie mogę w to uwierzyć – mówiła. – Calutką noc nie zmrużyłam oka. Wiem, że Paul jest już pełnoletni i że za kilka miesięcy ma iść do college'u i że nie będę w każdej chwili wiedziała, gdzie jest ani co porabia. Jednak nie potrafię przestać się martwić.

– Ostatecznie on wciąż jest twoim dzieckiem.

– Zawsze nim będzie. To cholernie ciężka sprawa pozwolić mu odejść. Znacznie cięższa niż sądziłam.

Właśnie ich samochód mijał nieciekawe, niskie budynki, w których mieściła się siedziba IBM. Bree machnęła ręką w ich kierunku.

– Cześć, Neil! Do zobaczenia wkrótce!

– Ach, tyle pracy w to włożyłam – westchnęła Norah.

– O nic się nie martw. Na pewno nie stracimy tego kontraktu. Byłam bardzo, naprawdę bardzo czarująca. A poza tym Neil to gość, który ceni rodzinę. Zresztą podejrzewam, że należy do tych facetów, którzy uwielbiają pocieszać zestresowane panienki.

– Jak zwykle masz tendencje do upiększania rzeczywistości – odcięła się Norah, bo przypomniało jej się pewne przedpołudnie długi czas temu, gdy Bree w przyćmionym świetle w jadalni wymachiwała jej przed nosem ulotkami na temat laktacji.

Bree roześmiała się.

– Wcale nie. Po prostu nauczyłam się pracować nad tym, nad czym akurat muszę. Spokojna głowa, dostaniemy ten kontrakt.

Norah nic nie odrzekła. Za oknem białe płoty migały i rozmazywały się na tle bujnych traw. Konie czekały spokojnie na pastwiskach. Na którymś wzgórzu, przytulona do zbocza stała suszarnia tytoniu, na kolejnym następna. Wczesna wiosna, pomyślała, jeszcze trochę, a nabrzmiałe pąki rozwiną się w kwiaty. Niedługo odbędą się Derby. Właśnie przejeżdżały nad Kentucky River, miejscami zamuloną, miejscami migoczącą w słońcu. Na łące za rzeką kołysał się samotny narcyz. Kątem oka zauważyła żółty błysk i zaraz już go nie było. Ile razy mknęła tą drogą, z włosami rozwianymi przez wiatr, wabiona przez wody Ohio River, przez jej wartki nurt i zniewalające urodą fale?

Porzuciła samotne sączenie dżinu i wariackie rajdy; kupiła biuro podróży i sprawiła, że pod jej rządami rozkwitło; zmieniła swoje życie, tak jak zawsze pragnęła. I nagle spłynęło na nią olśnienie, tak jasne i oczywiste, jak ostre światło w małym pomieszczeniu – że tak naprawdę nigdy nie przestała uciekać. Uciekała do San Juan i Bangkoku, Londynu i na Alaskę, w ramiona Howarda i wszystkich jego następców... Aż do Sama i do obecnej chwili.

– Nie mogę cię stracić, Bree – szepnęła. – Nie wiem, jakim cudem jesteś tak spokojna, jeśli chodzi o ogarnianie tego wszystkiego, bo ja wciąż mam wrażenie, że walę głową w mur.

Przypomniało jej się, że wczoraj David wypowiedział niemal te same słowa, kiedy stał obok niej na dróżce prowadzącej do ich domu i starał się wytłumaczyć, dlaczego przywiózł młodą Rosemary. Co się wydarzyło w Pittsburghu? Co sprawiło, że David aż tak się zmienił?

– Jestem spokojna, bo wiem, że wcale mnie nie stracisz.

– Dobrze. To dobrze, że jesteś tego pewna. Bo jeśli o mnie chodzi, to z pewnością bym tego nie zniosła.

– Przez kilka mil jechały w milczeniu.

– Pamiętasz tę zniszczoną, niebieską kanapę, która stoi u mnie w domu? – spytała w końcu Bree.

– Tak mniej więcej – odpowiedziała Norah. – A czemu pytasz?

Następna suszarnia tytoniu, a za nią kolejne, długie pasmo zieleni.

– Bo zawsze myślałam, że ta kanapa to coś pięknego. A potem pewnego dnia... To był naprawdę paskudny okres w moim życiu – do pokoju wpadło trochę inne światło, bo padał śnieg albo deszcz, już nie pamiętam... I przekonałam się, że ta kanapa to stare próchno i że chyba trzyma się, bo skleja ją kurz. Wtedy wiedziałam, że nadszedł czas na zmiany –

zerknęła na siostrę i jej twarz rozjaśniła się uśmiechem. – Więc pomyślałam, że muszę zacząć pracować dla ciebie.

– Paskudny okres? – powtórzyła jak echo Norah. – Zawsze sądziłam, że twoje życie było jednym pasmem sukcesów. W każdym razie w porównaniu z moim. Nigdy nie przypuszczałam, że może ci się zdarzyć coś w rodzaju smugi cienia... Co się wydarzyło, Bree?

– Och, to bez znaczenia. To zresztą stara historia. Ale chcę ci powiedzieć, że obudziłam się zeszłej nocy z tym samym przeczuciem – że coś się zmienia. To śmieszne, że człowiek nagle widzi pewne sprawy w zupełnie innym świetle. Na przykład dziś rano zorientowałam się, że przyglądam się promieniom światła, które wpadają przez okno do kuchni. Utworzyły na podłodze prostokąt, w którym poruszały się cienie młodych liści, układając się w najróżniejsze wzory... Taka prosta rzecz, a jaka piękna.

Norah patrzyła na profil Bree, wspominając ją taką, jaką zawsze widziała – beztroską, śmiałą i pewną siebie w tej śmiałości, kiedy stała na stopniach budynku administracji z naręczem ulotek. Gdzie się podziała tamta młoda dziewczyna? W jaki sposób zmieniła się w wychudzoną i pełną determinacji kobietę, tak skuteczną w działaniu i jednocześnie tak samotną?

– Och, Bree... – zdołała wyszeptać.

– Norah, to jeszcze nie jest wyrok śmierci – Bree mówiła dosadnie i zdecydowanie, jakby zdawała relację o należnych płatnościach. – Mnie to przypomina raczej dźwięk budzika. Poczytałam trochę na ten temat i wiem, że moje szanse nie wyglądają najgorzej. Tego ranka myślałam sobie, że jeśli w okolicy nie ma grupy wsparcia dla kobiet takich jak ja, to będę musiała ją założyć.

Norah uśmiechnęła się.

– To całkiem podobne do ciebie. I bardziej dodaje mi otuchy niż wszystko, co powiedziałaś przedtem.

Znów przez parę minut jechały w milczeniu, a potem Norah wróciła do rozmowy.

– Ale wtedy nic mi nie powiedziałaś. Wtedy, całe lata wstecz, kiedy byłaś taka nieszczęśliwa. Nigdy nie pisnęłaś słowa na ten temat.

– Owszem – zgodziła się Bree. – Za to mówię ci o tym teraz.

Norah oparła dłoń na kolanie siostry, czując pod palcami żar wychudzonego ciała.

– Czy jest coś, co mogę dla ciebie zrobić?

– Po prostu żyj dalej, dzień za dniem. Moje nazwisko jest w kościele na liście intencji modłów i powiem ci, że to naprawdę pomaga.

Norah znów popatrzyła na siostrę, na jej krótko obcięte, ułożone włosy, ostro zarysowany profil i zastanowiła się, co ma odpowiedzieć. Mniej więcej rok temu Bree zaczęła uczęszczać do małego kościoła episkopalnego, który mieścił się niedaleko od jej domu. Norah raz wybrała się z nią na nabożeństwo, ale cały rytuał klękania, wstawania, modlitw i skupienia wydał się jej niedorzecznie głupi. Czuła się tam całkowicie obca i nie na miejscu. Rzucała ukradkowe spojrzenia na siedzących obok niej w ławce ludzi i zastanawiała się, co czują. Co sprawiło, że w to piękne niedzielne przedpołudnie chciało im się podnieść z łóżek i przyjść do kościoła? Trudno jej było dostrzec w tych obrzędach jakieś misterium, cokolwiek innego poza jasno oświetlonym wnętrzem i grupą zmęczonych, pełnych nadziei, posłusznych głosowi obowiązku ludzi. Nigdy nie poszła tam drugi raz, ale teraz uczuła wdzięczność na myśl, że jej siostra znalazła tam pocieszenie, że dostrzegła w tym cichym kościele coś, czego Norah nie potrafiła dostrzec.

Za oknem auta na przemian widziała trawę, drzewa albo niebo. A potem coraz więcej budynków. Były już na przedmieściach Louisville. Bree wtopiła się w gęsty ruch na drodze międzystanowej I 71, przeskakując od razu na pas do szybkiej jazdy. Parking przed komendą główną policji był prawie pełen; zaparkowane auta połyskiwały lekko w promieniach południowego słońca. Wysiadły z samochodu i trzasnęły drzwiczkami tak mocno, że rozległo się echo, a potem ruszyły betonowym chodnikiem obramowanym dwoma rzędami cherlawych krzaczków w stronę obrotowych drzwi, za którymi znajdowała się przestrzeń wypełniona zielonkawym światłem przywodzącym na myśl podwodny świat.

Paul siedział na ławce na samym końcu sali, skulony, z łokciami opartymi na kolanach i rękoma wiszącymi swobodnie między kolanami. Ból przeszył serce Norah. Szybko minęła biurko i zgromadzonych wokół niego policjantów, brnąc w kierunku syna przez ciężkie powietrze w kolorze morskiej zieleni. Wewnątrz panował potworny zaduch. Wentylator na suficie poruszał się leniwie na tle brudnych, dźwiękochłonnych płytek. Norah usiadła na ławce obok Paula. Od dawna się nie kąpał, miał tłuste i polepione brudem włosy, a obok zapachu potu i nieświeżego ubrania czuć było od niego odór papierosów. Zauważyła na jego palcach mnóstwo zrogowaciałej skóry i stwardnień spowodowanych graniem na gitarze. Czuła kwaskowaty, ostry zapach – zapach mężczyzny. Paul miał swoje życie, swoje sprawy... To ją onieśmieliło. Nagle dostrzegła, że nie wiadomo kiedy stał się całkiem odrębną osobą. Zrodzoną z jej krwi i kości, a jakże, ale już nie należącą wyłącznie do niej.

– Cieszę się, że cię widzę, Paul – powiedziała spokojnie. – Martwiłam się. Wszyscy się martwiliśmy.

Popatrzył na nią. W jego oczach krył się mrok i podejrzliwość, a potem odwrócił spojrzenie i zamrugał, żeby powstrzymać łzy.

– Śmierdzę – oznajmił.

– Tak – przyznała bez oporów. – Śmierdzisz jak skunks.

Przeczesał spojrzeniem lobby i jego wzrok zatrzymał się na Bree, która stała przy biurku, a potem spoczął na obrotowych drzwiach.

– No cóż... Chyba mam szczęście, że on nie pofatygował się, żeby tu przyjechać.

Miał na myśli Davida. W jego głosie było tyle cierpienia. Tyle gniewu.

– Owszem, ojciec też przyjeżdża – Norah starała się zachować spokój. – Będzie tu lada chwila. Mnie przywiozła Bree, a raczej przyleciała tu ze mną.

Miała nadzieję, że syn się uśmiechnie, ale on tylko skinął głową.

– Czy z nią wszystko w porządku?

– Tak – odparła Norah, przypominając sobie rozmowę w samochodzie. – Wszystko okay.

Znów skinął głową.

– To dobrze. Naprawdę dobrze... Założę się, że ojciec jest wkurzony jak diabli.

– To masz jak w banku.

– Czy pójdę do więzienia? – głos Paula był teraz cichy i pełen niepokoju.

Norah wzięła głęboki oddech.

– Nie wiem. Mam nadzieję, że nie. Ale nie mam pojęcia.

Siedzieli w milczeniu, podczas gdy Bree rozmawiała z jakimś oficerem; coś mu tłumaczyła, zawzięcie przy tym gestykulując. Za jej plecami obrotowe drzwi wciąż się kręciły. Na zmianę migały na jasno i ciemno, wpuszczając lub wypuszczając pojedynczy rząd ludzi. Jednym z nich był David, który z poważną, lecz nieprzeniknioną miną zmierzał teraz w ich kierunku. Podeszwy jego czarnych butów piszczały na wykładanej marmurem podłodze. Na jego widok Norah wyraźnie się spięła. Czuła, że Paul także jest zdenerwowany do granic wytrzymałości, ale ku jej zdziwieniu David podszedł prosto do syna i bez słowa zamknął go w mocnym, serdecznym uścisku.

– Dobrze, że ci się nic nie stało – powiedział tylko. – Dzięki Bogu!

Norah wciągnęła potężny haust powietrza, wdzięczna mężowi za to, że tak zachował się w tym trudnym momencie. Jakiś oficer ostrzyżony do gołej skóry i z zaskakująco błękitnymi oczyma podszedł do nich, trzymając pod pachą podkładkę na papiery. Potrząsnął ręką Norah, potem uścisnął dłoń Davida, a w końcu zwrócił się do Paula.

– Jeśli o mnie chodzi, to najchętniej zamknąłbym cię w pierdlu, synu – rozpoczął prosto z mostu. – To dobra rzecz dla takich przemądrzałych chłoptasiów jak ty. Nie masz zielonego pojęcia, ilu widziałem już chłopców, którzy sądzili, że są twardzi; chłopców, którym wciąż odpuszczano wszystkie winy, aż wreszcie wpadali w prawdziwe kłopoty. A potem szli do pierdla na długi czas i tam przekonywali się, że wcale nie są tak twardzi, jak im się wydawało. Masz pojęcie, jaki to wstyd? Jednak twoi sąsiedzi postanowili okazać ci grzeczność i nie wnosić skargi z powodu kradzieży samochodu. Skoro więc nie mogę zamknąć cię w areszcie, oddaję cię pod opiekę rodziców.

Paul skinął głową. Ręce trzęsły mu się jak w febrze, więc schował je do kieszeni. We trójkę patrzyli, jak oficer wyrywa kartkę z notesu, oddaje ją Davidowi i wolnym krokiem wraca do biurka.

– Zadzwoniłem do Bolandów – wyjaśnił David. Złożył starannie otrzymany papier i schował do kieszeni. – Okazali dość rozsądku. To mogło skończyć się znacznie gorzej, Paul, chociaż i tak będziesz musiał zwrócić im każdego centa, jaki wydadzą na naprawę tego grata. Poza tym nie wydaje mi się, żeby twoje życie miało być usłane różami, przynajmniej przez pewien czas. Żadnych przyjaciół, żadnego życia towarzyskiego.

Paul przytaknął, przełykając ślinę.

– Ale ja muszę ćwiczyć. Nie mogę wypaść z kwartetu.

– Nie – odparł David. – Jedyne czego nie możesz, to kraść sąsiadom samochodów i spodziewać się, że twoje życie będzie wyglądało tak jak dotąd. Norah poczuła, jak Paul tężeje i jak wzbiera w nim wściekłość. „Davidzie, daj mu spokój", pomyślała z trwogą. „Zostawcie tę sprawę, obaj. Już wystarczy".

– W porządku – odparł Paul. – Więc ja nie wracam do domu. Wolę iść do więzienia.

– No cóż, to z pewnością da się załatwić – powiedział David lodowatym tonem.

– No dalej! Załatwiaj! – wybuchnął Paul. – Ale musisz wiedzieć, że ja jestem muzykiem i to naprawdę dobrym muzykiem! I prędzej zacząłbym spać na ulicy niż z tego zrezygnował. Do diabła, wolałbym umrzeć niż przestać grać!

Na ułamek sekundy zapadło milczenie. Kiedy David nie odpowiadał, oczy Paula zwęziły się z wściekłości.

– Moja siostra nawet nie wie, ile miała szczęścia, że umarła – rzucił bez namysłu.

Norah, która dotąd stała z boku, odebrała te słowa tak boleśnie, jakby w jej ciało ktoś wbijał ostre kawałeczki lodu. Jej serce przeszył ostry, przenikliwy ból i zanim zastanowiła się, co robi, z całej siły uderzyła Paula w twarz. Na dłoni uczuła szorstką szczecinę nieogolonej brody – jej syn był już mężczyzną, a nie małym chłopczykiem, więc uderzyła z całej siły. Zaskoczony tak gwałtowną reakcją odwrócił się w jej stronę. Na jego policzku już zaczął się formować czerwony ślad.

– Paul – ostrzegł David. – Nie pogarszaj sprawy. Nie powiedz przypadkiem czegoś, czego byś żałował przez resztę życia.

Norah czuła, że dłoń wciąż ją pali, a krew w żyłach krąży znacznie szybciej niż zazwyczaj.

– Jedziemy do domu – zdecydowała. – Wszystko ustalimy po powrocie.

– No, nie wiem. Jedna noc w więzieniu dobrze by mu zrobiła.

– Straciłam jedno dziecko – odpowiedziała, odwracając się i patrząc mu prosto w oczy. – I nie chcę stracić drugiego.

David sprawiał wrażenie całkiem ogłuszonego. Nad ich głowami rozlegały się kliknięcia wentylatora, a obrotowe drzwi kręciły się, wydając w równych odstępach czasu rytmiczne skrzypnięcie.

Córka opiekuna wspomnień 339

– W porządku – odezwał się w końcu. – Może tak właśnie powinno być. Może masz rację, że kompletnie się ze mną nie liczysz. Bóg mi świadkiem, jak bardzo żałuję tego, co zrobiłem wam obojgu.

– Davidzie! – zawołała Norah, ale on odwrócił się i odszedł. Patrzyła, jak przechodzi przez salę w stronę obrotowych drzwi. Przez chwilę widziała go jeszcze na zewnątrz, ubranego na ciemno mężczyznę w średnim wieku, a zaraz potem wtopił się w tłum. W ciszy słychać było jedynie odgłos kręcącego się wentylatora. W powietrzu unosił się zapach skwaśniałego potu zmieszany z zapachem frytek i płynu do czyszczenia podłóg.

– Ja nie chciałem... – zaczął Paul, ale ona natychmiast poderwała w górę rękę.

– Przestań, proszę. Nic już nie mów.

Bree, jak zawsze spokojna i opanowana, doprowadziła ich do samochodu. Otworzyli okno, żeby nieco wywietrzyć smród bijący od Paula i Bree ruszyła. Jej szczupłe palce mocno ściskały kierownicę. Norah, pogrążona w myślach, ledwo zwracała uwagę na to, co się dzieje dookoła i upłynęło dobre pół godziny zanim dotarło do niej, że już nie są na autostradzie, ale znajdują się gdzieś na wsi i jadą znacznie wolniej po jakiejś bocznej drodze. Za oknami migały pola ledwie pokryte zielenią i gałęzie drzew, na których pąki lada chwila miały się otworzyć.

– Dokąd ty jedziesz? – zapytała ze zdumieniem.

– Zabrałam was na małą wycieczkę – oznajmiła Bree. – Zaraz zobaczysz.

Norah odwróciła wzrok od wychudzonych dłoni siostry, na których prześwitywały niebieskie żyłki. We wstecznym lusterku zerknęła na Paula. Siedział z zasępioną miną, blady i przygarbiony i wyraźnie wściekły, i obolały na duszy. Źle zrobiła tam, na posterunku, że napadła na Davida, że uderzyła Paula – to tylko pogorszyło sytuację. Wściekłe oczy syna napotkały w lusterku jej wzrok i nagle ujrzała w pamięci pulchną, niemowlęcą rączkę, która lekko opierała się o jej policzek i usłyszała pełen zachwytu śmiech, który niósł się przez wszystkie pokoje. Tamten chłopiec wydawał się kimś zupełnie innym. Gdzie zniknął i co się z nim stało?

– Na jaką wycieczkę? – spytał ponuro.

– Mam ochotę odnaleźć Opactwo Getsemani.

– Po co? – zdziwiła się Norah. – Czy to jest gdzieś w pobliżu?

Bree skinęła głową.

– Tak mi się zdaje. Zawsze chciałam je odwiedzić i dopiero dziś się zorientowałam, że jesteśmy naprawdę blisko. Pomyślałam, czemu nie? Ostatecznie mamy taki piękny dzień...

Dzień rzeczywiście był piękny. Błękitne niebo bez jednej chmurki, jaśniejsze tuż nad linią horyzontu, drzewa obsypane młodymi listkami, które tańczyły w podmuchach leciutkiego wietrzyka... Jechali wąską drogą przez następne dziesięć minut, aż w końcu Bree zatrzymała się na poboczu i zaczęła szukać czegoś w szufladzie pod siedzeniem kierowcy.

– Cholera, chyba nie wzięłam mapy – mruknęła po chwili.

– O ile wiem, nigdy jej nie brałaś – odpowiedziała Norah. Pomyślała, że w zasadzie ta uwaga odnosi się do całego życia Bree, a mimo to jej brak skrupulatności wydawał się nie mieć większego znaczenia. David i ona zawsze byli zaopatrzeni we wszystkie mapy i przygotowani na wszelkie możliwe sytuacje, no i proszę, gdzie się znaleźli.

Bree zatrzymała się w pobliżu dwóch gospodarstw, nowoczesnych, w białym kolorze, ale drzwi okazały się być zamknięte na głucho, a w pobliżu nie było widać żywej duszy. Otwarta szopa na tytoń, posrebrzona pod wpływem słońca, wiatru i deszczu, stała na pobliskim zboczu. Zaczął się sezon prac polowych. W oddali traktory pełzły po świeżo zaoranych zagonach, a w ślad za nimi posuwali się ludzie, którzy wkładali zielone ziarna tytoniu w ciemną, wilgotną ziemię. Na końcu drogi, po drugiej stronie pola stał mały, biały kościółek, ocieniony przez kępę wysokich jaworów i ogrodzony rządkami fioletowych bratków. Obok niego znajdował się cmentarz, gdzie za ogrodzeniem z misternie kutej kraty pochylały się stare, kamienne nagrobki. To miejsce do złudzenia przypominało cmentarzyk, na którym spoczywała jej mała córeczka i Norah odruchowo wstrzymała oddech, bo przed oczyma stanął jej tamten marcowy dzień, gdy stała obok Davida na wilgotnej trawie, pod niskimi, przytłaczającymi ją do ziemi chmurami... „Prochem jesteś i w proch się obrócisz", słyszała w pamięci i znów miała wrażenie, że cały jej świat wywrócił się do góry nogami.

– Wejdźmy do tamtego kościoła – zaproponowała Bree. – Ktoś może będzie wiedział, dokąd powinniśmy jechać.

Zatrzymali się pod kościołem i Norah razem z Bree wysiadły z auta. Obie czuły, że ich miejskie stroje zupełnie nie pasują do tego miejsca. Dzień był prawie zupełnie bezwietrzny, niemal gorący, a przez młode liście przedzierał się blask słońca. Trawa pod podeszwami pantofli Bree wydawała się nasycona zielenią i świeża. Norah położyła rękę na jej ramieniu. Materiał żółtej garsonki wydawał się jednocześnie szorstki i przyjemny w dotyku.

— Zostań tutaj. Całkiem zniszczysz sobie buty.

Bree spojrzała w dół i bez namysłu zsunęła je z nóg.

— Zapytam się w zakrystii — powiedziała. — Coś mi się zdaje, że drzwi są otwarte.

— No to idź — zdecydowała Norah. — Zaczekamy przy samochodzie.

Bree schyliła się po buty, a potem pomaszerowała na ukos przez gęsty, dobrze utrzymany trawnik. W jej bladych nogach i stopach w samych rajstopach było coś dziewczęcego i podatnego na zranienie. Idąc przed siebie, Bree dziarsko wymachiwała pantoflami i nagle Norah przypomniała sobie, jak w dzieciństwie siostra biegała po polu, które znajdowało się za ich domem, a w powietrzu rozbrzmiewał jej radosny śmiech. „Och, siostrzyczko, obyś tylko wyzdrowiała", przemknęło jej przez głowę.

— Chyba trochę się przejdę — powiedziała do Paula, który wciąż siedział w niedbałej pozie na tylnej kanapie. Zostawiła go tam i powędrowała wyżwirowaną ścieżką w kierunku cmentarza. Żelazna brama dała się otworzyć bez problemu i Norah znalazła się między kamiennymi nagrobkami, poszarzałymi i zniszczonymi przez upływ czasu. Całe lata nie była już na cmentarzu obok farmy Bentleya. Spojrzała na Paula, który wysiadł z samochodu i właśnie się przeciągał. Jego oczy zasłonięte były przez ciemne, przeciwsłoneczne okulary.

Drzwi kościoła pomalowane zostały na czerwony kolor i otworzyły bezgłośnie, gdy tylko Norah ich dotknęła. Wewnątrz panował chłód i mrok, zaś witraże w oknach, na których widniały biblijne sceny, sylwetki świętych, gołębica i ogień, płonęły w promieniach wpadającego do środka słońca. Norah natychmiast pomyślała o orgii kolorów w sypialni Sama i o tym, jak spokojne i stabilne w porównaniu z nimi wydają się barwne płytki witraży. Na klęczniku leżała otwarta księga gości, więc złożyła tam swój zamaszysty podpis, pamiętając wszelkie wskazówki udzielane przez eks zakonnicę, która uczyła ją kaligrafii. Zaczęła się ociągać z wyjściem i w końcu postąpiła kilka korków w głąb pustego, środkowego rzędu. Być może skłoniła ją do tego panująca wewnątrz cisza albo wrażenie nieziemskiego spokoju lub światło, które wpadało do środka przez witrażowe okna, albo duszny zapach kadzidła... Norah kroczyła po posadzce, pomalowanej plamami światła na czerwono, granatowo i złoto. Ławki śmierdziały pastą do polerowania, lecz mimo to Norah wsunęła się w jedną z nich. Wyściełane błękitnym aksamitem klęczniki sprawiały wrażenie nieco zakurzonych. Pomyślała o starej kanapie Bree i natychmiast przyszły jej na myśl panie z kółka kościelnego, które przychodziły do niej do domu, przynosząc podarunki dla Paula. Przypomniała sobie, jak pewnego razu przyszła pomóc im przy sprzątaniu kościoła. Panie siadały na szmatach i jeżdżąc pośladkami po długich, wyślizganych deskach, polerowały ławki. „W ten sposób uzyskuje się lepszy nacisk", żartowały, a ich chichoty niosły się echem po całym sanktuarium. Serce Norah wypełnione było żałobą, więc okręciła się na pięcie i nigdy już tam nie wróciła; dopiero teraz przyszło jej na myśl, że pewnie tamte kobiety również przeżywały swoje żale, traciły kogoś bliskiego, doświadczały cierpienia w chorobie i zdarzało im się zawieść siebie lub innych. Norah nie chciała stać się jedną z nich ani wysłuchiwać słów pocieszenia, więc odeszła. Na samo wspomnienie tamtych dni jej oczy wypełniały się łzami. Boże, jakie to głupie! Ostatecznie straciła dziecko prawie dwie dekady temu i z pewnością nie powinna pozwalać sobie na to, żeby jej żałoba była wciąż tak świeża jak woda w źródle.

To jakieś szaleństwo, pomyślała i zalała się łzami. Tak szybko starała się biec, tak daleko uciec, a mimo to wszystko, czego się obawiała, stało się częścią jej życia: nieznajoma dziewczyna spała w jej domu na rozkładanej kanapie, a nowe życie rozwijało się w jej brzuchu jak najpiękniejszy sekret... I David, który, wzruszając ramionami, odwracał się od żony. Wiedziała, że kiedy wróci do domu, zastanie tam pustkę. Być może David zabierze spakowaną walizkę i nic poza tym. Płakała z powodu tej pustki i z powodu Paula, a raczej wściekłości i zagubienia, jakie dostrzegła w jego oczach. I z powodu córeczki, której nigdy nie miała okazji zobaczyć. Z powodu tysiąca spraw, w których ich miłość ich zawiodła i w których oni sprzeniewierzyli się miłości. Odczuwała swój żal jako niemal fizyczną dolegliwość. Norah płakała, nieświadoma czegokolwiek poza pewnego rodzaju ulgą, którą pamiętała z dzieciństwa; łkała, dopóki nie poczuła się wyczerpana, obolała i bez tchu.

Pod wiązaniami dachu ćwierkały gnieżdżące się tam wróble. W miarę jak powracał spokój ducha, Norah coraz bardziej zwracała uwagę na delikatne ptasie odgłosy i trzepot skrzydełek. Klęczała z rękoma skrzyżowanymi na oparciu poprzedzającej ławki i obserwowała, jak światło wpadające do wnętrza pod różnymi kątami zbiera się na podłodze w nieregularnych plamach. Nieco zawstydzona, usiadła prosto i wytarła oczy. Kilka szarych piórek leżało na wykładanych płytkami schodach prowadzących do ołtarza. Podniósłszy wzrok, dostrzegła wróbla, który właśnie przelatywał jej nad głową – jeszcze jeden odcień szarości wśród tylu innych odcieni. Przez lata tylu ludzi siadywało na tych ławkach, powierzając Bogu swoje marzenia, dobre i złe sekrety, i Norah zastanowiła się, czy modlitwa pomogła komukolwiek z nich uleczyć żal, nawet jeśli był tak szalony, jak jej własny. Według niej nadzieja, że to miejsce pomoże jej odzyskać spokój ducha, była całkiem pozbawiona sensu, ale fakt pozostawał faktem, że takie rzeczy się zdarzały.

Kiedy wyszła na zewnątrz, mrugając w oślepiającym blasku słońca, Paul siedział na kamieniu naprzeciwko kutego ogrodzenia cmentarza.

W oddali Bree brnęła przez wysoką trawę i radośnie wymachiwała żółtymi pantoflami.

Paul wskazał podbródkiem na rozrzucone nagrobne kamienie.

– Strasznie mi przykro z powodu tego, co powiedziałem – mruknął. – Naprawdę wcale tak nie myślę. Chyba po prostu chciałem rozgniewać tatę, to wszystko.

– Więc nie mów więcej takich bzdur, że twoje życie jest nic niewarte – odparła Norah. – Nigdy więcej nie chcę tego słyszeć. Nie chcę, żebyś nawet tak myślał.

– Nie będę – obiecał solennie. – Naprawdę żałuję.

– Wiem, że jesteś zły – powiedziała Norah. – Bo masz prawo żyć tak, jak ci się podoba. Ale twój ojciec też ma rację. Są pewne reguły gry, których trzeba przestrzegać. Jeśli nie, proszę bardzo, ale wtedy musisz zacząć żyć na własny rachunek.

Mówiła to wszystko, nie patrząc na niego, więc kiedy się odwróciła, zaszokowały ją łzy i wzruszenie na twarzy syna. Och, więc jednak jej chłopiec nie odszedł wcale tak daleko, jak sądziła. Objęła go najmocniej jak zdołała. Był taki wysoki... Ledwo sięgała mu do piersi.

– Posłuchaj, chcę, żebyś wiedział, że cię kocham – powiedziała prosto w śmierdzącą koszulkę. – I taka jestem szczęśliwa, że wróciłeś. I wiesz co... naprawdę cuchniesz jak skunks – dodała ze śmiechem i on także się roześmiał.

– Osłoniła ręką oczy, żeby spojrzeć na Bree, która była już całkiem blisko.

– To wcale nie jest daleko – oznajmiła. – Kawałek dalej przy samej drodze. Powiedzieli, że to niemożliwe, żebyśmy to przeoczyli.

We trójkę wrócili do samochodu, żeby znów pojechać wąską drogą między falistymi pagórkami. Kilka mil dalej zza zasłony cyprysów mignęły białe zabudowania, a zaraz potem odsłoniło się Opactwo Getsemani – wspaniałe, mocne i proste w swojej doskonałości na tle pofałdowanego, zielonego krajobrazu. Bree zatrzymała się na parkingu pod rzędem szumiących drzew. Ledwie zdążyli wysiąść z samochodu, gdy rozległ się dzwon wzywający zakonników na modlitwę. Stanęli zasłuchani w czysty dźwięk, rozpływający się w krystalicznym powietrzu. Niedaleko na łące pasło się stado krów, a nad ich głowami leniwie sunęły puchate obłoki.

– Boże, jak tu pięknie – zachwyciła się Bree. – Wiecie, że kiedyś mieszkał tutaj Thomas Merton? Wyjechał do Tybetu, żeby tam spotkać się z Dalajlamą. Uwielbiam wyobrażać sobie ten moment. Uwielbiam wyobrażać sobie życie mnichów zamkniętych w klasztorze, którzy dzień w dzień robią to samo.

Paul zsunął z nosa ciemne okulary. Teraz jego ciemne oczy wydawały się jasne i przejrzyste. Sięgnął do kieszeni i na dachu samochodu położył kilka małych kamyków.

– Pamiętasz je? – zapytał, gdy Norah obracała w palcach białą tarczkę z dziurką pośrodku. – To krynoid. Fragment liliowca morskiego. Tata opowiadał mi o nich tego dnia, gdy złamałem rękę. Kiedy byłaś w kościele, przeszedłem się kawałek i znalazłem całe mnóstwo takich skamielin. Leżały dosłownie wszędzie.

– Już zapomniałam – odparła, ale nagle wspomnienia ożyły w jej pamięci. Naszyjnik, który Paul zrobił sam, i to, jak bardzo się bała, że syn zaplącze się w sznurek i udusi... Dźwięk dzwonów zamarł między wzgórzami, a ona trzymała na dłoni owalny kamyk wielkości guzika, lekki i ciepły. Pamiętała, jak David schylił się po Paula i niósł go do samochodu, podtrzymując złamaną rączkę. Jak ciężko pracował, żeby żyło się im łatwo i przyjemnie, żeby wszystko układało się jak należy, a mimo to pewne sprawy zawsze były trudne, trudne dla całej ich rodziny, zupełnie jakby nagle znaleźli się w płytkim morzu, które niegdyś pokrywało ten ląd.

Rok 1988

Lipiec tysiąc dziewięćset osiemdziesiątego ósmego roku

Rozdział pierwszy

D avid Henry siedział na piętrze domu w swoim gabinecie. Przez okno, nieco spaczone i sfatygowane przez upływ czasu, widział zniekształconą perspektywę ulicy, pofałdowaną i wykoślawioną. Akurat teraz obserwował wiewiórkę, która z orzechem w pyszczku uciekała na rosnący tuż przy domu jawor, przyciskający do szyby rozłożystą gałąź. Rosemary klęczała tuż przy ganku. Opadające luźno włosy zasłaniały jej twarz, gdy wsadzała cebulki i nasiona jednorocznych kwiatków do przygotowanych wcześniej grządek. W ciągu kilku sezonów całkiem zmieniła wygląd zaniedbanego ogrodu; od przyjaciół dostała kłącza liliowców, a przy ścianie garażu posadziła len, który teraz obsypał się obfitością drobnych, niebieskich kwiatków, z daleka przypominających niebieskawą mgłę. Jack przykucnął obok niej i bawił się wywrotką. Był silnym, pięcioletnim chłopczykiem, uroczym i o dobrym usposobieniu, o ciemnych oczach i blond włoskach z rudawym połyskiem. Czasami zdarzało mu się okazywać bardziej zdecydowane rysy charakteru. W niektóre wieczory, gdy Rosemary szła do pracy, zostawiając dzieciaka pod opieką Davida, mały upierał się, że wszystko będzie robił sam. „Jestem już duży", obwieszczał z dumną miną kilka razy na dzień.

David zazwyczaj pozwalał mu robić to, na co miał ochotę, oczywiście w granicach rozsądku i zwracając uwagę na bezpieczeństwo. Prawdę mówiąc, uwielbiał przebywać z tym chłopcem. Uwielbiał czytać mu książeczki, czuć na kolanach ciepło i ciężar dziecięcego ciałka i patrzeć, jak mała główka opada coraz niżej, kiedy Jack prawie odpływał w sen. Uwielbiał trzymać w dłoni malutką, pełną ufności rączkę, kiedy szli chodnikiem do sklepu na zakupy. Bolało go to, że jego wspomnienia z tego okresu życia Paula są tak niewielkie, tak ulotne. Wtedy zajmował się własną karierą, więc oczywiście dużo czasu poświęcał na pracę w klinice, a także na robienie zdjęć – ale tak naprawdę z dala od syna trzymało go poczucie winy, które już wówczas nie dawało mu spokoju. Wzorce, według których układało się jego życie, wydawały się z perspektywy czasu boleśnie jasne i przejrzyste. Oddał swoją córkę Caroline Gill... Ta tajemnica zakorzeniła się w samym centrum rodzinnego życia i wydała zatruty owoc. Przez całe lata David, wracając do domu, przyglądał się Norah, kiedy mieszała drinki albo wiązała fartuch, i myślał, jaka jest śliczna i jak niewiele o niej wie.

Nigdy nie zdobył się na to, żeby powiedzieć jej prawdę, bo wiedział, że prawda może go kosztować utratę Norah – i przypuszczalnie także Paula. Bez reszty poświęcił się więc pracy i w tych dziedzinach życia, nad którymi mógł sprawować kontrolę, odniósł prawdziwy sukces. Niestety, ceną sukcesu było także to, że z wczesnego dzieciństwa Paula zapamiętał jedynie kilka oderwanych od siebie momentów, za to wyraźnych jak utrwalone na kliszy zdjęcia. Paul na kanapie, śpi z opuszczoną bezwładnie rączką i potarganymi włosami... Paul na brzegu morza, krzyczy ze strachu pomieszanego z radością, podczas gdy fale sięgają mu zaledwie do kolan.. Paul siedzi przy stoliku w sali zabaw, tak bardzo zajęty kolorowaniem obrazka, że nie dostrzega Davida, który stoi w drzwiach i przygląda się synowi... Paul zarzuca wędkę w gładkie lustro wody, a potem siedzi nieruchomo, starając się nie oddychać i czeka, aż coś się złapie...

Króciutkie sceny, ale tak niewiarygodnie piękne wspomnienia... A potem nadszedł okres dojrzewania i Paul oddalił się od niego jeszcze bardziej niż Norah, a cały dom trząsł się w rytm jego muzyki i niepohamowanych ataków gniewu...

Zapukał w okno i zamachał ręką do Jacka i Rosemary. Kupił ten dom, przeznaczony dla dwóch rodzin, w takim pośpiechu, że tylko raz rzucił na niego okiem i zaraz potem pojechał spakować swoje rzeczy, kiedy Norah była w pracy. Był to dość wiekowy, dwupiętrowy budynek, podzielony niemal dokładnie na pół. Cienkie ściany rozdzielały pomieszczenia, które niegdyś musiały być wykwintnymi pokojami. Nawet klatka schodowa, kiedyś szeroka i elegancka, została przecięta na pół. David zatrzymał dla siebie większe mieszkanie, zaś klucze do drugiej połowy oddał Rosemary, i tak przez sześć lat żyli obok siebie, oddzieleni ścianami, lecz skazani na codzienne kontakty. Od czasu do czasu Rosemary usiłowała płacić mu jakieś pieniądze za wynajem, ale David zawsze odmawiał ich przyjęcia i powtarzał, że powinna pójść z powrotem do szkoły i zrobić dyplom, a pieniądze zawsze może zwrócić w późniejszym terminie. Świetnie wiedział, że motywy, jakimi się kieruje, nie wynikają tak do końca z altruistycznych pobudek, ale mimo to nie potrafił nawet sobie samemu wytłumaczyć, dlaczego los Rosemary tak bardzo go obchodzi. „Ja tylko wypełniam miejsce po twojej córce, którą oddałeś komu innemu", powiedziała kiedyś. Skinął głową i nawet postarał się to przemyśleć, ale doszedł do wniosku, że to jednak nie to, a przynajmniej nie tylko to. Podejrzewał, że w ich relacjach chodzi o coś więcej, niż tylko o fakt, że Rosemary poznała jego tajemnicę. Wtedy pod wpływem impulsu wylał z siebie wszystko, pierwszy i ostatni raz pozwolił sobie na taką szczerość, a ona wysłuchała całej historii, nie osądzając go. Pozostawiła mu pewną wolność i David czuł, że wobec Rosemary może być sobą, bo dowiedziawszy się prawdy, nie odrzuciła go ani nie podzieliła się swoją wiedzą z nikim innym. Dziwnym trafem na przestrzeni lat pomiędzy Rosemary a Paulem nawiązała się pewnego rodzaju przyjaźń, z początku niechętna, a później oparta na ciągłych dyskusjach na tematy, które dla obydwojga miały znaczenie – o polityce, muzyce czy prawach socjalnych – dyskusjach, które podczas rzadkich wizyt Paula zaczynały się w porze kolacji i ciągnęły długo w noc.

Czasami David podejrzewał, że dla Paula był to pewien sposób trzymania ojca na odległość, dzięki któremu mógł uniknąć rozmów na bardziej osobiste tematy. Niekiedy David próbował przełamać lody, ale Paul zawsze wybierał akurat ten moment na wyjście z ich domu. Ostentacyjnie ziewając, odsuwał krzesło i udawał, że jest strasznie zmęczony.

Rosemary podniosła głowę, nadgarstkiem odsuwając z twarzy pasmo włosów i także pomachała. David zamknął foldery i poszedł w stronę wąskiego korytarzyka. Po drodze minął drzwi prowadzące do pokoju Jacka. Powinny zostać zaplombowane w dniu, gdy budynek przekształcano w dom dwurodzinny, ale pewnego dnia David nacisnął klamkę i przekonał się, że wcale tak nie jest. Teraz cichutko otworzył tamte drzwi. Rosemary pomalowała ściany pokoju dziecka na jasnoniebieski kolor, zaś na biały łóżeczko i komódkę, które znalazła wystawione na chodnik. Cała seria „Scherenschnitte" – skomplikowanych wycinanek z papieru, które przedstawiały matki z dziećmi, dzieci bawiące się w cieniu drzew – delikatnych, lecz mimo to pełnych życia, oprawiona na granatowym tle, wisiała na przeciwległej ścianie.

Rok temu Rosemary wystawiła swoje prace na wystawie sztuki i ku jej zaskoczeniu zamówienia zaczęły się pojawiać jedno za drugim. Wieczorami siadywała przy kuchennym stole i w świetle mocnej żarówki wycinała kolejne scenki, z których żadna nie była taka sama jak poprzednia. Nigdy niczego nie obiecywała klientom i za nic nie zgadzała się na seryjne zamówienia. „To dlatego, że te sceny już tam są", tłumaczyła. „Są ukryte w papierze i w ruchach rąk, i dlatego nigdy nie wychodzą tak samo".

David stał bez ruchu, nasłuchując odgłosów domu – wody kapiącej z kranu i cichego szmeru lodówki. W powietrzu wisiał zapach perfum i dziecięcego pudru. Na oparciu stojącego w kącie krzesła zauważył pozostawioną tam przez Rosemary halkę. David wciągnął w nozdrza jej zapach, zapach Jacka, a potem starannie zamknął drzwi i ruszył z powrotem wąskim korytarzem. Nigdy nie przyznał się przed Rosemary, że odpieczętował drzwi dzielące ich mieszkania, ale również nigdy więcej nie zrobił z nich użytku. Dla niego była to sprawa honoru; pomimo skandalu, jaki wywołał, wyprowadzając się z domu, nigdy nie próbował wykorzystać Rosemary ani wkraczać w jej prywatne życie.

Ale mimo to lubił wiedzieć, że istnieją drzwi łączące oba mieszkania.

Pozostało mu jeszcze mnóstwo papierkowej roboty, ale David postanowił zejść na dół. Buty do biegania stały na tylnym ganku. Założył je, zawiązał starannie sznurówki i obszedł dom dookoła. Jack stał przy drewnianej kracie i obrywał płatki z róż. David kucnął obok i przyciągnął chłopca do siebie, rozkoszując się jego miękkim ciężarem, jego spokojnym oddechem. Jack urodził się we wrześniu, wczesnym wieczorem, zaraz po zapadnięciu zmierzchu. David odwiózł Rosemary do szpitala i pozostał z nią przez pierwsze sześć godzin porodu. Pamiętał, że grali wówczas w szachy i że przynosił jej kostki lodu do ssania. Inaczej niż Norah, Rosemary absolutnie nie zależało na odbyciu porodu siłami natury. Gdy tylko pojawiła się taka możliwość, zażądała środka znieczulającego, a gdy postęp porodu stał się zbyt wolny, dostała pitocin na przyspieszenie akcji. David trzymał ją za rękę,

gdy skurcze stawały się coraz mocniejsze, ale gdy zabierano ją na salę porodową, z własnej woli pozostał za drzwiami. Uważał poród za coś bardzo
osobistego i sądził, że dla niego nie ma tam miejsca. Mimo wszystko to on
był pierwszą po Rosemary osobą, która trzymała na rękach noworodka i to
on kochał tego chłopca równie mocno, jak gdyby był jego własnym synem.

— Śmiesznie pachniesz — powiedział Jack, lekko popychając Davida.

— To moja stara, śmierdząca koszula.

— Idziesz pobiegać? — spytała Rosemary. Przysiadła na piętach i otrzepywała z rąk ziemię. Ostatnio wyraźnie schudła i zmizerniała, i David na
serio zaczął obawiać się o jej zdrowie. Chyba narzuciła sobie za duże tempo,
łącząc szkołę z pracą, pomyślał. Rosemary otarła nadgarstkiem pot i na
czole pozostała rozmazana smuga brudu.

— Chyba tak. Ostatecznie mogę później rzucić okiem na te papiery
z ubezpieczalni.

— Myślałam, że wynająłeś kogoś do tej roboty.

— Bo wynająłem. Myślę, że poradzi sobie bez problemu, ale może zacząć pracę dopiero w przyszłym tygodniu.

Rosemary w zamyśleniu pokiwała głową. Jej jasne rzęsy zalśniły w promieniach słońca. Była wciąż bardzo młoda, miała dwadzieścia jeden lat,
ale jej zachowanie cechowała pewna twardość i zdecydowanie, odpowiednie dla znacznie starszej kobiety.

— Masz wieczorem zajęcia? — zapytał, a ona przytaknęła.

— To już ostatnie. W ogóle ostatnie, bo dziś jest dwunasty lipca.

— Racja. Całkiem wyleciało mi z głowy.

— To dlatego, że jesteś tak zajęty.

Skinął głową, czując lekkie wyrzuty sumienia spowodowane dzisiejszą
datą. Dwunasty lipca... Jak to się dzieje, że czas tak szybko ucieka? Rosemary wróciła do szkoły po urodzeniu Jacka, w ten sam mroczny styczeń,
gdy on zrezygnował z poprzedniej pracy, ponieważ pacjent, którego leczył
przez dwadzieścia lat, został zawrócony spod drzwi kliniki z powodu braku ubezpieczenia. Wtedy rozpoczął prywatną praktykę i przyjmował każdego, wszystko jedno czy miał ubezpieczenie, czy nie. Pieniądze nie miały
żadnego znaczenia. Paul zdążył już skończyć studia, zaś jego własne długi
od dawna były już spłacone, więc mógł żyć tak, jak mu się podobało.
W tym czasie, tak jak wszyscy lekarze z długim stażem, dostawał wyna-

grodzenie w naturze albo w produktach rolnych lub w czymkolwiek, na co pacjent mógł sobie pozwolić. Wyobrażał sobie, że będzie tak żył jeszcze przez mniej więcej dziesięć lat, codziennie przyjmując chorych, lecz stopniowo wycofując się z praktyki, dopóki zasoby sił fizycznych nie ograniczą go do tego domu, ogrodu i wypraw do fryzjera czy sklepu spożywczego. Norah wciąż może latać sobie po świecie jak ważka, ale tego typu życie jemu przestało odpowiadać. W tym domu zapuścił korzenie i czuł, że sięgają one naprawdę głęboko.

– Hura, dziś zdaję ostatni egzamin z chemii – powiedziała Rosemary, ściągając rękawiczki. W gęstwinie kapryfolium uwijały się pszczoły. – Właściwie wszystko mam już za sobą. I muszę ci coś powiedzieć...

Usiadła obok na rozgrzanych, betonowych schodkach.

– Zabrzmiało strasznie serio.

Skinęła głową.

– Zgadza się. Wczoraj zaproponowano mi pracę. Niezłą pracę.

– Tutaj?

Zaprzeczyła ruchem głowy i jednocześnie uśmiechnęła się do Jacka, który, bawiąc się kołem od wózka, rozciągnął się na trawniku jak długi.

– Właśnie w tym cały problem, że w Harrisburgu.

– Niedaleko twojej matki – powiedział, czując, jak serce mu zamiera. Wiedział, że Rosemary rozgląda się za pracą i miał nadzieję, że znajdzie ją gdzieś w pobliżu, choć zawsze brał pod uwagę możliwość przeprowadzki. Dwa lata temu, po nagłym zgonie ojca, Rosemary pojednała się z matką i starszą siostrą, i teraz obie panie nie mogły się doczekać, kiedy wróci do domu, żeby tam wychowywać syna.

– Owszem – potwierdziła. – To super oferta, jeśli o mnie chodzi. Mam pracować przez cztery dni w tygodniu po dziesięć godzin dziennie. I obiecali mi płacić za szkołę. Będę mogła zdobyć tytuł terapeuty w zakresie fizjoterapii, ale głównie cieszę się z tego, że więcej czasu spędzę z Jackiem.

– No i zawsze możesz liczyć na pomoc – dodał. – Na matkę i siostrę.

– Tak to, naprawdę miłe. Poza tym, mimo że bardzo kocham Kentucky, to, prawdę mówiąc, nigdy nie czułam się tu jak w domu.

Skinął głową, zadowolony ze względu na Rosemary, ale nie powiedział ani słowa, bo bał się że głos go zawiedzie. Od czasu do czasu rozważał teoretyczną możliwość, że ma cały dom dla siebie. Oczyma wyobraźni widział, jak burzy działowe ściany, otwierając w ten sposób przestrzeń, i jak ciasny bliźniak powoli staje się tym, czym był niegdyś — eleganckim domem jednorodzinnym. Jednak wszystkie domysły dotyczące przestrzeni i luzu były niczym w porównaniu z odgłosem lekkich kroków dobiegających zza ściany albo dalekim płaczem Jacka, który budził go w środku nocy i na myśl, że to wszystko wkrótce się skończy, łzy stanęły mu w oczach. Zaśmiał się, zdziwiony że tak bardzo go to obeszło.

— No cóż — powiedział, zdejmując okulary. — Wiedziałem, że w końcu ta chwila nadejdzie. Moje gratulacje.

— Będziesz do nas przyjeżdżał — zawołała. — A my na pewno przyjedziemy do ciebie.

— Jasne. Jestem pewien, że będziemy się często widywać.

— Na pewno — położyła dłoń na jego kolanie. — Posłuchaj, wiem, że nigdy nie rozmawialiśmy na ten temat. Nawet nie wiem, od czego zacząć... Ale chciałam, żebyś wiedział, że doceniam to, co dla mnie zrobiłeś i że jestem bardzo, bardzo wdzięczna. I zawsze będę.

— Nieraz spotykałem się z oskarżeniami, że za bardzo mi zależy na ratowaniu ludzi — odparł.

Pokręciła głową.

— W pewien sposób mnie także uratowałeś. Ocaliłeś mi życie.

— Cóż, jeśli to prawda, to bardzo się cieszę. Bóg jeden wie, ile złego narobiłem gdzie indziej. Nigdy nie uda mi się wynagrodzić Norah tego, co przeze mnie straciła.

Zapadła cisza i tylko z oddali dobiegało mruczenie kosiarki.

— Powinieneś jej powiedzieć — odrzekła Rosemary. — I Paulowi także. Naprawdę musisz się na to zdobyć.

Jack przykucnął na ścieżce i zajmował się układaniem piramidek z drobnych kamyczków, przesiewając je wcześniej między palcami.

— Zdaję sobie sprawę, że nie powinnam się wtrącać, ale moim zdaniem Norah ma prawo wiedzieć o istnieniu Phoebe. To nie byłoby w porządku, gdyby miała nigdy się nie dowiedzieć. Tak samo nie chcę, żeby dalej myślała o nas to, co myśli.

— Powiedziałem jej prawdę. Powiedziałem, że jesteśmy tylko przyjaciółmi.

— Owszem, powiedziałeś. Ale w jaki sposób miała ci uwierzyć?

David wzruszył ramionami.

– Powiedziałem prawdę, i tyle.

– Nie całą prawdę, Davidzie. To, co powiedziałeś mi o Phoebe, związało nas w pewien szczególny sposób. Poznałam twoją tajemnicę i podobało mi się, że zajmuję w twoim sercu specjalne miejsce, ponieważ wiem o tobie coś, czego nie wie nikt inny. Czyż posiadanie czyjegoś sekretu nie jest pewnego rodzaju władzą? Ale ostatnio przestało mi się podobać. Bo tak naprawdę to nie moja sprawa, nie sądzisz?

– Nie twoja – David podniósł grudkę ziemi i zgniótł ją w palcach. Pomyślał o listach Caroline, które pieczołowicie spalił przed przeprowadzką do tego domu. – Sądzę, że masz rację.

– No widzisz. Rozumiesz mnie? I zrobisz, jak proszę? Mam na myśli to, czy powiesz Norah prawdę?

– Nie wiem, Rosemary. Nie mogę ci tego obiecać.

Przez kilka minut siedzieli w słońcu, przyglądając się, jak Jack znów próbuje jeździć wózkiem po trawie. Był jasnowłosym, żywym z natury i mocno zbudowanym chłopcem, który lubił biegać i wspinać się po drzewach. David wrócił z Zachodniej Virginii wolny od żalu i poczucia straty, które dźwigał w sobie przez tyle długich lat. Kiedy June umarła, nie było mu dane wyrazić słowami swoich odczuć ani okazać, jak bardzo go to poruszyło. Wówczas nie było zwyczaju rozmawiania o zmarłych, więc nikt tego nie robił. Okres żałoby nigdy nie został zakończony. Dopiero wyprawa w rejon dzieciństwa pozwoliła mu wreszcie zamknąć tamtą sprawę. Powrócił do Lexington wyczerpany, lecz spokojny i pełen wiary w przyszłość. Po tak długim czasie odzyskał siły na tyle, by dać Norah wolność i sposobność uporządkowania życia.

Kiedy Jack się urodził, David założył dla niego konto na nazwisko Rosemary, zaś drugie konto dla Phoebe na nazwisko Caroline. To okazało się dość łatwe – znał numer ubezpieczenia Caroline i jej obecny adres. Prywatny detektyw potrzebował mniej niż tygodnia na znalezienie Phoebe i Caroline. Mieszkały w Pittsburghu, w wysokim wąskim domu tuż przy autostradzie. David pojechał tam. Zaparkował na ulicy z zamiarem wejścia na schodki i zapukania do drzwi. Chciał wreszcie powiedzieć o wszystkim Norah, a jakże mógł to zrobić bez powiedzenia jej, gdzie Phoebe mieszka? Norah na pewno będzie chciała spotkać się z córką, o tym był przekonany, więc wyznanie prawdy zmieni nie tylko jego życie, życie Norah czy Paula. Przyjechał tu, żeby uprzedzić Caroline i wyjaśnić, co ma zamiar zrobić. Czy miał rację? Trudno mu było ocenić. Siedział w samochodzie w zapadającym zmroku, a światła reflektorów odbijały się od gęstej zasłony jaworowych liści. Phoebe dorastała w tej okolicy... Ta ulica była dla Phoebe tak znajoma, że uważała jej istnienie za rzecz naturalną, tak samo jak wybrzuszenie chodnika, wypchniętego przez korzenie potężnego drzewa, jak obecność znaku drogowego, który drżał lekko w podmuchach wiatru i jak nieprzerwany szum mknących po autostradzie samochodów – te wszystkie rzeczy kojarzyły się Phoebe z domem. Jakaś para z dziecięcym wózkiem przeszła obok, a zaraz potem zapaliło się światło w salonie domu Caroline. David wysiadł z samochodu, stanął na przystanku autobusowym i starając się nie zwracać na siebie uwagi, patrzył przez pogrążony w mroku trawnik na jasno oświetlone okno. Wewnątrz, w prostokącie światła, ujrzał Caroline. Właśnie robiła porządki – zbierała rozrzucone gazety, składała koc. Zauważył, że miała na sobie fartuch, a jej ruchy nadal cechowała zwinność i koncentracja. Nagle zatrzymała się, przeciągnęła, spojrzała przez ramię i coś powiedziała.

I wtedy zobaczył ją – Phoebe, swoją córkę. Była w jadalni i nakrywała do stołu. Miała ciemne włosy Paula i taki sam profil, i przez chwilę, dopóki nie odwróciła się po solniczkę, David miał wrażenie, że patrzy na swojego syna. Odruchowo postąpił krok do przodu, ale wtedy Phoebe znikła z pola widzenia i po chwili wróciła z trzema talerzami. Była niska i dość krępa, a jej włosy, spięte z tyłu wsuwkami, sprawiały wrażenie cienkich i delikatnych. Nosiła okulary, ale mimo to zdaniem Davida jej podobieństwo do Paula było wręcz uderzające. Ten sam uśmiech, kształt nosa, wyraz skupienia na twarzy, gdy, opierając ręce na biodrach, przyglądała się rozstawionym nakryciom... Potem do jadalni weszła Caroline. Zatrzymała się blisko Phoebe, objęła ją ramieniem i obdarzyła czułym uściskiem. Obie zaniosły się serdecznym śmiechem.

W międzyczasie zrobiło się całkiem ciemno. David stał w miejscu jak skamieniały, zadowolony, że o tej porze kręciło się niewielu przechodniów. Liście ślizgały się po chodniku w chłodnych podmuchach wiatru, więc otulił się szczelniej marynarką. Nagle przypomniał sobie, co czuł w noc, gdy rodziły się jego dzieci; pamiętał natrętne wrażenie, że oto znajduje się na zewnątrz swojego życia i stamtąd obserwuje własne działania, ale bez możliwości wtrącania się w cokolwiek. I zrozumiał, że podobnie jak wtedy, także teraz nie kontroluje sytuacji, na którą patrzył przez okno. Był z niej całkowicie wykluczony, zupełnie jak gdyby nigdy nie istniał. Przez wszystkie lata jej życia właściwie nie dostrzegał Phoebe, zupełnie jakby była jakąś abstrakcją, a nie dziewczynką z krwi i kości. Jednak Phoebe była naprawdę i właśnie rozstawiała na stole szklaneczki na wodę. Podniosła oczy, bo do jadalni wszedł jakiś mężczyzna z włosami przystrzyżonymi na jeża. Powiedział coś, co wywołało na jej twarzy radosny uśmiech, a potem usiedli we trójkę i zaczęli jeść.

David wrócił do samochodu. Próbował wyobrazić sobie, że Norah stoi tuż obok niego i patrzy, jak ich córka daje sobie radę w życiu, całkiem nieświadoma ich istnienia. Przysporzył Norah tyle cierpienia... Jego oszustwo pociągnęło za sobą następstwa, których nigdy się nie spodziewał ani nie brał pod uwagę. Ale mógł oszczędzić jej kolejnej porcji bólu. Mógł po prostu zostawić przeszłość własnemu biegowi, odjechać stąd i nie zakłócać niczyjego spokoju. I w końcu zdecydował się na to rozwiązanie, ruszając w całonocną podróż przez rozległe równiny Ohio.

***

– Nie rozumiem – Rosemary patrzyła na niego ze zdumieniem. – Dlaczego nie możesz obiecać? Przecież to jedyne właściwe rozwiązanie.

– Bo to znów spowodowałoby masę cierpienia.

– Nie wiesz, co się wydarzy, dopóki tego nie zrobisz.

– Ale mogę łatwo odgadnąć.

– Davidzie, czy możesz mi przynajmniej obiecać, że o tym pomyślisz?

– Myślę o tym każdego dnia, tego możesz być pewna.

Ze smutkiem pokręciła głową, a potem na jej ustach pojawił się niewesoły uśmiech.

– No trudno, jak chcesz. Ale jest jeszcze coś.

– Tak?

– Stuart i ja zamierzamy się pobrać.

– Jesteś znacznie za młoda, żeby myśleć o małżeństwie – zażartował od razu i obydwoje wybuchnęli śmiechem.

– Jestem stara jak Matka Ziemia – odparła, gdy atak wesołości nieco osłabł. – Przynajmniej tak się czuję.

– No cóż, w takim razie należą ci się następne gratulacje. To nie jest niespodzianka, ale dobre nowiny zawsze są niespodzianką.

Pomyślał o Stuarcie Wellsie, wysokim i atletycznym mężczyźnie. Twardym jak rzemień, bo to było najlepsze określenie, jakie przychodziło mu do głowy. Pracował jako terapeuta przy leczeniu chorób dróg oddechowych. Od lat kochał się w Rosemary, ale ona kazała mu czekać, dopóki nie skończy szkoły.

– To dobrze, Rosemary. Moim zdaniem Stuart to porządny młody człowiek. No i kocha Jacka... Czy on także znalazł sobie pracę w Harrisburgu?

– Jeszcze nie, ale pilnie szuka. Dopiero w tym miesiącu kończy mu się kontrakt.

– A jak w Harrisburgu wygląda sytuacja z pracą?

– Różnie. Ale jestem spokojna, bo Stuart to dobry specjalista.

– Na pewno coś znajdzie.

– Widzę, że jesteś zły.

– Nie... Nie, absolutnie. Tyle tylko, że trochę mi smutno. No i poza tym nagle poczułem się strasznie stary.

– Stary jak Matka Ziemia? – zaśmiała się.

On także się roześmiał.

– O nie! O wiele, wiele starszy.

Na chwilę zamilkli.

– To zdarzyło się tak nagle – powiedziała w końcu Rosemary. – Właściwie wszystko poukładało się w ciągu ostatniego tygodnia. Wolałam nie wspominać ci o pracy, dopóki nie byłam pewna. A kiedy tylko dostałam potwierdzenie, Stuart się oświadczył, a ja go przyjęłam. Wiem, że to spadło na ciebie jak grom z jasnego nieba.

– Lubię Stuarta – powiedział zwyczajnie. – I pogratuluję mu przy pierwszej okazji.

– Szczerze mówiąc, zastanawiałam się, czy zechcesz mi zastąpić ojca w czasie ceremonii – uśmiechnęła się.

Spojrzał na nią, na jej jasną cerę, na szczęście, którego dłużej nie mogła skrywać, a które przebijało z promiennego uśmiechu...

– Będę zaszczycony – powiedział całkiem poważnie.

– Chcę, żeby wszystko odbyło się tutaj. To ma być bardzo skromna i prywatna uroczystość. Planujemy ją za dwa tygodnie.

– Widzę, że nie tracisz czasu.

– Wiesz, ja nie mam się nad czym zastanawiać – odparła. – Wszystko wydaje mi się takie proste i oczywiste.

Wyprostowała plecy i zerknęła na zegarek, a potem wstała i otrzepała dłonie.

– Lepiej już pójdę. Chodź, Jack.

– Jeśli chcesz, mogę go popilnować, kiedy ty będziesz się ubierać.

– Dzięki. Jak zwykle ratujesz mi życie.

– Rosemary...

– Tak?

– Będziesz mi od czasu do czasu przysyłała zdjęcia? Jak Jack rośnie? I wasze, jak sobie radzicie w nowym miejscu?

– Jasne, że tak – skrzyżowała ręce i kopnęła lekko w krawędź schodka.

– Dziękuję – powiedział po prostu, zakłopotany nieco tym, w jaki sposób rekompensował sobie tęsknotę za własnym życiem, skupiony na soczewkach obiektywu i własnym żalu. Ludzie wyobrażali sobie, że zrezygnował z robienia zdjęć z powodu tamtej czarnowłosej damulki z Pittsburgha i jej niepochlebnych recenzji. Wypadł z łask, spekulowali, i zaczęło brakować mu odwagi. Nikt nie wierzył, że zwyczajnie przestało go to obchodzić, choć właśnie tak wyglądała prawda. Nie wziął aparatu do ręki od chwili, gdy stał na cyplu nad połączonymi nurtami dwóch potężnych rzek. Zarzucił wszystko, sztukę i rzemiosło – skomplikowany i wyczerpujący cel, jakim była próba przekształcenia świata. Zapomniał o chęci udowodnienia, że ciało stanowi odzwierciedlenie wszechświata, a cały świat zamknięty jest w ciele każdego człowieka. Czasami natykał się na własne prace – w książkach, na ścianach biur albo w prywatnych domach – i wówczas przystawał, zaskoczony ich pięknem i techniczną doskonałością. Zdarzało się nawet, że zaskakiwała go kryjąca się w nich pustka, która wskazywała na zachłanność w poszukiwaniu.

– Nie można zatrzymać czasu – mówił teraz. – Nie można schwytać światła. Można tylko podnieść twarz i rozkoszować się spływającymi po niej kroplami deszczu. Tylko dlatego chciałbym mieć parę waszych zdjęć,

Rosemary. Twoich i Jacka. Dzięki nim będę mógł ujrzeć w przelocie wasze życie. To sprawi mi wielką przyjemność.

– Będę wysyłać bez przerwy – obiecała. – Dosłownie zaleję cię nimi.

David nadal siedział na stopniach rozleniwiony ciepłem słońca, podczas gdy Rosemary poszła się ubierać. Jack bawił się ciężarówką. „Powinieneś jej powiedzieć". Pokręcił głową. Po tym, jak zdarzyło mu się czatować przed domem Caroline jak jakiś zboczeniec, wezwał prawnika z Pittsburgha i założył dwa konta, żeby po jego śmierci obdarowani mogli uniknąć komplikacji z nabyciem praw spadkowych. Jack i Phoebe będą zabezpieczeni, a Norah nie musi o niczym wiedzieć.

Rosemary wróciła, rozsiewając wokół zapach mydła Ivory, ubrana w gustowną sukienkę i pantofle na płaskich obcasach. Wzięła Jacka za rączkę i zarzuciła na ramię mały plecaczek w turkusowym kolorze. Wyglądała na tak młodą, szczupłą i silną kobietę, z lekko wilgotnymi włosami, które luźno opadały na ramiona i wyrazem koncentracji na twarzy... Po drodze miała zostawić synka w domu opiekunki.

– Och, przez to wszystko prawie zapomniałam o czymś. Dzwonił Paul.

Serce Davida od razu zaczęło mocniej bić.

– Naprawdę?

– Tak, dziś rano. Chociaż dla niego to był środek nocy, bo właśnie wrócił z koncertu. Jest w Sewilli, jak mówił. Siedzi tam od trzech tygodni, bo bierze udział w kursie muzyki flamenco, który prowadzi... Zapomniałam kto, ale w każdym razie ktoś znany.

– I co, jest zadowolony?

– Wygląda na to, że tak. Co prawda nie zostawił numeru, ale obiecał, że jeszcze zadzwoni.

Skinął głową, zadowolony, że Paul jest cały i zdrowy, i szczęśliwy, że się odezwał.

– Trzymaj się na egzaminie – dodał, podnosząc się z miejsca.

– Dzięki. Dopóki zdaję, nic więcej się nie liczy.

Uśmiechnęła się, pomachała ręką i pomaszerowała razem z Jackiem wąską ścieżką wykładaną kamieniami w stronę chodnika. David spoglądał za nią i starał się utrwalić ten moment – plecak w jaskrawym kolorze, długie włosy kołyszące się na plecach, Jack, który wolną rączką starał się zgarnąć po drodze trochę liści albo patyków – tak, żeby zapamiętać go na zawsze. Daremny wysiłek; zapominał już w chwili, gdy Rosemary stawiała następny krok. Czasami zadziwiały go własne fotografie, na które natykał się w starych pudełkach albo teczkach, bo za żadne skarby świata nie mógł sobie przypomnieć chwil, w których zostały zrobione. Patrzył na siebie samego w gronie roześmianych ludzi i nie potrafił przypomnieć sobie ich nazwisk albo widział na fotografii minę Paula, której absolutnie nie kojarzył z żadną sytuacją z codziennego życia. A co zostanie mu w pamięci powiedzmy za rok, za następne pięć lat? Słońce we włosach Rosemary, brud za jej paznokciami i ulotny zapach mydełka.

Ale w tajemniczy sposób będzie mu to wystarczało.

Wstał, rozprostował kości i truchtem pobiegł w kierunku parku. Mniej więcej po mili przypomniał sobie o innej sprawie, która nie dawała mu spokoju przez cały ranek. Już wiedział, czemu dwunasty lipca wydawał mu się tak ważną datą. Nie tylko z powodu egzaminów Rosemary. Dziś przypadały urodziny Norah. Kończyła czterdzieści sześć lat.

Trudno w to uwierzyć, pomyślał. Biegł przed siebie lekkim krokiem, przypominając sobie Norah w dniu ich wesela. Wyszli na zewnątrz, w zimny blask zimowego słońca, i stojąc na chodniku, wymieniali uściski dłoni z każdym z gości. Nagły podmuch wiatru szarpnął białym welonem i lekki jak mgiełka materiał uderzył go w policzek, a śnieg posypał się z gałęzi derenia jak deszcz opadających płatków.

Biegł, oddalając się od parku, a każdy krok przybliżał go do okolicy, w której niegdyś mieszkał. Rosemary miała rację. Norah powinna wiedzieć. Dziś wyzna jej całą prawdę. Pójdzie do ich dawnego domu, gdzie Norah nadal mieszkała, poczeka na jej powrót i powie, choć nadal nie potrafił sobie wyobrazić jej reakcji.

„Oczywiście, że nie możesz taić prawdy", powtarzała Rosemary. „Takie jest życie, Davidzie. Czy wyobrażałeś sobie kiedyś, że będziesz mieszkał w takim paskudnym, ciasnym bliźniaku? Czy kiedykolwiek sądziłeś, nawet za milion lat, że w twoim życiu pojawi się ktoś taki jak ja?".

No cóż, we wszystkim miała rację. Życie, jakie prowadził w najmniejszym stopniu nie spełniało jego oczekiwań. Kiedy przyjechał do tego miasta, wszystko wydawało się obce, a teraz każda ulica była znajoma i z każdym zakątkiem wiązało się jakieś wspomnienie. Na przykład te drzewa pamiętał jako małe sadzonki, a potem patrzył jak rosną. W mijanych po drodze domach bywał jako gość zapraszany na drinka albo kolację lub wchodził tam wzywany jako lekarz w nagłych wypadkach, który późną nocą w holu albo foyer wypisywał recepty lub czekał na ambulans. Dni i obrazy układały się w kolejne warstwy, jedne za drugimi – czasem skomplikowane, a czasem proste i dotyczące wyłącznie jego osoby. Norah albo Paul także mogli tu bywać i postrzegać otoczenie całkiem inaczej, co nie znaczy, że mniej prawdziwie.

David skręcił w swoją starą ulicę. Nie bywał w tych stronach od ładnych kilku miesięcy i teraz zdziwił się, widząc, że kolumny podpierające ganek zostały zerwane, a dach podtrzymywany był przez dwie pozostałe. Kilka spróchniałych desek na ganku nadawało się do szybkiej wymiany, ale David nie zauważył w pobliżu żadnego fachowca. Podjazd był pusty, co świadczyło o tym, że Norah jeszcze nie wróciła. Przeszedł się kilka razy po trawniku, żeby uspokoić oddech, a potem schylił się, żeby wyjąć klucz, jak zawsze ukryty pod obluzowaną cegłą obok grządki rododendronów. Wszedł do środka i od razu powędrował do kuchni, żeby napić się wody. Dom lekko trącił stęchlizną, więc otworzył okna, żeby go przewietrzyć. Wiatr podniósł zwiewne, białe firanki. Wyglądały na nowe, tak samo jak płytki na podłodze i lodówka. David nalał sobie jeszcze jedną szklankę, a potem przeszedł się po pokojach, ciekaw, co się zmieniło od czasu jego wyprowadzki. Wszędzie pojawiły się jakieś drobiazgi – nowe lustro w jadalni, nowe obicia mebli w salonie i ich ustawienie.

Sypialnie na piętrze wyglądały tak jak dawniej. Pokój Paula był typowym sanktuarium dorastającego młodzieńca – plakaty nieznanych kwartetów oblepiały ściany, resztka biletu zwisała smętnie z korkowej tablicy, a wstrętny, ciemnogranatowy kolor na ścianach przypominał raczej jaskinię niż mieszkanie. Paul poszedł na studia do Julliard School i chociaż David dał mu swoje błogosławieństwo i płacił połowę rachunków, to jednak nigdy nie zapomniał ojcu, że kiedyś nie wierzył w jego talent i w to, że dzięki muzyce zdoła odnaleźć w świecie swoje miejsce. Z każdego miasta, w którym występował, przysyłał mu ulotki z informacjami o koncertach i recenzje, zupełnie jakby chciał powiedzieć: „Spójrz, tato, odniosłem sukces". Jakby sam nie wierzył, że faktycznie mu się udało, myślał David. Czasami jechał po kilkaset mil albo więcej, do Cincinnati, Pittsburgha, Atlanty lub Memphis, tylko po to, żeby wślizgnąć się do tylnego rzędu w zaciemnionym audytorium i przyglądać się, jak Paul gra. Pochylony nad gitarą zręcznie przebierał palcami po strunach, a język muzyki, tajemniczy i piękny zarazem, doprowadzał Davida na skraj łez. Czasami siłą musiał się powstrzymywać, żeby nie pobiec między ciemnymi rzędami i nie porwać syna w ramiona, ale oczywiście nigdy tego nie zrobił. Wręcz przeciwnie – czasami wychodził z sali koncertowej niezauważony.

Sypialnia państwa domu była urządzona w sposób nie budzący najmniejszych zastrzeżeń, ale na pierwszy rzut oka widać było, że nie jest używana. Norah przeniosła się do mniejszego pokoju od frontu. Tutaj narzuta wydawała się lekko zgnieciona i David już wyciągał rękę, żeby ją poprawić, ale w ostatniej chwili się wycofał. Nagle przyszło mu do głowy, że zachowuje się jak intruz, więc wrócił na schody i zszedł na dół.

Nic nie rozumiał – było już późne popołudnie i Norah powinna już być w domu. Jeśli wkrótce nie przyjedzie, on po prostu zamknie drzwi i wyjdzie.

Na biurku przy telefonie zauważył żółty notatnik z mnóstwem tajemniczych zapisków. „Zadzwonić do Jan przed ósmą rano przesunięcie wyjazdu; Tim nie jest pewny; dostawa przed dziesiątą; nie zapomnij – Dunfree i bilety". Ostrożnie wydarł zapisaną kartkę, ułożył na środku biurka, a potem zabrał notatnik do kącika, w którym Norah zwykle jadała śniadanie, i zaczął pisać.

„Nasza dziewczynka nie umarła. Caroline Gill wzięła ją na wychowanie i wyjechała z nią do innego miasta".

Po chwili namysłu wykreślił te słowa.

„Oddałem obcej kobiecie naszą małą córeczkę".

Westchnął i odłożył pióro. Nie, nie mógł tego zrobić. Nie potrafił sobie wyobrazić, jak będzie wyglądało jego życie, jeśli pozbawi się ciężaru tajemnicy, która towarzyszyła mu od tak wielu lat. Lubił myśleć, że jest to pewnego rodzaju pokuta. Pokuta o destrukcyjnym wpływie, o tym wiedział doskonale, ale takie rzeczy się zdarzają. Ludzie palą tytoń, skaczą z samolotów, piją za dużo albo wsiadają do samochodów i jeżdżą bez zapinania pasów bezpieczeństwa. W jego życiu podobną rolę pełnił tamten sekretny uczynek.

Nowa zasłona musnęła dłoń Davida. Z daleka dobiegało kapanie wody. Ten odgłos zawsze doprowadzał go do szału; przypomniał sobie, że kran w umywalce od lat był nieszczelny i że już parę razy miał zamiar go naprawić. Szybko podarł żółtą karteczkę na drobne kawałeczki i wsadził do kieszeni, żeby później je wyrzucić, a następnie poszedł do garażu. Wyciągnął skrzynkę na narzędzia, którą zostawił w czasie przeprowadzki, i grzebał w niej tak długo, aż natrafił na klucz nasadowy i pudełko z zapasowymi uszczelkami. Przypuszczalnie kupił je w którąś sobotę właśnie w tym celu.

Naprawa kranów zajęła mu grubo ponad godzinę. Rozmontował je na drobne części, wyczyścił osad z filtrów, założył nowe uszczelki i wszystko porządnie przykręcił. Chromowane krany zdążyły już utracić swój metaliczny połysk, więc wyszorował je, wykorzystując do tego celu starą szczoteczkę do zębów, którą znalazł w puszce po kawie stojącej w szafce pod umywalką. Zanim skończył, dobiegała szósta. Jak przystało na wczesny wieczór połowy lata, słońce wlewało łagodny blask przez okna, ale wyraźnie już obniżyło się nad horyzontem i teraz jego promienie padały ukośnie na podłogę. David przez chwilę stał bez ruchu, delektując się wykonaną pracą, blaskiem armatury i panującą wokół ciszą. Nagle w kuchni rozdzwonił się telefon i chwię potem obcy głos pośpiesznie zaczął mówić coś o biletach do Montrealu, a potem przerwał w pół zdania, żeby rzucić jeszcze: „O, cholera! Całkiem zapomniałem, że pojechałaś z Frederikiem do Europy". I wtedy David sobie przypomniał – rzeczywiście Norah wspominała coś o wyjeździe, ale ta wiadomość wypadła mu z głowy. Nie, on ją stamtąd usunął. Nie chciał pamiętać, że pojechała sobie na wakacje z innym mężczyzną, Kanadyjczykiem z Quebeku, którego spotkała w jednym z tych niskich budynków IBM-u, i który perfekcyjnie mówił po francusku. Głos Norah zmieniał się, gdy wspominała Frederica; stawał się miękki i rozmarzony i pojawiał się w nim ton, którego David nigdy wcześniej nie słyszał. Wyobraził sobie, jak Norah trzyma słuchawkę ramieniem, jednocześnie wstukując dane w komputer, a potem podnosi wzrok i widzi, że pora kolacji dawno minęła. Norah, która z wdziękiem wędrowała po korytarzach portów lotniczych na całym świecie, prowadząc turystów do autobusów, restauracji, hoteli... Ku przygodom, które tak starannie dla nich przygotowała.

No cóż, powinna być zadowolona, kiedy zobaczy naprawione krany. On także był zadowolony, bo wykonał drobiazgową, staranną pracę. Zatrzymał się w kuchni i rozciągnął ramiona, przygotowując się do powrotnego biegu, ale zanim wyszedł, jeszcze raz wziął do ręki żółty notatnik.

„Naprawiłem kran w łazience", napisał. „Wszystkiego najlepszego z okazji urodzin".

Potem wyszedł, dokładnie zamykając za sobą drzwi, i ruszył w drogę powrotną.

Rozdział drugi

Norah siedziała na kamiennej ławce w ogrodach Luwru z książką na kolanach i gapiła się na srebrzyste liście topoli, które migotały na tle błękitnego nieba. Gołębie łaziły leniwie tuż obok jej nóg, wydziobując z trawy resztki bułek i powłócząc opalizującymi skrzydłami.

– On już się spóźnił – powiedziała do Bree. Siostra siedziała obok i założywszy nogę na nogę, pilnie przeglądała zawartość jakiegoś magazynu dla pań. Bree, która właśnie skończyła czterdzieści cztery lata, była wciąż bardzo piękna, wysoka i gibka. Kolczyki z turkusami ocierały się o jej oliwkową skórę, zaś krótkie włosy mieniły się odcieniem czystego srebra. Podczas chemioterapii obcięła je na jeża i powiedziała, że nie będzie więcej marnować ani jednej chwili na dotrzymywanie kroku modzie. Miała sporo szczęścia i świetnie zdawała sobie z tego sprawę, bo guzek w piersi został odkryty we wczesnym stadium; teraz minęło już pięć lat od operacji i nie pojawiły się żadne przerzuty. Mimo to tamto doświadczenie pozostawiło zmiany w jej psychice, zarówno w sprawach wielkich, jak i drobnych. Bree znacznie częściej się uśmiechała i więcej czasu spędzała poza biurem. W weekendy zaczęła pracować jako wolontariuszka przy budowie osiedli Habitat i właśnie podczas budowy domu we wschodniej części Kentucky poznała ciepłego, rudawego mężczyznę o pogodnym charakterze, który niedawno owdowiał. Był pastorem i na imię miał Ben. Drugi raz spotkali się w czasie realizacji projektu na Florydzie i jeszcze raz w Mexico. Podczas tej ostatniej podróży wzięli cichy ślub.

– Paul na pewno przyjdzie – oznajmiła Bree, podnosząc głowę. – Zresztą to chyba był jego pomysł, o ile się nie mylę?

– Owszem. Ale Paul jest zakochany. Po prostu mam nadzieję, że pamiętał o spotkaniu.

Powietrze było suche i gorące. Norah zacisnęła powieki, przywołując z pamięci tamten dzień pod koniec kwietnia, gdy Paul niespodziewanie wpadł do jej biura. Przyjechał do domu dosłownie na kilka dni pomiędzy jednym koncertem a drugim; teraz siedział na brzegu biurka, wysoki i chudy, i przerzucając z ręki do ręki przycisk do papieru, opowiadał jej o swoich planach dotyczących letniej podróży po Europie. Miał zamiar zatrzymać się w Hiszpanii na pełne sześć tygodni, żeby tam wziąć udział w kursie prowadzonym przez gitarzystów flamenco. Norah wybierała się do Europy z Frederikiem i gdy Paul się dowiedział, że będą w Paryżu tego samego dnia co on, chwycił długopis i w ściennym kalendarzu pod datą dwudziestego pierwszego lipca naskrobał koślawymi literami słowo „Luwr", godzina piąta po południu. „Spotkamy się w ogrodach, a potem zabiorę cię na lunch", obiecał.

Wyjechał do Europy kilka tygodni później i od czasu do czasu dzwonił do niej z wiejskich pensjonatów albo małych hotelików nad brzegiem morza. Był zakochany w koleżance flecistce, pogoda dopisywała, a piwo w Niemczech okazało się naprawdę godne uwagi. Norah słuchała pilnie tych wynurzeń; starała się okiełznać swój niepokój i nie zadawać zbyt wielu pytań. Paul był już całkiem dorosłym mężczyzną, miał sześć stóp wzrostu i ciemną karnację odziedziczoną po Davidzie. Wyobrażała go sobie, jak idzie boso po plaży i pochylając się ku swojej dziewczynie, szepce czule słowa, a jego oddech muska jej ucho jak delikatny dotyk.

Usiłowała zachować maksimum dyskrecji i nigdy nie pytała syna o plany trasy, więc nie wiedziała, gdzie go szukać, kiedy Bree zadzwoniła do niej ze szpitala w Lexington z szokującymi nowinami. David doznał rozległego zawału serca podczas uprawiania joggingu i, niestety, nie udało się go uratować. Umarł.

Norah otworzyła oczy. Świat w skwarze letniego popołudnia wydawał się równocześnie pełen życia i lekko zamglony, a drzewa kołysały się, przesłaniając intensywnie zielonymi liśćmi przejrzyście błękitne niebo. Wróciła do domu najbliższym samolotem, a podczas lotu budziła się z niespokojnych snów, wypełnionych szukaniem Paula. Bree pomogła załatwić wszelkie sprawy związane z pogrzebem i nie pozwoliła lecieć do Paryża samej.

– Nie martw się – powiedziała teraz. – On na pewno przyjdzie.

– Nie było go na pogrzebie – odparła Norah. – Fatalnie się czuję z tego powodu. Nigdy nie potrafili dogadać się z sobą ani rozwiązywać trudnych spraw. Ani Paul, ani David. Mam wrażenie, że Paul nigdy nie przebolał decyzji Davida o wyprowadzce.

– A ty przebolałaś?

Norah popatrzyła na Bree, na jej krótkie, sterczące włosy, na jasną skórę i na zielone oczy, o spokojnym i przenikliwym spojrzeniu. Po chwili odwróciła głowę.

– To pytanie pasowałoby raczej do Bena... Myślę, Bree, że za dużo czasu spędzasz w towarzystwie pastorów.

Bree zaśmiała się, ale nie odpuściła.

– Ale to nie Ben pyta, tylko ja.

– Sama nie wiem – zastanowiła się Norah, myśląc o swoim ostatnim spotkaniu z Davidem. Siedział na ganku ze szklanką mrożonej herbaty w ręku, zmęczony po joggingu. Od ich rozwodu minęło sześć lat, a wcześniej przez osiemnaście lat byli małżeństwem... Obliczyła, że w sumie znała go przez dwadzieścia pięć lat, równe ćwierć wieku, więcej niż połowę własnego życia... Kiedy Bree zadzwoniła, żeby przekazać wiadomość o jego śmierci, Norah zwyczajnie nie mogła w to uwierzyć. Niemożliwe, żeby świat mógł istnieć bez Davida. Dopiero później, po pogrzebie, spadł na nią cały ciężar żałoby.

– Żałuję teraz, że nie zdążyłam powiedzieć mu tylu rzeczy, które chciałam powiedzieć... Ale przynajmniej rozmawialiśmy z sobą. Czasami wpadał, żeby coś naprawić albo zwyczajnie zobaczyć, co słychać. Chyba dokuczała mu samotność, przynajmniej tak mi się wydaje.

– Czy wiedział o Frederiku?

– Nie. Kiedyś próbowałam mu powiedzieć, ale najwyraźniej nie chciał tego przyjąć do wiadomości.

– To całkiem do niego podobne – mruknęła Bree. – On i Frederic strasznie się różnili.

Przez myśli Norah przemknął obraz, który zapamiętała z Lexington: Frederic stoi na zewnątrz domu w cieniu ściany i ubija popiół na grządce wokół rododendronów. Spotkali się przeszło rok temu w inny skwarny dzień, w innym parku. Kontrakt z IBM-em, którego zdobycie kosztowało Norah tyle wysiłku, wciąż był jednym z najbardziej lukratywnych interesów, jakie w ogóle udało się jej zrobić, więc poszła na ich doroczny piknik pomimo silnego bólu głowy i odległych grzmotów zapowiadających zbliżającą się burzę. Frederic siedział sam z dość nieprzyjemną miną i sprawiał wrażenie człowieka, któremu raczej nie zależy na towarzystwie innych, więc Norah nałożyła małe co nieco na talerz i usiadła obok. Nie miała nic przeciw temu, że ominie ją pogawędka o niczym, ale ku jej zdumieniu wyrwany z własnych myśli nieznajomy uśmiechnął się i przywitał ją miłym słowem. Mówił po angielsku z lekkim francuskim akcentem; okazało się, że pochodzi z Quebecu. Rozmawiali przez parę godzin, nie zwracając uwagi na burzę zbierającą się nad ich głowami, podczas gdy inni goście czym prędzej zbierali swoje rzeczy i ruszali w drogę powrotną. Zanim rozpadało się na dobre, Frederic zaprosił ją na kolację.

– Nawiasem mówiąc, gdzie jest Frederic? – zainteresowała się Bree. – Czy nie mówiłaś, że on także przyjeżdża?

– Chciał, ale wezwali go w sprawach służbowych do Orleanu. Ma tam kogoś z rodziny... Jakiegoś dalekiego kuzyna, który mieszka w miejscu o nazwie Chateauneuf. Czy nie miałabyś ochoty mieszkać w miejscu, które tak się nazywa?

– Pewnie nawet tam mają korki i dni, kiedy nic się nie udaje.

– Mam nadzieję, że nie. Codziennie rano chodzą na targ i wracają ze świeżym pieczywem i naręczami kwiatów. Tak czy owak, powiedziałam Fredericowi, żeby jechał. Co prawda on i Paul są wielkimi przyjaciółmi, ale chyba lepiej będzie, jeśli porozmawiam z nim na osobności.

– Tak... Ja też się zwinę, jak tylko Paul przyjdzie.

– Dziękuję – Norah z uczuciem uścisnęła dłoń siostry. – Dziękuję ci za wszystko. Za to, że tak bardzo pomogłaś przy pogrzebie. Bez ciebie chyba nie przeżyłabym ostatniego tygodnia.

– No to jesteś mi winna dużą wódkę – uśmiechnęła się Bree, a potem znowu wpadła w zadumę. – Moim zdaniem to był naprawdę piękny pogrzeb, o ile pogrzeb w ogóle może być piękny. Pomyśl, ilu ludzi przyszło. Byłam zaskoczona, że David był kimś ważnym dla tak wielu osób.

Norah skinęła głową. Ona też się zdziwiła. Maleńki kościół, w którym Bree zorganizowała uroczystość, był wypełniony po brzegi i w chwili, gdy zaczynało się nabożeństwo, ludzie stali dosłownie jeden na drugim. Poprzednie dni pamiętała jak przez mgłę – Bree z niezwykłą subtelnością zachęciła ją do wyboru muzyki i fragmentów Pisma, pomogła zdecydować się na konkretną urnę i dekoracje z kwiatów, wymyśliła tekst do klepsydry... Mimo wszystko dobrze było mieć przed sobą określone zadania; Norah załatwiała jedną rzecz po drugiej w stanie błogosławionego odrętwienia, które przetrwało aż do początku uroczystości. Ludzie musieli myśleć, że to coś niesamowitego tak bardzo płakać, że to może przez te przepiękne stare teksty, które nabrały w tym dniu szczególnego znaczenia, ale ona płakała nie tylko za Davidem. Tyle lat temu stali obok siebie na uroczystości żałobnej ku czci ich córki, a zaraz potem okazało się, że poniesiona wówczas strata z każdym dniem pogłębiała dzielącą ich przepaść.

– To byli ludzie z kliniki – wyjaśniła Norah. – Z kliniki, którą David prowadził przez te wszystkie lata. Większość z nich to po prostu jego pacjenci.

– Wiem. To zadziwiające. Mam wrażenie, że oni chyba uważali go za świętego.

– Bo żaden z nich nie był jego żoną – mruknęła.

Liście trzepotały na tle błękitnego nieba, a Norah kolejny raz przeczesała wzrokiem park, ale nigdzie nie dostrzegła Paula.

– Och... – zawołała. – Wciąż nie mogę uwierzyć, że David umarł!

Nawet teraz, tyle dni po fakcie, nazwanie po imieniu tego, co się wydarzyło wywoływało w niej dreszcz przerażenia.

– Nagle poczułam się taka stara...

Bree wzięła ją za rękę i przez kilka minut siedziały w milczeniu. Dłoń Bree była gładka i ciepła w zetknięciu z jej własną dłonią i Norah czuła, że ten moment bliskości rozrasta się i nabiera szczególnego znaczenia, jakby za chwilę miał ogarnąć cały świat. Pamiętała podobne uczucie z czasów, gdy Paul był niemowlęciem, a ona siedziała nocami, otulona miękką ciemnością, i karmiła go piersią. A teraz Paul był już dorosły, i właśnie stał gdzieś na stacji kolejowej albo na chodniku pod szeleszczącym baldachimem z liści, albo kroczył po jakiejś ulicy... Zatrzymywał się przed wystawami sklepów, sięgał do kieszeni po bilet lub otwartą dłonią osłaniał oczy przed zbyt jasnym słońcem. Wyrósł z jej krwi i jej ciała, a teraz jakimś sposobem poruszał się w tym świecie bez niej. Pomyślała także o Fredericu siedzącym w sali konferencyjnej, o tym, jak kiwał głową, przeglądając leżące przed nim dokumenty, i jak opierał na blacie rozpostarte dłonie, zupełnie jakby za chwilę miał wygłosić przemówienie. Widziała czarne włosy porastające jego przedramiona i długie, kwadratowo zakończone paznokcie. Golił się dwa razy dziennie, a jeśli o tym zapomniał, ostra szczecina drapała szyję Norah, gdy w nocy przyciągał ją do siebie i całował delikatnie za uchem, żeby ją zachęcić do kochania się. Nie jadał pieczywa ani słodyczy, a jeśli poranne gazety się spóźniały, natychmiast wpadał w zły humor. Te wszystkie drobne przyzwyczajenia, niektóre irytujące, niektóre łatwe do zaakceptowania, były charakterystyczne dla Frederica. Dziś wieczorem spotka się z nim w pensjonacie nad rzeką. Napiją się wina, a potem ona zbudzi się w środku nocy w pokoju zalanym światłem księżyca i będzie nasłuchiwać spokojnego oddechu śpiącego przy niej mężczyzny. Frederic chciał się żenić i tę decyzję także musiała sobie przemyśleć.

Książka zsunęła się z jej kolan, więc pochyliła się, żeby ją podnieść, a wtedy spomiędzy kartek wysunął się folder z „Gwiezdną nocą" van Gogha, którego używała jako zakładki. Gdy ponownie usiadła prosto, natychmiast zauważyła Paula, który przez park zmierzał w jej kierunku.

– Och! – wyrwało się jej mimochodem. Nagle wypełniła ją radość, którą zawsze odczuwała na jego widok. Oto on, jej własny syn, tak doskonale daje sobie radę w świecie. Wstała i machnęła ręką.

– Spójrz, Bree! Paul jest tam.

– Ależ to przystojny facet – zauważyła Bree, także podnosząc się z miejsca. – Chyba ma to po mnie.

– Owszem – zgodziła się Norah. – Chociaż jeśli chodzi o talent muzyczny, to Bóg jeden wie, po kim go ma, bo i my obie, i David byliśmy głusi jakby słoń nadepnął nam na ucho.

Talent Paula... Przyglądała mu się, kiedy szedł przez park. Dla niej był tajemnicą, ale także czymś w rodzaju daru.

Podniósł wysoko jedną rękę i uśmiechnął się szeroko, i wówczas Norah ruszyła w jego stronę, pozostawiając książkę na ławce. Serce biło jej mocno z radości i podniecenia, pomieszanego z żalem i smutkiem. Ze zdumieniem stwierdziła, że drży. Boże, jak jego obecność zmienia cały świat, pomyślała. Wreszcie dopadła syna i zamknęła w mocnym uścisku. Paul miał na sobie białą koszulę z podwiniętymi do łokci rękawami i szorty w kolorze khaki. Bił od niego zapach czystości, jakby przed chwilą skończył się golić. Przez cienki materiał koszuli czuła jego mięśnie, mocne kości, ciepło młodego ciała, i przez chwilę zapragnęła, podobnie jak David, zatrzymać w miejscu czas. Nie mogę go za to winić, przemknęło jej przez myśl. Nie mogę mieć pretensji, że pragnął zgłębić każdą ulotną chwilę i poznać jej sekrety, żeby w ten sposób przeciwstawić się utracie czegoś bliskiego, ciągłym zmianom i życiu w nieustannym pośpiechu.

– Cześć, mamo – zawołał i przyciągnął do siebie, żeby spojrzeć na nią z bliska. Uśmiechnął się, ukazując w tym uśmiechu białe zęby, mocne i równe. Zauważyła, że zapuścił niewielką bródkę. – Jak miło cię tutaj spotkać – dodał ze śmiechem.

– Tak, naprawdę miło.

W tym momencie Bree stanęła obok, wysunęła się krok do przodu i także uścisnęła Paula.

– Muszę lecieć – zawołała na wstępie. – Czekałam tylko, żeby się z tobą przywitać. Świetnie wyglądasz, Paul. Od razu widać, że życie włóczęgi ci służy.

Uśmiechnął się z zadowoleniem.

– Naprawdę nie możesz zostać?

Bree spojrzała z ukosa na Norah.

– Nie mogę. Ale obiecuję, że niedługo się zobaczymy. Zgoda?

– Zgoda – pochylił się, żeby cmoknąć ją w policzek. – Tak sądzę.

Gdy Bree odwróciła się by odejść, Norah śpiesznie przetarła oczy wierzchem dłoni.

– Co jest? – zapytał Paul i zaraz dodał śmiertelnie poważnym tonem – Co się stało?

– Chodź ze mną i usiądź – poprosiła, biorąc go pod rękę.

Ramię w ramię podeszli do kamiennej ławeczki, płosząc po drodze stadko gołębi, które zerwało się do lotu. Norah podniosła książkę i wsunęła na miejsce zakładkę.

– Muszę ci powiedzieć coś bardzo przykrego. Twój ojciec umarł dziewięć dni temu. Na zawał serca.

Patrzyła, jak oczy Paula rozszerzyły się z przerażenia i żalu. Po kilku sekundach odwrócił głowę i w milczeniu spoglądał na ścieżkę, którą szedł na spotkanie matki. Na spotkanie tej chwili.

– Kiedy był pogrzeb? – spytał wreszcie.

– W zeszłym tygodniu. Tak mi przykro, Paul! Nie było czasu, żeby cię szukać. Chciałam skontaktować się z jakąś ambasadą, żeby pomogli mi ciebie namierzyć, ale nawet nie wiedziałam, skąd zacząć. Więc przyszłam dziś tutaj w nadziei, że się zjawisz.

– Prawie spóźniłem się na pociąg – powiedział z zadumą. – Mało brakowało, a nie dałbym rady.

– Ale nie spóźniłeś się – odparła. – I jesteś.

Skinął głową, oparł łokcie na kolanach i splótł dłonie. Pamiętała, że miał zwyczaj tak siadać jako dziecko, kiedy usiłował ukryć dręczący go smutek. Raz i drugi zacisnął pięści, ale zaraz je rozluźnił, więc szybko zamknęła jego ręce w swoich dłoniach. Na czubkach palców wyczuwała stwardniały naskórek – rezultat wielu lat grania na gitarze. Siedzieli tak przez dłuższy czas, nasłuchując szelestu liści w podmuchach lekkiego wietrzyka.

– To dobrze, że odczuwasz ból – powiedziała w końcu Norah. – Ostatecznie był twoim ojcem.

Znów przytaknął, ale jego twarz była wciąż zamknięta i skurczona. Kiedy się wreszcie odezwał, słychać było, że jest na granicy łez.

– Nigdy nie myślałem, że on umrze. Nigdy nie sądziłem, że mnie to poruszy. My przecież nawet nie potrafiliśmy normalnie ze sobą rozmawiać.

– Wiem.

Rzeczywiście wiedziała. Po telefonie Bree Norah szła ulicą pod baldachimem z liści i gorzko płakała. Była wściekła na Davida, że ją zostawił, zanim miała okazję z nim porozmawiać i raz na zawsze załatwić pewne sprawy.

– Ale przynajmniej rozmowa zawsze wchodziła w grę.

– Tak. Czekałem, aż on zrobi pierwszy krok.

– Myślę, że on czekał na to samo z twojej strony.

– Był moim ojcem – odparł hardo Paul. – Ostatecznie to on powinien wiedzieć, co należy zrobić.

– Kochał cię. Nigdy nawet nie myśl, że było inaczej.

Paul zaśmiał się krótko i z goryczą.

– Nie. To brzmi bardzo atrakcyjnie, ale niestety wcale nie jest prawdą. Zachodziłem do niego do domu i bez przerwy próbowałem. Specjalnie wałęsałem się tam, żeby porozmawiać z tatą o tym i o owym, ale nigdy nie udało się nam posunąć ani o krok dalej. Nic, co robiłem, nie zyskiwało w jego oczach aprobaty i myślę, że byłby o wiele szczęśliwszy, gdyby miał całkiem innego syna.

Mówił spokojnie, ale w kącikach oczu zbierały się uporczywe łzy.

– Kochanie... – powiedziała łagodnie Norah. – On cię kochał. Naprawdę. Uważał, że ma absolutnie niezwykłego syna.

Paul gwałtownym ruchem wytarł mokre policzki. Norah poczuła, że żal i smutek ściskają ją za gardło. Minęła dłuższa chwila zanim mogła się odezwać.

– Twój ojciec miał zawsze problemy z otwieraniem się przed drugą osobą – powiedziała. – Nie wiem, czemu tak było. Być może dlatego, że wychował się w bardzo biednej rodzinie i że zawsze się tego wstydził? Szkoda, Paul, że nie widziałeś, ilu ludzi przyszło na pogrzeb. Setki. To byli głównie jego pacjenci. Zresztą mam księgę kondolencyjną, będziesz mógł sam zobaczyć. Mnóstwo ludzi darzyło go miłością.

– Czy Rosemary też przyjechała? – spytał, odwracając ku niej twarz.

– Rosemary? Tak – zamilkła na moment, żeby lekka bryza obmyła jej rozpalone czoło. Kątem oka zauważyła Rosemary, gdy nabożeństwo dobiegało końca. Siedziała w ostatnim rzędzie w prostej, szarej sukience. Wciąż nosiła długie włosy, ale wyglądała teraz na znacznie starszą, bardziej ustabilizowaną. David zawsze utrzymywał, że nic go nie łączyło z tą dziewczyną, i Norah w głębi duszy wiedziała, że mówił prawdę.

– Oni nie byli kochankami – powiedziała teraz. – Mam na myśli twojego ojca i Rosemary. To nie było tak, jak sądziłeś.

– Wiem – wyprostował przygarbione plecy. – Wiem. Rosemary mi powiedziała i ja jej uwierzyłem.

– Powiedziała ci? Kiedy?

– Kiedy tata przyprowadził ją do domu. Od razu, pierwszego dnia – miał trochę niepewną minę, ale dzielnie brnął dalej. – Czasami spotykałem ją w jego domu. To znaczy, kiedy wpadałem odwiedzić tatę. Zdarzało się, że jedliśmy razem kolację. Od czasu do czasu taty nie było, więc siedziałem trochę z Rosemary i Jackiem. Mogę z całą pewnością potwierdzić, że nic ich nie łączyło. Parę razy zaglądał tam jej chłopak. Zresztą sam nie wiem. To faktycznie wyglądało nieco dziwnie. Ale w końcu się przyzwyczaiłem. Rosemary była naprawdę w porządku i to na pewno nie przez nią nie mogłem się z tatą dogadać.

Norah skinęła głową.

– Wiesz, Paul... On bardzo się tobą przejmował. Posłuchaj, wiem co masz na myśli, ponieważ sama czułam się tak jak ty. Czułam ten dystans, tę rezerwę. Tę ścianę, która wyrosła tak wysoko, że w żaden sposób nie można jej było przeskoczyć ani ominąć... Zresztą po pewnym czasie przestałam próbować, a po jeszcze dłuższym mieć nadzieję, że w tej ścianie kiedyś pojawią się drzwi. Ale będąc tam, po drugiej stronie, on naprawdę nas kochał, ciebie i mnie. Nie wiem, skąd mi się wzięła ta pewność, ale jestem przekonana, że mam rację.

Paul nic nie mówił. Od czasu do czasu wycierał wierzchem dłoni łzy.

Upał nieco zelżał, więc ludzie ruszyli na przechadzkę po ogrodach – zakochani trzymający się za ręce, rodzice z dziećmi, samotni spacerowicze. Do ich ławeczki zbliżyła się jakaś para starszych ludzi. Ona była dość wysoka, z burzą siwych włosów, a on szedł powoli, lekko przygarbiony i podpierał się laską. Ona trzymała go pod rękę i pochylała się w jego kierunku, żeby coś powiedzieć, a on przytakiwał z roztargnieniem i marszcząc czoło, spoglądał gdzieś na drugą stronę ogrodów, poza bramę – na coś, co wskazywała mu jego towarzyszka. Norah poczuła coś na kształt ukłucia zazdrości. Kiedyś wyobrażała sobie, że ona i David też będą tak spacerować, a ich losy splotą się jak pnącze winorośli, które wypuszczają wciąż nowe pędy i zaczepiają się liśćmi. Och, jakże była staroświecka, nawet jej żal za taką starością był staroświecki i niedzisiejszy. Dawniej sądziła, że wychodząc za mąż, staje się czymś w rodzaju uroczego i pełnego wdzięku pączka, który został otulony przez mocniejszy i elastyczny kielich kwiatu. Otulony, a więc chroniony przed światem, jakby jej własne życie znalazło swe miejsce wewnątrz życia drugiej osoby.

Ale zamiast tego znalazła w życiu własną ścieżkę, założyła własny biznes, wychowała Paula, jeździła dookoła świata... Była płatkiem kwiatu, kielichem, łodygą i liśćmi; była długim, białym korzeniem, który mocno wrasta w głąb ziemi. I była zadowolona, że tak się stało.

Starsza para rozmawiała po angielsku, sprzeczając się, gdzie pójść na kolację. Ich akcent wskazywał na to, że pochodzą z południa – z Teksasu, jak przypuszczała Norah. Mężczyzna koniecznie chciał znaleźć jakiś lokal, gdzie podają steki, żeby wreszcie zjeść coś dobrze znanego.

— Mam po uszy spotkań z Amerykanami — oświadczył Paul, kiedy tamci znaleźli się na tyle daleko, że nie mogli ich słyszeć. — Są zupełnie szczęśliwi, jeśli uda im się trafić na drugiego Amerykanina. Można by pomyśleć, że na tej planecie jest nas mniej niż te cholerne dwa i pół miliarda. Zupełnie nie pojmują, że skoro już znaleźli się we Francji, to może warto byłoby pogadać z jakimś Francuzem.

— Chyba rozmawiałeś z Frederikiem, co?

— Owszem, czemu miałem nie rozmawiać? Arogancja Amerykanów to jego ulubiony temat. Nawiasem mówiąc, gdzie on się podział?

— Wyjechał w interesach. Powinien wrócić dziś wieczorem.

Znowu przez myśl przemknął jej obraz Frederica, który wchodzi przez drzwi hotelowego pokoju, rzuca klucze na toaletkę i klepie się po kieszeni, żeby upewnić się, czy portfel jest na miejscu. Nosił przeraźliwie białe koszule, które zawsze odbijały światło, i wykrochmalone na sztywno kołnierzyki z dziurkami na guziki. Wchodząc wieczorem do domu, rozwiązywał krawat, przerzucał go przez oparcie krzesła i niskim głosem wymawiał imię Norah. Być może najpierw zakochała się w tym głębokim, pełnym namiętności brzmieniu... Mieli ze sobą tyle wspólnego — dorosłe dzieci, rozwody, zawody wymagające maksimum poświęcenia — ale ponieważ życie Frederica toczyło się w innym kraju, częściowo w innym języku, dla Norah miało posmak pewnej egzotyki. Jakby jednocześnie znalazła się w znanej i nieznanej okolicy.

— A ty jesteś zadowolona z wakacji? — spytał Paul. — Jak ci się podoba Francja?

— Jestem szczęśliwa, że przyjechałam — odpowiedziała i była to szczera prawda. Frederic uważał, że Paryż jest strasznie przeludnionym miastem, ale Norah dostrzegała jedynie jego nieskończony urok: piekarnie i cukiernie, delikatne naleśniki sprzedawane wprost z ulicznych straganów, iglice antycznych budowli i dzwony. Zachwycało ją także brzmienie języka, miękkiego i płynnego jak nurt strumienia, z którego gdzieniegdzie wyłaniało się pojedyncze słowo na podobieństwo wystającego spod lustra wody kamyka.

— A co u ciebie? Jak podróż? Czy ciągle jeszcze jesteś zakochany?

– O, tak… – wymruczał, a jego rysy wyraźnie się rozpogodziły. Nagle spojrzał jej prosto w oczy. – Masz zamiar wyjść za Frederica? Przesunęła palcem po ostrym rogu książki. To pytanie od dłuższego czasu nie dawało jej spokoju. Czy powinna aż tak zmieniać swoje życie? Kochała Frederica i nigdy dotąd nie była równie szczęśliwa, ale przez to szczęście od czasu do czasu dostrzegała jego nawyki, które mogły zacząć działać jej na nerwy. Wiedziała, że ona też ma swoje przyzwyczajenia i one niekoniecznie muszą zawsze odpowiadać ukochanemu. Frederic lubił jasne stawianie sprawy i był drobiazgowy aż do przesady we wszystkim, co robił – od zupełnych detali aż po zeznania podatkowe. Pod tym względem – choć pod innymi nie – przypominał jej Davida. Była już wystarczająco dojrzała i doświadczona, żeby wiedzieć, że nic na tym świecie nie jest w pełni doskonałe. Tak samo wszystko i wszyscy z upływem czasu podlegali pewnym zmianom, nie wyłączając jej samej. Ale było też prawdą, że gdy Frederic wkraczał do pokoju, powietrze zdawało się poruszać, nabrzmiewać i pulsować, podobnie jak jej ciało. Norah chciała się przekonać, co jeszcze może się wydarzyć.

– Nie wiem – odpowiedziała synowi. – Bree chce odkupić ode mnie cały biznes… Frederic ma jeszcze rok albo dwa do końca kontraktu, więc nie musimy podejmować na razie żadnej decyzji. Ale przyznam szczerze, że potrafię sobie wyobrazić życie u jego boku. Przypuszczam, że to pierwszy krok.

Paul skinął głową.

– Czy tak samo było za ostatnim razem? No wiesz, z tatą?

Norah popatrzyła na niego uważnym wzrokiem. Zastanawiała się, co powinna odpowiedzieć.

– I tak, i nie – odezwała się w końcu. – Jestem teraz o wiele bardziej pragmatyczna. Wtedy po prostu chciałam, żeby ktoś się o mnie troszczył. Zresztą nie wiedziałam tak do końca, kim jestem i czego potrzebuję.

– Tata przecież lubił troszczyć się o innych.

– Tak. Tak, rzeczywiście to robił.

Przez chwilę siedzieli w milczeniu w powiewach leciutkiego wiatru. Norah odwróciła broszurkę, przypominając sobie zimne wnętrze muzeum, echo kroków na kamiennej posadzce. Stała przed tym obrazem prawie godzinę, uważnie studiując zawirowania kolorów oraz pełne życia i pewności pociągnięcia pędzla. Co to było, czego chciał dotknąć van Gogh? Coś nieuchwytnego, coś migotliwego... David szedł przez życie, kierując obiektyw aparatu w stronę najdrobniejszych detali, opętany grą światła i cienia oraz ideą utrwalania rzeczy w przynależnych im miejscach. Teraz odszedł na zawsze i sposób, w jaki postrzegał świat, przeminął razem z nim.

Nagle Paul poderwał się z miejsca i zaczął wymachiwać rękoma do kogoś, kto znajdował się po drugiej stronie parku. Smutek na jego twarzy ustąpił miejsca radosnemu uśmiechowi, pełnemu uczucia i skierowanemu ku tej jednej jedynej osobie. Norah poszła za jego spojrzeniem i za połacią zeschłej trawy dostrzegła młodą kobietę z podłużną twarzą o delikatnych rysach i cerą o kolorycie dojrzałych żołędzi. Ciemne włosy zwinięte w dredy opadały aż do talii. Była smukła, a jej doskonałą figurę podkreślała sukienka w subtelne wzorki. Dziewczyna poruszała się z gracją tancerki, ale w jej zachowaniu wyczuwało się pewną rezerwę.

– To Michelle – zawołał Paul. – Zaraz wracam, mamo. To Michelle!

Norah patrzyła, jak on biegnie w kierunku tamtej kobiety, zupełnie jakby to siła ciążenia pchała go w jej ramiona. Gdy się całowali na powitanie, delikatnie objął dłońmi jej twarz, a potem ona uniosła rękę. Ich dłonie złączyły się na jeden krótki moment, ale ten gest był tak intymny, że Norah odwróciła głowę. Gdy spojrzała ponownie, szli przez park, pochyleni ku sobie i pogrążeni w rozmowie. W którymś momencie zatrzymali się, Michelle oparła rękę na ramieniu Paula i Norah już była pewna, że Paul jej powiedział.

– Pani Henry – powiedziała, ściskając rękę Norah, kiedy w końcu dobrnęli do ławki. Miała długie palce i chłodne, mimo upalnej pogody. – Tak mi przykro z powodu ojca Paula.

Także jej akcent wydawał się nieco egzotyczny; potem Norah dowiedziała się, że Michelle wiele lat mieszkała w Londynie. Przez kilka minut stali w ogrodach i rozmawiali, aż w końcu Paul zaproponował, żeby pójść gdzieś na kolację. Norah miała wielką chęć powiedzieć „tak", bo chciała siedzieć obok Paula i rozmawiać z nim długo w noc, ale oparła się pokusie. Między jej synem a tą dziewczyną istniało jakieś pełne ciepła promieniowanie, zniecierpliwienie, by jak najszybciej zostać sam na sam... Norah pomyślała o Fredericu, który zapewne czekał już w ich pensjonacie, a jego krawat jak zwykle zwisał z oparcia krzesła...

– Może spotkamy się jutro? – zaproponowała. – Na przykład zjemy razem śniadanie? Chcę się dowiedzieć wszystkiego o waszej podróży. I chcę, żebyś mi opowiedział o tych gitarzystach flamenco z Sewilli.

Na ulicy, w drodze do metra, Michelle ujęła ją pod rękę. Paul szedł kilka kroków przed nimi, szeroki w ramionach i kościsty.

– Wychowała pani syna na wspaniałego człowieka – powiedziała ciepło.

– Strasznie żałuję, że nie mogłam poznać jego ojca.

– Och, to chyba byłoby trudne zadanie, w każdych okolicznościach... Mam na myśli poznanie Davida. Ale masz rację, ja także tego żałuję.

Przeszły kilka kroków.

– A jak ci się podoba wasza podróż? – dodała po chwili Norah.

– No cóż, podróż daje człowiekowi poczucie wspaniałej wolności – wyraziła swoją opinię Michelle.

Nad miastem zapadł ciepły wieczór. Gdy zeszli na dół, jasne światła stacji zupełnie ich oślepiły. Z daleka dobiegał stukot nadjeżdżającego pociągu, który donośnym echem odbijał się w tunelu. Dookoła w powietrzu unosiły się aromaty pomieszanych perfum, a gdzieś w dole tej gamy zapachów wybijała się ostra woń oleju i smaru.

– Przyjedźcie gdzieś koło dziewiątej – zawołała Norah podniesionym głosem, żeby przekrzyczeć hałas. A potem, gdy pociąg był już całkiem blisko, pochyliła się i krzyknęła mu wprost do ucha.

– On cię kochał! Był twoim ojcem i kochał cię z całego serca!

Na twarzy Paula pojawiła się na nowo rozpacz i poczucie utraty kogoś bliskiego. Skinął głową, bo na nic więcej nie starczyło czasu. Pociąg pędził w ich kierunku i nagły podmuch wiatru wypełnił dumą matczyne serce. Oto jest mój syn, myślała. Tak dobrze daje sobie radę w życiu. A Davida już nie ma. Pociąg zatrzymał się z piskiem hamulców, hydrauliczne drzwi rozsunęły z odgłosem przypominającym westchnienie. Norah usiadła przy oknie i jeszcze przez ostatnią chwilę, przez mgnienie oka widziała na peronie sylwetkę Paula. Szedł z rękoma w kieszeniach i z pochyloną głową. Potem on także zniknął.

Zanim zdążyła dojechać do swojego przystanku, świat przybrał szarawą barwę zmierzchu. Przeszła na ukos przez jezdnię wybrukowaną kocimi łbami do pensjonatu, którego żółte ściany lekko mieniły się w świetle ulicznych latarni. Ze skrzynek umieszczonych na każdym oknie opadały kaskady kwiatów. W pokoju panowała cisza, a jej osobiste rzeczy leżały tak, jak je zostawiła. Frederic jeszcze nie wrócił. Norah podeszła do okna wychodzącego na Tamizę i zatrzymała się tam na chwilę, rozmyślając o Davidzie i o tym, jak w ich pierwszym domu nosił Paula na barana; o dniu, gdy się oświadczył, krzycząc do niej ponad hukiem pędzącej w strumieniu wody; o chłodnym dotyku pierścionka, który tamtego wieczora wsunął jej na palec. Mimowolnie przyszedł jej na myśl Paul i jego dłoń, złączona z dłonią Michelle.

Podeszła do małego biureczka, żeby napisać krótki liścik.

„Frederic, jestem w ogródku".

Niewielki ogródek, obramowany palmami posadzonymi w doniczkach, mieścił się tuż nad brzegiem Sekwany. Nieduże lampki wplecione zostały w gałęzie drzew i metalowe ogrodzenie. Norah usiadła przy stoliku skąd mogła widzieć Sekwanę i zamówiła kieliszek wina. Zostawiła gdzieś książkę – sama nie była pewna gdzie, prawdopodobnie w ogrodach Luwru – i na myśl o tym zrobiło się jej przykro. Co prawda ta powieść nie należała do wybitnych i Norah czytała ją raczej po to, żeby zabić czas. Była to jakaś zagmatwana historia, opowiadająca o losach dwóch sióstr. Norah zrobiło się żal, że teraz już nie przeczyta zakończenia.

Dwie siostry. Może pewnego dnia ona i Bree napiszą własną książkę, pomyślała i sama myśl o tym wywołała na jej ustach uśmiech. Mężczyzna w białym garniturze, siedzący przy sąsiednim stoliku ze szklaneczką aperitifu w ręku, odpowiedział uśmiechem. Tak to się zwykle zaczynało: teraz powinna uwodzicielsko założyć nogę na nogę albo odrzucić do tyłu włosy i czekać, aż on dostrzeże tę drobną zachętę, wstanie od swojego stolika i zapyta, czy może się przyłączyć. Norah uwielbiała ten godowy taniec i poczucie odkrywania czegoś nowego, ale dziś odwróciła wzrok. Mężczyzna zapalił papierosa, a gdy skończył, zapłacił rachunek i odszedł.

Norah siedziała dalej, obserwując tłum ludzi płynących na tle połyskliwego nurtu rzeki. Nie zauważyła, kiedy Frederic stanął obok niej. Odwróciła się dopiero, gdy poczuła na ramieniu jego rękę, a on już całował ją w jeden policzek, potem w drugi, aż w końcu ich usta się złączyły.

– Cześć – powiedział, siadając naprzeciwko. Nie należał do wysokich mężczyzn, ale zbudowany był w sam raz. Norah podobały się zwłaszcza jego szerokie ramiona, umięśnione po latach intensywnego pływania. Pracował jako analityk systemów komputerowych i pewnie stąd brała się jego pewność siebie, zdolność do ogarnięcia większej całości, dzięki czemu nigdy nie zdarzało mu się grzęznąć w drobiazgach. Mimo to miał pewną wadę, która doprowadzała Norah do szału – postrzegał świat jako stabilne i łatwe do przewidzenia miejsce.

– Długo czekałaś? – spytał teraz. – Zdążyłaś już coś zjeść?

– Nie – gestem wskazała kieliszek, wciąż prawie pełny. – Prawie wcale nie czekałam. I jestem głodna jak wilk.

– Z uśmiechem skinął głową.

– To dobrze. Przepraszam za spóźnienie, ale to wina kolei.

– Nic nie szkodzi. Jak ci minął dzień w Orleanie?

– Było nudno jak cholera. Ale na szczęście na obiad umówiłem się z kuzynem. Było bardzo miło.

Zaczął opowiadać, a Norah oparła się wygodnie, pozwalając, by słowa obmywały ją całą jak strumień ciepłej wody. Patrzyła na ręce Frederica, mocne i zręczne, i przypomniała sobie dzień, kiedy montował dla niej półki na książki. Cały weekend spędził w garażu przy heblarce, gdzie na podłogę spadały spirale świeżo obrabianego drewna. Nie bał się pracy fizycznej, ale nie bał się także wejść do kuchni, gdzie Norah gotowała obiad, otoczyć ją ramionami i całować dopóty, dopóki się nie odwróciła, odwzajemniając pocałunek. Palił fajkę, czego ona nie pochwalała, a poza tym pracował stanowczo za ciężko i lubił zbyt szybką jazdę po autostradzie.

– Powiedziałaś Paulowi? – spytał. – I jak on się czuje?

– Nie wiem. Mam nadzieję, że w porządku. Zaprosiłam go na śniadanie. Paul chce ci się poskarżyć na arogancję Amerykanów.

Frederic wybuchnął śmiechem.

– No dobrze – powiedział. – Wiesz, ja naprawdę lubię twojego syna.

– Jest po uszy zakochany w pewnej dość miłej, młodej dziewczynie o imieniu Michelle. Ją także zaprosiłam.

– To dobrze – powtórzył, splatając palce z jej palcami. – Dobrze jest być zakochanym.

Zamówili kolację – wołowinę z rożna z ryżem gotowanym w drobiowym rosole i do tego wino. Ciemny nurt leżącej w dole rzeki płynął cicho w dal, a Norah myślała, jak to przyjemnie siedzieć sobie spokojnie w tak miłym miejscu w Paryżu, popijać wino i patrzeć, jak stada ptaków podrywają się do lotu z pogrążonych w ciemności drzew. Wspomniała swoje szalone jazdy nad Ohio, gdy była młodą kobietą, mieniące się barwami tęczy połacie niespokojnej wody, wapienne skały na stromym urwisku i wiatr buszujący w jej długich włosach.

Teraz siedziała spokojnie i patrzyła, jak ptaki odlatują w stronę nieba w kolorze indygo. Czuła zapach wody, spalin, przypiekanej na rożnie wołowiny i wilgotnego iłu rzecznego. Frederic zapalił fajkę i dolał wina do kieliszków. Ludzie wciąż przechadzali się po chodniku, podczas gdy wieczór powoli ustępował pola nocy. Pobliskie zabudowania bladły coraz bardziej, pogrążając się w mroku, a w kolejnych oknach zapalały się światła.

Norah złożyła serwetkę i podniosła się z krzesła. Świat wokół niej wirował; zmęczenie, nadmiar wina i zapach jedzenia po dniu pełnym wrażeń przyprawiły ją o zawrót głowy.

– Dobrze się czujesz? – głos Frederica dobiegał z bardzo, bardzo daleka.

Norah oparła się jedną ręką o stolik i nabrała w płuca powietrza. Potem skinęła głową, jakby nie chciała zakłócać słowami szumu rzeki, zapachu pogrążonego w mroku nadbrzeża i pełnych życia, wirujących gwiazd, które świeciły nad jej głową.

Listopad tysiąc dziewięćset osiemdziesiątego ósmego roku

Miał na imię Robert i był przystojnym chłopakiem, z burzą ciemnych włosów opadających na czoło. Chodził tam i z powrotem po autobusie, przedstawiał się wszystkim po kolei i komentował wydarzenia dzisiejszego dnia, zachowanie kierowcy oraz to, co widział na drodze. Kiedy dobrnął do końca rzędu, odwracał się i zaczynał całą zabawę od początku.

– Świetnie się bawię – mówił do Caroline, za każdym razem potrząsając jej ręką, a jego uścisk był mocny i pełen ufności.

Uśmiechała się cierpliwie. Pozostali pasażerowie za wszelką cenę unikali jego spojrzenia: czytali książki, wściubiali nos w gazetę albo udawali nagłe zainteresowanie tym, co się działo za oknem. Mimo to Robert szedł dalej, niezniechęcony ich zachowaniem, zupełnie jakby ludzie w autobusie byli czymś tak samo znaczącym i chętnym do rozmowy jak przydrożne drzewa, głazy albo chmury. Caroline obserwowała całą scenę z ostatniego siedzenia w autobusie i co chwila zmuszała się, żeby nie interweniować. Wiedziała, że natarczywość Roberta wynika z chęci znalezienia choćby jednej osoby, która zechciałaby go zauważyć.

Najwyraźniej tą osobą była Phoebe. Za każdym razem, gdy Robert się zbliżał, zdawała się rozjaśniać i emanować wewnętrznym blaskiem. Z zachwytem obserwowała go, gdy kręcił się między rzędami, jakby był jakimś cudownym, nowo napotkanym stworzeniem, na przykład pawiem – pięknym, paradnym i dumnym z własnej urody. Gdy w końcu usadowił się na fotelu obok, ciągle gadając jak najęty, Phoebe po prostu uśmiechała się do niego. To był naprawdę promienny i szczery uśmiech; Phoebe niczego nie ukrywała. Żadnej rezerwy, ostrożności czy czekania aż zdoła się upewnić, czy w jego sercu także narodziła się miłość dla niej. Caroline zamknęła oczy, żeby nie widzieć swojej córki – jej nieokiełznanej niewinności i zupełnego braku świadomości ryzyka. Jednak, gdy znów spojrzała, przekonała się, że Robert odpowiedział takim samym uśmiechem. Siedział wpatrzony w Phoebe i osłupiały ze zdumienia, zupełnie jakby przydrożne drzewo nagle wykrzyknęło jego imię.

No cóż, pomyślała Caroline, właściwie czemu nie? Czy rzeczywiście miłość była czymś tak rzadkim, jak ogólnie sądzono? Zerknęła na Ala, który siedział tuż obok i drzemał, a jego siwe włosy podskakiwały przy każdej nierówności jezdni i na każdym zakręcie. Wczoraj wrócił do domu późno w nocy, a następnego dnia miał wcześnie wyjechać. Brał teraz godziny nadliczbowe, żeby zarobić na nowy dach i wymianę rynien. Przez ostatnie miesiące sprawy służbowe pożerały ich cały wspólny czas i coraz częściej zdarzało się, że Caroline wspominała ze słodko-gorzką nostalgią pierwsze dni małżeństwa – usta Ala na jej ustach, dotyk jego ręki opasujący ją w talii. Jak to się stało, że byli teraz tak zatroskani i zajęci wszystkim poza sobą? Czy to możliwe, że tyle dni prześlizgnęło się im między palcami, jeden po drugim, żeby w końcu doprowadzić ich do tego momentu?

Autobus pędził wąwozem w stronę Squirrel Hill, a blask reflektorów rozpraszał wczesny zimowy zmierzch. Robert i Phoebe siedzieli spokojnie, twarzami skierowani do przejścia między rzędami, ubrani na doroczny bal Stowarzyszenia Przyjaciół Dzieci z Zespołem Downa. Robert ubrał najlepszy garnitur, a jego buty lśniły czystością; z kolei Phoebe pod zimowym płaszczem miała zwiewną, biało-czerwoną suknię, a na szyi delikatny łańcuszek z białym krzyżykiem, który dostała na pamiątkę konfirmacji. Jej włosy ostatnio ściemniały i stały się jeszcze bardziej delikatne, więc nosiła krótką, luźną fryzurkę, podpiętą do tyłu czerwonymi wsuwkami. Była blada, a na policzkach i przedramionach miała mnóstwo delikatnych piegów. Teraz wyglądała przez okno, pogrążona we własnych myślach, a po jej ustach błąkał się tajemniczy uśmiech. Robert ponad jej głową studiował pilnie mijane billboardy, reklamy klinik i gabinetów dentystycznych, rozkład jazdy i trasę autobusu. Zdaniem Caroline był dobrym chłopcem, gotowym w każdej chwili zachwycać się tym, co daje mu świat, chociaż zapominał o rozmowie natychmiast po jej zakończeniu i przy każdym spotkaniu pytał Caroline o numer telefonu.

Mimo to zawsze pamiętał o Phoebe. Pamiętał o swojej miłości.

– Już prawie jesteśmy na miejscu – Phoebe pociągnęła Roberta za rękaw, gdy zbliżali się do szczytu pagórka.

Dom, w którym mieściło się Centrum Dziennej Opieki, znajdował się o niecałe pół przystanku stąd, a przez ogromne okna na trawnik pokryty grudkami śniegu wylewało się miękkie, ciepłe światło. – Naliczyłam siedem przystanków.

– Al... – Caroline delikatnie potrząsnęła jego ramieniem. – Al, kochanie, już wysiadamy.

Wyszli z autobusu w chłodne, wilgotne powietrze listopadowego wieczoru i parami ruszyli przez panujący na świecie półmrok. Caroline wzięła Ala pod rękę.

– Jesteś zmęczony – powiedziała, żeby przerwać milczenie, które coraz bardziej i bardziej stawało się ich zwyczajem. – Masz za sobą ciężkie tygodnie.

– Czuję się całkiem dobrze – odparł.

– Wolałabym, żebyś nie wyjeżdżał tak często – pożałowała tych słów jeszcze zanim skończyła mówić. Ten temat wracał jak bumerang i od pewnego czasu stał się wrzodem na delikatnej tkance ich małżeństwa. Nawet w jej własnych uszach to zdanie zabrzmiało ostro i nieprzyjemnie, jakby celowo chciała sprowokować sprzeczkę.

Pod ich stopami skrzypiał zmrożony śnieg. Al westchnął ciężko, a jego oddech uleciał w powietrze w postaci małego obłoczka.

– Posłuchaj, Caroline. Staram się najlepiej, jak potrafię. Teraz płacą całkiem nieźle, a ja mam za sobą długi staż pracy i dlatego dostaję zlecenia. Wiesz przecież, że dobiegam sześćdziesiątki, więc chcę korzystać z okazji, dopóki się nadarza.

Caroline skinęła głową. Czuła pod ręką twarde ramię, na którym mogła się wesprzeć i cieszyła się, że ma obok siebie takiego mężczyznę, choć z drugiej strony była zmęczona tym dziwnym rytmem życia, który rozdzielał ich tak często i na tak długo. Bardziej niż czegokolwiek pragnęła każdego dnia zasiadać z nim do śniadania i kolacji i budzić się obok niego we własnym łóżku, a nie w anonimowym hotelu sto czy pięćset mil stąd.

– Chodzi mi jedynie o to, że za tobą tęsknię – odezwała się miękko.
– To wszystko, co miałam na myśli. I tylko to zamierzałam powiedzieć.
Robert i Phoebe szli z przodu, trzymając się za ręce. Caroline patrzyła na
ręce córki w czarnych rękawiczkach i na szal, który dostała od Roberta,
okręcony luźno dookoła szyi. Phoebe chciała wyjść za Roberta za mąż,
spędzić z nim resztę życia. Ostatnio ta sprawa stała się jedynym tematem
ich rozmów. Linda, dyrektorka Centrum, ostrzegła Caroline: „Phoebe się
zakochała. Ma dwadzieścia cztery lata i trzeba przyznać, że trochę późno
zdarzył się ten pierwszy raz, ale ona teraz właśnie zaczyna odkrywać własną
seksualność. Caroline, musimy o tym porozmawiać". Jednak Caroline nie
chciała przyznać nawet przed samą sobą, że cokolwiek się zmieniło, więc
odkładała tę dyskusję w nieskończoność.

Phoebe szła z lekko pochyloną głową, skupiona na słuchaniu, a od czasu
do czasu jej perlisty śmiech przeszywał wieczorny mrok. Caroline wciągnęła
w płuca ostre, zimne powietrze, zadowolona, że jej córeczka odnalazła szczęście, choć w tym samym momencie jej myśli pofrunęły do poczekalni kliniki w Lexington. Widziała ustawione na półkach paprotki i słyszała trzask
otwieranych drzwi, i spoglądała na Norah Henry, która, stojąc przy recepcji,
ściągała rękawiczkę, żeby pokazać pielęgniarkom ślubną obrączkę.

Tamto zdarzenie miało miejsce całe wieki temu i Caroline zdołała wspomnienia o nim prawie całkiem zatrzeć w pamięci, ale w ostatnim tygodniu,
podczas gdy Al wciąż był w trasie, z kancelarii prawniczej mieszczącej się
w centrum miasta nadszedł list. Caroline, zdumiona jak jeszcze nigdy dotąd, otworzyła go natychmiast i przeczytała, stojąc na ganku w chłodnym
listopadowym powietrzu.

„Prosimy o kontakt z naszym biurem w sprawie rachunku otworzonego
na pani nazwisko".

Zadzwoniła od razu. Stała przy oknie, patrząc na rzekę aut, podczas gdy
prawnik przekazywał jej szokujące nowiny o śmierci Davida Henry'ego.
Prawdę mówiąc, David umarł już przed trzema miesiącami i teraz kancela-
ria skontaktowała się z nią, żeby poinformować o rachunku bankowym,
który został założony na jej nazwisko. Caroline mocniej przycisnęła słuchawkę do ucha, spoglądając na resztki liści jawora kołyszące się na gałęziach w ponurym świetle poranka. Czuła, jak ta wiadomość powoli toru-
je sobie drogę w głąb jej serca... W tym czasie prawnik, siedzący w biurze

odległym o całe mile od jej domu, mówił dalej. Chodziło o rachunek na rzecz beneficjenta, który David założył wspólnie dla niej i Phoebe i który dzięki temu nie wchodził w zakres masy spadkowej ani nie podlegał dziedziczeniu. Niestety, przez telefon nie mogą poinformować jej o wysokości rachunku, i w związku z tym zapraszają do biura.

Odwiesiła słuchawkę i wyszła na ganek, gdzie długo siedziała na huśtawce, starając się przyjąć do wiadomości to, co usłyszała. Zaszokował ją fakt, że David pamiętał o niej w ten sposób, ale jeszcze bardziej zaskoczyła ją wieść o jego śmierci. Co sobie właściwie wyobrażała? Że ona i David będą już zawsze żyć obok siebie, co prawda osobno i niewiele o sobie wiedząc, ale mimo to złączeni przez tamten moment, w którym David wstał i włożył w jej ramiona nowo narodzone dziecko? Że kiedyś – kiedykolwiek – wtedy, gdy będzie jej to pasowało, ona go odszuka i pozwoli na spotkanie z córką? Samochody pędziły w dół zbocza równym, wartkim strumieniem. Caroline nie wiedziała, co począć, więc w końcu wróciła do domu i przyszykowała się do wyjścia do pracy. List wsunęła do górnej szuflady biurka, obok resztek gumek do ołówka i klipsów do papieru, żeby poczekał tam na powrót Ala. Wtedy razem zdecydują, co począć z tym faktem. Na razie nie wspomniała mu o tym – bo sprawiał wrażenie naprawdę wykończonego – ale te nowiny, dotychczas niewypowiedziane, zawisły między nimi razem z niepokojem Lindy co do przyszłości Phoebe.

Światło padające przez okna oświetlało cały chodnik i zbrązowiałe łodygi wysokich traw. Przez podwójne, przeszklone drzwi weszli do środka. Drewniany parkiet do tańca był już gotowy i ustawiony przy końcu sali, a pod sufitem obracała się świetlna kula, rzucając na sufit, ściany i zwrócone ku górze twarze kolorowe błyski. Muzyka grała na całego, ale na parkiecie nie było nikogo. Phoebe i Robert zatrzymali się na brzegu podestu i patrzyli na kolorowe smugi przesuwające się po pustej podłodze.

Al powiesił w szatni ich płaszcze, a następnie ku zdumieniu Caroline ujął ją za rękę.

– Pamiętasz tamten dzień w ogrodzie? Dzień, w którym zdecydowaliś my, że będziemy już razem? Chodź, pokażemy im, jak się tańczy rock and rolla. Co ty na to?

Caroline poczuła pod powiekami kłujące łzy, bo przypomniał się jej trzepot liści w ogrodzie, blask słońca i odległe brzęczenie pszczół, i taniec na miękkiej trawie... Parę godzin później, siedząc w szpitalu, ścisnęła rękę Ala i powiedziała „Tak".

Al objął ją w talii i we dwójkę weszli na parkiet. Caroline już zdążyła zapomnieć – bo minęło naprawdę sporo czasu – jak lekko i płynnie poruszają się ich ciała, jakim poczuciem nieskrępowanej wolności napełnia ją taniec. Oparła rękę na ramieniu męża, wdychając aromatyczną woń jego płynu po goleniu, zmieszaną z lekką nutą oleju silnikowego. Al położył dłoń na jej plecach i mocno przycisnął policzek do jej policzka. Ruszyli do tańca, a wtedy powoli, jeden za drugim, ludzie zaczęli wchodzić na parkiet, posyłając w ich stronę życzliwe uśmiechy. Caroline znała tu prawie wszystkich – pracowników Centrum, innych rodziców ze Stowarzyszenia, mieszkańców Oddziału, który mieścił się za następnymi drzwiami... Phoebe znajdowała się na liście oczekujących na pokój w Oddziale. Było to miejsce, gdzie ludzie tacy jak ona mogli żyć we własnym gronie pod opieką zawodowca. Pod pewnym względami takie rozwiązanie wydawało się idealne – Phoebe mogła zachować większą niezależność i autonomię, a Caroline przestać martwić się o jej przyszłość – ale jak dotąd Caroline nie mogła sobie wyobrazić, żeby Phoebe mieszkała z dala od niej. Lista oczekujących na miejsce wydawała się bardzo długa, gdy się na nią zapisywali, ale w ciągu ostatniego roku nazwisko Phoebe zaczęło piąć się w górę. Caroline wiedziała, że już wkrótce nadejdzie czas na podjęcie decyzji. Kątem oka dostrzegła Phoebe, która z radosnym uśmiechem na ustach nieśmiało wstępowała na parkiet, wsparta na ramieniu Roberta.

Caroline przetańczyła z Alem jeszcze trzy kolejne kawałki. Zamknęła oczy i wirowała po parkiecie, bez oporu powtarzając kroki partnera. Al był dobrym tancerzem, uważnym i pełnym wyczucia, więc Caroline po prostu poddała się całkowicie muzyce. Pamiętała, że taką samą reakcję wywoływał w niej czysty głosik Phoebe, unoszący się po pokojach w domu. Wówczas zatrzymywała się bez względu na to, co robiła, i pozwalała, żeby ten dźwięk wypełniał światłem jej duszę.

– Ale miło... – wyszeptał Al i przyciągnął ją bliżej, mocniej przyciskając policzek do jej policzka. Kiedy łagodne frazy zmieniły się w ostrego rocka, objął ją w pasie i pociągnął w stronę wyjścia.

Caroline nieco kręciło się w głowie, ale starym zwyczajem rozejrzała się po sali w poszukiwaniu Phoebe i poczuła lekkie ukłucie niepokoju, kiedy nigdzie jej nie znalazła.

– Posłałam ją po poncz – zawołała zza stołu Linda i wskazała na malejącą w błyskawicznym tempie liczbę przekąsek. – Uwierzyłabyś, Caroline, że przyjdzie tyle osób? Wygląda na to, że zabraknie nawet ciasteczek.

– Pójdę do kuchni i przyniosę – zaofiarowała się Caroline, zadowolona, że ma pretekst żeby sprawdzić, co się dzieje z Phoebe.

– Nic jej nie będzie – szepnął Al i złapał ją za rękę, wskazując wolne krzesło obok siebie.

– Tylko rzucę okiem – obiecała. – To nie potrwa nawet minuty.

Caroline powędrowała przez puste korytarze, ciche i jasno oświetlone, przez cały czas rozkoszując się niedawną bliskością Ala. Schodami zeszła na dół i skierowała się do kuchni; jedną ręką popchnęła huśtające się na zawiasach metalowe drzwi, a drugą sięgnęła do wyłącznika światła. Nagła powódź fluorescencyjnego blasku ukazała obraz jak na fotografii: Phoebe, w swojej kwiecistej sukience, leżała oparta plecami o blat, zaś Robert schylał się nad nią i obejmował w pasie, jedną ręką sunąc coraz wyżej po udzie dziewczyny. W ułamku sekundy zanim zdążyli się oderwać od siebie, Caroline dostrzegła, że Phoebe miała zamknięte oczy i że na jej twarzy gościł wyraz błogiego szczęścia. Tylko krok dzielił ich od namiętnego pocałunku. Phoebe chciała być całowana przez Roberta i była gotowa oddać pocałunek – na znak pierwszej, prawdziwej miłości.

– Phoebe! – zawołała ostro. – Phoebe i Robert! Już wystarczy!

Niechętnie odsunęli się od siebie, zaskoczeni tym, że ktoś ich nakrył, i dalecy od skruchy.

– Wszystko w porządku – odparł Robert. – Phoebe jest moją dziewczyną.

– Zamierzamy się pobrać – dodała zaraz Phoebe.

Caroline siłą woli opanowała drżenie. Za wszelką cenę chciała zachować spokój. Poza wszystkim Phoebe była przecież dorosłą kobietą.

– Robercie... – powiedziała. – Muszę porozmawiać z Phoebe. Na osobności.

Robert zawahał się, ale posłusznie skierował się do wyjścia, po drodze mijając Caroline. Nagle cały jego entuzjazm gdzieś wyparował.

– To nie było nic złego – dorzucił jeszcze, zatrzymując się w drzwiach. – Ja i Phoebe... My naprawdę się kochamy.

– Wiem – odpowiedziała, kiedy wahadłowe drzwi zamknęły się za nim.

Phoebe stała na środku pomieszczenia zalanego ostrym, nieprzyjemnym światłem i nerwowo okręcała łańcuszek wokół palca.

– Mamo, mówiłaś przecież, że jak się kogoś kocha, to wolno go całować. Ty całujesz Ala.

Caroline przytaknęła, przypominając sobie rękę męża na swojej talii.

– Masz rację, kochanie. Ale to wyglądało na coś więcej niż zwykły pocałunek.

– Mamo! – w głosie Phoebe brzmiała prawdziwa irytacja. – Przecież ja i Robert mamy zamiar się pobrać!

– Skarbie, ty nie możesz wyjść za mąż – odparła bez namysłu Caroline.

Phoebe podniosła głowę, a na jej twarzy pojawił się dobrze znany wyraz uporu. Fluorescencyjne światło padało przez drobną siatkę, malując na policzkach Phoebe fantazyjny wzór.

– Dlaczego?

– Kochanie, małżeństwo... – nagle urwała, myśląc o Alu, o jego zmęczeniu i dystansie między nimi, który powiększał się przy okazji każdego wyjazdu. – Posłuchaj, to dość skomplikowana sprawa. Możesz kochać Roberta bez wychodzenia za niego za mąż.

– Nie. My chcemy wziąć ślub.

Caroline westchnęła ciężko.

– W porządku. Powiedzmy, że chcecie. A gdzie zamierzacie mieszkać?

– Kupimy dom – powiedziała Phoebe całkiem poważnie. – Będziemy w nim mieszkać. Będziemy mieć dzieci.

– Dzieci oznaczają masę pracy – odparła Caroline. – Nie wiem, czy ty albo Robert w ogóle macie pojęcie, jak wiele pracy wymaga posiadanie dzieci. Poza tym na dzieci trzeba mieć pieniądze. Jak zamierzacie zapłacić za dom? Za jedzenie?

– Robert ma pracę. I ja też mam pracę. Razem zarabiamy mnóstwo pieniędzy.

– Ale nie będziecie mogli pracować, jeśli zajmiecie się dziećmi.

Phoebe zastanowiła się. Zmarszczyła brwi, a Caroline na ten widok uczuła ciężar w sercu. To takie głębokie, proste marzenia, pomyślała, i nigdy nie będą mogły stać się rzeczywistością. No i gdzie tu sprawiedliwości?

– Kocham Roberta – powiedziała nagle Phoebe. – Robert kocha mnie. Poza tym, mamo, Avery ma dziecko.

– Och, kochanie...

Caroline przypomniała sobie, jak Avery Swan, pchając po ulicy wózek z niemowlęciem, zatrzymała się przy Phoebe, a ona schyliła się i delikatnym ruchem musnęła policzek maleństwa.

– Kochanie... – kilkoma krokami pokonała dzielącą ich odległość i położyła rękę na ramieniu Phoebe. – Pamiętasz, jak ty i Avery uratowałyście Kropelkę? Wszyscy kochamy Kropelkę, ale sama widzisz, ile się trzeba przy nim napracować. Trzeba wynosić nieczystości, czesać futerko, sprzątać, jeśli narobi bałaganu, wpuszczać i wypuszczać do ogródka... Sama wiesz, jak bardzo się martwisz, jeśli gdzieś sobie pójdzie i nie wraca do domu. Z dzieckiem wygląda to o wiele gorzej, Phoebe. Mieć dziecko to tak, jakby mieć dwadzieścia Kropelek.

Na twarzyczce Phoebe pojawił się wyraz zawodu, a po policzkach popłynęły łzy.

– To nie fair – wyszeptała.

– To nie fair – zgodziła się Caroline.

Przez chwilę stały bez słowa w jasnym, bezlitosnym blasku świetlówek.

– Posłuchaj, Phoebe, czy mogłabyś mi pomóc? – zapytała w końcu Caroline. – Linda powiedziała, że potrzebne są też ciasteczka.

Phoebe szybko otarła oczy. We dwie poszły z powrotem, w górę schodów i przez długi korytarz, trzymając w objęciach pudła i butelki. Przez całą drogę nie zamieniły jednego słowa.

Później, w nocy, Caroline opowiedziała Alowi, co się wydarzyło. Ze skrzyżowanymi rękoma siedział na tapczanie obok niej, ledwie przytomny ze zmęczenia. Patrzyła na jego delikatny kark, zaróżowiony po goleniu i na ciemne półksiężyce pod oczyma. Jutro Al wstanie skoro świt i odjedzie w daleki świat.

– Phoebe tak bardzo chce mieć wreszcie własne życie, Al, i to mogłoby być takie proste.

– Mmm... – mruknął. – No cóż, może to jest proste, Caroline. Inni jakoś mieszkają w pokojach na Oddziale i doskonale sobie radzą. My też damy sobie radę.

W odpowiedzi pokręciła głową.

– Jakoś nie mogę sobie wyobrazić, że Phoebe zniknie z naszego świata. A już absolutnie nie wyobrażam sobie, żeby wyszła za mąż. Co będzie, jeśli zajdzie w ciążę? Nie mogę pozwolić sobie na wychowywanie następnego dziecka. Właśnie to mam na myśli, mówiąc, że sobie tego nie wyobrażam.

– Ja też nie chcę już nikogo wychowywać – odparł Al.

– Może trzeba będzie zakazać jej na pewien czas spotkań z Robertem. Al odwrócił się i spojrzał na nią ze zdumieniem.

– Naprawdę myślisz, że to dobre rozwiązanie?

– Nie wiem – westchnęła. – Po prostu nie wiem.

– Posłuchaj, Caroline – odezwał się łagodnie. – Od chwili, gdy cię spotkałem, walczyłaś jak lwica, żeby świat nie zamykał drzwi przed Phoebe. „Nie doceniają jej możliwości". Ile razy słyszałem od ciebie te słowa? Więc czemu teraz nie chcesz pozwolić, żeby się wyprowadziła? Dlaczego nie chcesz nawet spróbować? Być może ona polubi tamto miejsce, a ty polubisz wolność.

Wpatrzyła się w ciemne plamy na zworniku i pomyślała, że czas go odmalować. I nagle dotarła do niej brutalna prawda.

– Nie potrafię wyobrazić sobie życia bez niej – powiedziała cicho.

– I nikt tego od ciebie nie wymaga. Ale ona jest dorosłą kobietą, Caroline. W tym cała rzecz. Czemu w takim razie poświęciłaś całe życie, żeby zdobyć dla Phoebe jakąś niezależność?

– Sądzę, że uwolnienie się od niej całkiem by ci odpowiadało – wybuchnęła. – Wreszcie mógłbyś gdzieś się ruszyć. Podróżować.

– A ty nie?

– Oczywiście, że tak – wykrzyknęła, zaskoczona własnym podekscytowaniem. – Ale wiesz przecież, że nawet jeśli Phoebe się wyprowadzi, nigdy nie będzie zupełnie niezależna. I boję się, że jesteś z tego powodu nieszczęśliwy. Boję się, że zamierzasz nas porzucić. Kochanie, od paru lat coraz bardziej i bardziej oddalasz się od nas.

Al przez dłuższą chwilę się nie odzywał.

– Dlaczego jesteś taka wściekła? – zapytał w końcu. – Czy kiedykolwiek zrobiłem coś, co mogło sugerować, że zamierzam się wyprowadzić?

– Nie jestem wściekła – odparła natychmiast, ponieważ usłyszała w jego głosie głęboką urazę. – Al, zaczekaj chwilę – szybko podeszła do komody i wyciągnęła stamtąd list. – Jestem po prostu zmartwiona i nie wiem, co robić.

Wziął kopertę, rozłożył kartkę papieru i uważnie studiował przez dłuższy czas. Raz nawet spojrzał na odwrotną stronę, jakby na niej mogło się kryć wyjaśnienie tajemnicy, a następnie przeczytał wszystko od początku.

– Ile pieniędzy znajduje się na tym rachunku? – zapytał.

Pokręciła głową.

– Nie mam pojęcia. Muszę iść osobiście, żeby się dowiedzieć.

Al jeszcze raz przebiegł oczyma list.

– To dziwne, że załatwił sprawę w taki sposób, za pomocą tajnego konta.

– Wiem. Może bał się powiedzieć o wszystkim Norah? Może chciał być pewny, że będzie miała czas przyzwyczaić się do myśli, że jego już nie ma? To wszystko, co jestem sobie w stanie wyobrazić.

Znów pomyślała o Norah, która z taką pewnością siebie brnęła przez życie, całkiem nieświadoma faktu, że jej córka wcale nie umarła. A Paul? Co się z nim dzieje? Nie potrafiła sobie wyobrazić, kim mogło być w obecnej chwili tamto ciemnowłose dziecko, które widziała tylko raz w życiu.

– Jak sądzisz, co powinniśmy zrobić? – zapytała.

– Po pierwsze, trzeba się dowiedzieć wszystkich szczegółów. Kiedy wrócę z trasy, wybierzemy się we dwójkę do tego prawnika, żeby nam wyjaśnił parę spraw. Mogę wziąć dzień albo dwa wolnego. A potem… Sam nie wiem, Caroline. Pewnie będziemy spać na tej forsie. Nie musimy przecież niczego postanawiać na gorąco.

– W porządku – zgodziła się. W ustach Ala wszystko brzmiało tak jasno i zrozumiale. Od razu opadło z niej całe zdenerwowanie. – Jak dobrze, że tu jesteś – szepnęła z wdzięcznością.

– Prawdę mówiąc, Caroline, nigdzie się nie wybieram – powiedział, biorąc jej dłoń w obie ręce. – Oczywiście z wyjątkiem wyjazdu do Toledo jutro o szóstej rano. Więc pewnie lepiej będzie, jak na razie zapomnę o wszystkim i położę się spać.

Pocałował ją mocno i długo, a potem przyciągnął do siebie. Caroline przytuliła policzek i wciągnęła w nozdrza zapach męża i ciepło jego ciała. Myślała teraz o dniu, gdy spotkała go na parkingu przed sklepem w Louisville; o dniu, który określił jej życie.

Al podniósł się z kanapy, nie wypuszczając jej ręki.

– Idziesz na górę? – spytał zachęcającym tonem.

Skinęła głową i podniosła się z miejsca.

***

Wstała wcześnie rano, żeby przygotować śniadanie. Na talerzach ułożyła jajka, plastry bekonu i przysmażane kartofelki ozdobione gałązką pietruszki.

— Ale pięknie pachnie — powiedział Al, wchodząc do kuchni. Pocałował ją w policzek na powitanie i rzucił na stół gazetę razem z wczorajszą pocztą. Listy były zimne i lekko wilgotne. Dwa rachunki plus jaskrawa widokówka z panoramą Morza Egejskiego i liścikiem od Dorothy na odwrocie.

Caroline przesunęła palcami po pocztówce i odczytała krótką wiadomość.

— Byli w Paryżu i Trace zwichnął sobie kostkę.

— Coś okropnego — Al otworzył gazetę i kręcił głową nad wiadomościami z wyborów. — Hej, Caroline — zawołał po chwili, kiedy przestał czytać. — Ostatniej nocy trochę myślałem o tym, co mi mówiłaś. Może chciałabyś ze mną pojechać? Założę się, że Linda zgodzi się wziąć Phoebe na weekend. Moglibyśmy trochę się wyrwać, ty i ja, a dodatkowo mogłabyś się przekonać, jak Phoebe poradzi sobie sama przez te parę dni. No i co ty na to?

— Wyjechać? Teraz, zaraz?

— Dokładnie tak. Chwytać dzień. Czemu nie?

— Och — oblała się rumieńcem z radości i podniecenia, choć właściwie nie znosiła długich godzin spędzonych na drodze. — Sama nie wiem. Mam tyle roboty w tym tygodniu. Może następnym razem... — dodała szybko, zanim zdążył się od niej odwrócić.

— Tym razem moglibyśmy zrobić sobie parę dodatkowych wycieczek — przymilał się. — Byłoby o wiele bardziej interesująco.

— To naprawdę świetny pomysł, ale... — powiedziała, myśląc ze zdziwieniem, że rzeczywiście tak jest.

Uśmiechnął się, wyraźnie rozczarowany odmową, i pochylił, żeby pocałować ją na pożegnanie. Jego usta delikatnie musnęły jej usta, pozostawiając na nich uczucie chłodu.

Kiedy odjechał, Caroline powiesiła na lodówce kartkę od Dorothy. Nad miastem wstawał ponury, listopadowy dzień, powietrze było wilgotne, szare i pachniało zbliżającą się śnieżycą, więc patrzenie na błękitne, nęcące morze i piasek sprawiało jej przyjemność. Przez cały tydzień, pomagając pacjentom, robiąc kolację albo składając pranie, Caroline rozmyślała o zaproszeniu Ala. Myślała o namiętnym pocałunku Roberta i Phoebe, który przerwany został w tak nagły i nieprzyjemny sposób, i o domu, w którym Phoebe chciała zamieszkać razem z ukochanym. Al miał rację. Pewnego dnia ich obojga tu nie będzie, a Phoebe ma prawo żyć tak, jak się jej podoba.

Mimo to świat nie był wcale mniej okrutny niż przedtem. We wtorek, kiedy we dwie siedziały w jadalni przy posiłku składającym się z pieczeni, tłuczonych ziemniaków i zielonego groszku, Phoebe sięgnęła do kieszeni i wyjęła stamtąd małą, plastikową układankę – z rodzaju tych składających się z przesuwanych kwadratów z cyframi. Chodziło o to, żeby poukładać liczby w odpowiedniej kolejności, więc między kolejnymi kęsami Phoebe zajmowała się ustawianiem kwadratów.

– Całkiem fajna zabawa – zauważyła Caroline, podnosząc do ust szklankę z mlekiem. – Skąd to masz, kochanie?

– Od Mike'a.

– Czy on z tobą pracuje? Czy to ktoś nowy?

– Nie – odparła Phoebe. – Poznałam go w autobusie.

– W autobusie?

– Uhu. Wczoraj. Jest bardzo miły.

– Rozumiem – Caroline miała wrażenie, że czas nieco zwolnił biegu. Wszystkie jej zmysły nagle się wyostrzyły, ale zmusiła się, żeby mówić spokojnie i naturalnie. – Więc Mike dał ci tą zabawkę?

– No tak. Był bardzo miły. I ma w domu nowego ptaszka. Chce mi go pokazać.

– Naprawdę? – Caroline przeszył zimny dreszcz. – Phoebe, kochanie, nawet nie myśl o chodzeniu gdzieś z nieznajomymi. Rozmawiałyśmy przecież na ten temat.

– Wiem. Powiedziałam mu o tym.

Phoebe nałożyła sobie więcej ketchupu na mięso.

– On mówił: „Chodź ze mną, Phoebe". A ja mu na to: „Dobrze, ale muszę wpierw powiedzieć o tym mamie".

– Świetny pomysł – zdołała wykrztusić Caroline.

– No to jak? Mogę jutro iść z Mike'em do niego do domu?

– A gdzie Mike mieszka?

Phoebe wzruszyła ramionami.

– Nie wiem. Spotykam go w autobusie.

– Codziennie?

– Uhu. To jak, mogę pójść? Bardzo chcę zobaczyć tego ptaszka.

– A może ja też bym tam poszła? – powiedziała ostrożnie Caroline. – Gdybym pojechała jutro z tobą autobusem? W ten sposób ja też poznam Mike'a i będę mogła iść zobaczyć ptaszka. Co ty na to?

– W porządku – odparła Phoebe z uśmiechem i dokończyła mleko.

Przez następne dwa dni Caroline jeździła z Phoebe do pracy i z pracy, ale Mike się nie pokazał.

– Kochanie, boję się, że on cię okłamał – oświadczyła Caroline w czwartek wieczorem, kiedy zmywały po kolacji naczynia. Phoebe miała na sobie żółty sweterek, a na dłoniach tuziny malutkich nacięć od ostrych brzegów papieru. Caroline obserwowała ją, jak troskliwie bierze do rąk każdy talerz i starannie go wyciera; była szczęśliwa, że Phoebe jest bezpieczna, i przerażona, że pewnego dnia może być inaczej. Kim był ten chłopak, Mike, i co mógł zrobić Phoebe, jeśli pochopnie zgodziłaby się pójść z nim do jego mieszkania? Caroline złożyła doniesienie na policji, ale nie miała wielkiej nadziei, że uda im się odnaleźć tego człowieka. Faktycznie nic złego się nie wydarzyło, a Phoebe nie umiała opisać Mike'a poza tym, że nosił złotą obrączkę i niebieskie tenisówki.

– Mike jest miły – upierała się Phoebe. – On nie miał zamiaru mnie okłamać.

– Kochanie, nie każdy człowiek jest dobry albo chce tego, co będzie dobre dla ciebie. Pamiętaj, że Mike nie zjawił się w autobusie, chociaż ci to obiecał. On próbował cię nabrać, Phoebe. Musisz być bardzo ostrożna.

– Zawsze mi to mówisz – odparła Phoebe ze złością i rzuciła na blat ściereczkę do naczyń. – To samo mówisz o Robercie.

– To całkiem co innego. Robert nie ma zamiaru cię skrzywdzić.

– Kocham go.

– Wiem – Caroline zamknęła oczy i wzięła głęboki oddech. – Posłuchaj, Phoebe... Ja cię kocham i nie chcę, żeby stało ci się coś złego. Świat bywa czasem niebezpieczny. Moim zdaniem ten człowiek wcale nie miał dobrych zamiarów.

– Ale przecież nigdzie z nim nie poszłam – odpowiedziała poważnie Phoebe, jakby dopiero teraz usłyszała surowy, pełen strachu ton Caroline. Odstawiła na suszarkę ostatni talerz, nagle bliska łez. – Nigdzie nie poszłam.

– Jesteś mądrą dziewczynką – pochwaliła ją Caroline. – Dobrze zrobiłaś. Nigdy nie chodź z nieznajomymi.

– O ile nie będą znali właściwych słów.

– Racja. Ale to tajemnica, więc nie mów nikomu.

– Gwiezdny ogień – zawołała Phoebe. – To właśnie jest nasza tajemnica.

– Tak – westchnęła Caroline. – Nasza tajemnica.

***

W piątek rano Caroline odwiozła Phoebe do pracy. Tego samego wieczora siedziała w samochodzie i czekając na nią, przyglądała się przez szybę, jak Phoebe obsługuje kserokopiarkę, jak oprawia dokumenty i żartuje z Max, swoją współpracowniczką, młodą kobietą z włosami ściągniętymi w koński ogon, która w każdy piątek chodziła z Phoebe na lunch i która nie bała się jej krytykować, jeśli Phoebe poplątała coś w zamówieniu. Phoebe pracowała w tym miejscu już od trzech lat. Lubiła swoją pracę i wykonywała ją naprawdę dobrze. Caroline, obserwując przez szklaną taflę zgrabne ruchy córki, wracała myślami do długich godzin, które poświęciła organizacji, prezentacjom, nieustannym zmaganiom i papierkowej robocie, żeby umożliwić Phoebe przeżycie takiego właśnie momentu. Mimo to tyle jeszcze pozostało do zrobienia. Incydent w autobusie był po prostu jedną z wielu spraw, które dręczyły Caroline. Phoebe nie zarabiała wystarczająco dużo, żeby starczyło jej na życie i zwyczajnie nie mogła zostać sama, nawet na jeden weekend. Gdyby wybuchł pożar albo wysiadła elektryczność, z pewnością wpadłaby w popłoch i nie wiedziała, co robić.

Poza tym był jeszcze ten Robert... Podczas jazdy do domu Phoebe opowiadała o pracy, o Max, ale potem rozgadała się na temat Roberta. Miał przyjść do nich następnego dnia, żeby razem z Phoebe upiec szarlotkę. Caroline słuchała pilnie, zadowolona, że już prawie sobota i że wkrótce Al wróci do domu. Nagle pomyślała, że nieznajomy z autobusu oddał jej przysługę – miała znakomitą wymówkę, żeby wozić Phoebe w obie strony samochodem i dzięki temu znacznie ograniczyć czas, jaki zwykle spędzała z Robertem.

Gdy podchodziły do drzwi, w środku rozdzwonił się telefon. Caroline westchnęła. Znów pewnie ktoś będzie usiłował coś jej sprzedać albo któraś z sąsiadek zapragnie, żeby Caroline wsparła jakiś dobroczynny cel, albo okaże się, że to pomyłka. Kropelka powitał ich przy drzwiach donośnym miauczeniem i zaczął ocierać się o ich nogi.

– Zmykaj – mruknęła Caroline i podniosła słuchawkę.

To była policja. Oficer po drugiej stronie linii odchrząknął i zapytał, czy może prosić ją do telefonu. Z początku Caroline ogarnęło zdziwienie, które szybko przerodziło się w radość. Najwyraźniej udało się im odnaleźć tego faceta z autobusu.

– Tak, to ja – powiedziała, patrząc jak Phoebe podnosi Kropelkę i ściska na powitanie. – Tu Caroline Simpson.

Policjant znowu chrząknął i zaczął mówić.

Potem Caroline pamiętała te kilkanaście sekund jako nieskończenie długą chwilę, która rozciągnęła się w czasie, wypełniła sobą cały pokój, a ją wcisnęła w krzesło. Tak naprawdę sprawa była dość prosta i przekazanie wiadomości nie trwało długo. Ciężarówka Ala wypadła z drogi, przebiła się przez barierkę ochronną i wylądowała na zboczu niewielkiego pagórka. Al ze złamaną nogą został przewieziony do szpitala. Dziwnym trafem był to ten sam szpital urazowy, gdzie wiele lat temu Caroline zgodziła się przyjąć jego oświadczyny.

Phoebe mruczała czule do Kropelki, ale chyba wyczuwała, że stało się coś złego, bo podniosła pytający wzrok w chwili, gdy Caroline odwiesiła słuchawkę. Dopiero podczas jazdy Caroline wytłumaczyła, co się stało. Wędrując po szpitalnych korytarzach, przyłapała się na tym, że wspomnienia tamtego, dawno minionego dnia powróciły ze zdwojoną siłą – opuchnięte dziecięce usteczka i ciężki, chrapliwy oddech, i Al, który tak zdecydowanie wkroczył do akcji, gdy Caroline o mały włos nie spoliczkowała pielęgniarki. Teraz Phoebe była dorosłą kobietą i szła obok niej w sukience, którą nosiła do pracy, a ona i Al od osiemnastu lat byli małżeństwem.

Osiemnaście lat...

Al był przytomny. Jego ciemna czupryna poprzetykana gęsto srebrnymi nitkami odbijała się od nieskazitelnej bieli szpitalnej poduszki. Kiedy weszły do sali, usiłował się podnieść, ale zaraz skrzywił się z bólu i powoli opadł na łóżko.

– Och, Al...

Caroline szybko przeszła przez pokój i chwyciła go za rękę.

– Nic mi nie jest – powiedział. Na moment zamknął oczy i wziął głęboki oddech. Caroline poczuła, że cała w środku nieruchomieje z przerażenia, bo nigdy dotąd nie widziała Ala w takim stanie. Wydawał się być w ciężkim szoku, drżał, a przez mięśnie na policzku przebiegał nerwowy tik.

– Hej, zaczynam na serio się bać – powiedziała, dokładając wszelkich starań, żeby zabrzmiało to lekko.

Otworzył oczy i przez moment spoglądali na siebie, a wszystko co stało pomiędzy nimi nagle przestało się liczyć. W końcu Al wyciągnął rękę i swoją wielką dłonią lekko pogładził policzek Caroline. Natychmiast nakryła swoją dłonią jego dłoń, czując jak łzy napływają jej do oczu.

– Jak to się stało? – wyszeptała.

– Nie wiem – odparł z westchnieniem. – Było ładne, słoneczne popołudnie. Jasne, bezchmurne. Jechałem sobie i podśpiewywałem piosenkę do wtóru radiu. Myślałem, jak fajnie byłoby, gdybyś jechała ze mną, tak jak rozmawialiśmy. Potem pamiętam moment, kiedy ciężarówka przelatywała nad barierką... A dalej nie pamiętam już nic. Dopiero to, kiedy obudziłem się w szpitalu. Podobno wóz rozleciał się na drobne części. Gliniarze po wiedzieli, że gdybym spadł kilkanaście metrów dalej, to ja też należałbym już do przeszłości.

Caroline pochyliła się i objęła go mocno, wciągając w nozdrza znajomy zapach. Czuła równomierne bicie serca męża. Zaledwie parę dni temu tańczyli razem na balu, martwili się remontem dachu, wymianą rynien... Zaplątała palce we włosy rosnące na jego karku, jak zawsze nieco za długie.

– Och, Al...

– Wiem, Caroline... – szepnął. – Wiem...

Phoebe stała obok i przypatrywała się im szeroko otwartymi oczyma. W pewnej chwili z jej piersi wydarł się rozpaczliwy szloch. Płakała zatykając usta dłonią, jakby w ten sposób chciała zdławić łkanie. Caroline wyprostowała się i otoczyła ją ramionami. Gładząc jej włosy, czuła obok ciepło promieniujące z młodego, mocnego ciała.

– Phoebe – powiedział Al. – Spójrz na siebie. Dopiero co wyszłaś z pracy. Jak ci się udał dzisiejszy dzień, kochanie? Nie dotarłem do Cleveland, więc nie kupiłem ci tych rogalików, które tak lubisz. Przywiozę je następnym razem, dobrze?

Phoebe skinęła głową, wycierając rękoma z policzków mokre ślady.

– Gdzie jest twoja ciężarówka? – zapytała i Caroline przypomniała sobie, że kiedy Al zabierał je obie na przejażdżkę, Phoebe miała zwyczaj siadać wysoko w kabinie kierowcy i dawać znak zaciśniętą piąstką, kiedy mijały ich inne ciężarówki, żeby zachęcić tamtych do użycia klaksonu.

– Kochanie, jest zepsuta – odpowiedział. – Przykro mi, ale zepsuła się na dobre.

Al został w szpitalu przez dwa dni, a potem wrócił do domu. Ten czas zupełnie zamglił się w pamięci Caroline – zawoziła Phoebe do pracy, sama jechała do pracy, zajmowała się Alem, przygotowywała posiłki i starała się nadrobić zaległości w praniu. Wieczorami ze zmęczenia padała na łóżko i zasypiała kamiennym snem, żeby obudzić się rano i zacząć cały kierat od początku. Wcale nie ułatwiało jej zadania to, że Al okazał się okropnym pacjentem, upartym, popędliwym i wymagającym. Na domiar złego Caroline wciąż miała wrażenie, że po raz kolejny przeżywa pierwsze dni, które spędziła w tym domu, zajmując się Leo, zupełnie jakby czas nie posuwał się naprzód, lecz zatoczył olbrzymie koło.

Tak minął tydzień. W sobotę Caroline, wyczerpana do granic wytrzymałości, załadowała pralkę i poszła do kuchni, żeby zrobić coś do zjedzenia. Wyciągnęła z lodówki parę marchewek na surówkę i przeszukała zamrażarkę w nadziei, że napotka tam coś, co stanie się dla niej inspiracją. Nic z tego. No cóż, Al nie będzie zachwycony, ale chyba skończy się na tym, że ona zamówi pizzę. Dochodziła piąta i za parę minut powinna wyjechać po Phoebe, żeby odebrać ją z pracy. Na chwilę przerwała obieranie marchewek i wpatrzyła się w swoje niewyraźne odbicie w okiennej szybie, za którym poprzez nagie gałęzie drzew widziała migającą na czerwono reklamę firmy Foodland. Myślała o Davidzie Henrym i o Norah, tak często będącej obiektem jego fotografii. O jej pięknym ciele, wplecionym pomiędzy pagórki wydm, o jej włosach wypełniających obramowanie zdjęć. List od prawnika wciąż leżał w szufladzie biurka. Poszła na spotkanie, na które umówiła się jeszcze przed wypadkiem Ala, i w wyłożonym dębową boazerią biurze dowiedziała się wszystkich szczegółów spadku, jaki zostawił jej David. Przez cały tydzień ta rozmowa kołatała się jej po głowie, choć nie miała czasu jej przemyśleć ani tym bardziej porozmawiać o niej z Alem.

Na zewnątrz rozległ się jakiś hałas, więc odwróciła się i ze zdziwieniem przez tylne drzwi spostrzegła Phoebe, która właśnie weszła na ganek. W jakiś sposób zdołała na własną rękę dotrzeć do domu, choć nie miała na sobie płaszcza. Caroline rzuciła nożyk i podbiegła do tylnego wyjścia, po drodze wycierając ręce w fartuch. I dopiero wtedy zobaczyła coś, czego nie dostrzegła ze środka domu – za Phoebe stał Robert i jedną ręką obejmował jej ramiona.

– Co ty tutaj robisz? – zapytała ostro, wychodząc na zewnątrz.

– Wzięłam dziś dzień wolnego – odpowiedziała Phoebe.

– Tak? A co będzie z pracą?

– Max jest na miejscu, a ja odpracuję za nią w poniedziałek.

– Caroline powoli skinęła głową.

– A jak dostałaś się do domu? Właśnie miałam po ciebie jechać.

– Przyjechaliśmy autobusem – odezwał się Robert.

– Oczywiście – zaśmiała się Caroline, ale zaraz z powrotem przybrała surową minę. – Tak. No jasne, że musieliście przyjechać autobusem. Och, Phoebe, przecież prosiłam, żebyś tego nie robiła. To nie jest bezpieczne.

– Ale ja i Robert jesteśmy bezpieczni – Phoebe lekko wydęła dolną wargę tak jak wtedy, gdy zaczynała być na serio zła. – Ja i Robert zamierzamy wziąć ślub.

– Och, na litość boską! – cierpliwość Caroline wreszcie się wyczerpała. – Jak zamierzacie to zrobić? I co dalej? Żadne z was nic o tym nie wie! Nie macie zielonego pojęcia, na czym polega małżeństwo!

– Owszem, wiemy – sprzeciwił się Robert. – Świetnie wiemy, co to znaczy być mężem i żoną.

Caroline westchnęła ciężko.

– Posłuchaj, Robercie, chyba powinieneś już wrócić do domu. Potrafiłeś przyjechać autobusem tutaj, to chyba poradzisz sobie z powrotem, bo ja nie mam czasu, żeby cię odwozić. Tego już stanowczo za wiele. Musisz jechać do domu.

Ku jej zdumieniu Robert uśmiechnął się. Spojrzał na Phoebe i odszedł w stronę pogrążonej w cieniu części ganku, a potem schylił się i wyjął coś spod huśtawki. Wrócił z wiązanką białych i czerwonych róż, połyskujących lekko w gęstniejącym mroku. Z uroczystą miną wręczył te kwiaty Caroline. Delikatne płatki musnęły jej ręce.

— Robert? — cofnęła się o krok, wciągając w nozdrza subtelny zapach, który rozszedł się w powietrzu. — Co to jest?

— Kupiliśmy je w sklepie — wyjaśnił. — Na wyprzedaży.

Caroline pokręciła głową.

— Nie rozumiem.

— Dziś jest sobota — przypomniała jej Phoebe.

Sobota... Przez wszystkie minione lata Al, wracając w sobotę z podróży, przywoził jakiś mały upominek dla Phoebe i bukiet kwiatów dla żony. Caroline wyobraziła sobie, jak Robert i Phoebe wsiadają w autobus, żeby pojechać do sklepu spożywczego, w którym Robert pracował jako magazynier, a potem oglądają uważnie metki z cenami i odliczają dokładną sumę pieniędzy. Wciąż jakaś część jej duszy miała ochotę wrzasnąć, wsadzić Roberta w powrotny autobus i raz na zawsze wyrzucić z ich życia, zaś druga część chciała dać za wygraną: „Tego już za wiele. Róbcie co chcecie, nic mnie to nie obchodzi".

Z wnętrza domu dolatywał uporczywy dźwięk małego dzwoneczka, który pozostawiła przy łóżku Ala. Caroline westchnęła i cofnęła się o krok, gestem zapraszając ich do środka, do światła i ciepła.

— W porządku — powiedziała. — Wchodźcie, zanim całkiem zamarzniecie.

Pobiegła w górę po schodach, próbując po drodze choć trochę się pozbierać. Ile spraw może wziąć na swoje barki jedna kobieta?

— Musisz być trochę bardziej cierpliwy — zawołała od progu. Weszła do pokoju, gdzie siedział Al, z nogą wspartą na otomanie i z książką na kolanach. — Cierpliwy, rozumiesz? Jak myślisz, dlaczego cierpliwość jest najbardziej pożądaną cechą pacjenta? Wiem, że przymusowa bezczynność doprowadza cię do szału, ale, na litość boską, wyleczenie złamania musi trochę potrwać!

– Zdaje mi się, że to właśnie ty marzyłaś, żebym więcej czasu spędzał w domu – odgryzł się natychmiast. – Następnym razem uważniej wyrażaj swoje życzenia.

Caroline pokręciła głową i przysiadła na brzegu łóżka.

– Tego akurat wcale sobie nie życzyłam.

Al przez kilka sekund gapił się w okno.

– Przepraszam – powiedział wreszcie. – Masz rację. Przepraszam.

– Jak się czujesz? – spytała. – Bardzo boli?

– Nie bardzo.

Za oknem na tle fioletowego nieba wiatr szarpał resztkami liści jawora. Tuż obok pnia stały torby z cebulkami tulipanów i czekały, aż ktoś znajdzie czas, żeby się nimi zająć. W zeszłym miesiącu razem z Phoebe posadziły na grządkach chryzantemy – jaskrawe pęki pomarańczowego, kremowego i ciemnego fioletu. Przysiadła na piętach i przyglądała się im z zachwytem, wracając myślą do czasów, gdy tak samo pracowała w ogrodzie ze swoją matką, połączona wspólnym zadaniem, które nie wymagało używania słów. Rzadko zdarzało się, żeby rozmawiały o czymś osobistym i teraz Caroline bardzo tego żałowała. Tyle było spraw, o których chciała matce powiedzieć.

– Już więcej nigdzie nie będę wyjeżdżał – wyrzucił z siebie Al, nie patrząc na nią. – Mam na myśli jeżdżenie ciężarówką.

– W porządku – odparła. Starała się sobie wyobrazić, co to będzie oznaczało dla nich obydwoja. Z jednej strony to dobrze, bo za każdym razem, gdy wyobrażała sobie jego wyjazd, coś się w niej zamykało, a z drugiej źle, bo napełniało ją to lekką obawą. Od czasu, gdy wyszła za Ala za mąż, nie zdarzyło się, żeby spędzili razem więcej niż tydzień.

– Będę przez cały czas siedział ci na głowie – powiedział, czytając w jej myślach.

– Naprawdę? – popatrzyła na niego uważnie, jakby dopiero teraz dostrzegła jego bladość i powagę w spojrzeniu. – Więc masz zamiar tak całkowicie pójść na emeryturę?

Pokręcił głową. Nadal wpatrywał się w swoje dłonie.

– Za młody jestem na emeryturę. Myślałem, że mógłbym robić coś innego. Może dobrze byłoby postarać się o przeniesienie do biura? Wiem, jak ta firma działa od środka. Może spróbowałbym jeździć miejskim autobusem? Nie wiem... Mogę robić cokolwiek. Ale nie mogę wrócić do jeżdżenia w trasy.

Caroline skinęła głową. Kiedy pojechała na miejsce wypadku, ujrzała rozdartą barierkę i zrytą ziemię w miejscu, gdzie ciężarówka wbiła się w zbocze.

– Zawsze miałem przeczucie, że to się tak skończy – mówił Al, nie odrywając spojrzenia od rąk. Od kilku dni się nie golił i teraz na brodzie sterczały kłujące włoski. – Tak jakby to musiało się zdarzyć, tego czy innego dnia. A teraz się zdarzyło.

– O niczym nie wiedziałam – odparła. – Nigdy nie powiedziałeś, że czegoś się boisz.

– Bo to nie był strach. Ja po prostu miałem przeczucie. To coś całkiem innego.

– Mimo wszystko o niczym nie wspomniałeś.

Wzruszył ramionami.

– Czy to miałoby jakieś znaczenie? To było jedynie przeczucie, Caroline.

Skinęła głową. Jeszcze kilka jardów i Al zginąłby na miejscu, jak powiedział któryś z policjantów. Przez cały tydzień Caroline starała się trzymać wyobraźnię na wodzy i nie rozważać, co mogłoby się stać, ale prawda wyglądała tak, że mogła już być wdową i resztę życia spędzić w samotności.

– Może rzeczywiście powinieneś przejść na emeryturę – powiedziała powoli. – Poszłam do tego prawnika, Al. Już wcześniej umówiłam się na spotkanie, więc poszłam. David zostawił Phoebe mnóstwo pieniędzy.

– No cóż, ale te pieniądze nie są moje – odparł. – Nawet jeśli to jest milion dolarów, to i tak nie należy on do mnie.

Caroline przypomniała sobie, jak Al zareagował na wiadomość o darowiźnie Dorothy. Z taką samą niechęcią odniósł się do przyjęcia czegoś, na co nie zapracował własnymi rękoma.

– To prawda – przyznała. – Te pieniądze są własnością Phoebe. Ale to my ją wychowaliśmy, ty i ja. Jeśli jej finansowa przyszłość będzie zabezpieczona, spadnie nam z głowy jedno zmartwienie. A to oznacza większą wolność dla nas. Al, tak ciężko oboje pracowaliśmy... Może nadszedł czas, żeby pójść na emeryturę.

– Co to znaczy? – zaniepokoił się. – Czy chcesz, żeby Phoebe się wyprowadziła?

– Nie. Absolutnie tego nie chcę. Ale tego chce Phoebe. Razem z Robertem siedzą teraz w kuchni – uśmiechnęła się na wspomnienie bukietu róż, który leżał teraz na kuchennym blacie obok stosu na wpół obranych marchewek. – Pojechali razem do sklepu. Autobusem. I kupili dla mnie kwiaty, ponieważ dziś jest sobota. Ja sama nie wiem, Al... Kim jestem, żeby się sprzeciwiać? Może sobie jakoś poradzą, lepiej lub gorzej?

W zamyśleniu skinął głową, a ją uderzyło, jak bardzo wydaje się zmęczony i jak kruchy; jak delikatne okazało się w końcu ich życie. Przez tyle lat wyobrażała sobie każdą możliwość, chroniła wszystkich na wszelkie możliwe sposoby – a teraz obok niej znalazł się Al, postarzały, ze złamaną nogą... Takie rozwiązanie nigdy nie przemknęło jej przez myśl.

– Wiesz, chyba zostawię sobie robienie tej pieczeni z wołowiny na jutro – powiedziała, celowo wymieniając nazwę ulubionej potrawy. – Czy dzisiaj może być pizza?

– Jak najbardziej. Tylko zamów ją w tej knajpce przy Braddock.

Czułym gestem dotknęła jego ramienia i zeszła schodami na dół, żeby zadzwonić do pizzerii. Na podeście zatrzymała się na moment, nasłuchując odgłosów dochodzących z kuchni. Robert i Phoebe rozmawiali o czymś, a ich rozmowę co chwila przerywały wybuchy śmiechu. Świat jest ogromnym, nieprzewidywalnym i czasami przerażającym miejscem, pomyślała Caroline. Ale teraz jej córeczka siedziała w kuchni i śmiała się razem ze swoim chłopakiem, jej mąż drzemał na górze z książką na kolanach, a ona nie musiała gotować kolacji. Wzięła głęboki oddech. W powietrzu z daleka przypłynął do niej delikatny zapach róż – czysty i świeży jak śnieg.

Rok 1989

Pierwszy lipca tysiąc dziewięćset osiemdziesiątego dziewiątego roku

Studio nad garażem nie było otwierane ani razu, odkąd David wyprowadził się przed siedmioma laty, ale teraz, kiedy dom miał zostać wystawiony na sprzedaż, Norah nie miała wyboru. Prace Davida znów wróciły do łask i były warte mnóstwo pieniędzy; jutro miało zjawić się parę osób zajmujących się organizacją wystaw, żeby przejrzeć zbiory. Tak więc Norah od wczesnego ranka siedziała na lakierowanej podłodze i skalpelem rozcinała kolejne pudełka. Wyciągała z nich foldery zapełnione fotografiami, negatywami i notatkami, zdecydowana dokonać bezwzględnej selekcji bez zwracania uwagi na sentymenty. Cała sprawa nie powinna zabrać wiele czasu, bo David był niezwykle skrupulatny i każdą serię opatrzył dokładnymi etykietkami. Jeden dzień, myślała Norah, na pewno nie dłużej.

Jednak zupełnie nie liczyła się z powrotem wspomnień; powoli, lecz nieuchronnie poddawała się czarowi minionych dni. Było już wczesne popołudnie i robiło się coraz goręcej, a ona zdążyła przejrzeć raptem jedno pudełko. W oknie furkotał wentylator, ale i tak skóra Norah świeciła od potu, a błyszczące zdjęcia przyklejały się do palców. Lata młodości nagle wydały się jej tak bliskie i zarazem tak nieprawdopodobne. Oto ona z szalem zawiązanym w wymyślny sposób wokół starannie wymodelowanych włosów, obok niej Bree z długimi kolczykami i w zwiewnej spódnicy z patchworku. A tutaj jedno z rzadkich zdjęć, na którym był David – poważny, z krótko obciętymi włosami i z niemowlęciem w ramionach. Wspomnienia popłynęły teraz szeroką falą, wypełniając sobą cały pokój i zatrzymując Norah

w miejscu: zapach bzów i ozonu, i niemowlęcej skóry Paula; dotyk Davida
i jego chrząknięcie; słoneczny blask dawno minionego popołudnia przesu-
wający się po drewnianej podłodze... Co to miało znaczyć, pytała sama
siebie, że wszystkie tamte chwile przeżywali w ten właśnie konkretny sposób? Dlaczego kobieta na zdjęciach absolutnie nie pasowała do wspomnień,
jakie zachowała o sobie z lat własnej młodości? Jeśli przypatrzyła się bliżej, bez trudu zauważała dystans i tęsknotę w spojrzeniu, jakby usiłowała
dostrzec coś znajdującego się poza krawędzią zdjęcia. Ale nikt poza nią nie
zauważyłby tego szczegółu. Na przykład Paul. Patrząc na te portrety, nikt
by nie podejrzewał, jak bardzo zagmatwane sekrety kryło jej serce.

Osa bzyknęła koło ucha Norah i pofrunęła gdzieś pod sufit. Co roku
wracały, żeby zbudować gniazdo w tym samym miejscu pod okapem garażu.
Teraz, gdy Paul był już dorosły, Norah dała za wygraną i przestała zawracać
sobie nimi głowę. Wstała, przeciągnęła się i wyjęła butelkę coli z maleńkiej
lodówki, w której kiedyś David przechowywał chemikalia i cienkie paczuszki z filmami. Stanęła przy oknie i wypiła całą zawartość za jednym zamachem, patrząc przy tym na grządkę pełną irysów i na gąszcz kapryfolium na
tylnym podwórku. Norah zawsze zamierzała coś z tym zrobić, żeby gałązki
kapryfolium nie służyły wyłącznie do wieszania na nich ptasich piór, ale przez
wszystkie minione lata nie znalazła na to czasu. I tak już miało pozostać. Za
dwa miesiące wyjdzie za mąż za Frederica i wyprowadzi się stąd na zawsze.

Frederic otrzymał przeniesienie na teren Francji. Dwa razy transfer nie
doszedł do skutku i zaczęli nawet rozmawiać o przeprowadzce do Lexington. Mieli sprzedać oba domy i zacząć wszystko od początku – kupić coś
nowego, gdzie jeszcze żadne z nich nie mieszkało. Lubili toczyć takie rozmowy – nieśpieszne, pełne rozleniwienia i rozmarzone – w porze kolacji
albo gdy leżeli obok siebie w półmroku, na nocnym stoliczku stały kieliszki
wina, a ponad czubkami drzew przeświecał blady krążek księżyca. Lexington, Tajwan czy Francja – dla Norah nie miało to najmniejszego znaczenia,
bo czuła, że przy boku Frederica każdy kraj będzie odkrywać na nowo.
Czasem w nocy zamykała oczy i nie śpiąc, nasłuchiwała jego równego oddechu, wypełniona poczuciem całkowitego zadowolenia. Bolało ją to, że
ona i David tak daleko odeszli od łączącej ich niegdyś miłości. To z pewnością było winą Davida, ale ona także miała w tym swój udział. Stała się
tak spięta i ostrożna po śmierci Phoebe... Dosłownie wszystko budziło

w niej lęk. Ale tamte lata należały już do przeszłości. Odpłynęły w dal, nie pozostawiając po sobie niczego oprócz wspomnień. Francja wydawała się całkiem w porządku. Kiedy nadeszła wiadomość, że mają zamieszkać na przedmieściach Paryża, Norah była całkiem zadowolona. Już wynajęli mały domek w Chateauneuf, stojący nad brzegiem rzeki. Frederic był tam w tych dniach, bo musiał przygotować cieplarnię dla swoich orchidei. Nawet teraz obraz domku całkowicie wypełniał wyobraźnię Norah: gładkie, czerwone płytki patio, lekki wiatr znad rzeki kołyszący liśćmi brzozy rosnącej przy samych drzwiach, promienie słońca na ramionach Frederica, kiedy pracowicie stawiał ściany ze szkła... Mogła iść na stację i w ciągu dwóch godzin dojechać do Paryża, albo skierować się do wsi i kupić świeży chleb i ser, i połyskujące ciemno butelki wina, a jej płócienne torby z każdym krokiem stawałyby się coraz cięższe... Mogła smażyć cebulkę i w trakcie smażenia zatrzymać się na chwilę, żeby popatrzeć na srebrną wstążkę rzeki, która płynęła leniwie tuż za ogrodzeniem... Po zachodzie słońca słoneczniki rosnące przy patio otwierały się, uwalniając swój cytrynowy zapach, zaś ona i Frederic siadali obok, żeby porozmawiać i napić się dobrego wina. Takie drobne rzeczy, doprawdy, a potrafiły dać jej tyle szczęścia. Norah popatrzyła na pudełko z fotografiami i nagle pożałowała, że nie może wziąć za rękę tej młodej kobiety ze zdjęć i delikatnie nią potrząsnąć. „Idź naprzód", miała ochotę powiedzieć. „Nie poddawaj się. W końcu twoje życie nabierze sensu".

Wysączyła colę do ostatniej kropli i wróciła do pracy. Ominęła pudełko, w którym ugrzęzła na tak długi czas, i wzięła się za następne. Wewnątrz znajdowały się kolejne roczniki folderów, ułożone według lat. W pierwszym znalazła fotki nieznanych niemowląt, które spały w wózeczkach, bawiły się na trawie lub drewnianej podłodze na ganku, siedziały w objęciach swoich matek. Fotografie miały wymiar osiem na dziesięć, były czarno-białe i odbite na błyszczącym papierze. Nawet Norah bez trudu mogła odgadnąć, że ma przed sobą rezultaty początkowych eksperymentów Davida ze światłem. Kuratorzy wystaw będą zachwyceni. Niektóre zdjęcia były tak ciemne, że ledwo było widać postacie; inne niemal białe, jakby spłukane w powodzi światła. David musiał testować zasięg aparatu. Nie zmieniając obiektu, eksperymentował z ostrością, przesłoną i dostępnym oświetleniem.

Drugi folder był podobny do pierwszego, podobnie jak trzeci i czwarty. Były tam zdjęcia dziewczynek – dwu, trzy i czteroletnich. Dziewczynek w wielkanocnych strojach w kościele, biegnących przez park, pałaszujących lody lub zebranych przed szkołą podczas ferii. Tańczących, rzucających piłkę, śmiejących się, płaczących... Norah zmarszczyła brwi. Coraz szybciej przerzucała strony ze zdjęciami, ale na żadnym nie pojawiło się znane jej dziecko. Zdjęcia zostały starannie posegregowane pod względem wieku dziewczynek. Kiedy przeskoczyła na sam koniec, znalazła zdjęcia już nie dziewczyn, ale młodych kobiet – w czasie spaceru, zakupów albo rozmowy. Ostatnie było portretem dziewczyny siedzącej w bibliotece, która, opierając podbródek na ręku, patrzyła przez okno w dal. W jej oczach Norah dostrzegła znajomy wyraz zamyślenia i nieobecności.

Opuściła folder na kolana, nie bacząc na to, że zdjęcia posypały się na podłogę. Co to miało znaczyć? Te wszystkie dziewczyny, kobiety... Czy mogło chodzić o obsesję na tle seksualnym? Mimo to Norah była przekonana, że chodzi o coś całkiem innego, bo wspólną cechą wszystkich zdjęć nie była mroczna tajemnica, lecz emanująca z nich niewinność. Dzieci bawiące się w parku po drugiej stronie ulicy, ich włosy i ubrania rozwiane przez wiatr... Nawet późniejsze fotografie, te z młodymi kobietami, również wywoływały podobne odczucia: dziewczyny spoglądały na świat z roztargnieniem, a ich szeroko otwarte oczy wydawały się niepewne i pytające. W tle, pomiędzy światłem i cieniem, pojawiło się coś w rodzaju pustki; z każdego z tych zdjęć emanowała tęsknota za czymś lub za kimś. Tęsknota, nie lubieżność.

Norah odwróciła wieko pudełka, żeby sprawdzić napis na naklejce. „Badania", przeczytała. To wszystko.

Szybko, nie zważając na bałagan, jaki robi, Norah przejrzała pozostałe pudełka, wyciągając jedno po drugim. Na środku pokoju znalazła jeszcze jedno z tajemniczym słowem „Badania", napisanym wyraźnym, mocnym charakterem pisma. Bez namysłu otworzyła je i wyciągnęła zawartość.

Tym razem nie były to dziewczęta ani żadne obce dzieci, lecz Paul. W każdym folderze znajdowały się jego zdjęcia z różnych okresów życia, z jego przeobrażeń i dorastania, z okresu młodzieńczego buntu. Była tam jego determinacja i zadziwiający talent do muzyki, i palce, śmigające po strunach gitary.

Przez długi czas Norah siedziała bez ruchu, wstrząśnięta jak nigdy dotąd. Czuła, że znalazła się na skraju poznania. I nagle ta wiedza spadła na nią jak błyskawica, nieodwracalna i boląca jak przypiekanie żywym ogniem. Przez te wszystkie lata milczenia, kiedy nawet słowem nie wspominał ich zmarłej córki, David prowadził swoistą kronikę jej nieobecności. Paul, a obok niego tysiące obcych dziewcząt w tym samym, co on wieku. Paul, lecz nie Phoebe.

Norah poczuła, że zaraz się rozpłacze. Bardzo, tak bardzo tęskniła za tym, żeby móc teraz porozmawiać z Davidem. Przez cały ten czas on także odczuwał brak ich córeczki. Każda z fotografii świadczyła o tej skrywanej, milczącej tęsknocie. Jeszcze raz przejrzała zdjęcia. Tu Paul w wieku chłopięcym łapie piłkę do baseballa, gra na fortepianie, ustawia się w głupkowatych pozach pod drzewem w tylnym ogrodzie... David pieczołowicie pozbierał te wspomnienia, te momenty, których Norah nawet nie widziała. Przeglądała je wciąż od nowa i studiowała z uwagą, jakby chciała wyobrazić sobie samą siebie w świecie Davida i spojrzeć na siebie jego oczyma.

Upłynęły dwie godziny. Norah czuła, że zaczyna być głodna, ale nie mogła się zmusić, żeby stąd wyjść, albo nawet podnieść się z miejsca na podłodze. Tyle tego było... Wizerunki Paula i anonimowych dziewcząt albo kobiet w tym samym wieku, co jej syn... Norah zawsze, przez wszystkie lata, odczuwała obecność swojej nieżyjącej córeczki, która jak cień stała tuż za granicą każdej fotografii. Zupełnie jakby zmarła przy urodzeniu Phoebe nagle wstała i wyszła z pokoju na kilka chwil przed zrobieniem fotki. Jakby jej zapach, zawirowanie powietrza, które za sobą zostawiła, wciąż istniały w otaczającej ich przestrzeni. Norah zachowywała te spostrzeżenia dla siebie, obawiając się, że ktoś mógłby uznać ją za sentymentalną kretynkę albo, co gorsza, za wariatkę. Jednak świadomość, jak bardzo David tęsknił za ich córeczką, obudziło w niej zdumienie i doprowadziło na skraj łez. Zdawało się, że szukał jej wszędzie – w każdej dziewczynie, w każdej młodej kobiecie – ale nigdy nie udało mu się jej znaleźć.

W końcu w rozprzestrzeniające się wokół niej kręgi ciszy wtargnął odgłos skrzypienia żwiru na podjeździe. Pod domem zatrzymał się czyjś samochód. Norah usłyszała dalekie trzaśnięcie drzwiczkami, kroki i natarczywy dźwięk dzwonka. Pokręciła głową, przełykając ślinę, ale nie ruszyła się z miejsca. Ten, kto przyjechał, równie dobrze może przyjechać później albo zrezygnować, pomyślała. Teraz przede wszystkim należało wytrzeć oczy; ktokolwiek chciał się z nią zobaczyć, musi poczekać. Ale nie. Rzeczoznawca od wyceny mebli obiecał, że wpadnie dziś po południu, więc Norah przycisnęła dłonie do policzków i szybko weszła do domu. Po drodze zatrzymała się w łazience, żeby opryskać twarz wodą i przesunąć grzebieniem po zwichrzonych włosach.

– Już idę! – zawołała, przekrzykując plusk wody, bo natarczywy dzwonek odezwał się ponownie. Przebiegła przez pokoje, mijając meble zebrane na środku każdego z nich i przykryte brezentem dla ochrony przed farbą; malarze mieli zacząć pracę jutro rano. Przeliczyła w myśli dni, jakie pozostały do wyjazdu, i zastanowiła się, czy na pewno zdąży ze wszystkim się uporać. Przez ułamek sekundy przemknęły jej przez myśl wieczory spędzone w Chateauneuf, kiedy miała wrażenie, że jej życie już zawsze będzie jasne i pogodne, podobne do pąka kwiatu, który spokojnie rozwija się w cieple słońca.

Otworzyła drzwi, wciąż jeszcze wycierając mokre ręce.

Kobieta stojąca na ganku wydawała się dziwnie znajoma. Miała na sobie praktyczny strój: ciemnoniebieskie spodnie z szorstkiego materiału i cienki sweterek z białej bawełny, a jej grube włosy były krótko obcięte i zupełnie siwe. Już na pierwszy rzut oka sprawiała wrażenie osoby zorganizowanej i kompetentnej; osoby, która nie poddaje się łatwo i jest w stanie wziąć na swoje barki odpowiedzialność za losy świata oraz załatwić wszystko, co wymaga załatwienia. Mimo to stała w progu, nic odzywając się ani słowem, jakby zaskoczył ją widok Norah. Przypatrywała się jej tak intensywnie, że Norah skrzyżowała ramiona i cofnęła się o krok, bo nagle przyszło jej do głowy, że ma na sobie zakurzone szorty i przepoconą koszulkę. Zerknęła na drugą stronę ulicy, a potem znów na stojącą przed nią kobietę. Tym razem ich spojrzenia się spotkały; Norah zwróciła uwagę na szerokie rozstawienie oczu nieznajomej i na ich niesamowicie błękitny kolor. I nagle już wiedziała, kto przed nią stoi. Z wrażenia wstrzymała oddech.

– Caroline? Caroline Gill?

Kobieta skinęła głową. Na moment zamknęła oczy, jakby coś nagle stanęło pomiędzy nimi, choć Norah nie miała pojęcia, co to mogło być. Obecność tej osoby z dawno minionej przeszłości wywołała drżenie w jej sercu; wróciła myślami do chwili, gdy razem z Davidem jechała przez ośnieżone ulice do kliniki, zaś Caroline, dozując gaz znieczulający, trzymała ją za rękę i mówiła przy każdym skurczu: „Proszę na mnie patrzeć, pani Henry. Proszę patrzeć. Jestem tutaj z panią. Wszystko będzie dobrze".

Te błękitne oczy i mocny uścisk zapadły w pamięć Norah równie głęboko, jak spokój Davida podczas jazdy do kliniki czy pierwszy płacz Paula.

– Co pani tutaj robi? – spytała niezbyt uprzejmie. – David umarł ponad rok temu.

– Wiem – przytaknęła Caroline. – Wiem... Bardzo mi przykro. Proszę posłuchać, Norah... To znaczy pani Henry... Muszę z panią o czymś pomówić, choć nie będzie to przyjemna rozmowa. Zastanawiam się, czy mogłaby pani poświęcić mi parę minut? W dogodnym dla pani czasie. Mogę przyjechać jeszcze raz, jeśli trafiłam na niewłaściwy moment.

W jej głosie Norah usłyszała natarczywość i zdecydowanie, więc wbrew sobie cofnęła się do środka i wpuściła Caroline do przedpokoju, gdzie pod ścianami stały stosy pudeł, starannie zapakowane i opisane.

– Proszę mi wybaczyć ten bałagan – wykrztusiła i gestem wskazała drzwi prowadzące do salonu. Na środku pokoju piętrzyły się meble. – Jutro przychodzą malarze i facet od wyceny mebli. Niedługo wychodzę drugi raz za mąż i wyprowadzam się stąd – wyjaśniła, widząc pełne zdziwienia spojrzenie Caroline.

– W takim razie dobrze, że panią złapałam. Dobrze, że nie czekałam z tym dłużej.

„Czekałam? Dłużej?" pomyślała zaskoczona Norah. Z przyzwyczajenia zaprosiła gościa do kuchni, bo było to jedyne pomieszczenie, w którym dało się wygodnie usiąść. W milczeniu przeszły przez jadalnię. Norah przypomniała sobie skandal, jaki Caroline wywołała w Lexington swoim zniknięciem, i dwa razy zerknęła w tył, nie mogąc się pozbyć wrażenia dziwnego niepokoju, jaki obudziła w niej ta nieoczekiwana wizyta. Na łańcuszku u jej szyi wisiały przeciwsłoneczne okulary; jej rysy z biegiem lat znacznie się wyostrzyły, a nos i podbródek wystawał bardziej niż kiedyś. Wygląda na kogoś, kto doskonale poradziłby sobie z prowadzeniem firmy, zdecydowała Norah. Na pewno nie dałaby się spławić ani zadowolić byle czym. Nie, jej niepewność miała całkiem inne podłoże, myślała. Wynikała stąd, że Caroline znała Norah jako młodą kobietę, niepewną własnych zalet i uwikłaną w życie i przeszłość, którymi za bardzo nie można było się chwalić.

Caroline przycupnęła w kąciku, przy którym Norah zwykle jadła śniadanie, podczas gdy gospodyni napełniała szklanki wodą i kostkami lodu. Ostatnia notatka, jaką w swoim życiu napisał David – „Naprawiłem kran w łazience. Wszystkiego najlepszego z okazji urodzin" – tkwiła przypięta na korkowej tablicy tuż nad ramieniem Caroline. Norah z niecierpliwością pomyślała o czekających w pokoju nad garażem zdjęciach, o całej pracy, którą musiała wykonać, a której nie można było odłożyć na później.

– Widzę, że ma pani gniazda drozdów – zauważyła Caroline, wskazując podbródkiem zarośnięty, pełen chwastów ogródek.

– Tak. To trwało wiele lat, zanim udało mi się je tutaj zwabić. Mam nadzieję, że następni właściciele dobrze się nimi zaopiekują.

– To musi być dziwne uczucie, szykować się do przeprowadzki.

– Głównie chodzi o czas – Norah wyjęła dwie srebrne podstawki i postawiła szklanki na stoliku. – Ale chyba nie przyszła pani po to, żeby zapytać, co sądzę na temat przeprowadzek – dodała, siadając na krześle naprzeciwko gościa.

– Nie.

Caroline napiła się wody, a potem położyła na blacie obie ręce, jakby chciała uspokoić ich drżenie. Przynajmniej w taki sposób Norah odebrała ten gest. Ale gdy się odezwała, jej głos był spokojny i zrównoważony.

– Norah... Czy mogę mówić do pani po imieniu? W ten właśnie sposób myślałam o pani przez te wszystkie lata.

Norah skinęła głową. Wciąż czuła się zakłopotana tą niespodziewaną wizytą, a jej zdenerwowanie wyraźnie wzrastało. Kiedy ostatni raz zdarzyło się jej pomyśleć o Caroline Gill? Od lat nie wspomniała jej imienia, a jeśli już, to jedynie przy okazji myślenia o nocy, podczas której urodziła Paula.

– Norah... – Caroline zdawała się czytać w jej myślach. – Czy pamiętasz tamten wieczór, kiedy urodził się twój syn?

– Dlaczego o to pytasz? – głos Norah był ostry i zdecydowany, ale ona sama odchyliła się do tyłu, jakby chciała uciec od intensywnego spojrzenia Caroline, od czegoś, co kłębiło się tuż pod powierzchnią i od własnych niewypowiedzianych obaw przed tym, co zaraz miało się zdarzyć. – Dlaczego tu przyszłaś i czemu zadajesz mi takie pytania?

Caroline nie odpowiedziała od razu. Przez otwarte okna wpadały do kuchni radosne ptasie trele i rozpływały się w powietrzu jak drobinki światła.

– Zrozum, proszę, naprawdę ogromnie mi przykro – odezwała się Caroline. – Sama nie wiem, jak mam to ująć. Chyba żaden sposób nie byłby dobry, więc chyba najlepiej będzie jak powiem prosto z mostu... Norah, tamtej nocy, kiedy urodziły się twoje bliźnięta, Paul i Phoebe, powstał pewien problem.

– Tak – odparła szorstko Norah, myśląc o ponurych myślach, jakie przepełniały ją zaraz po porodzie, o radości i smutku splecionych w jedną całość i o długiej drodze, jaką odbyła do chwili, kiedy udało się jej osiągnąć względny spokój. – Moja córka umarła. To właśnie był ten problem.

– Phoebe wcale nie umarła – powiedziała spokojnie Caroline, patrząc prosto na nią, i nagle Norah poczuła się tak, jakby cofnęła się w czasie. Znowu wpatrywała się w oczy Caroline i szukała w nich oparcia, podczas gdy świat zdawał się przesuwać pod jej stopami. – Phoebe urodziła się z zespołem Downa i David sądził, że rokowania nie są najlepsze. Poprosił mnie, żebym odwiozła ją do domu opieki w Louisville, gdzie standardowo odsyłało się takie dzieci. Wtedy, w sześćdziesiątym czwartym roku, nie było w tym nic niezwykłego. Większość lekarzy doradziłaby to samo. Ale ja nie mogłam jej tam zostawić. Zabrałam ją, przeprowadziłam się do Pittsburgha i przez cały ten czas wychowywałam jak własne dziecko... Phoebe żyje, Norah, i ma się całkiem dobrze – dodała ostrożnie.

Norah siedziała jak skamieniała. Z ogrodu dobiegał trzepot ptasich skrzydeł i radosne nawoływanie. Nie wiadomo, dlaczego przypomniało jej się, jak pewnego razu w Hiszpanii wpadła na chodniku w nieoznakowaną studzienkę. W beztroskim nastroju szła sobie ulicą, nagle usłyszała jakiś szmer i w chwilę potem tkwiła po pas w rynsztoku ze zwichniętą kostką i łydkami odrapanymi do krwi. „Nic mi nie jest, nic mi nie jest", powtarzała ludziom, którzy pospieszyli jej z pomocą i zabrali do lekarza. Przez cały czas zachowała jasność umysłu i dobry nastrój, choć z zadrapań sączyła się świeża krew. „Nic mi nie jest", mówiła. Dopiero później, gdy została sama w hotelowym pokoju, na nowo poczuła jak ziemia osuwa się pod jej stopami, jak traci kontrolę nad własnym ciałem, i wtedy zalała się łzami. Dokładnie tak samo czuła się teraz. Drżąc jak osika, wczepiła się palcami w krawędź stołu.

– Co takiego? – zdołała wykrztusić. – Co ty mówisz?

Caroline powtórzyła wszystko od początku: „Phoebe nie umarła, lecz została zabrana. Przez te wszystkie lata mieszkała w innym mieście. Bezpieczna", podkreślała Caroline. Bezpieczna, kochana i otoczona czułą opieką. Phoebe, jej córka, bliźniacza siostra Paula. Urodzona z zespołem Downa, została oddana zaraz po porodzie. Taka była wola Davida.

– Chyba postradałaś zmysły – wyszeptała, choć jeszcze zanim skończyła mówić, dotarło do niej, że postrzępione kawałki jej życia nagle ułożyły się w całość. To, czego dowiedziała się od Caroline, musiało być prawdą.

Caroline sięgnęła do torebki i po błyszczącym blacie stołu posunęła w jej kierunku dwa zdjęcia z Polaroida. Norah nie była w stanie wziąć je do rąk – za bardzo drżała – ale pochyliła się, żeby je obejrzeć. Ujrzała małą dziewczynkę w białej sukience, pucołowatą i z lekko skośnymi oczyma, które zamknęła, uśmiechając się do obiektywu. Na następnym zdjęciu ta sama dziewczynka wiele lat później, z piłką do koszykówki w ręku, uchwycona w chwili, gdy przymierzała się do skoku. Trochę przypominała Paula, trochę Norah, ale najbardziej samą siebie – Phoebe. Nie była podobna do żadnej z dziewcząt ze zdjęć tak pracowicie posegregowanych przez Davida, lecz zwyczajnie do siebie. Phoebe żyła, ale mieszkała gdzieś w dalekim świecie.

– Dlaczego? – teraz głos Norah pełen był udręki. – Dlaczego on to zrobił? Dlaczego ty?

Caroline pokręciła głową i znów spojrzała na ogród.

– Przez całe lata wierzyłam we własną niewinność i dobre intencje – powiedziała. – Wierzyłam, że zrobiłam jedyną właściwą rzecz. Tamta instytucja była straszliwym miejscem, Norah. David nigdy jej nie widział i nie miał pojęcia, jak naprawdę to wygląda. Więc zabrałam Phoebe i wychowałam ją... Nie masz pojęcia, ile walk musiałam stoczyć, żeby zapewnić jej dostęp do edukacji i godziwej opieki medycznej. Żeby zyskać pewność, że w przyszłości będzie mogła wieść godne życie. To było bardzo łatwe, uważać się za bohaterkę. Ale teraz wiem – właściwie zawsze o tym wiedziałam – że moje motywy nie były tak całkowicie czyste i altruistyczne. Ja kochałam Davida, albo przynajmniej tak mi się wydawało. Z daleka, rzecz jasna – dodała prędko. – To uczucie istniało tylko w mojej głowie. David nigdy nie zwracał na mnie uwagi. Ale kiedy zauważyłam w gazecie nekrolog, w którym była mowa o nabożeństwie żałobnym, zdecydowałam, że muszę ją zabrać. Że muszę gdzieś wyjechać, wszystko jedno gdzie, i że nie mogę jej zostawić.

Norah czuła w głowie dziki zamęt, ale mimo to powróciła myślą o tych zatartych przez upływ czasu dni radości i żałoby. Widziała Paula w swoich objęciach i Bree, która wręcza jej słuchawkę telefonu, mówiąc: „Musisz wreszcie odzyskać spokój". Zaplanowała całą żałobną uroczystość bez powiadomienia Davida, a każde z przygotowań zbliżało ją do powrotu do normalnego życia. Kiedy David wrócił wieczorem do domu, z zapałem zwalczyła jego opór.

Jak on mógł to wytrzymać, tamten wieczór, tamtą uroczystość?

A mimo to pozwolił, żeby wszystko doszło do skutku.

– Dlaczego mi o niczym nie powiedział? – pytała, a jej głos był ledwo słyszalnym szeptem. – Przez tyle lat o niczym mi nie powiedział.

Caroline pokręciła głową.

– Nie mogę odpowiadać za Davida – odparła. – On zawsze stanowił dla mnie zagadkę. Wiem jedynie, że cię kochał i niezależnie jak bardzo monstrualne wydaje się to, co zrobił, jego pierwotne intencje były dobre. Kiedyś opowiedział mi o swojej siostrze. Miała wadę serca i zmarła młodo, a ich matka nigdy nie przebolała tej straty. Możesz wierzyć albo nie, ale moim zdaniem on postąpił w ten sposób, żeby chronić ciebie.

– Phoebe jest moim dzieckiem – jęknęła Norah. Te słowa wydarły się same z głębi jej duszy, jakby dawno zagojona rana na nowo zaczęła krwawić. – Urodziłam ją z własnego ciała. Chcesz powiedzieć, że on chciał mnie chronić? Wmawiając mi, że ona nie żyje?

Caroline nie odpowiedziała. Siedziały w milczeniu przez długi czas, a między nimi gromadziły się kolejne warstwy ciszy. Norah myślała o Davidzie, o jego fotografiach i ważnych momentach z ich wspólnego życia, i o tajemnicy, która towarzyszyła mu w każdej z tych chwil. Ona o niczym nie wiedziała, niczego nie potrafiła się domyśleć. Ale teraz, kiedy wreszcie jej powiedziano, pewne sprawy zaczęły mieć sens.

W końcu Caroline otworzyła torebkę i wyjęła stamtąd kartkę z adresem i numerem telefonu.

– To jest adres, pod którym mieszkamy – powiedziała. – Ja, mój mąż Al i Phoebe. To właśnie tam Phoebe dorastała. Miała szczęśliwe życie, Norah. Wiem, że to dla ciebie niewielka pociecha, ale to prawda. Teraz jest uroczą, młodą kobietą. W następnym miesiącu ma zamiar przeprowadzić się do domu wspólnoty, gdzie mieszkają ludzie tacy jak ona. Robi tak z własnej woli. Znalazła niezłą pracę w punkcie kserograficznym. Lubi tam być i nawzajem jest lubiana.

– Pracuje w punkcie kserograficznym?

– Tak, Norah. I świetnie sobie radzi.

– Czy ona wie? – spytała Norah. – Czy wie o mnie? O Paulu?

Caroline wbiła wzrok w stół, przesuwając palcem po krawędzi zdjęcia.

– Nie. Wolałam z nią nie rozmawiać, zanim nie porozmawiałam z tobą. Nie wiedziałam, co zrobisz, czy w ogóle będziesz chciała się z nią spotkać. Mam nadzieję, że tak... Ale jeśli nie, to oczywiście nie mogę mieć ci tego za złe. Te wszystkie lata... Och, tak strasznie mi przykro. Ale jeśli będziesz chciała przyjechać, nie wahaj się. Po prostu zadzwoń. W następny weekend albo następny rok.

– No nie wiem – powiedziała powoli Norah. – Ja naprawdę jestem w szoku.

– Oczywiście, że tak – Caroline podniosła się z krzesła.

– Czy mogę zatrzymać te zdjęcia?

– Są twoje. Zawsze były twoje.

Już na ganku Caroline odwróciła się i spojrzała na Norah twardym wzrokiem.

– Pamiętaj, że on bardzo cię kochał – powiedziała na pożegnanie. – David bardzo cię kochał, Norah.

Skinęła głową. Niedawno w Paryżu mówiła Paulowi te same słowa. Patrzyła teraz, jak Caroline idzie do swojego samochodu, i zastanawiała się, do jakiego życia ona wraca, do jakich zawiłości i tajemnic.

Przez długi czas Norah stała na ganku. Phoebe żyła i mieszkała gdzieś w dalekim świecie. Ta wiedza sprawiła, że w jej duszy otworzyła się ogromna, bezdenna jama. Była kochana, powiedziała Caroline. Miała dobrą opiekę. Tyle tylko, że Norah nie miała szansy, żeby się nią opiekować, za to całą energię poświęciła temu, żeby o niej zapomnieć. Wszystkie sny, które niegdyś śniła – o kruchej, zmarzniętej trawie, w której gorączkowo czegoś szuka – teraz wróciły i na nowo przeszywały bólem jej serce.

Wróciła do domu, zalewając się łzami. Po drodze mijała owinięte zasłonami meble. Rzeczoznawca miał przyjechać lada chwila. Paul także, dziś albo jutro; obiecał, że najpierw zadzwoni, ale czasem zjawiał się bez uprzedzenia. Opłukała szklanki po wodzie i wytarła je, a potem stała na środku cichej kuchni i myślała o Davidzie – o tych nocach, tak często zdarzających się podczas minionych lat, kiedy David wstawał wcześnie rano i po ciemku jechał do szpitala, żeby tam operować kogoś, kto akurat potrzebował pomocy. To dobry człowiek, ten David. Prowadził klinikę i zajmował się ludźmi w potrzebie.

Ale to właśnie on oddał ich nowo narodzoną córkę, a jej powiedział, że umarła.

Norah walnęła pięścią w blat z taką siłą, że podskoczyły wszystkie szklanki. Zrobiła sobie dżin z tonikiem i ze szklanką w ręku poszła na górę. Położyła się do łóżka, potem wstała i zadzwoniła do Frederica, ale gdy zgłosiła się automatyczna sekretarka, po prostu odłożyła słuchawkę. Po jakimś czasie poszła z powrotem do studia Davida. Wszystko było takie samo jak przedtem – tak samo ciepłe i nieruchome powietrze, pudełka i pojedyncze fotografie rozrzucone po podłodze, dokładnie tak jak je zostawiła. Przynajmniej pięćdziesiąt tysięcy dolarów, szacowali kuratorzy wystaw. Więcej, jeśli znajdowały się tam odręczne notatki Davida dotyczące procesu tworzenia.

Wszystko było takie samo, a jednocześnie zupełnie inne.

Norah podniosła pierwsze pudełko i przytaszczyła je na drugi koniec pokoju, a następnie dźwignęła na parapet. Przez chwilę balansowało na krawędzi okna wychodzącego na ogród z tyłu domu. Norah zatrzymała się na chwilę, żeby złapać oddech, a potem odchyliła ekran z siatki i przy pomocy obydwu rąk wypchnęła skrzyneczkę na zewnątrz. Usłyszała, jak z efektownym „łup" uderzyła w ziemię pod oknem. Norah poszła po następną, a potem po kolejną. Teraz miała w sobie wszystko, czego brakowało jej wcześniej: determinację, energię i… tak, bezwzględność. W przeciągu mniej niż godziny studio zostało wyczyszczone na amen. W blasku późnego popołudnia Norah powędrowała z powrotem do domu, obojętnie mijając rozbite pudełka i wysypujące się z nich fotografie, które już zdążyły się rozwlec się po całym trawniku.

Wzięła prysznic i stała pod nim tak długo, aż woda zrobiła się całkiem zimna. Potem założyła luźną sukienkę, przygotowała następnego drinka i ze szklanką w ręku usiadła na sofie. Od dźwigania bolały ją mięśnie na przedramionach. Po niedługim czasie uzupełniła zawartość szklanki i wróciła na miejsce. Siedziała tam jeszcze przez wiele godzin, dopóki nie zapadł zmierzch. Nagle zabrzęczał telefon. Norah nie ruszyła się z miejsca; po paru sekundach usłyszała swój głos na sekretarce, a potem odezwał się Frederic. Dzwonił z Francji, a jego głos był gładki i równomierny jak majaczący w dużej odległości morski brzeg. Z całego serca pragnęła się znaleźć przy nim, w miejscu, gdzie jej życie mogło mieć sens, ale nie wzięła do ręki słuchawki ani nie oddzwoniła później. Z daleka dobiegł gwizd zbliżającego się pociągu. Norah otuliła się wełnianym szalem i wślizgnęła w ciemność nocy. Drzemała, budziła się i znów zapadała w drzemkę, ale prawdziwy sen nie przychodził. Od czasu do czasu wstawała, żeby zrobić drinka, i szła przez puste pokoje zalane blaskiem księżyca. Po ciemku nalewała alkohol, nie zawracając sobie głowy dodawaniem toniku, lodu czy cytryny. Raz przyśniło jej się, że Phoebe jest w tym samym pokoju co ona, że wynurza się ze ściany, w której tkwiła przez wiele lat, podczas gdy Norah przechodziła obok niej po kilkanaście razy na dzień. Wtedy obudziła się z płaczem, wylała resztę dżinu do zlewu i wypiła szklankę czystej wody.

W końcu udało się jej zasnąć, gdy zbliżał się świt. Otworzyła oczy w okolicach południa. Frontowe drzwi stały otworem, a w tylnej części ogrodu walały się zdjęcia. Były dosłownie wszędzie – tkwiły między rododendronami, przylepiały się do fundamentów, plątały między płozami starej, zardzewiałej huśtawki Paula. Mignięcia ramion i oczu, fragmenty skóry, które przywodziły na myśl plażę, utrwalone w przelocie pasma włosów, komórki krwi rozrzucone jak krople oleju na powierzchni wody... Skrawki ich życia, tak jak widział je David, tak jak on pragnął je kształtować. Negatywy, zwitki ciemnego celuloidu, zaściełały całą trawę. Norah wyobraziła sobie pełne oburzenia głosy kuratorów, przyjaciół, jej syna, nawet jej samej: „Ty chcesz zniszczyć kawał historii".

– Nie – odpowiedziała. – Ja tylko składam zażalenie.

Wypiła jeszcze dwie szklanki wody i połknęła aspirynę, a potem wzięła się za taszczenie pudełek w odległy kąt zarośniętego ogrodu. Jedną skrzyneczkę – tę, w której mieściły się zdjęcia Paula z całego dzieciństwa – wcisnęła z powrotem do garażu. Było gorąco i głowa pękała jej z bólu, a gdy przypadkiem za szybko się wyprostowała, natychmiast zaczynało jej kręcić się w głowie, a przed oczyma tańczyły dziesiątki drobnych punkcików. Przypomniała sobie tamten dzień na plaży, wiele lat temu, gdy tak samo kręciło się jej w głowie i widziała przed sobą stada małych, bezbarwnych rybek. Chwilę potem w jej życie wkroczył Howard.

Za garażem leżał stos kamieni. Norah przyciągnęła je wszystkie, jeden za drugim, aż utworzyła z nich kamienny krąg. Potem cisnęła na środek pierwszą skrzyneczkę – zaskoczył ją widok błyszczących, czarno-białych zdjęć leżących na trawie w blasku południowego słońca i niesłychana mnogość twarzy obcych kobiet, które patrzyły prosto na nią. Przykucnęła i przytknęła płomień zapalniczki do pierwszego z brzegu zdjęcia w formacie osiem na dziesięć. Ogień polizał brzeg papieru i wyraźnie się powiększył, więc cisnęła fotografię na stos innych, zgromadzonych między kamieniami. Z początku płomień zdawał się gasnąć, ale po chwili Norah poczuła żar, a w górę wzbiła się czarna, skręcona strużka dymu.

Wróciła do domu po następną szklankę wody, a potem usiadła na stopniu schodów i patrzyła w płomienie. Ostatnio wydane przez władze miasta przepisy zabraniały palenia jakichkolwiek ognisk i Norah nagle przelękła się, że któryś z sąsiadów mógł wezwać straż. Ale w powietrzu panowała cisza; nawet płomienie po cichu dokonywały dzieła zniszczenia, wysyłając ku niebu rozedrgane fale gorąca i mgiełkę dymu w jasnoniebieskim kolorze. Skrawki sczerniałego papieru fruwały po całym ogrodzie jak stado motyli. Kiedy ogień ogarnął wszystkie zdjęcia i rozległ się ryk płomieni, Norah dorzuciła zawartość następnego pudełka. Paliła światło, paliła cień, paliła wspomnienia o Davidzie, dotąd tak starannie przechowywane i utrwalone w pamięci.

– Ty cholerny sukinsynu – syknęła, widząc, jak płomienie strzelają wysoko, a zdjęcia czernieją i kurczą się od gorąca, aż wreszcie przestają istnieć.

Światło do światła, myślała, odsuwając się od żaru, od ryku, od fruwających w powietrzu resztek.

Proch do prochu.

Pył do pyłu.

Nareszcie.

*Drugi – czwarty lipca tysiąc dziewięćset
osiemdziesiątego dziewiątego roku*

Posłuchaj, Paul. Łatwo ci teraz tak mówić – Michelle stała przy oknie
ze skrzyżowanymi rękoma, a gdy spojrzała na niego, jej oczy błyszcza
ły z emocji i gniewu. – Możesz sobie gadać, co ci się żywnie podoba, dopóki dotyczy to spraw, które nie istnieją. Jednak fakt pozostaje faktem, że
urodzenie dziecka zmieniłoby całe życie... Niestety, głównie moje.

Paul siedział na ciemnoczerwonej kanapie, ciepłej i niewygodnej w tak
upalny dzień. Razem z Michelle znaleźli ją na ulicy w Cincinnati, zaraz po
tym, jak podjęli decyzję o wspólnym zamieszkaniu. W tamtych przyprawiających o zawrót głowy dniach wtaszczenie jej na trzecie piętro wydawało
się drobnostką. Paul zapamiętał potworne zmęczenie, dobre wino i niespieszne uprawianie miłości na szorstkim obiciu z welwetu. Teraz Michelle odwróciła się, żeby wyjrzeć przez okno, zarzucając przy tym na plecy swoje
piękne, długie włosy. Serce Paula wypełniła pustka i gwałtowny, dręczący
niepokój. Ostatnimi czasy nieraz miał wrażenie, że jego świat zrobił się
nagle kruchy jak wydmuszka i że czyjś niedbały dotyk może rozwalić go
na kawałki. Ich rozmowy nadal rozpoczynały się w przyjazny sposób – na
przykład prosta dyskusja, kto zaopiekuje się kotem w czasie, gdy ona wyjeżdża do Indianapolis na koncert, a on do Lexington, żeby pomóc matce.
A teraz, zupełnie nieoczekiwanie, znaleźli się w jakimś ciemnym zaułku,
w miejscu, dokąd oboje zmierzali od dłuższego czasu.

Paul wiedział, że powinien zmienić temat.

– Wyjście za mąż nie oznacza automatycznie posiadania dzieci – powiedział z wyraźnym uporem, zamiast posłuchać głosu rozsądku.

– Och, Paul, bądź ze mną szczery. Przecież od dawna marzysz o dziecku. To nawet nie mnie pragniesz, tylko tego swojego mitycznego potomka.

– Naszego potomka – poprawił ją. – Może pewnego dnia, Michelle. Na pewno nie od razu. Posłuchaj, ja chciałem tylko wrócić do tematu naszego małżeństwa. To przecież nic nowego, prawda?

Prychnęła z rozdrażnieniem. Na strychu, gdzie podłoga została zrobiona z sosnowych desek a ściany pomalowane na biało, przestrzeń ożywiało mnóstwo kolorowych plam z butelek, poduszek i obić mebli. Michelle także nosiła dziś biały strój, a jej włosy i kolor skóry miały tak samo ciepły odcień, jak podłoga. Paul cierpiał, patrząc na nią, bo wiedział, że w pewnym sensie Michelle już podjęła decyzję. Niedługo opuści go na zawsze i zabierze z sobą swoją olśniewającą urodę i cudowną muzykę.

– To bardzo interesujące – oznajmiła. – Tak czy inaczej to interesujące, że wybrałeś ten konkretny moment na poruszenie tego tematu... Akurat teraz, kiedy moja kariera nabiera tempa. Nigdy wcześniej nie przyszło ci to do głowy. To może dziwne, co powiem, ale wydaje mi się, że w pewien pokręcony sposób chcesz doprowadzić do zerwania.

– To śmieszne. Czas nie odgrywa w tym wypadku żadnej roli.

– Nie?

– Nie!

Przez kilka minut nie rozmawiali, a cisza zdawała się rosnąć, wypełniać coraz gęściej białą przestrzeń i naciskać na ściany. Paul bał się mówić dalej i bał się milczeć, ale teraz przynajmniej nie mógł już dłużej taić prawdy.

– Jesteśmy razem od dwóch lat. Układy między ludźmi mają to do siebie, że się rozwijają albo muszą umrzeć. Ja po prostu chcę, żeby między nami było coraz lepiej.

– Michelle westchnęła.

– I tak wszystko się zmienia, z papierkiem czy bez. Tyle tylko, że ty nie bierzesz tego pod uwagę. Poza tym taka decyzja to poważna rzecz. Wszystko jedno, co powiesz – małżeństwo wszystko zmienia i to zawsze kobiety muszą się poświęcić, niezależnie od tego, co tam kto sądzi na ten temat.

– To tylko teoria, Michelle. To nie ma nic wspólnego z życiem.

– Och, zaczynasz doprowadzać mnie do szału, Paul! Tak cholernie jesteś pewien, że wszystko wiesz!

Słońce stało wysoko na niebie, muskając lekko rzekę i zalewając pokój srebrzystym światłem, które rzucało na ściany fantazyjne cienie. Michelle poszła do łazienki i zatrzasnęła za sobą drzwi. Najpierw do uszu Paula doleciały odgłosy szperania w szufladach, a potem szum odkręconej wody. Przeszedł przez pokój do okna, przy którym przed chwilą stała Michelle, i objął wzrokiem widok, na który patrzyła, jakby dzięki temu mógł łatwiej ją zrozumieć. Potem cicho zapukał do drzwi.

– Wychodzę – powiedział.

Cisza.

– To co, przyjedziesz jutro wieczorem? – odkrzyknęła po chwili.

– Koncert zaczyna się o szóstej, tak?

– Tak – otworzyła drzwi łazienki i stanęła w progu, owinięta białym frotowym ręcznikiem. Właśnie wklepywała balsam w policzki.

– No to do zobaczenia – odparł i pocałował ją, na nowo oszołomiony jej zapachem i aksamitną gładkością skóry. – Kocham cię – dodał, cofając się za próg.

Przez moment przyglądała mu się z uwagą.

– Wiem. W takim razie do jutra.

„Wiem". Przez całą drogę do Lexington rozmyślał o tym, co mu powiedziała. Podróż zajęła mu dwie godziny: najpierw przekroczył Ohio River, potem przedarł się przez gęsty ruch w okolicach lotniska, a wreszcie dotarł do przepięknych, falistych wzgórz. Zaraz potem znalazł się wśród cichych ulic i opustoszałych budynków centralnej dzielnicy. Pamiętał czasy, kiedy Main Street tętniła życiem, a ludzie przychodzili tu zrobić zakupy, zjeść coś w restauracji i spotkać się ze znajomymi. Pamiętał, jak wchodził do drogerii i siadał przy ladzie z lodami na końcu sklepu. Pamiętał czekoladowe kulki w metalowym kubku pokrytym szronem i warkot blendera, zmieszane zapachy pieczonego mięsa i środka dezynfekującego. Jego rodzice spotkali się właśnie tutaj. Matka wsiadła do windy i wzniosła się nad tłum jak wschodzące słoneczko, a ojciec poszedł za nią, oślepiony urodą tego niezwykłego zjawiska.

Przejechał obok nowego oddziału banku i dawnego gmachu sądu, gdzie na placu niegdyś odbywały się przedstawienia. Jakaś chuda kobieta szła po chodniku z pochyloną głową i skrzyżowanymi rękoma, a jej ciemne włosy rozwiewał wiatr. Po raz pierwszy od wielu lat Paul pomyślał o Lauren Lobeglio i o milczącej determinacji, z jaką tydzień po tygodniu szła w jego stronę przez pusty garaż. Bez namysłu sięgał po nią, i znowu, i jeszcze raz, a potem często budził się w środku nocy zlany potem, bo bał się z Lauren tego, czego tak bardzo pożądał z Michelle: małżeństwa, dzieci i wspólnego życia.

Prowadząc samochód, mruczał pod nosem swoją najnowszą piosenkę. Zatytułował ją „Drzewo w głębi serca"... Być może zagra ją dziś wieczorem w pubie Lynagha. Michelle przeżyłaby szok, ale Paul mało się tym przejmował. Ostatnio, po śmierci ojca, coraz częściej grywał w przypadkowych lokalach, tak samo jak w salach koncertowych. Brał do ręki gitarę i siadał z nią w barach albo restauracjach. Wybierał utwory klasyczne, ale także bardziej popularne kawałki, którymi do niedawna tak pogardzał. Nie potrafił wytłumaczyć, skąd wzięła się ta zmiana w uczuciach, ale może miała ona coś wspólnego z intymnością tych przybytków, z bliskim kontaktem z publicznością, która znajdowała się na wyciągnięcie ręki. Michelle nie aprobowała tej zmiany. Wierzyła, że to tylko skutek szoku i żalu, i czekała, żeby Paul się z tego otrząsnął. Ale on nie miał zamiaru rezygnować. Podczas okresu dojrzewania zdążył wygrać na gitarze cały swój gniew i tęsknotę za porozumieniem, jakby poprzez muzykę mógł wnieść do swojej rodziny jakiś ład i nieuchwytne poczucie piękna. Teraz, kiedy ojciec odszedł na zawsze i bunt nie miał najmniejszego sensu, Paul chciał rozkoszować się wolnością wyboru.

Wreszcie wjechał w rodzinne okolice, mijając okazałe domy i ogromne trawniki przed frontowymi wejściami, gdzie jak zwykle panował nieśmiertelny spokój. Drzwi do domu matki były zamknięte. Paul wyłączył silnik i przez chwilę siedział, nasłuchując śpiewu ptaków i dalekiego warczenia kosiarek.

„Drzewo w głębi serca". Ojciec Paula nie żył od roku, a matka wychodziła za mąż za Frederica i na pewien czas przeprowadzała się do Francji, zaś on nie był dzieckiem ani gościem, lecz stróżem przeszłości. Sam musiał zdecydować, co chce zatrzymać, a co odrzucić. Próbował rozmawiać o tym z Michelle – o poczuciu głębokiej odpowiedzialności i o tym, że wartości wyniesione z rodzinnego domu chciałby kiedyś przekazać własnym dzieciom, żeby dokładnie wiedziały, dlaczego ich ojciec jest tym, kim jest. Myślał wówczas o własnym ojcu i jego pełnej tajemnic przeszłości, ale Michelle wszystko opacznie zrozumiała. Na samo wspomnienie o dzieciach zrobiła się sztywna i nieprzystępna. „Wcale nie o to mi chodziło", protestował, wściekły jak wszyscy diabli. Michelle też była na niego zła. „Wszystko jedno czy wiesz o tym, czy nie, ale właśnie to miałeś na myśli", oświadczyła.

Odchylił się w tył, szukając w kieszeni kluczy. Któregoś dnia matka zrozumiała, że scheda po ojcu ma pewną wartość i od tego czasu zaczęła zamykać dom, chociaż nieotwierane od dawna pudełka ze zdjęciami jak zwykle tkwiły w pracowni nad garażem.

No cóż, on także nie miał ochoty tego oglądać.

Wreszcie wysiadł z samochodu i przez moment stał przy krawężniku, rozglądając się po sąsiedztwie. Był parny i duszny dzień, a lekki wiaterek buszował wysoko w koronach drzew. Liście sporego dębu szamotały się w jego objęciach, zaś ich odbicia tworzyły na ziemi grę światła i cieni. Paul miał wrażenie, że jakimś cudem w powietrzu wirują płatki śniegu, bo z błękitnego nieba sypała się jakaś szarobiała substancja. Wyciągnął rękę w gorące, wilgotne powietrze. Przez chwilę poczuł się idiotycznie, zupełnie jakby pozował ojcu do jakiejś fotografii, gdzie z krwioobiegu wyrastają drzewa, a cały świat nagle okazuje się być czymś kompletnie innym, niż wydawało się na pierwszy rzut oka. Paul pochwycił jeden z szarawych płatków, a kiedy zacisnął pięść i ją otworzył, cała dłoń była wysmarowana sadzą. W środku upalnego, lipcowego dnia z nieba spadały popioły.

Czym prędzej pobiegł w stronę prowadzących do wejścia schodków, zostawiając na chodniku ślady butów. Frontowe drzwi nie były zamknięte na klucz, ale dom wydawał się całkiem pusty.

– Cześć! – powiedział na cały głos, przechodząc przez kolejne pokoje. Wszystkie meble stały na środku przykryte brezentem, a ściany były całkiem nagie, przygotowane do odnawiania. Paul nie mieszkał w tym domu od lat, ale odruchowo zatrzymał się w salonie, który został odarty ze wszystkiego, co tworzyło rodzinną atmosferę. Ile razy matka zmieniała wystrój tego pokoju? A mimo to w końcu okazało się, że to tylko zwykłe pomieszczenie, takie samo jak inne.

– Mamo?! – zawołał ponownie, ale nie otrzymał odpowiedzi. Na piętrze zatrzymał się w drzwiach prowadzących do swojego pokoju. Także tutaj na środku piętrzył się stos pudeł z rzeczami, które już dawno należało przejrzeć. Matka niczego nie wyrzuciła; nawet stare plakaty zostały zwinięte i zabezpieczone gumkami. Na ścianach, w miejscach, w których wisiały, widniały delikatne prostokąty.

– Mamo?! – krzyknął. Zbiegł ze schodów i wypadł na ganek z tyłu domu.

Była właśnie tam. Siedziała na schodkach w starych, niebieskich szortach i zniszczonej koszulce. Paul zatrzymał się i stał bez słowa, chłonąc oczyma niezwykły widok. W kręgu ułożonym z kamieni wciąż tlił się ogień, zaś skrawki sczerniałego papieru, które opadały przed frontowym wejściem, były także tutaj; tkwiły w krzakach i więzły we włosach siedzącej na stopniach kobiety, pokrywały całą powierzchnię trawnika, przylepiały się do pni drzew i zaplątywały w rdzewiejące płozy starej huśtawki. Nagle poraziła go świadomość, że matka pali fotografie pozostawione przez ojca. Kiedy podniosła głowę, na policzkach dostrzegł ślady łez zmieszane z ciemnymi smugami popiołu.

– Wszystko w porządku, Paul – odezwała się spokojnym głosem. – Już przestałam je niszczyć. Byłam strasznie zła na twojego ojca, ale potem przyszło mi do głowy, że to także twoje dziedzictwo. Spaliłam tylko jedną skrzynkę, tę z dziewczynami. Nie sądzę, żeby akurat te zdjęcia miały jakąś wartość.

– O czym ty mówisz, mamo? – spytał, siadając obok niej na stopniach.

W odpowiedzi wręczyła mu zdjęcie, którego nigdy przedtem nie widział. Miał na nim około czternastu lat i siedział na ogrodowej huśtawce, pochylony nad gitarą. Był tak zajęty graniem i pogrążony w muzyce, że całkiem zapomniał o otaczającym go świecie. Teraz zaskoczyło go, że dał się przyłapać w takiej chwili – w tak intymnym momencie, kiedy nie czuł ani krzty zażenowania. W momencie, kiedy wydawało mu się, że naprawdę ma po co żyć.

– Okay, ale nic nie rozumiem. Dlaczego nagle doszłaś do wniosku, że jesteś na niego zła?

Matka zakryła rękoma twarz i westchnęła.

– Pamiętasz, jak opowiadałam ci o nocy, kiedy się urodziłeś? O śnieżnej zadymce i o tym, jak ledwie zdążyliśmy do kliniki?

– No jasne – odparł krótko. Nie miał pojęcia, co powiedzieć ani do czego ona zmierza, ale instynktownie czuł, że ma to coś wspólnego z jego zmarłą siostrą.

– Czy przypominasz sobie nazwisko Caroline Gill? Czy opowiadaliśmy ci o niej?

– Tak. Oczywiście nie pamiętałem, jak się nazywała, ale wiedziałem, że ma błękitne oczy.

– Tak. Intensywnie błękitne. Przyjechała tutaj wczoraj. To znaczy Caroline Gill. Nie widziałam jej od tamtej nocy. Przyjechała tu z pewną nowiną. Szokującą nowiną. Mam zamiar powiedzieć ci, o co chodzi, ponieważ żadne inne rozwiązanie nie przychodzi mi do głowy.

Ujęła w obie ręce dłonie syna, a on się nie cofnął.

– Twoja siostra – powiedziała cicho – wcale nie umarła przy porodzie. Urodziła się z zespołem Downa, a ojciec poprosił Caroline, żeby zabrała ją i zawiozła do zakładu w Louisville... Żeby nas oszczędzić – dokończyła zduszonym głosem. – Właśnie tak się wyraziła. Ale ona, Caroline, nie mogła się na to zdobyć, więc sama zaopiekowała się twoją siostrą, Paul. Wzięła Phoebe do siebie. Przez te wszystkie lata twoja bliźniaczka żyła i miała się dobrze. Mieszkała i dorastała w Pittsburghu.

– Moja siostra? W Pittsburghu? Byłem w Pittsburghu w zeszłym tygodniu.

To nie była właściwa odpowiedź, ale Paul nie wiedział, co należało odpowiedzieć w takim momencie. Nagle wypełniło go poczucie pustki, jakieś ogłuszające oderwanie od rzeczywistości. Nieoczekiwanie wyszło na jaw, że siostra żyje, co samo w sobie stanowiło szokującą nowinę. Siostra była opóźniona w rozwoju, niezupełnie zdrowa, więc ich ojciec postanowił ją oddać. Ku swemu zdziwieniu przekonał się, że następnym uczuciem nie był gniew, lecz strach. Znów do głosu doszły dawne lęki, zrodzone ze zbyt wybujałych oczekiwań, jakie miał ojciec wobec jedynaka. Zrodzone z pragnienia, żeby odnaleźć w życiu własną drogę, nawet jeśli ojciec nie aprobował jej do tego stopnia, by opuścić rodzinę. Lęki, które Paul – jak utalentowany alchemik – potrafił zamienić w gniew i bunt.

— Caroline wyjechała do Pittsburgha i zaczęła nowe życie – mówiła dalej matka. – Wychowywała twoją siostrę jak własną córkę... Sądzę, że kosztowało ją to sporo wysiłku; musiało kosztować, zwłaszcza w tamtym czasie. Staram się myśleć o niej z wdzięcznością, bo była dobra dla Phoebe, ale jakaś część mnie gotuje się z wściekłości na samą myśl o jej dobroci.

Paul zamknął na chwilę oczy, żeby pozbierać wszystko w całość. Świat nagle wydał mu się szalenie płaski, dziwny i całkiem obcy. Przez wszystkie minione lata na różne sposoby wyobrażał sobie zmarłą siostrę – jak wyglądała, jaka mogłaby być – ale teraz nic z tamtych wyobrażeń nie przychodziło mu do głowy.

– Jak on mógł? – wykrztusił wreszcie. – Jak mógł to przed nami ukrywać?

– Nie wiem – odparła Norah. – Od kilku godzin sama zadaję sobie to pytanie. Jak on mógł? I jak śmiał umrzeć i pozwolić, żebyśmy musieli się o tym dowiedzieć od obcej osoby?

Zapadła cisza. Paul wspominał dzień, kiedy porządkował zdjęcia po bałaganie, który zrobili jego koledzy poprzedniego wieczora. Czuł się potwornie winny i miał wrażenie, że ojciec też tak się czuje. Powietrze zdawało się pękać od nadmiaru słów, które padły pomiędzy nimi, ale jeszcze bardziej od tego, co pozostało niewypowiedziane. Słowo „kamera", wyjaśniał ojciec, pochodziło od francuskiego słowa „chambre" – pokój.

Być „in camera" znaczyło działać potajemnie, w sekrecie. Właśnie do tego sprowadzała się idea, w którą ojciec wierzył z całej duszy – że każda osoba była oddzielnym, potajemnym i niezależnym wszechświatem. Ciemne drzewa w sercu, garstka kości... To był świat, którym ojciec się pasjonował i który rozumiał. Nigdy przedtem myśl o tym nie wypełniła Paula taką goryczą jak teraz.

– Trochę to dziwne, że ojciec nie oddał właśnie mnie – powiedział, myśląc o ciężkiej walce, jaką toczył z wizją świata, której hołdował David. Wychodził, grał na gitarze, a muzyka wznosiła się i poprzez dźwięki ulatywała w szeroki świat. Ludzie odwracali głowy, odstawiali na stoły niedopite drinki i słuchali, zjednoczeni pięknem fraz. – Jestem pewien, że nieraz miał na to ochotę.

– Paul! – matka zmarszczyła brwi. – Nie mów tak. Jeśli już, to ojciec chciał czegoś więcej. Więcej oczekiwał. Wymagał od siebie absolutnej perfekcji. To jedna z tych rzeczy, które stały się dla mnie jasne jak słońce. Ale muszę szczerze przyznać, że to coś strasznego. Kiedy dowiedziałam się o Phoebe, tyle tajemnic z życia ojca nagle zaczęło mieć sens. Ściana, którą zawsze czułam pomiędzy nami... Ona istniała naprawdę.

Wstała, weszła do domu i po chwili wróciła z dwoma fotografiami w ręku.

– Spójrz, to ona – powiedziała. – Twoja siostra, Phoebe.

Paul wziął je do ręki i przenosił spojrzenie ze zdjęcia na zdjęcie. Na jednym ujrzał upozowaną do fotografii, sztucznie uśmiechniętą dziewczynkę, a na drugim całkiem swobodną dziewczynę, która rzucała piłką do kosza. Wciąż starał się zaakceptować to, co usłyszał od matki – że ta obca osoba z oczyma w kształcie migdała i mocnymi, krótkimi nogami jest jego bliźniaczą siostrą.

– Macie takie same włosy – odezwała się miękko Norah, znów siadając obok syna. – Poza tym ona także lubi śpiewać. Prawda, że to już coś? – zaśmiała się smutno. – I o ile wiem, jest fanką koszykówki.

Odpowiedział jej krótkim, pełnym bólu śmiechem.

– No cóż... W takim razie zdaje się, że tata oddał niewłaściwe dziecko.

Matka zabrała zdjęcia. Dopiero teraz zauważył, że jej ręce są poplamione popiołem.

– Nie próbuj być zgorzkniały, Paul. Phoebe ma zespół Downa. Niewiele wiem na ten temat, ale Caroline Gill powiedziała mi mnóstwo rzeczy. I prawdę mówiąc, jak dotąd mam problemy z przyswojeniem tego, co usłyszałam.

Paul od dłuższego czasu przesuwał kciukiem po betonowej krawędzi schodka. Teraz przestał, bo zauważył, że spod zdartego naskórka sączy się krew.

– Mam nie być zgorzkniały? Tyle razy byliśmy na jej grobie... – oczyma wyobraźni ujrzał, jak matka przechodzi przez kutą, żelazną bramę z naręczem kwiatów, a jemu mówi, żeby poczekał w samochodzie. Pamiętał, jak klękała na gołej ziemi i sadziła pachnącą gloriozę. – Co mam o tym myśleć?

– Nie wiem. Ten cmentarz leży na terenie posiadłości doktora Bentleya, więc on także musiał wiedzieć. Twój ojciec w ogóle nie chciał mnie tam zabrać. Musiałam to sobie wywalczyć. W którymś momencie najwidoczniej przestraszył się, że wpadnę w depresję, i ustąpił. Och, to zawsze doprowadzało mnie do szału... Zawsze starał się myśleć za mnie i wiedzieć, co będzie dla mnie najlepsze.

Paul zdziwił się, słysząc w jej głosie taką porywczość, ale zaraz przypomniał sobie Michelle i ich poranną rozmowę. Podniósł rękę do ust, żeby wyssać krople krwi. Ich lekko metaliczny smak sprawił mu przyjemność. Przez moment siedzieli w milczeniu, obserwując unoszące się w powietrzu skrawki spalonego papieru, rozrzucone zdjęcia i wilgotne pudełka.

– Co to znaczy, że ona jest opóźniona? – zapytał wreszcie. – Mam na myśli takie codzienne życie?

Matka znowu wpatrzyła się w zdjęcia.

– Nie mam pojęcia. Caroline twierdziła, że Phoebe świetnie daje sobie radę, cokolwiek to oznacza. Ma pracę, spotyka się z jakimś chłopakiem, chodzi do szkoły... Ale najwyraźniej nie może mieszkać sama.

– A ta pielęgniarka... ta Caroline Gill... dlaczego przyjechała akurat teraz, po tylu latach? Czego chciała?

– Po prostu chciała mi powiedzieć, to wszystko. O nic nie prosiła, niczego nie żądała. Ona otworzyła drzwi, Paul... Wierzę w jej uczciwe intencje. To było zaproszenie, a teraz od nas zależy, co z nim zrobimy.

– I w takim razie, co dalej? – spytał. – Co teraz się zdarzy?

– Pojadę do Pittsburgha. Muszę ją zobaczyć, ale co potem? Nie mam pojęcia. Czy powinnam przywieźć ją tutaj? Przecież my jesteśmy dla niej zupełnie obcy. Poza tym muszę porozmawiać z Frederikiem. On musi wiedzieć... – na chwilę zasłoniła rękoma twarz. – Och, Paul... Jak ja mogę wyjechać do Francji na dwa lata, a ją zostawić? Nie wiem, co powinnam zrobić. To za dużo dla mnie jak na jeden raz.

Lekki powiew wiatru poruszał fotografiami rozrzuconymi po trawniku. Paul siedział skulony i walczył z miotającymi nim uczuciami: gniewem na ojca, zaskoczeniem i żalem za tym, co utracił. Poza tym martwił się... To straszne, że takie myśli przychodziły mu do głowy, ale co się stanie, jeśli będzie musiał zaopiekować się siostrą, która nie może mieszkać sama? Jak ma to zrobić? Nigdy nie miał do czynienia z opóźnioną umysłowo osobą, ale sam dźwięk tych słów budził w nim wyłącznie negatywne skojarzenia. Żadne z nich nie pasowało do słodko uśmiechniętej dziewczynki ze zdjęcia i to także wprawiało go w zakłopotanie.

– Ja też nie wiem – powiedział w końcu. – Może zacznijmy od sprzątania tego bałaganu?

– To twoje dziedzictwo – przypomniała Norah.

– Nie tylko moje... – odparł powoli, jakby chciał spróbować, czy te słowa przejdą mu przez usta. – Ono należy także do mojej siostry.

Pracowali przy sprzątaniu przez cały dzień, i przez następny także; sortowali zdjęcia, przepakowywali pudełka, a następnie ciągnęli je w chłodną głębię garażu. Kiedy matka rozmawiała z kuratorami wystaw, Paul zadzwonił do Michelle, żeby wytłumaczyć co się stało i powiedzieć, że, niestety, nie będzie mógł przyjechać na jej koncert. Spodziewał się, że Michelle będzie zła, ale wysłuchała go bez słowa komentarza i zwyczajnie odwiesiła słuchawkę. Próbował zadzwonić jeszcze raz, ale odpowiedziała mu automatyczna sekretarka i taka sytuacja powtarzała się przez cały dzień. Kilka razy zastanawiał się, czy nie wsiąść w samochód i nie popędzić do Cincinnati, ale rozsądek podpowiadał, że nic dobrego by z tego nie wynikło. W głębi serca wiedział, że nie chce żyć w ten sposób, że nie chce dawać Michelle więcej miłości niż mógłby otrzymać w zamian. Zmusił się więc do tego, by zostać. Cały dzień pracował fizycznie przy pakowaniu rzeczy znajdujących się w domu, a wieczorem pojechał do biblioteki, żeby poczytać co nieco na temat zespołu Downa.

We wtorek rano, w milczeniu i pełni obaw, wsiedli razem z matką do samochodu i ruszyli przez rzekę i poprzez okryte soczystą zielenią późnego lata wzgórza Ohio. Było gorąco i parno; liście kukurydzy drżały w promieniach słońca na tle olśniewająco błękitnego nieba. Przybyli do Pittsburgha, mijając po drodze wzmożony ruch z okazji święta Czwartego Lipca. Przejechali przez tunel, który kończył się na moście, skąd roztaczał się zapierający dech w piersiach widok na łączące się dwie potężne rzeki. Potem jechali wzdłuż Monongaheli i przez następny długi tunel, aż w końcu zatrzymali się na ruchliwej, otoczonej drzewami ulicy przed domem z cegły należącym do Caroline Gill.

Powiedziała im, że najlepiej zaparkować w alei, więc tak zrobili, a następnie wysiedli z samochodu, żeby rozprostować kości. Znajdujące się za skrawkiem trawnika wąskie schodki prowadziły na niedużą parcelę i do wysokiego domu, w którym od dzieciństwa mieszkała Phoebe. Paul chłonął obraz tego domu z takim samym zaangażowaniem, jak widok w Cincinnati. Tak różne wydawało się to miejsce od spokojnego sąsiedztwa, gdzie dorastał on sam, od podmiejskiej ciszy i komfortu. Po ulicy, tuż obok działki wielkości znaczka pocztowego, przejeżdżał nieprzerwany sznur samochodów, a dookoła rozciągało się miasto, gęste, duszne i parne.

Maleńkie ogródki przed domami pełne były kwiatów; rosły tam malwy i irysy we wszystkich możliwych kolorach, a ich białe i purpurowe języki odcinały się od zieleni trawy. W pierwszym ogrodzie jakaś kobieta pracowała na kolanach przy pieleniu grządki pełnej dorodnych krzaków pomidorów. Tuż za nią rósł rząd potężnych bzów, a ich liście migotały jasno zielonymi spodami w podmuchach gorącego wiatru, który jedynie poruszał rozgrzane powietrze, nie przynosząc ani krzty ochłody. Kobieta miała na sobie ciemnoniebieskie szorty, białą koszulkę i kolorowe, bawełniane rękawiczki. W pewnej chwili usiadła na piętach i otarła wierzchem dłoni pot z czoła. Przez szum przejeżdżających samochodów nie słyszała, że ktoś nadchodzi. Ułamała jeden z liści pomidorów i przycisnęła do nosa.

– Czy to ona? – zapytał szeptem Paul. – Czy to ta pielęgniarka?

Norah skinęła głową. Zauważył, że skrzyżowała na piersi ramiona, jakby chciała przed czymś się chronić. Wydawała się bledsza i bardziej spięta niż zwykle, a jej oczy zasłaniały ciemne szkła okularów. Paul nie miał wątpliwości, że musi być bardzo zdenerwowana.

– Tak, to Caroline Gill... Paul, teraz, kiedy jesteśmy tak blisko, wcale nie jestem pewna, czy dobrze robimy. Może lepiej będzie wrócić do domu.

– Mamo, przejechaliśmy taki szmat drogi! Poza tym przecież na nas czekają.

Posłała w jego kierunku zmęczony uśmiech. Przez ostatnie noce prawie wcale nie spała. Nawet jej usta były blade i spierzchnięte.

– Oni nie mogą naprawdę na nas czekać – odparła. – To niemożliwe.

Paul przytaknął. Nagle tylne drzwi stanęły otworem; w progu pojawiła się jakaś postać, ale jej rysy skrywał cień. Caroline wstała i otrzepała ręce.

– Phoebe! – zawołała. – Więc tutaj jesteś!

Paul poczuł, jak jego matka zaciska kurczowo dłonie, ale nie odwrócił się w jej stronę.

Jak urzeczony patrzył na ganek. Ten moment zdawał się trwać w nieskończoność, jakby palące promienie słońca przykuły ich do miejsca, w którym się zatrzymali. W końcu postać wyszła na zewnątrz, niosąc w dłoniach dwie szklanki z wodą.

Paul nie odrywał od niej wzroku. Była niska, o wiele niższa od niego, a jej włosy, obcięte na pazia, zdawały się ciemniejsze, cieńsze i mniej skłonne do układania. Miała bladą cerę, podobnie jak matka, a z dala jej rysy wydawały się delikatne, choć szeroka twarz sprawiała wrażenie nieco spłaszczonej, jakby ktoś zbyt długo przyciskał ją do ściany. Kąciki oczu wydawały się lekko uniesione, zaś ręce i nogi dość krótkie. W niczym nie przypominała dziewczynki z fotografii; była teraz dorosłą, w pełni dojrzałą kobietą, a w jej włosach zaczęły się pojawiać pierwsze siwe nitki. On zresztą także zauważył w swojej brodzie pierwsze białe włosy, które wyrastały, jeśli tylko im na to pozwolił. Dziewczyna miała na sobie kwieciste szorty i może dlatego cała sylwetka sprawiała wrażenie dość przysadzistej. Idąc w stronę Caroline, tarła kolanem o kolano.

– Och... – usłyszał jęk Norah. Jedną rękę przyciskała do serca, zaś jej oczy nadal ukryte były za przeciwsłonecznymi okularami. Paul był z tego zadowolony; ta chwila wydawała się zbyt intymna, by się nią z kimś dzielić.

– W porządku, mamo – powiedział uspokajającym tonem. – Możemy trochę tu postać.

Słońce grzało bez miłosierdzia, a zza ich pleców dobiegał stały szum ulicznego ruchu. Caroline i Phoebe siedziały na schodkach, popijając wodę.

– Jestem gotowa – oznajmiła po kilku sekundach Norah.

Zeszli z kilku schodków pomiędzy grządki pełne warzyw i kwiatów. Caroline dostrzegła ich pierwsza. Zmrużyła oczy i osłoniła je od słońca. Wstała, a zaraz potem wstała również Phoebe, i przez jakiś czas obserwowali siebie nawzajem, oddzieleni jedynie szerokością trawnika.

Wreszcie Caroline wzięła Phoebe za rękę; spotkali się na wysokości grządki z pomidorami. Dorodne owoce zaczynały właśnie dojrzewać, wypełniając powietrze rześkim, kwaskowatym zapachem. Nikt nie odezwał się nawet jednym słowem. Phoebe wpatrywała się w Paula, a następnie wyciągnęła rękę poprzez dzielącą ich przestrzeń i musnęła palcami jego policzek – ostrożnie, delikatnie, jakby chciała się przekonać, czy on jest naprawdę. Paul z poważną miną pokiwał głową, choć nic nie powiedział; w pewien sposób jej gest wydał mu się odpowiedni i właściwy. Phoebe chciała go poznać, to wszystko. I on też tego chciał, choć nie miał pojęcia, co należy powiedzieć tej nagle odzyskanej siostrze, połączonej z nim tak bliskimi więzami i jednocześnie tak obcej. Nagle poczuł się strasznie zażenowany; bał się, że zrobi bądź powie coś niewłaściwego. Jak należy rozmawiać z opóźnioną umysłowo osobą? Książki, które przejrzał podczas weekendu, wszystkie opisy klinicznych przypadków – żaden z nich nie przygotowywał do spotkania z żywą istotą, która przed chwilą tak subtelnie gładziła go po policzku.

Phoebe wcześniej doszła do siebie.

– Cześć – zawołała i wyciągnęła rękę do oficjalnego powitania. Paul uścisnął jej dłoń, zaskoczony jej niewielkim rozmiarami. Ciągle nie mógł wydusić z siebie nawet jednego słowa. – Jestem Phoebe. Miło cię poznać. Jej mowa była dość niewyraźna i stłumiona. Zaraz po Paulu odwróciła się do jego matki i powtórzyła wszystko od początku.

– Cześć – odpowiedziała Norah, zamykając w swoich dłoniach jej rękę. Z trudem tłumiła szarpiące nią emocje. – Cześć, Phoebe. Ja też bardzo się cieszę, że cię poznałam.

– Strasznie tu gorąco – odezwała się Caroline. – Może wejdziemy do środka? Włączyłam wentylatory. Phoebe zrobiła dziś rano herbatę z lodem. Bardzo czekała na wasz przyjazd, prawda kochanie?

Phoebe uśmiechnęła się i skinęła głową, jakby nagle coś ją onieśmieliło. Weszli do domu; wewnątrz panował przyjemny chłód. Pokoje były nieduże, lecz nieskazitelnie czyste, wykończone pięknie drewnem; salon od jadalni oddzielały francuskie drzwi. W salonie, zalanym przez słońce, stały nieco sfatygowane meble w kolorze wina. W odległym kącie znajdowały się spore krosna.

– Robię szal – pochwaliła się Phoebe.

– Jest piękny – Norah podeszła bliżej i wzięła przędzę do ręki, przesuwając pod palcami ciemny róż zmieszany z kolorem kremowym, żółtym i bladozielonym. Zdjęła okulary i gdy podniosła wzrok, jej oczy zaszkliły się łzami, a głos wciąż drżał z emocji. – Czy sama wybierałaś te kolory, Phoebe?

– To moje ulubione – odpowiedziała.

– Moje także. Kiedy miałam tyle lat co ty, też bardzo je lubiłam. Moje druhny miały sukienki w kolorze różowym i kości słoniowej i niosły bukiety żółtych róż.

Paul czuł się zaskoczony, że matka pamięta takie szczegóły. Wszystkie zdjęcia ze ślubu były czarno-białe.

– Możesz sobie wziąć ten szal – powiedziała Phoebe do Norah. – Prawdę mówiąc, utkałam go dla ciebie.

– Och – westchnęła Norah i na krótko zamknęła oczy. – To miło z twojej strony.

Caroline przyniosła herbatę z lodem i we czwórkę usiedli w salonie. Rozmowa wyraźnie się nie kleiła, choć starali się obracać wokół bezpiecznych tematów: pogody i rozkwitu Pittsburgha, który właśnie przeżywał renesans po upadku przemysłu metalurgicznego. Phoebe przycupnęła przy warsztacie tkackim i przesuwała czółenko w przód i w tył, od czasu do czasu podnosząc głowę, gdy ktoś wymienił jej imię. Paul bez przerwy rzucał na nią ukradkowe spojrzenia. Ręce Phoebe wydawały się małe, ale tłuściutkie. Skupiona na ruchach czółenka, przygryzała co chwila dolną wargę. W końcu Norah wysączyła do końca herbatę i zabrała głos.

– No cóż... – powiedziała. – Tak więc jesteśmy, choć nie mam pojęcia, co teraz będzie.

– Phoebe – odezwała się Caroline. – Może usiądziesz z nami?

Bez słowa Phoebe podeszła i usiadła na brzeżku kanapy obok Caroline. Norah znów zaczęła mówić – zbyt szybko, nerwowo i ściskając kurczowo dłonie.

– Nie wiem, jak będzie lepiej. W żadnym podręczniku nie jest napisane, co należy zrobić w takiej sytuacji, prawda? Ale chcę zaproponować Phoebe zamieszkanie w moim domu. Może przyjechać i zostać z nami, jeśli tylko będzie chciała. Wiele myślałam o tym przez ostatnie dni. Chyba to jedyna możliwość, żeby nadrobić stracony czas – przerwała dla zaczerpnięcia oddechu, a potem zwróciła się bezpośrednio do Phoebe, która przyglądała się jej szeroko otwartymi, pełnymi ostrożności oczyma. – Jesteś moją córką, Phoebe, rozumiesz to? A to jest Paul, twój brat.

W odpowiedzi Phoebe ujęła dłoń Caroline.

– To jest moja mama – odparła zdecydowanie.

– Tak – Norah zerknęła na Caroline i spróbowała jeszcze raz. – Masz rację, to jest twoja mama, ale ja też jestem twoją mamą. Urosłaś wewnątrz mojego ciała – pogładziła się po brzuchu. – Dokładnie tutaj. Ale potem się urodziłaś i wychowywała cię druga mama, Caroline.

– Chcę wyjść za mąż za Roberta – odrzekła Phoebe. – Nie chcę mieszkać z tobą.

Paul, który przez cały weekend miał okazję obserwować walkę, jaką toczyła z samą sobą jego matka, odebrał te słowa jako fizyczny dyskomfort, zupełnie jakby Phoebe go kopnęła. Na widok miny matki zrozumiał, że ona odczuła to dokładnie tak samo.

– Wszystko w porządku, Phoebe – wtrąciła się Caroline. – Nikt nie zmusza cię, żebyś gdzieś wyjeżdżała.

– Wcale nie miałam na myśli... Ja tylko chciałam zaproponować... – Norah urwała w pół zdania i wzięła głęboki oddech. Jej oczy były teraz intensywnie zielone i chmurne. Mimo to nie dawała za wygraną. – Phoebe, Paul i ja bardzo chcielibyśmy cię poznać. To wszystko. Proszę, nie bądź taka przerażona, zgoda? Ja chciałam powiedzieć tylko... To znaczy miałam na myśli, że mój dom stoi dla ciebie otworem. Zawsze. Gdziekolwiek się znajdę, możesz do mnie przyjechać. I mam nadzieję, że zechcesz to zrobić. Mam nadzieję, że pewnego dnia będziesz chciała złożyć mi wizytę. To wszystko. Czy teraz już lepiej?

– Być może – przyznała Phoebe.

– Phoebe, może pokazałabyś Paulowi nasz dom? – zaproponowała Caroline. – A my z panią Henry mogłybyśmy chwilę porozmawiać. I o nic się nie martw, kochanie – zwróciła się do Phoebe i lekko oparła dłoń na jej ramieniu. – Nikt nigdzie nie wyjeżdża. Wszystko jest w jak najlepszym porządku.

Phoebe skinęła głową i podniosła się z miejsca.

– Chcesz zobaczyć mój pokój? – zapytała Paula. – Mam nowy adapter.

Paul spojrzał na matkę. Z uśmiechem skłoniła głowę, patrząc jak obydwoje idą przez pokój. Paul wspiął się po schodach w ślad za Phoebe.

– Kto to jest Robert? – zapytał.

Mój chłopak. Wychodzę za niego za mąż. A czy ty jesteś żonaty? Pokręcił głową. Wspomnienie o Michelle przeszyło go nagłym bólem.

– Nie.

– Masz dziewczynę?

– Nie. Kiedyś miałem, ale odeszła.

Phoebe zatrzymała się na ostatnim stopniu i odwróciła ku niemu. Stali tak blisko, że Paulowi zrobiło się nieswojo, jakby ktoś obcy wkroczył w jego osobistą przestrzeń.

Spojrzał w innym kierunku, a gdy popatrzył na Phoebe, przekonał się, że wciąż spogląda wprost na niego.

– To bardzo nieuprzejme tak gapić się na ludzi – zauważył.

– No cóż, to dlatego, że wyglądasz na smutnego.

– Jestem smutny. Prawdę mówiąc, jestem bardzo, bardzo smutny.

Skinęła głową i przez moment wydawało się, że podzieli z nim jego smutek. Jej twarz zachmurzyła się, rozpogodziła, zachmurzyła znowu, i chwilę potem rozjaśniła promiennym uśmiechem.

– Chodź – skinęła ręką i poprowadziła w głąb korytarza. – Mam też kilka całkiem nowych płyt.

W jej pokoju usadowili się na podłodze. Paul rozejrzał się dookoła. Pomalowane na różowo ściany harmonizowały z zasłonami w różowo- -białą kratkę. To pokój małej dziewczynki, pomyślał, z półkami pełnymi pluszowych zwierzątek, z jaskrawymi obrazkami na ścianach… Pomyślał o Robercie i o tym, czy to prawda, że Phoebe wychodzi za niego za mąż, ale zaraz potem ogarnęły go wyrzuty sumienia. Dlaczego ktoś taki jak Phoebe nie mógłby wyjść za mąż albo zrobić cokolwiek, na co miałby ochotę? Przypomniała mu się dodatkowa sypialnia w ogromnym domu rodziców, gdzie od czasu do czasu sypiała babcia, kiedy przyjeżdżała w odwiedziny. To mógł być pokój Phoebe; wypełniłaby go swoją muzyką i swoimi rzeczami.

W międzyczasie Phoebe włączyła płytę i mocno podkręciła głośność; „Love, Love Me Do" śpiewała razem z nagraniem z na wpół przymkniętymi oczyma. Całkiem przyjemny głos, pomyślał po chwili. Trochę przyciszył muzykę i zabrał się do przeglądania pozostałych albumów. Phoebe miała mnóstwo popularnych płyt, ale również kilka symfonii w całkiem dobrych wykonaniach.

– Lubię puzony – oświadczyła, udając, że gra na tym instrumencie, a kiedy Paul ryknął śmiechem, sama też się roześmiała. – Naprawdę lubię – dodała z westchnieniem.

– Ja gram na gitarze – powiedział. – Wiedziałaś o tym?

Przytaknęła.

– Tak. Moja mama mówiła. Zupełnie jak John Lennon.

– No, może trochę – uśmiechnął się, zdziwiony, że prowadzi z nią całkiem normalną konwersację. Zdążył się przyzwyczaić do jej niewyraźnej artykulacji, a im dłużej rozmawiał z Phoebe, tym swobodniej się zachowywała. Z każdą chwilą przekonywał się, że w jej wypadku przylepianie jakiejś etykietki jest zupełnie niemożliwe. – Słyszałaś kiedykolwiek o Andrésie Segovii?

– Uhu!

– Jest naprawdę świetny, prawda? To mój ulubiony solista. Któregoś dnia zagram ci coś z jego utworów, okay?

– Wiesz co, Paul? Lubię cię. Jesteś bardzo sympatyczny.

Przekonał się, że uśmiecha się od ucha do ucha, oczarowany i mile połechtany jej słowami.

– Dzięki. Ja też cię lubię.

– Ale pamiętaj, że ja nie chcę z wami mieszkać.

– Nie ma sprawy. Zresztą ja też nie mieszkam z moją mamą. Mieszkam w Cincinnati.

Twarz Phoebe wyraźnie pojaśniała.

– Sam? Mieszkasz sam?

– Tak – powiedział bez wahania. Nie miał złudzeń, że po powrocie zastanie w domu Michelle. – Zupełnie sam.

– Szczęściarz z ciebie.

– Też tak uważam – odparł całkiem poważnie, bo nagle przyszło mu do głowy, że to prawda. To, co uważał w życiu za oczywiste, stanowiło treść niespełnionych marzeń jego siostry. – Masz rację. Jestem szczęściarzem.

– Ja także – powiedziała z pełnym przekonaniem, co zupełnie go zaskoczyło. – Robert ma dobrą pracę i ja też.

– A gdzie pracujesz?

– W punkcie ksero. Robię kopie – odparła z pewną dumą. – Mnóstwo, całe mnóstwo kopii.

– I lubisz to robić?

Uśmiechnęła się.

– Max także tam pracuje. To moja przyjaciółka. Mamy dwadzieścia trzy kolory papieru.

Jeszcze przez chwilę mruczała w ten sposób, całkiem zadowolona z życia, jednocześnie zdejmując jedną płytę i wybierając następną. Jej gesty były niezbyt szybkie, ale celowe i pełne skupienia. Paul bez trudu mógł sobie wyobrazić ją w punkcie kserograficznym przy pracy, jak żartuje z koleżanką albo od czasu do czasu przystaje, żeby pozachwycać się tęczą papierów lub spojrzeć na odbite dokumenty. Z dołu dobiegał jednostajny szmer głosów – jego matka wciąż rozmawiała z Caroline o tym, co będzie dalej. Ku swemu zdziwieniu poczuł coś w rodzaju wstydu, bo zrozumiał, że jego współczucie dla Phoebe, tak samo jak przypuszczenia Norah co do jej zupełnego uzależnienia od innych, były niepotrzebne i zwyczajnie głupie. Phoebe lubiła siebie i akceptowała życie, jakie przyszło jej prowadzić. Sprawiała wrażenie całkiem szczęśliwej osoby. I nagle wszystkie jego starania – zaliczone konkursy i zdobyte nagrody, długa i daremna walka żeby zadowolić siebie i zaimponować ojcu – wydały mu się nieco niemądre w porównaniu z życiem Phoebe.

– Gdzie jest twój tata? – spytał.

– W pracy. Jeździ autobusem. Lubisz „Yellow Submarine"?

– No jasne, że lubię.

Phoebe posłała w stronę Paula radosny uśmiech i włączyła płytę.

Pierwszy września tysiąc dziewięćset osiemdziesiątego dziewiątego roku

Nuty wylewały się z kościoła prosto w rozsłonecznione, ciepłe powietrze. Dla Paula, który stał tuż za drzwiami pomalowanymi na jaskrawo-czerwony kolor, muzyka zdawała się przybierać niemalże widzialną postać – wirowała pomiędzy liśćmi topoli i jak rozproszone pyłki światła tańczyła po trawniku. Organistka, pochodząca z Peru dziewczyna o dźwięcznym imieniu Alejandra, nosiła grube włosy w kolorze burgunda, ściągnięte do tyłu w koński ogon, i była jego serdeczną przyjaciółką; to właśnie ona podczas pustych dni po odejściu Michelle zjawiała się w mieszkaniu Paula z zupą albo mrożoną herbatą, i bez przerwy suszyła mu głowę. „Wstawaj, ale już", wołała, jednym energicznym ruchem odsuwając zasłony i zmiatając do zlewu brudne naczynia. „No wstań. Nie ma sensu się rozklejać, zwłaszcza z powodu flecistki. To kompletnie narwane dziewczyny, nie wiedziałeś o tym? To naprawdę dziwne, że wytrzymała tak długo. Dwa lata? Mój Boże, to chyba rekord".

Teraz frazy cudownej muzyki spływały spod palców Alejandry jak potoki srebrzystej wody; po nich nastąpiło błyskotliwe *crescendo*, które wspięło się na wyżyny ekstazy i zastygło na moment w blasku słońca. W wejściu pojawiła się matka Paula, roześmiana, wsparta na ramieniu Frederica. Razem przestąpili próg, wchodząc w deszcz z ziaren siemienia i z płatków kwiatów.

– Jakie to ładne – wyraziła swoją opinię Phoebe.

Dziś miała na sobie srebrzystozieloną sukienkę, a w prawym ręku trzymała pęk żółtych narcyzów, który nosiła przez całą uroczystość zaślubin. Uśmiechnięta od ucha do ucha przymykała z radości oczy, aż w obu pulchnych policzkach pojawiały się urocze dołeczki. Rzucane przez gości płatki i ziarno siemienia wciąż fruwało w powietrzu, tworząc na tle błękitnego nieba fantazyjne łuki. Za każdym razem, gdy spadały na ziemię, Phoebe wydawała z siebie radosny chichot. Paul rzucał na nią surowe, pełne niedowierzania spojrzenia. Na tę obcą osobę, na swoją siostrę... Niedawno szli we dwoje wzdłuż nawy maleńkiego kościoła aż do ołtarza, gdzie czekała ich matka z Frederickiem. Paul wolno i uważnie prowadził Phoebe, która zaciskała drobną rączkę dookoła jego ramienia i dokładała wszelkich starań, żeby wszystko wypadło jak należy. Co prawda stado jaskółek zaczęło harce wokół drewnianych krokwi dokładnie wtedy, gdy nowożeńcy składali małżeńską przysięgę, ale Norah od początku upierała się, żeby uroczystość odbyła się właśnie w tym kościele. Tak samo jak podczas dziwnych i wyciskających łzy z oczu Phoebe dyskusji na temat przyszłości zdecydowanie wyrażała życzenie, żeby jej dzieci stały u jej boku w tej doniosłej chwili.

Następny łuk, tym razem z confetti, i kolejny wybuch śmiechu... Matka Paula i Frederic opuścili głowy, a Bree otrzepywała z ich ramion i włosów drobiny barwnego papieru. Confetti walało się dosłownie wszędzie. Po chwili cały trawnik wyglądał jak taras wyłożony kolorowymi płytkami.

— Masz rację — odpowiedział, zwracając się do siostry. — To bardzo ładne.

— Skłoniła głowę, nagle zamyślona, i obiema rękoma wygładziła sukienkę.

— Twoja mama wyjeżdża do Francji.

— Tak — odparł Paul, choć cały zesztywniał na dźwięk słów „twoja mama". Tak mówi się do nieznajomych, pomyślał. Ale przecież właściwie byli nieznajomymi. Chyba właśnie to najbardziej bolało Norah — stracone lata, które stanęły pomiędzy nimi, i słowa, tak ostrożne i oficjalne, tam gdzie powinno być jedynie nieskrępowanie i poczucie bliskości. — Ty i ja także, tyle że za parę miesięcy — dodał, żeby przypomnieć Phoebe o planach, na które się zgodziła. — Jedziemy do Francji i wpadniemy do nich z wizytą.

Wyraz zaniepokojenia, ulotny jak zwiewna chmurka, przemknął przez twarz Phoebe.

— O co chodzi? — spytał cierpliwie. — Coś jest nie w porządku?

— Tam jedzą ślimaki.

Paul popatrzył na nią ze zdziwieniem. Razem z Bree i jego matką stali w przedsionku kościoła bezpośrednio przed ślubem i żartowali na temat uczty, jaka ich czeka w Chateauneuf. Phoebe przez cały czas kręciła się w pobliżu. Paul nawet nie zauważył, że słucha ich rozmowy. To także na razie stanowiło tajemnicę – obecność Phoebe w świecie, to, co dostrzegała, czuła i rozumiała. Na palcach jednej ręki mógł wyliczyć to, co o niej wiedział: lubiła koty, umiała ładnie tkać, uwielbiała słuchać radia i potrafiła pięknie śpiewać. Poza tym często się uśmiechała, czuła potrzebę przytulania się i podobnie jak on miała uczulenie na pszczoły.

– Ślimaki wcale nie są takie złe – powiedział. – Fajnie się je żuje. Jak gumę o smaku czosnku.

Phoebe skrzywiła się, a potem wybuchnęła śmiechem.

– Fuj! – zawołała. – Ależ to musi być świństwo!

Lekki wietrzyk poruszał jej włosami, podczas gdy ona sama nie spuszczała wzroku ze sceny, którą miała przed oczyma: tłum gości stał na zalanym blaskiem słońca trawniku, nad ich głowami szumiały liście drzew, a w powietrzu płynęła muzyka. Dopiero teraz Paul zauważył, że Phoebe ma na policzkach mnóstwo drobnych piegów, podobnie jak on sam. Gdzieś na drugim końcu trawnika ich matka i Frederic podnieśli w górę długi, błyszczący nóż do krojenia tortu.

– Ja i Robert też mamy zamiar się pobrać – oświadczyła Phoebe.

Paul uśmiechnął się. Poznał Roberta podczas pierwszej podróży do Pittsburgha. Specjalnie pojechali do sklepu, żeby się z nim spotkać. Paul ujrzał wysokiego, uprzedzająco grzecznego chłopaka w brązowym uniformie z plakietką z nazwiskiem.

Kiedy Phoebe przedstawiła ich sobie, Robert natychmiast zamknął w uścisku rękę Paula i przyjaźnie poklepał po ramieniu, jak starego znajomego, którego widzi pierwszy raz od dłuższego czasu. „Miło cię poznać, Paul. Wiesz, Phoebe i ja mamy zamiar się pobrać, więc niedługo ty i ja będziemy braćmi. No i co ty na to?". A potem, nie czekając na odpowiedź i przekonany, że świat jest dobrym i przyjaznym miejscem i że Paul podziela jego zdanie, odwrócił się do Phoebe i objął ramieniem jej kibić. Przez chwilę stali tak we dwoje, uśmiechając się jedno do drugiego.

– Niedobrze, że Robert nie mógł przyjechać.

– Phoebe skinęła głową.

– No jasne. On uwielbia przyjęcia na świeżym powietrzu.

– To wcale mnie nie dziwi.

Paul widział, jak ich matka wsuwa kęs weselnego tortu do ust Frederica, lekko przy tym muskając kciukiem kącik jego ust. Norah miała dziś na sobie kremową sukienkę, a przy krótko obciętych blond włosach, zmieniających kolor na czyste srebro, jej zielone oczy zdawały się większe niż zazwyczaj. Pomyślał o swoim ojcu i o tym, jak wyglądało ich wesele. Oczywiście widział zdjęcia, ale była to zaledwie nędzna namiastka; chciał wiedzieć, jakie wtedy było światło, jak brzmiały wybuchy śmiechu; chciał wiedzieć, czy ojciec schylił się – tak jak teraz Frederic – żeby pocałować matkę, zaraz po tym jak zlizała z warg drobinkę zamrożonej czekolady.

– Podobają mi się różowe kwiaty – oświadczyła Phoebe. – Chcę mieć na swoim weselu mnóstwo, mnóstwo różowych kwiatów.

Ale zaraz potem spoważniała i wzruszyła ramionami, a zielona sukienka przesunęła się lekko na obojczykach.

Nagle powiał wiatr i Paul pomyślał o Caroline Gill, wysokiej i z zawziętą miną, która razem ze swoim mężem i Phoebe stała w holu hotelu w Lexington. Wszyscy spotkali się tam wczoraj, na neutralnym gruncie. Dom matki świecił pustkami, a przed wejściem widniała tabliczka „Na sprzedaż". Dziś wieczorem razem z Fredericem wyjeżdżała do Francji. Caroline z Alem przyjechali prosto z Pittsburgha i po drugim śniadaniu, które upłynęło w uprzejmej, aczkolwiek nieco drętwej atmosferze, zostawili Phoebe, żeby mogła wziąć udział w weselu, zaś sami wyjechali do Nashville na krótkie wakacje. Pierwsze od długiego czasu, podkreślali z dumą i wydawali się bardzo szczęśliwi z tego powodu. Mimo to przed odejściem Caroline dwukrotnie uścisnęła Phoebe, a potem zatrzymała się na chodniku, żeby jeszcze raz spojrzeć w okno i machnąć ręką na pożegnanie.

– Lubisz Pittsburgh? – zapytał Paul. Dostał stamtąd propozycję pracy – dobrej pracy w orkiestrze. Zaoferowano mu także miejsce w orkiestrze w Santa Fé.

– Owszem, lubię – odparła Phoebe. – Co prawda moja mama mówi, że tam jest za dużo schodów, ale mnie to nie przeszkadza.

– Być może będę się tam przeprowadzał. Co ty na to?

– To byłoby całkiem miłe. Mógłbyś być na moim weselu – odparła, ale zaraz westchnęła. – Tylko że wesele kosztuje masę pieniędzy. To nie fair.

Paul skinął głową. Tak, to nie było fair. Nic nie było fair. Ani wyzwania, z którymi Phoebe musiała się zmierzyć w nieprzyjaznym świecie, ani względna łatwość jego życia, ani to, co zrobił ich ojciec – nic nie było fair. Nagle poczuł potrzebę, żeby podarować Phoebe wesele, o jakim marzyła. Albo przynajmniej tort weselny. To byłby taki mały gest przeciw wszystkim przeciwnościom świata.

– Możesz przecież dać się porwać – zaproponował.

Phoebe namyślała się przez chwilę, obracając na ręku zieloną, plastikową bransoletkę.

– Nie – zdecydowała w końcu. – Nie miałabym tortu.

– Och, to wcale nie jest takie pewne? Nie? Dlaczego nie?

Phoebe zmarszczyła brwi i spojrzała na niego spode łba, jakby chciała sprawdzić, czy z niej nie szydzi.

– Nie – powiedziała po chwili. – To nie jest prawdziwe wesele, Paul.

Uśmiechnął się, poruszony jej pewnością co do zasad, jakie rządzą tym światem.

– Wiesz co, Phoebe? – powiedział. – Masz rację.

Ponad zalaną słońcem trawą przypłynęły odgłosy braw i wybuchy śmiechu. To matka i Frederic skończyli kroić weselny tort. Uśmiechnięta Bree podniosła aparat, żeby zrobić ostatnie zdjęcie. Paul wskazał podbródkiem stolik, gdzie nakładano kawałki ciasta na małe talerzyki i przekazywano z rąk do rąk.

– Weselny tort ma sześć warstw. W środku maliny i bita śmietana. Co ty na to, Phoebe? Chcesz spróbować?

Phoebe uśmiechnęła się jeszcze szerzej i skinęła głową.

– Mój tort będzie miał osiem – oświadczyła z dumą, gdy szli przez trawnik w stronę, skąd dobiegał śmiech, odgłosy rozmów i dźwięki muzyki.

– Osiem? Dlaczego nie dziesięć? – zachichotał.

– Aleś ty głupi – odrzekła Phoebe. – Nawet nie podejrzewałam, że jesteś taki głupi.

Stanęli przy stole. Paul ujrzał, że ramiona matki wciąż są obsypane kolorowym confetti. Uśmiechała się lekko, delikatna i subtelna w każdym ruchu. Lekko musnęła włosy Phoebe, żeby przygładzić je do tyłu, zupełnie jakby córka wciąż była małą dziewczynką.

Phoebe odsunęła się, a w Paulu zamarło serce; w tej historii nie przewidziano prostego zakończenia. Być może czekały ich odwiedziny po drugiej stronie Atlantyku i częste rozmowy przez telefon, ale nie było tam miejsca na zwyczajne, codzienne życie.

– Dobrze zrobiłaś – odezwała się matka. – Taka jestem szczęśliwa, że przyjechałaś na moje wesele, Phoebe. I ty także, Paul. Nawet nie wiecie, ile to dla mnie znaczy. Nie potrafię wyrazić tego słowami.

– Ja lubię wesela – zawołała Phoebe, wyciągając rękę po kawałek tortu.

Norah uśmiechnęła się, ale tym razem w uśmiechu pojawił się cień smutku. Paul obserwował Phoebe i zastanawiał się, jak on rozumie to, co się działo. Wydawała się nie martwić niczym, lecz raczej akceptowała świat jako fascynujące i niezwykłe miejsce, gdzie wszystko może się wydarzyć. Gdzie pewnego dnia pod twoimi drzwiami mogą zjawić się matka z bratem, o istnieniu których nie miałeś dotąd pojęcia, i zaprosić cię na wesele.

– Cieszę się, Phoebe, że przyjedziesz do nas do Francji – mówiła dalej matka. – Razem z Frederikiem jesteśmy bardzo szczęśliwi z tego powodu.

Phoebe podniosła głowę. Znów wydawała się zakłopotana.

– To chodzi o ślimaki – wyjaśnił szybko Paul. – Ona nie lubi ślimaków.

Norah wybuchła śmiechem.

– Nie martw się. Ja też ich nie lubię.

– Ale potem wracam do domu – zastrzegła Phoebe.

– Oczywiście – przytaknęła Norah. – Tak przecież się umówiliśmy.

Paul obserwował tę całą scenę, zupełnie bezradny wobec bólu, który przygniatał go jak kamień. W ostrym świetle dnia wyraźnie widział, jak matka się postarzała; widział jej cienką, przezroczystą skórę i blond włosy, w których prześwitywały pasma siwizny. Widział także jej urodę. Wydawała się taka piękna i krucha jednocześnie i nagle znów przyszła mu do głowy myśl, która często go nawiedzała w poprzednich tygodniach, że jak ojciec mógł ją tak zdradzić? Jak mógł tak zdradzić ich wszystkich?

– Dlaczego? – wyszeptał. – Dlaczego nam nie powiedział?

Matka odwróciła się w jego stronę i spojrzała poważnymi oczyma.

– Nie wiem. Nigdy tego nie zrozumiem. Ale wyobraź sobie, Paul, jak musiało wyglądać jego życie, kiedy przez tyle lat dźwigał w sobie tę tajemnicę.

Spojrzał na drugą stronę stołu. Phoebe usadowiła się pod topolą, której liście zaczynały już żółknąć, i wydrapywała widelcem resztki bitej śmietany.

– Nasze życie mogło wyglądać całkiem, całkiem inaczej.

– Masz rację. Ale one nie były inne, Paul. Zdarzyło się to, co się zdarzyło.

– Usiłujesz go bronić – powiedział powoli.

– Wcale nie. Wybaczam mu. To znaczy próbuję wybaczyć. To pewna różnica.

– On nie zasługuje na wybaczenie – Paul sam był zdziwiony przepełniającą go goryczą.

– Może nie – odpowiedziała. – Ale ty i Phoebe macie wybór. Nosić w sobie tę gorycz i złość, albo próbować iść do przodu. Szczerze mówiąc, to dla mnie najtrudniejsza rzecz – pozwolić, żeby ten słuszny gniew mnie opuścił. Cały czas toczę z sobą walkę. Ale wiem, że tego właśnie chcę.

Paul zastanowił się przez chwilę.

– Dostałem z Pittsburgha propozycję pracy.

– Naprawdę? – matka wpatrywała się w niego intensywnie, a jej oczy wydawały się bardziej zielone niż zwykle. – Masz zamiar ją przyjąć?

– Tak sądzę – Paul nagle zorientował się, że właściwie już podjął decyzję. – To bardzo dobra propozycja.

– Nie możesz tego naprawić – powiedziała miękkim tonem. – Nie możesz naprawić przeszłości.

– Wiem.

Naprawdę wiedział. Pierwszy raz jechał do Pittsburgha, wierząc, że to do niego należy zaoferowanie pomocy. Był nieco przerażony odpowiedzialnością, jaką miał na siebie wziąć, tym jak zmieni się jego życie, jeśli podejmie się opieki nad opóźnioną w rozwoju siostrą, i zdziwił się – szczerze mówiąc, mocno się zdumiał – słysząc jej zdecydowane: „Nie, akceptuję moje życie takim, jakim jest. Dziękuję bardzo".

– Twoje życie jest twoim życiem – mówiła dalej, tym razem bardziej natarczywie. – Nie jesteś odpowiedzialny za to, co się stało. Zresztą Phoebe ma zabezpieczenie finansowe.

– Wiem – przytaknął Paul. – Nie czuję się za nią odpowiedzialny. Mówię całkiem szczerze. Po prostu... Chodzi mi o to, że nie bardzo wiem, jak mam się zabrać do poznawania jej. Dzień po dniu. To znaczy, ona jest moją siostrą. Ta praca to naprawdę dobra propozycja, a ja potrzebuję zmian. Poza tym Pittsburgh to piękne miasto. Pomyślałem więc, czemu nie?

– Och, Paul... – westchnęła Norah i przesunęła dłonią po krótkich, siwiejących włosach. – Czy to naprawdę jest praca, o jakiej marzysz?

– Tak. Zdecydowanie tak.

Skinęła głową.

– To byłoby cudownie, mieć was obydwoje w jednym miejscu – przyznała. – Ale ty musisz myśleć o przyszłości w szerszym kontekście. Jesteś młody i dopiero zaczynasz szukać drogi. Wiem, że jeśli tak postąpisz, dobrze na tym wyjdziesz.

Zanim zdążył odpowiedzieć, Frederic stanął obok nich, pukając znacząco w zegarek. Muszą zaraz jechać, jeśli chcą zdążyć na samolot, powiedział. Po krótkiej chwili rozmowy wrócił do samochodu, zaś Norah odwróciła się do Paula, położyła mu rękę na ramieniu i musnęła ustami jego policzek.

– Chyba musimy już jechać. Odwieziesz Phoebe do domu?

– Tak. Caroline i Al powiedzieli, że mogę zamieszkać w ich domu.

Skinęła głową.

– Dziękuję, że przyszedłeś tutaj. To musiało być niełatwe dla ciebie, z szeregu różnych powodów. Ale dla mnie to miało wielkie znaczenie.

– Lubię Frederica – powiedział. – I mam nadzieję, że będziesz bardzo szczęśliwa.

Uśmiechnęła się i pogładziła go po ramieniu.

– Jestem z ciebie taka dumna, Paul... Czy ty w ogóle masz pojęcie, jak bardzo? I jak bardzo cię kocham?

Odwróciła się, żeby spojrzeć ponad stołem na Phoebe, która właśnie wsadziła sobie pod pachę pęk narcyzów. Lekki wietrzyk poruszał jej błyszczącą sukienką.

– Jestem dumna z was obojga.

– Frederic macha do ciebie – powiedział szybko, żeby ukryć nadmiar emocji. – Chyba czas jechać. Sądzę, że już jest gotowy. Idź i bądź szczęśliwa, mamo.

Obrzuciła go twardym, przeciągłym spojrzeniem, a w jej oczach pojawiły się łzy. Jeszcze raz ucałowała go w policzek.

Frederic przemierzył na ukos trawnik i na pożegnanie potrząsnął dłonią Paula. Paul obserwował, jak matka obejmuje jego siostrę i oddaje Phoebe swój bukiet; widział, że Phoebe odwzajemniła ten uścisk. Zaraz potem Norah i Frederic wsiedli do auta i wśród deszczu confetti, uśmiechów i machania na pożegnanie znikli za zakrętem. Paul wrócił do stołu, przystając co chwila, żeby pożegnać kogoś z gości. Cały czas starał się mieć Phoebe w zasięgu wzroku. Gdy podszedł bliżej, usłyszał, jak opowiada komuś o Robercie i swoim własnym weselu, zupełnie nie kontrolując własnych emocji. Jej głos brzmiał donośnie, ale mowa była nieco niewyraźna, przykra w odbiorze. Widział reakcję gościa – jego napięcie, niepewność, pełen cierpliwości uśmiech – i wreszcie skrzywienie. A Phoebe po prostu chciała mówić. Kilka tygodni wcześniej tak samo zareagował na próby zagarnięcia go w charakterze słuchacza.

– No i co, Phoebe? – spytał, podchodząc bliżej, żeby wtrącić się do rozmowy. – Może już pójdziemy?

– Dobrze – zgodziła się z entuzjazmem i odstawiła talerz.

Jechali przez okolicę otuloną w soczystą, bujną zieleń. Był naprawdę ciepły dzień. Paul wyłączył klimatyzację i opuścił szyby, przypominając sobie, jak jego matka pędziła samochodem przez te same krajobrazy, uciekając przed samotnością i żałobą, a wiatr wkręcał się w jej włosy. Musiał pokonywać razem z nią te upiorne tysiące mil, tam i z powrotem przez całą szerokość stanu; leżał w foteliku i starał się odgadnąć, gdzie akurat są, z widzianych w przelocie liści drzew, drutów telefonicznych i nieba. Pamiętał parowce, które przedzierały się przez błotniste wody Missisipi, i błysk kół odbijających wodę i światło. Nigdy nie rozumiał, skąd brał się smutek w oczach matki, ale potem niósł go z sobą wszędzie, gdziekolwiek się ruszył.

Teraz ten smutek zniknął; tak samo tamto życie dobiegło końca.

Jechał szybko, wszędzie dostrzegając oznaki zbliżającej się jesieni. Derenie zaczynały zmieniać kolor i na tle pagórków wyglądały jak chmury połyskliwej czerwieni. Kilka pyłków dostało się do nosa Paula, więc kichnął parę razy, ale nie zamykał okien. Jego matka włączyłaby klimatyzację, żeby w samochodzie zrobiło się chłodno jak w budce z kwiatami. Ojciec otworzyłby torbę i dał mu jakiś środek przeciwhistaminowy. Phoebe, tak blada, że niemal przezroczysta, siedząca sztywno na fotelu pasażera, wyciągnęła chusteczkę z małej paczuszki wetkniętej w głąb ogromnej torby z czarnego plastiku i podała mu ją. Na białej skórze dłoni dostrzegł jasnoniebieskie żyłki. Widział, jak żyła na jej szyi pulsuje w spokojnym, stabilnym rytmie.

Jego siostra. Jego bliźniaczka. Co by było, gdyby urodziła się bez zespołu Downa? Albo gdyby się urodziła taka, jaka jest, ale jego ojciec nie podniósłby oczu na Caroline Gill, podczas gdy za oknem padał śnieg, a kolega, który miał przyjechać do porodu, wylądował w rowie? Wyobraził sobie rodziców, tak młodych i tak szczęśliwych, jak pakują się do samochodu i jadą ostrożnie przez wilgotne ulice Lexington w marcową odwilż w noc jego narodzin. Słoneczny pokój przylegający do jego pokoju zajęłaby Phoebe. Wyobraził sobie, jak pędzą w dół po schodach, przez kuchnię do zarośniętego ogrodu... Jej twarz jest zawsze blisko jego twarzy, a jego śmiech jest odbiciem jej śmiechu. Kim byłby teraz on sam, gdyby w ten sposób potoczyło się jego życie?

Jednak matka miała rację; nie mógł przewidzieć, co w takim wypadku by się wydarzyło. Miał przed sobą jedynie gołe fakty. Oto ich ojciec odebrał poród własnej żony w środku szalejącej śnieżycy, postępując według procedur, które znał na pamięć, skupiony na mierzeniu pulsu i uderzeń serca leżącej na stole kobiety, na mocno napiętej skórze na jej brzuchu i uniesionej głowie. Oddech, odcień skóry, palce u rąk i nóg. Chłopiec. Na pierwszy rzut oka doskonale zbudowany. Gdzieś w głębi mózgu szczęśliwego ojca rozlega się radosny śpiew. Kilka sekund później rodzi się drugie dziecko. I śpiew zamiera na dobre.

Teraz byli już blisko miasta. Paul poczekał, aż uda się mu wskoczyć między pędzące samochody, a potem skierował się prosto na cmentarz w Lexington i minął stróżówkę zabudowaną z ciosanego kamienia. Zaparkował pod wiązem, który przetrwał setkę lat i zwalczył choroby, i wysiadł z auta. Obszedł samochód dookoła, otworzył drzwiczki i podał Phoebe rękę. Spojrzała na nią ze zdumieniem, a potem podniosła oczy na Paula. Potem samodzielnie wydostała się na zewnątrz, wciąż trzymając w ręku pęk narcyzów, teraz już częściowo zmiędlonych i połamanych. Przez chwilę szli ścieżką, mijając po drodze pomniki i staw z kaczkami, aż Paul poprowadził Phoebe przez wysoką trawę do miejsca, gdzie potężny kamień wskazywał miejsce pochówku ich ojca.

Phoebe przesunęła palcami po imionach i datach wyrytych w granicie, a Paul znów złapał się na tym, że zastanawia się, co dzieje się w jej głowie. Dla niej ojcem był przecież człowiek o nazwisku Al Simpson. To on wieczorami układał z nią puzzle i z podróży przywoził do domu jej ulubione albumy. To on nosił ją na ramionach tak, żeby mogła dotykać liści na wysoko rosnących gałęziach jawora. Dla niej ten kawałek granitu, to imię, mogło zwyczajnie nic nie znaczyć.

David Henry McCallister. Phoebe odczytała te słowa powoli i z namaszczeniem. Wypełniły one jej usta i uleciały w szeroki świat.

— Nasz ojciec — powiedział.

– Ojcze nasz, któryś jest w niebie, święć się imię twoje – wygłosiła Phoebe.

– Nie – odparł, całkiem zaskoczony. – Nasz ojciec. Mój ojciec. Twój.

– Nasz ojciec – powtórzyła, ale Paul poczuł przypływ frustracji, ponieważ zrobiła to absolutnie mechanicznie, jakby te słowa nie miały dla niej żadnego znaczenia.

– Jesteś smutny – zauważyła po chwili. – Gdyby mój tata umarł, też byłabym smutna.

Paul był zaskoczony jej spostrzegawczością. Zgadza się. Tak, był smutny. Nagle gniew gdzieś zniknął, a on całkiem inaczej odczuwał brak ojca. Jego własny wygląd był przypomnieniem tamtej obecności, tak samo jak każdy oddech, z wyboru, którego dokonał i z którego nie potrafił się wycofać. Zdjęcia Phoebe, które Caroline przysyłała przez wiele lat, znalazł w ukryte na dnie szuflady w ciemni zaraz po tym, jak wyszli stamtąd kuratorzy. Była tam także pojedyncza fotografia rodziny ojca – ta sama, którą Paul wciąż miał, zrobiona na ganku ich utraconego domu. I jeszcze tysiące innych, jedna za drugą. Ojciec nakładał obraz na obraz, starając się przysłonić nimi tamten moment, którego już nie był w stanie zmienić. Mimo to przeszłość – tak czy owak – powstawała na nowo, uporczywa jak pamięć i potężna jak sny.

Phoebe, jego siostra, tajemnica skrywana przez ponad ćwierć wieku.

Paul cofnął się o kilka stóp do wysypywanej żwirem ścieżki i zatrzymał się. Wsadził ręce do kieszeni i przyglądał się, jak nad jego głową liście kręcą się w podmuchach wiatru, a kawałek gazety unosi się nad rzędem białych kamieni. Chmury wędrowały po niebie, rzucając cienie na świat, zaś promienie słońca odbijały się od nagrobków. Liście delikatnie szemrały na wietrze, a pośród wysokich traw niósł się ledwie słyszalny szelest.

Pierwsze nuty były słabiutkie, prawie nie do odróżnienia od pomruków wiatru, i tak subtelne, że Paul musiał wytężać słuch. Odwrócił się w tamtą stronę. To Phoebe, która wciąż stała przy nagrobku Davida z ręką wspartą o krawędź ciemnego granitu, zaczęła śpiewać. Trawy nad grobami poruszały się lekko, a liście kołysały w takt wiatru. Phoebe śpiewała jakiś hymn, który Paulowi wydawał się znajomy. Co prawda nie odróżniał słów, ale głos siostry brzmiał tak słodko i czysto, że inni ludzie odwiedzający cmentarz zaczęli odwracać głowy w ich kierunku. Patrzyli na Phoebe – z siwiejącymi włosami, ubraną w sukienkę druhny i stojącą w niewymuszonej pozie, która swoim beztroskim, fletowo brzmiącym głosikiem wyśpiewywała niewyraźne słowa. Paul, przełykając ślinę, wbił wzrok w czubki własnych butów. Pomyślał, że przez resztę życie będzie musiał się zmagać z podobnymi sytuacjami; z niezdarnością Phoebe, z trudnościami, jakie napotykała tylko dlatego, że tak bardzo różniła się od innych ludzi, ale wsparciem dla niego będzie jej prosta, pozbawiona wszelkiej chytrości miłość.

Właśnie – miłość... I nagle, unosząc się na dźwiękach muzyki, zdał sobie sprawę z prostego faktu, że także w nim zrodziła się nowa i dziwnie nieskomplikowana miłość.

Głosik Phoebe, jasny i wysoki, szybował wśród liści, wśród promieni słońca, rozpryskiwał się na kamykach żwiru, na trawie... Paul wyobraził sobie nuty, które wpadają w powietrze tak samo jak kamienie w wodę, marszcząc jego delikatną, niewidzialną materię. Fale dźwięków, fale światła... Ich ojciec próbował każdą rzecz przyszpilić, ale otaczająca go rzeczywistość była płynna i nie dawała zamknąć się w żadnym naczyniu.

Liście tańczyły nad jego głową, słoneczny blask unosił się w powietrzu. Nieoczekiwanie Paul przypomniał sobie słowa tego starego hymnu i włączył się w śpiew. Phoebe zdawała się niczego nie zauważyć. Śpiewała dalej, akceptując jego obecność, podobnie jak obecność wiatru. Ich głosy połączyły się i muzyka brzmiała teraz wewnątrz Paula, brzęczała w środku jego ciała, ale była także na zewnątrz, a jej głos wydawał się bliźniaczym bratem jego głosu. Pieśń dobiegła końca, ale oni dalej stali bez ruchu w bladym świetle wrześniowego popołudnia. Wiatr uniósł kosmyk włosów Phoebe i przycisnął je do jej szyi, i cisnął zeschnięte liście tuż pod zniszczone, kamienne ogrodzenie.

Wszystko zwolniło biegu, dopóki świat nie zamknął się w tym jednym, zawieszonym w przestrzeni momencie. Paul stał bez ruchu, żeby przekonać się, co zaraz nastąpi.

Przez parę sekund nic.

Następnie Phoebe odwróciła się i wygładziła pomiętą sukienkę.

Prosty gest, który na nowo wprawił w ruch cały świat.

Paul dostrzegł jej krótkie, obcięte na równo paznokcie, jej delikatny przegub na tle granitowego nagrobka. Siostra miała malutkie rączki, tak samo jak ich matka. Kilkoma krokami przemierzył kawałek trawy i ostrożnie dotknął ramienia Phoebe, żeby zabrać ją do domu.

Suplement

Rozmowa z Kim Edwards

1. *„Córka opiekuna wspomnień" jest niezwykle mocnym połączeniem tragicznej i zarazem wzruszającej historii rodzinnej, i ekscytującej fabuły, którą czyta się jednym tchem. W pierwszym rzędzie dzieje się tak dzięki temu, że akcja koncentruje się na pojedynczym czynie jednostki, który wywiera wpływ na wszystko, na czym tej jednostce zależy. W jaki sposób wpadłaś na pomysł napisania takiej powieści?*

Kilka miesięcy po tym, jak ukazał się zbiór moich opowiadań *The Secrets of a Fire King*, jedna z kobiet – pastorów Kościoła Prezbiterialnego, do którego zaczęłam ostatnio uczęszczać, powiedziała, że musi mi opowiedzieć pewną historię. Ucieszyłam się, że pomyślała właśnie o mnie, lecz jednocześnie byłam trochę zdziwiona – przecież wróciłam na łono Kościoła po przeszło dwudziestu latach nieobecności – i przez to nastawiłam się sceptycznie do całej sprawy. Jednak mimo mojej skłonności do krytycyzmu musiałam przyznać, że tym razem dobrze trafiłam: kongregacja była pełna życia, postępowa i zaangażowana. Współpracująca para pastorów – małżeństwo, w którym obydwoje byli niegdyś profesorami uniwersytetu – wygłaszała przepiękne kazania, doskonałe pod względem intelektualnym i jednocześnie głęboko poruszające, które prowokowały wiernych do rozważań. Już wówczas podziwiałam ich z całej duszy. Niemniej jednak dość często zdarzało się, że ludzie dzielili się ze mną różnymi opowieściami i niezmiennie nic z tego nie wynikało. Tak więc podziękowałam mojej pani pastor, ale nie przywiązywałam większej wagi do jej propozycji.

W następnym tygodniu znów mnie zatrzymała. „Naprawdę muszę opowiedzieć ci tę historię" powiedziała i tak zrobiła. To było zaledwie parę zdań – o człowieku, który w późnym okresie życia odkrył, że miał brata urodzonego z zespołem Downa i zaraz po urodzeniu umieszczonego w specjalnym ośrodku. Jego istnienie trzymane było w sekrecie przed wszystkimi, nawet przed jego matką. Ów nieszczęśnik umarł w zakładzie dla upośledzonych jako zupełnie anonimowa osoba. Pamiętam, że ta historia wywarła na mnie wielkie wrażenie, jeszcze gdy jej słuchałam, i od razu przyszło mi do głowy, że można na tej podstawie napisać świetną powieść. Najbardziej zaintrygowała mnie idea sekretu ukrywanego w samym centrum rodziny, lecz mimo to już w następnej sekundzie pomyślałam: „Oczywiście, z pewnością nigdy nie napiszę tej książki".

I przez wiele lat było to prawdą. Jednak pamięć o tej sprawie wciąż żyła w moim sercu, tak jak to bywa z czymś, co ma dla nas znaczenie. W końcu, w jakimś zupełnie niezwiązanym z tamtą historią momencie, zostałam zaproszona na seminarium literackie dla osób upośledzonych umysłowo, organizowane przez stowarzyszenie z Lexington pod nazwą „Otwarte Głowy". Muszę przyznać, że byłam nieco zdenerwowana. Nie miałam wielkiego doświadczenia z upośledzonymi umysłowo ludźmi i nie bardzo wiedziałam, czego powinnam się spodziewać. Potem okazało się, że spędziliśmy wspaniałe przedpołudnie, pełne niesamowitych wypowiedzi, miłych niespodzianek i naprawdę udanych prób poetyckich. Przy końcu zajęć kilkoro uczestników serdecznie mnie uściskało.

To spotkanie wywarło na mnie ogromne wrażenie. Złapałam się na tym, że znów rozmyślam nad tamtą powieścią, tyle tylko że ze znacznie większym zainteresowaniem i zaangażowaniem. Mimo to upłynął kolejny rok, zanim zabrałam się do pracy. Pierwszy rozdział został napisany szybko i prawie od razu w ostatecznym kształcie, jakby zasiane dawno ziarno wydało plon, podczas gdy ja nie zwracałam na nie uwagi. W wywiadzie, który ukazał się w „Paris Review", Katherine Anne Porter porównuje zalążek powieści do kamienia rzuconego w wodę – mówi, że nie tyle ów zalążek wzbudza jej zainteresowanie, ile raczej tworzone przez niego fale, które wywierają wpływ na losy bohaterów. Doszłam do wniosku, że to szczera prawda. Kiedy już napisałam pierwszy rozdział, chciałam jak najprędzej dowiedzieć się, kim byli ci ludzie i w jaki sposób decyzja Davida wpłynęła na ich życie. I nie potrafiłam przestać, dopóki się nie dowiedziałam.

2. *Motywy, jakimi kieruje się człowiek... Pozornie proste pytanie, dlaczego robimy to, co robimy, czasami bywa bardzo skomplikowane, tak jak w wypadku Davida i jego brzemiennej w skutki decyzji. Czy jako twórca tej postaci potrafiłaś w jakikolwiek sposób wyrazić zrozumienie dla jego intencji?*

Och, oczywiście, że tak! Choćby nawet nikomu z nas nie było dane przeżyć równie dramatycznego momentu, to przecież każdemu zdarzają się podobne doświadczenia. Czasami reagujmy na określoną sytuację w sposób, którego sami nie rozumiemy. To zrozumienie przychodzi później, jeśli w ogóle przychodzi.

Od samego początku wiedziałam, że David nie jest złym człowiekiem. W pierwszym rozdziale podejmuje absolutnie błędną decyzję, ale nawet wówczas wierzy, że robi to dla czyjegoś dobra – pragnie uchronić Norah przed bólem, a to pragnienie jest zgodne z ówczesnymi normami, gdyż w tamtym czasie środowisko medyczne uważa izolację dzieci z zespołem Downa za najlepszy sposób postępowania.

Oczywiście jego zachowanie ma znacznie bardziej złożoną przyczynę. David tak naprawdę nigdy nie zmierzył się z rodzinną tragedią ani nie uporał się z własnym żalem po stracie siostry. Nie wydaje mi się, żeby w tamtych czasach takie postępowanie było czymś niezwykłym. Doradztwo psychologiczne w okresie żałoby jest stosunkowo nowym wynalazkiem. Z własnego dzieciństwa pamiętam ludzi z mojego miasteczka, którzy cierpieli z powodu śmierci kogoś bliskiego. Dookoła nich panowała zmowa milczenia. Wszyscy w okolicy wiedzieli, o co chodzi, i choć na pierwszy rzut oka widać było, że te osoby potrzebują psychicznego wsparcia, to jednak nikt nie spieszył im z pomocą ani nie wspominał o zmarłych. Tak samo było z Davidem. Jego sposób radzenia sobie z utratą siostry i z utratą rodziny, co nastąpiło na skutek tamtej śmierci, polegał na ciągłym wyrywaniu się do przodu i na przejęciu kontroli nad własnym życiem, żeby w oczach świata uchodzić za człowieka sukcesu. Mimo to nawet wówczas nie udało mu się do końca pogrzebać bolesnych wspomnień i kiedy Phoebe urodziła się z zespołem Downa – czego w żaden sposób nie mógł przewidzieć – dawny żal znów dał o sobie znać. Odpowiedź Davida na to, co się wydarzyło, w takim samym stopniu odnosi się do przeszłości jak teraźniejszości, ale zrozumienie tego faktu nastąpi dopiero po upływie kilkudziesięciu lat i po podróży, jaką David odbędzie do miejsca, gdzie dorastał.

3.   *Akcja powieści zaczyna się w roku tysiąc dziewięćset sześćdziesiątym czwartym. Czy sądzisz, że stosunek społeczeństwa do ludzi upośledzonych uległ zmianie od tamtej pory? Czy jesteśmy bardziej światli i skłonni do akceptacji?*

Tak, moim zdaniem w czasie minionych kilku dekad sprawy zmieniły się na lepsze, ale powiedziałabym, że ten proces wciąż trwa i że przed nami jeszcze długa droga.

Z pewnością pisanie tej powieści dla mnie osobiście było czymś w rodzaju oświecenia. Z początku nie miałam pojęcia, jak wyobrażać sobie postać Phoebe. Sam fakt istnienia sekretu i jego wpływ na życie rodziny zmuszał mnie do pewnych rozwiązań, ale moja wiedza na temat zespołu Downa była wówczas dość ograniczona. Stworzenie przekonującej postaci, która byłaby sobą, a nie odzwierciedleniem pewnego stereotypu, i uniknięcie przy tym zbytniego sentymentalizmu albo protekcjonalnego stosunku do niej wydawało się zadaniem ponad siły.

Zaczęłam czytać i prowadzić na własną rękę coś w rodzaju badań. Tak samo starałam się szukać okazji do rozmów. Pierwsza para, z jaką udało mi się nawiązać nić porozumienia, miała córkę, która dorastała w tym samym okresie, w którym dzieje się akcja powieści. Ci ludzie okazali się niezwykle pomocni, a przy tym otwarci, bezpośredni i zwyczajnie mądrzy. Kiedy przeczytałam im pierwszy rozdział, odpowiedzieli natychmiast, że miałam całkowitą rację, przedstawiając tak a nie inaczej reakcję doktora. Stosunek Davida do osoby z zespołem Downa może nam wydawać się skandaliczny, ale trzeba pamiętać, że były czasy, i to wcale nie tak bardzo odległe, kiedy tego typu idee były szeroko rozpowszechnione.

Racjonalny stosunek do chorych uległ zmianie, i to dość łatwo, ponieważ rodzice dzieci z zespołem Downa odmówili stanowczo – podobnie jak Caroline na kartach powieści – zaakceptowania z góry narzuconych ograniczeń. Walka, jaką toczy Caroline z bezduszną biurokracją, ma wymiar symboliczny; w tamtej epoce tego typu zmagania toczyły się w całym kraju. Ich celem była zmiana ogólnie obowiązującego wizerunku i otwarcie drzwi, które dotąd były zamknięte na głucho.

Te zmiany nie następowały i nie następują łatwo; nie obywają się bez wielkich kosztów, jakie ponoszą ci, którzy walczyli – i wciąż walczą – aby ich dzieci stały się bardziej widoczne dla świata. Podczas poszukiwań prowadzonych podczas pisania tej książki często słuchałam wzruszających do łez opowieści, świadczących o wielkiej determinacji i odwadze. Często także zdarzało się, że olbrzymie wrażenie wywierała na mnie wylewna wielkoduszność ludzi z zespołem Downa i ich rodzin. Niezwykle chętnie spotykali się ze mną, żeby podzielić się spostrzeżeniami i doświadczeniami z własnego życia, żeby opowiedzieć o radościach i troskach i żeby pomóc mi to wszystko ogarnąć. Wielu z nich czytało później moją książkę i pokochało ją, co w moich oczach jest najlepszym miernikiem jej sukcesu.

4. *Przez całą powieść zręcznie wykorzystujesz w charakterze metafory sztukę fotografowania. Czy sama interesujesz się fotografiką, czy może zdobywałaś wiedzę na ten temat, traktując to jako część procesu tworzenia?*

Nie jestem fotografem, choć przez parę lat college'u przyjaźniłam się z ludźmi, którzy zajmowali się tym zawodowo. Prawdę mówiąc, niektórzy z nich posiadali w domach ciemnie fotograficzne i fotografia przewijała się wciąż w naszych rozmowach. Czasem nawet zdarzało mi się jeździć z nimi, gdy szukali jakichś konkretnych miejsc czy obiektów do fotografowania. Nie bardzo interesowałam się sprawami czysto mechanicznymi – terminy takie jak „przysłony" czy „korekta ekspozycji" przyprawiały mnie o dreszcze – ale zawsze czułam coś w rodzaju fascynacji, gdy widziałam, jak na zanurzonym w wywoływaczu papierze pojawia się zdjęcie, a zwykła kąpiel w chemikaliach wyczarowuje obraz w miejscu, gdzie przed chwilą nic było niczego. Ten powolny i tajemniczy proces zawsze w pewien sposób kojarzył mi się z narodzinami. Intrygowało mnie także wykorzystanie światła i fakt, że ekspozycja na światło mogła bezpowrotnie zniszczyć nieutrwalone zdjęcie.

Pamiętam także, jak bardzo mnie irytowało – i to nie raz – kiedy któryś z moich przyjaciół odczuwał nagłą potrzebę zrobienia fotki akurat w chwili, w której wszystkim to przeszkadzało, na przykład podczas rodzinnego zjazdu lub przyjęcia z okazji urodzin. Zastanawiałam się, w jaki sposób obecność fotografa zmienia naturę tej chwili? Co się zyskuje, a co traci, kiedy towarzyszy nam wszędobylskie oko aparatu?

Podczas wczesnych etapów pisania tej powieści przeczytałam w „New Yorkerze" esej o fotografie Walkerze Evansie, w którym w niezwykle elokwentny sposób omówiono wiele z powyższych wątpliwości, co przypomniało mi dyskusje z moimi przyjaciółmi. Norah daje Davidowi w prezencie aparat fotograficzny i od tego momentu zaczęłam wkładać sporo pracy w poszukiwanie wiedzy na ten temat. Między innymi spędziłam trochę czasu w Eastman Kodak Museum i przeczytałam od deski do deski fascynującą książkę Susan Sontag „On Photography".

5. *Miasto Pittsburgh zajmuje w powieści istotne miejsce i jest opisywane w dość tkliwy sposób. („Nagle przed zachwyconymi oczyma Caroline zajaśniało miasto… tak zadziwiające swym ogromem i pięknością, że odruchowo wstrzymała oddech i wcisnęła hamulec, żeby nie utracić kontroli nad samochodem"). Pittsburgh nie jest miastem, które zwykle porusza czyjąś wyobraźnię albo w którym autorzy skłonni są umiejscowić akcję swoich powieści. Czy możesz nam wyjawić, dlaczego wybrałaś właśnie Pittsburgh i czy czujesz się – jeśli w ogóle – w jakiś szczególny sposób związana z tym miastem?*

Nigdy wcześniej nie widziałam Pittsburgha, dopóki się tam nie przeprowadziłam… Obydwoje z mężem pracowaliśmy w Kambodży jako nauczyciele, kiedy zaproponowano mu zrobienie doktoratu z filozofii na Uniwersytecie w Pittsburghu. To było jeszcze zanim upowszechniła się poczta elektroniczna; w Phnom-Penh nie było telefonów, a elektryczność bywała raczej sporadycznie. Nie mając praktycznie żadnego wyobrażenia o Pittsburghu, zgodziliśmy się na przeprowadzkę, a kiedy mąż wysyłał list z akceptacją propozycji, wizja smogu z hut i wszechobecnego przemysłu ciężkiego wisiała nad nami jak gradowa chmura.

Wrażenia Caroline przejeżdżającej przez most Fort Pitt są moimi wrażeniami. To był naprawdę widowiskowy moment; człowiek wypada z nieskończenie długiego tunelu Fort Pitt na most spinający brzegi Monogaheli, tuż przed miejscem, gdzie łączy się ona z Allegheny i tworzy potężną Ohio River. Wszędzie dookoła lśni woda; miasto zwęża się w stronę cypla między dwiema rzekami, zaś w połowie odległości wyrastają zielone wzgórza, usiane jednorodzinnymi domami. Szef programu MFA na Uniwersytecie w Pittsburghu wyznał mi kiedyś, że bardzo lubi osobiście odbierać gości z lotniska, ponieważ nieodmiennie słyszy okrzyki zachwytu, gdy tylko ich oczom ukaże się ten niezwykły widok.

Spędziłam w Pittsburghu cztery lata i mogłabym szczęśliwie mieszkać tam dalej, gdyby pozwoliły na to okoliczności. To fascynujące miasto, pełne parków i o bogatej przeszłości. To także cudowne miejsce dla tych, którzy uwielbiają piesze wycieczki, ponieważ można tu znaleźć przepiękne stare dzielnice i miejsca, gdzie człowiek niespodziewanie staje na urwistym brzegu i wpatruje się w nurt wiecznie zmieniającej się rzeki.

6. *„Córka opiekuna wspomnień", choć w ostatecznym rozrachunku jest książką o odkupieniu i nadziei, to jednak ujawnia także mroczne strony ludzkiej natury. Aktorzy często mówią o tym, że granie ról operujących na granicy bolesnych emocji może niekorzystnie odbić się na ich psychice; z kolei inni twierdzą, że po prostu grają co trzeba, a praca w żaden sposób nie wpływa na ich codzienne życie. Jak praca nad tak chwytającą za serce powieścią wpłynęła na stan twojego umysłu? Czy kiedy skończyłaś pisać, pozwoliłaś, żeby ta historia znikła z twojej pamięci?*

No cóż, każda z postaci toczy jakąś walkę, prawda? Każda przechodzi przez smugę cienia, lecz mimo nie nigdy nie uważałam, że tworzenie tej powieści w jakiś sposób jest dla mnie bolesne. Po części, jak sądzę, stało się tak dlatego, że po kolei utożsamiałam się z nimi wszystkimi – z tym, kto ukrywa w głębi serca straszną tajemnicę, i z tymi, przed którymi jest skrywana; z rodzicem, który tęskni do dziecka, i z dzieckiem, które marzy o harmonii i jedności rodziny; z wędrowcem i z tym, kto zostaje w jednym miejscu. W każdym wypadku towarzyszyłam im w drodze, jaką musieli przebyć, by poznać samych siebie. Budzili moje zainteresowanie; chciałam się dowiedzieć, jakie będą ich dalsze losy i kim w końcu się okażą. Mogłam to osiągnąć jedynie poprzez dalszą pracę nad książką. Poza tym, ponieważ powieść jest skonstruowana w ten sposób, że równolegle poznajemy losy czterech różnych postaci i wciąż przeskakujemy od jednej do drugiej, zawsze, ilekroć czułam, że stoję w miejscu, mogłam cofnąć się o krok i zacząć pracować nad innym wątkiem. To dawało mi poczucie pewnej swobody i pozwalało na oderwanie się od problemów jednego bohatera i skoncentrowanie na kimś innym.

7. *Jako uhonorowana nagrodą autorka krótkich form literackich byłaś dotąd znana i ceniona za zbiór opowiadań „The Secrets of a Fire King". Czy możesz nam uchylić rąbka tajemnicy, jak to się stało, że postanowiłaś się zająć pisaniem powieści i czym różni się praca nad powieścią od tworzenia opowiadań?*

Kiedy ukazał się zbiór moich opowiadań, kilku krytyków wyraziło opinię, że każde z nich jest potencjalnym materiałem na powieść. To wydawało mi się dość interesujące, ponieważ opowiadanie zawsze odbierałam jako opowiadanie – nie potrafiłam sobie wyobrazić, że mogłoby być dłuższe choćby o jedno słowo. Podobnie *Córka opiekuna wspomnień* od razu funkcjonowała w mojej wyobraźni jako powieść. Mimo różnicy w zawiłości akcji i długości tekstu pisanie powieści bardzo przypomina pracę nad opowiadaniem. Oczywiście, w powieści mamy do czynienia z o wiele bardziej obszerną materią i w związku z tym pole do badań jest znacznie większe, ale proces poznawania, odkrywanie nieznanych obszarów i intuicyjne poszukiwanie kolejnej chwili i następnej, i jeszcze następnej wygląda tak samo. Dla mnie pisanie nie jest czymś linearnym, choć jestem gorącą zwolenniczką tworzenia kolejnych wersji. Wracanie do czegoś, co już zostało napisane, wydaje mi się pewnego rodzaju archeologią, dzięki której mam możliwość głębszego wniknięcia w tekst i wydobycia na powierzchnię tego, co wciąż pozostaje w ukryciu.

8. *Kto jest twoim ulubionym autorem i co obecnie czytasz?*

Czytam mnóstwo rzeczy. Zawsze z chęcią wracam do książek Alice Munro i Williama Trevora. Właśnie skończyłam *Gilead* Marylinne Robinson i z pewnością wkrótce zacznę czytać ją na nowo, aby znów rozsmakować się w pięknie języka, jakim napisana jest ta książka. Obecnie na moim biurku leżą nowe powieści Ursuli Hegi i Sue Monk Kidd, a także wiersze Pablo Nerudy. Podczas pisania *Córki opiekuna wspomnień* często zaglądałam do klasycznych dzieł, osnutych wokół ukrytego w samym centrum sekretu, na przykład do nadzwyczajnej *Zbrodni i kary* Fiodora Dostojewskiego i *The Scarlett Letter* Nathaniela Hawthorne'a. Oprócz tego jestem właśnie w połowie cyklu czterech powieści Thomasa Manna opartych na historii Józefa i jego braci. Takie klasyczne historie są natchnieniem dla następnej powieści, którą planuję napisać.

9.   *Nad czym pracujesz obecnie?*

Właśnie zaczęłam nową powieść zatytułowaną *The Dream Master*. Akcja rozgrywa się w okolicy Finger Lakes, w północnej części stanu Nowy Jork, gdzie spędziłam dzieciństwo. Ten region jest olśniewająco piękny i w pewnym rzeczywistym sensie pozostaje krajobrazem z mojej wyobraźni. Podobnie jak w wypadku *Córki opiekuna wspomnień* akcja rozwija się na kanwie sekretu – chociaż w tym wypadku chodzi o zdarzenia z przeszłości, których nie zna nie tylko czytelnik, ale i bohaterowie dramatu, tak więc zarówno pod względem konstrukcyjnym, jak i zawartości tematycznej kolejna książka stanowi całkowicie nowe odkrycie.

Pytania do dyskusji

1. Jaka była twoja bezpośrednia reakcja na czyn Davida, który oddał nowo narodzoną córkę Caroline, a swojej żonie, Norah, powiedział, że dziecko umarło? Czy na tym wczesnym etapie potrafiłaś okazać zrozumienie dla motywów, jakimi się kierował? A może zaczęłaś rozumieć je znacznie później, w miarę jak zagłębiałaś się w akcję powieści?

2. David opisuje uczucie „wyobcowania", jakie towarzyszyło mu w dzieciństwie w kontaktach z własną rodziną, i określa siebie jako „oszusta" w życiu zawodowym w charakterze lekarza. Co możesz powiedzieć o psychice Davida, jego przeszłości i o tym, co doprowadziło go do podjęcia tak brzemiennej w skutki decyzji?

3. Kiedy David wydał polecenie odwiezienia Phoebe do zakładu dla upośledzonych, Caroline mogła odmówić albo zwrócić się do wyższej instancji. Dlaczego tego nie zrobiła? Czy miała prawo postąpić tak jak postąpiła i wychowywać Phoebe jako rodzone dziecko? Czy Caroline miała moralny obowiązek od razu powiadomić o wszystkim Norah? Czy jej moralne zobowiązania ograniczały się po prostu do zapewnienia Phoebe jak najlepszej opieki bez względu na koszty? Dlaczego zdecydowała się przyjechać do Norah po śmierci Davida?

4. Chociaż David nie chciał mieć z nią nic wspólnego, Phoebe prowadziła normalne, bogate życie, a jej obecność przynosiła Caroline i Alowi wiele satysfakcji. Jej historia stawia przed nami pytanie, na jakiej podstawie rozstrzygamy o takiej czy innej wartości czyjegoś istnienia. Jak ty zdefiniowałabyś tego rodzaju życie? W kontekście życia Phoebe, jak oceniasz jakość życia Paula jako dorosłej osoby?

5. Przez całą powieść przewijają się wyznania bohaterów, że często mają wrażenie obserwowania własnego życia z zewnątrz. Na przykład David opisuje w ten sposób akcję porodową swojej żony: „Nagle poczuł się tak, jakby w przedziwny sposób oderwał się od podłogi i zawisł w powietrzu... jakby z góry obserwował ich obydwoje". Czego twoim zdaniem chce dowieść Kim Edwards? Czy doświadczyłaś we własnym życiu czegoś podobnego?

6. Między Davidem i Caroline istnieje głęboka więź, którą trafnie przedstawia pewien szczególny moment, tak opisany z punktu widzenia Davida: „Ich oczy spotkały się i doktorowi wydawało się, że zna tę kobietę – że znają siebie nawzajem – w pewien dogłębny i oczywisty sposób". Jakie znaczenie miała tamta chwila dla każdego z nich dwojga? Jak opisałabyś łączący ich związek? Jak sądzisz, dlaczego David poślubił Norah, a nie Caroline?

7. Po tym, jak Norah udało się zniszczyć gniazdo os, Edwards pisze, że coś szczególnego wydarzyło się w jej życiu: „eksplozja, po której życie już nigdy nie będzie takie jak przedtem". Co według ciebie miała na myśli autorka i jakie znaczenie dla Norah ma zwycięska „walka" z osami?

8. Spotkanie Davida z Rosemary okazuje się być dla niego swoistym oczyszczeniem. Jakie cechy posiada Rosemary, skoro właśnie jej David decyduje się wyznać całą prawdę? Dlaczego czuje się zobligowany do udzielenia jej pomocy?

9. Tajemnica, którą David dźwiga na własnych barkach, ma destrukcyjny wpływ na życie jego samego i jego rodziny. Czy potrafisz wyobrazić sobie okoliczności, w których taka decyzja, która ma na celu chronienie najbliższych przed bolesną prawdą, byłaby całkowicie słuszna i usprawiedliwiona?

10. Jak sądzisz, jaka byłaby odpowiedź Norah, gdyby David od samego początku był z nią uczciwy i szczery? Jak zareagowałaby na wieść, że urodziła córkę z zespołem Downa? W jaki sposób zmieniłoby się ich życie, gdyby tamtego fatalnego dnia David nie zdecydował się oddać dziecka Caroline?